Tobias Fink
Lernkulturforschung in der Kulturellen Bildung

Kulturelle Bildung vol.25

Eine Reihe der BKJ - Bundesvereinigung Kulturelle Kinder- und Jugendbildung, Remscheid (vertreten durch Hildegard Bockhorst und Wolfgang Zacharias) bei kopaed

Beirat
Karl Ermert (Bundesakademie Wolfenbüttel)
Burkhard Hill (Hochschule München)
Birgit Jank (Universität Potsdam)
Peter Kamp (Vorstand BKJ/BJKE)
Birgit Mandel (Universität Hildesheim)
Wolfgang Sting (Universität Hamburg)
Rainer Treptow (Universität Tübingen)

Kulturelle Bildung setzt einen besonderen Akzent auf den aktiven Umgang mit künstlerischen und ästhetischen Ausdrucksformen und Wahrnehmungsweisen: von Anfang an und lebenslang. Sie umfasst den historischen wie aktuellen Reichtum der Künste und der Medien. Kulturelle Bildung bezieht sich zudem auf je eigene Formen der sich wandelnden Kinderkultur und der Jugendästhetik, der kindlichen Spielkulturen und der digitalen Gestaltungstechniken mit ihrer Entwicklungsdynamik.

Entsprechend der Vielfalt ihrer Lernformen, Inhaltsbezüge und Ausdrucksweisen ist Kulturelle Bildung eine Querschnittsdisziplin mit eigenen Profilen und dem gemeinsamen Ziel: Kultur leben lernen. Sie ist gleichermaßen Teil von Sozial- und Jugendpolitik, von Kunst- und Kulturpolitik wie von Schul- und Hochschulpolitik bzw. deren Orte, Institutionen, Professionen und Angebotsformen.

Die Reihe „Kulturelle Bildung" will dazu beitragen, Theorie und Praxis Kultureller Bildung zu qualifizieren und zu professionalisieren: Felder, Arbeitsformen, Inhalte, Didaktik und Methodik, Geschichte und aktuelle Entwicklungen. Die Reihe bietet dazu die Bearbeitung akzentuierter Themen der ästhetisch-kulturellen Bildung, der Kulturvermittlung, der Kinder- und Jugendkulturarbeit und der Kulturpädagogik mit der Vielfalt ihrer Teildisziplinen: Kunst- und Musikpädagogik, Theater-, Tanz-, Museums- und Spielpädagogik, Literaturvermittlung und kulturelle Medienbildung, Bewegungskünste, Architektur, Stadt- und Umweltgestaltung.

Tobias Fink

Lernkulturforschung in der Kulturellen Bildung

Videographische Rahmenanalyse der Bildungsmöglichkeiten eines Theater- und Tanzprojektes

www.kopaed.de

Bibliografische Information Der Deutschen Nationalbibliothek
Die Deutsche Nationalbibliothek verzeichnet diese Publikation in der Deutschen Nationalbibliografie; detaillierte bibliografische Daten sind im Internet über http://dnb.ddb.de abrufbar

Diese Arbeit wurde unter dem Titel „‚Ihr habt am Freitag Premiere, nicht Ich!' – Eine differenzorientierte Rahmenanalyse der Lernkultur eines Tanz- und Theaterprojekts mit Grundschulkindern" vom Fachbereich 1 Erziehungs- und Sozialwissenschaften der Universität Hildesheim 2011 als Dissertation angenommen.

ISBN 978-3-86736-325-9

Druck: docupoint, Magdeburg

© kopaed 2012
Pfälzer-Wald-Str. 64, 81539 München
Fon: 089. 688 900 98 Fax: 089. 689 19 12
E-Mail: info@kopaed.de Internet: www.kopaed.de

Inhalt

Vorwort — 9

Licht in die Black Box! – Zielsetzung und Aufbau der Arbeit — 11

Teil I: Die Praxis Kultureller Bildung als Forschungsgegenstand — 17

1 Forschung im Bereich der Kulturellen Bildung — 20
1.1 Kulturelle Bildung als Prozess und als Ergebnis — 21
1.2 Wirkungsbehauptungen in der Kulturellen Bildung — 25
1.3 Forschungsansätze in der Kulturellen Bildung — 27
1.4 Die Projektpraxis als Forschungsgegenstand: Eine Zusammenfassung — 37

2 Theoretische Grundlagen zur Erforschung sozialer Interaktionen — 39
2.1 Zur Begriffsgeschichte: Lernkultur — 40
2.2 Lernkultur als Begriff empirischer Bildungsforschung — 45
2.3 Die Ethnomethodologie als Handlungstheorie — 53
2.4 ERVING GOFFMANNS Interaktionsordnungen und der Begriff des Rahmens — 62
2.5 Zusammenfassung: Die Rahmenanalyse als Mittel, Lernkulturen systematisch zu beschreiben — 68

3 Forschungsperspektive: Diversität — 70
3.1 Ein ethnomethodologisches Verständnis von Diversität — 71
3.2 Diversity Education: Betonung der Gleichheit oder Erziehung zur Vielfalt? — 80
3.3 Diversitätserzeugende Praktiken als Forschungsperspektive — 83
3.4 Ist Geschlecht omnirelevant? — 84
3.5 Natioethnokulturelle Mitgliedschaft — 92
3.6 Pädagogische Differenzlinien: Erwachsener/Kind – LehrerIn/SchülerIn – AnleiterIn/TeilnehmerIn — 97
3.7 Egalitäterzeugende Praktiken als Forschungsperspektive — 101

4 Zusammenfassung: Eine differenzorientierte Rahmenanalyse — 102

Teil II: Die videographische Rahmenanalyse 105

1 Theoretische Grundlagen der videographischen Rahmenanalyse 107

2 Die videographische Datenerhebung 114
2.1 Das Problem der „Reaktivität" 114
2.2 Das Verhältnis von Videoabbildung und „Wirklichkeit" 116
2.3 Der Unterschied zwischen Beobachtung und Teilnahme 118
2.4 Technische Schwierigkeiten 119

3 Komplexitätsreduktion durch Datendokumentation und Datenanalyse 121
3.1 Analysemethoden zwischen Bleistift, MoviScript, Transana, EXMARaLDA 121
3.2 Der Datenzugriff 123
3.3 Angewendete Techniken der Datenanalyse 125

4 Datendarstellung als spezifisches Problem der Videographie 131

Teil III: Rahmenanalysen der Lernkultur 135

1 Das Anfangs- und Abschlussritual 141

2 Spiele 153
2.1 Das Rahmendrehbuch von Spielen 153
2.2 Spielklassifikationen 164
2.3 Der Gordische Knoten – ein Communitas-Spiel 166
2.4 Der Stopptanz und seine Variationen 171
2.5 Mimicry-Spiele 176
2.6 Differenz- und egalitätserzeugende Praktiken in Spielen 180

3 Exkurs: Natioethnokulturelle Mitgliedschaft 183
3.1 Nur Englisch können? Sprachdefizit und Sprachfähigkeit 184
3.2 Exklusion durch natioethnokulturelle Mitgliedschaft 186
3.3 Die Darstellung natioethnokultureller Mitgliedschaften auf der Bühne 192
3.4 Fazit: Rigorose Reflexivität tut Not! 198

4 Übungen 200
4.1 Übungen: „Was wir jetzt machen, ist nicht nur Spiel!" 201
4.2 Die Übung „Vom Tier zum Satz" 211
4.3 „Solo" – eine soziale Organisationsform von Übungen 212
4.4 Soziale Organisationsform: Zentrale Fokussierung 218
4.5 Differenz- und egalitätserzeugende Praktiken in Übungen 224

Inhalt

5	**Gestaltungsaufgaben**	**226**
5.1	Was sind „Gestaltungsaufgaben"?	226
5.2	Einen Anfang finden	228
5.3	Handlungsstrategie 1: Kommandieren oder Regie führen?	230
5.4	Handlungsstrategie 2: Planen	236
5.5	Handlungsstrategie 3: Spielen	239
5.6	Differenz- und egalitäterzeugende Praktiken in den Arbeitsphasen von Gestaltungsaufgaben	244
6	**Tanzrahmen**	**247**
6.1	Der Chace-Kreis	247
6.2	Hiphop-Choreographien	252
6.3	Tanz ≠ Tanz: Gemeinschaftserleben vs. Können/Nicht-Können	260
7	**Gesprächsrahmen**	**264**
7.1	Geschichtenentwicklungsgespräche	265
7.2	Feedbacksituationen	276
7.3	Differenz- und egalitäterzeugende Praktiken in Gesprächsrahmen	288
8	**Proben**	**291**
8.1	Formen von „Proben"	291
8.2	Entwicklungsproben	293
8.3	Arbeit-an-der-Form-Proben	304
8.4	Durchläufe	314
8.5	Differenz- und egalitäterzeugende Praktiken in Proben	318
9	**Rahmenwechsel, Pausen, Atelierphasen**	**321**
9.1	Rahmenwechsel	321
9.2	Pause machen	329
9.3	Selbstverantwortete Rahmen: Atelierphasen	337
9.4	Die Organisation von Rahmenwechseln und die Aufrechterhaltung von Rahmen	341
10	**Präsentationen**	**343**
10.1	Rückschau: Präsentationssituationen in Spielen, Tänzen, Übungen und Proben	344
10.2	Aufführungen: Öffentliche Präsentationssituationen	349
10.3	Differenz- und egalitäterzeugende Praktiken in Präsentationssituationen	355
11	**Die Lernkultur der Tanz- und Theater-AG**	**358**
11.1	Die Lernkultur auf einen Blick	359
11.2	Die untersuchten Rahmen und ihre Differenzen	359
11.3	Differenz- und egalitäterzeugende Praktiken	364

Teil IV: Einordnung der Ergebnisse und Forschungsperspektiven		375
1	Die Rahmenanalyse als Grundlage einer deskriptiven Lernkulturforschung	377
2	Forschungsperspektive: Egalitäterzeugende Praktiken	380
3	Bildungsmöglichkeiten von Tanz- und Theaterprojekten	382
3.1	Differenzerfahrungen zwischen Nicht-Ich und nicht Nicht-Ich	382
3.2	Verantwortungsübernahme	383
3.3	Erfahrung von Sozialer Anerkennung	385
3.4	Darstellerische Selbstwirksamkeitserfahrung	387
Anhang		389
1	Transkriptionsrichtlinien	391
2	Sequenzverzeichnis	393
3	Literaturverzeichnis	397

Vorwort

In der vorliegenden Arbeit analysiert Tobias Fink Prozesse der Praxis Kultureller Bildung anhand von Videomitschnitten aus dem Münchner Tanz- und Theaterprojekt „Leben lernen", das mit Grundschülerinnen und Grundschülern durchgeführt wurde. Die Studie ist methodisch anspruchsvoll und innovativ. Wissenschaftliche Begleitforschungen im Praxisfeld der Kulturellen Bildung analysieren in der Regel die (überzeugenden) Endprodukte im Hinblick auf Ergebnisse und Wirkungen. Die Prozesse des Lernens und die Interaktionen, die dabei stattfinden, bleiben meist mangels methodischer Möglichkeiten unbeobachtet. Auch die Lernkultur, also die spezifischen Bedingungen, unter denen Aneignungsprozesse kultureller Praxis stattfinden, sind bislang noch kaum untersucht.

Tobias Fink gelingt es mit seiner selbst entwickelten „Videographischen Rahmenanalyse", solche Prozesse sichtbar zu machen. Die Rahmenanalyse orientiert sich an der Rahmentheorie Erving Goffmans und der Ethnomethodologie. Demnach stellen die Beteiligten den Handlungsrahmen in der Interaktion jeweils situativ her. In den detaillierten sequenziellen Videoanalysen entdeckt Tobias Fink so nicht nur die zentralen Handlungsstränge der Kulturellen Bildung, sondern darüber hinaus auch die Entstehung von Nebenaktivitäten, Störungen und kreativen Problemlösungen.

Die leitende Forschungsfrage lautet: „Was machen die beteiligten Personen eigentlich in solchen Projekten?" Auch die Fragen nach dem Mehrwert bzw. nach den nichtalltäglichen Erfahrungen für Schülerinnen und Schüler bzw. Lehrerinnen und Lehrer in künstlerischen Projekten weisen auf die Erkenntnis-Leerstellen in der (kultur-)pädagogischen Forschung hin. Die detaillierten videographischen Rahmenanalysen sind geeignet, durch die Rekonstruktion einzelner Situationen Antworten auf diese Fragen zu geben.

Ein kulturelles Bildungsprojekt muss nicht – wie oft behauptet wird – per se und voraussetzungslos ein Gewinn für die Beteiligten sein. Lernkulturen, nach Fink die „Summe der in ihr verwirklichten Rahmen", sollten daher systematisch beschrieben und analysiert werden, will man bestimmen, wann und unter welchen Bedingungen Lern- und Bildungsprozesse in künstlerischen Projekten mit Gewinn stattfinden. Entsprechend diesem Anspruch entwickelt Tobias Fink hier einen wichtigen methodischen und analytischen Zugang, der es ermöglicht, die Grundlagen der Kulturellen Bildung durch die Beobachtung und Analyse der Praxis herauszuarbeiten. Es mangelt derzeit an kreativen Forschungsmethoden und Darstellungsformen, um die Qualität Kultureller Bildungsprojekte zu beschreiben. Die vorliegende Studie von Tobias Fink stellt hier eine sehr erfreuliche Ausnahme dar!

Es bleibt zu hoffen, dass viele Forscherinnen und Forscher sowie Praxisfachleute, angeregt durch dieses Beispiel, beginnen, sich tiefergehend mit einer prozessorientierten Analyse kultureller Bildungspraxis auseinanderzusetzen und neue Wege ihrer Erforschung anzustreben. Nur dann können aus unserer Sicht eine qualitative Weiterentwicklung des Feldes und eine transparente Beurteilung der Potenziale – aber auch der gelegentlichen Überschätzungen – kultureller Bildungspraxis ermöglicht werden.

Hildesheim und München im Mai 2012
Vanessa-Isabelle Reinwand und Burkhard Hill

Licht in die Black Box! –
Zielsetzung und Aufbau der Arbeit

Die hohe Bedeutung Kultureller Bildung wird zur Zeit in zahlreichen Publikationen, Agenden und Resolutionen beschworen.[1] Dabei wird Kulturelle Bildung meist als ein Allheilmittel gegen (fast) alle gesellschaftlichen Probleme angepriesen: Sie soll dabei helfen, Bildungsungerechtigkeiten abzubauen und Intelligenz, soziale Kompetenz, Selbstvertrauen, die Fähigkeit zum kritischen Denken und noch vieles andere mehr zu fördern.[2]

Die Durchsicht publizierter Studien im Bereich der Forschung in der Kulturellen Bildung zeigt aber, dass es nur wenige Arbeiten gibt, die versucht haben, die prognostizierten Wirkungen auch empirisch zu belegen.[3] In diesen Arbeiten wird die Praxis Kultureller Bildung fast ausnahmslos als „black box" behandelt.[4] Es finden sich darin nur programmatische Beschreibungen, über die konkrete Durchführung einzelner Projekte erfährt man so gut wie nichts. Ziel der vorliegenden Arbeit ist daher, die Praxis Kultureller Bildung zum Forschungsgegenstand zu machen. Diese Perspektive erfordert, sich ganz konkreten Projekten zuzuwenden: Grundlage dieser Arbeit ist ein tanz- und theaterpädagogisches Projekt, das über den Zeitraum eines Schuljahres in einer Grundschule von einer Tanz- und einer Theaterpädagogin mit SchülerInnen[5] der dritten und vierten Jahrgangsstufe durchgeführt wurde.[6] Die Videoaufnahmen aller Projekttermine und der Abschlussaufführungen bilden das Datenmaterial dieser Arbeit.

---

[1] Zum Beispiel im Enquete-Bericht *Kultur in Deutschland* (ENQUETE-KOMMISSION 2007), der Seoul Agenda (SEOUL-AGENDA 2010) oder dem Themencluster der Stiftung Mercator (STIFTUNG MERCATOR 2010).

[2] Vgl. hierzu zum Beispiel BAMFORD 2006 und ENQUETE-KOMMISION 2007.

[3] Im deutschsprachigen Raum ist die sogenannte Bastian-Studie die einzige, die versucht, diese Wirkungen über Kompetenzmessungen zu belegen (BASTIAN 2002). Es gibt aber einige Arbeiten, die sich der Frage nach den Wirkungen Kultureller Bildung über einen biographischen Forschungsansatz nähern (FINKE/HAUN o.J., KARL 2005, REINWAND 2008). Im englischsprachigen Raum hingegen gibt es eine deutlich höhere Zahl an Studien; eine Übersicht bietet DEASY 2002.

[4] Die Ausnahmen bilden HILL 1996, PEEZ 2005 und BIBURGER/WENZLIK 2009.

[5] Ich verwende in dieser Arbeit das „Binnen-I", um weibliche und männliche Personen bezeichnen zu können. Die dadurch angeregte Perspektive, dass die Unterscheidung von weiblich/männlich immer eine große Rolle spiele, lehne ich ausdrücklich ab. Da mir aber die Verwendung der maskulinen Form mit dem vorangestellten Hinweis, dass damit auch Frauen gemeint seien, als noch problematischer erscheint, da die maskulinen Formen eben keine geschlechtsübergreifenden Formen darstellen, wähle ich das Binnen-I. Eine volle Ausschreibung der weiblichen und männlichen Formen verwende ich nicht, da dies zu schwer zu lesenden Texten führt. Auch eine sprachliche Umschiffung der Geschlechtlichkeit von Personen lehne ich ausdrücklich ab: Ich möchte etwa LehrerInnen nicht zu „Lehrkräften" machen. Ich verwende das Binnen-I auch dann, wenn ich mich auf die jeweiligen Funktionen von Personen beziehe. Dies kann dazu führen, dass ich auch von den beiden Anleiterinnen als „AnleiterInnen" spreche. Die Verwendung des Binnen-I im Singular bedingt die Verwendung weiblicher Pronomen, die dann natürlich auch männliche Personen mitmeinen.

[6] Die Videoaufnahmen entstammen einem größeren Projektzusammenhang, dem „Praxisforschungsprojekt: Leben lernen", siehe hierzu I/2.2 und BIBURGER/WENZLIK 2009.

Mit dieser Hinwendung auf die Praxis sind drei Forschungsinteressen verbunden:
1. Zunächst verfolgt die Arbeit ein ethnographisches Interesse: „Tanz- und Theatermachen mit Grundschulkindern" wird als spezifische Form von Interaktionen zum Forschungsthema gemacht. Die Forschungsfrage lautet: Was machen die beteiligten Personen eigentlich in solchen Projekten?
2. Im Kontext der Diskussionen um Diversität wird die Perspektive auf die Konstruktion von Diversität immer wichtiger. Die Verschiedenheit von Menschen wird nicht als vorzufindendes Faktum verstanden, sondern als Ergebnis von differenzerzeugenden Praktiken. Überträgt man diese Perspektive auf die pädagogische Praxis, stellt sich die Frage, welche differenzerzeugenden Praktiken sich in pädagogischen Zusammenhängen beobachten lassen. Besonders interessant erscheint es, diese Frage an Projekte Kultureller Bildung zu stellen, in diesem Fall an ein Tanz- und Theaterprojekt: Lassen sich hier differenzerzeugende Praktiken beobachten, die durch ihren nicht-alltäglichen Charakter besondere Erfahrungsmöglichkeiten eröffnen?
3. Die vielfach proklamierten Wirkungen von Projekten Kultureller Bildung sind empirisch kaum belegt. Zudem fehlen Beschreibungen der vermuteten Wirkungszusammenhänge: Was genau soll an einem Projekt Kultureller Bildung die TeilnehmerInnen in welcher Hinsicht „sozial kompetenter" oder „kreativer" machen? Durch die detaillierte Analyse der Projektpraxis wird es möglich, plausible Wirkungszusammenhänge zu beschreiben, die als Bildungsmöglichkeiten zu verstehen sind. Die Forschungsfrage lautet hier: Welche Bildungsmöglichkeiten sind mit Tanz- und Theaterprojekten verbunden?

Die Arbeit gliedert sich in vier Teile: Teil I bildet die theoretische Grundlegung der Arbeit. Teil II stellt die Methodologie einer videographischen Rahmenanalyse vor. Teil III präsentiert die Ergebnisse der empirischen Analysen und Teil IV ordnet die Ergebnisse in drei aktuelle (erziehungs-)wissenschaftliche Diskurse ein.

Teil I *Die Praxis Kultureller Bildung als Forschungsgegenstand* konturiert ein Verständnis von Kultureller Bildung, in dessen Mittelpunkt die künstlerische Praxis steht. Im Anschluss daran werde ich unter Rückgriff auf bislang publizierte Forschungsarbeiten zeigen, dass die Erforschung der Praxis ein Desiderat darstellt (I/1).

Da sich diese Praxis als ein komplexes Gefüge vielschichtiger Interaktionen präsentiert, bedarf es zu ihrer Analyse einer Theorie Sozialer Interaktionen. Im zweiten Kapitel (I/2) trage ich die theoretischen Grundlagen dazu zusammen: Unter Rückgriff auf die erziehungswissenschaftliche Diskussion um „Lernkultur", die Ethnomethodologie als grundlegende Handlungstheorie und die Rahmenanalyse ERVING GOFFMANS gelange ich zu einer Möglichkeit, pädagogische Praxis systematisch zu beschreiben und zu analysieren. Ich schlage vor, den Begriff der Lernkultur als deskriptiven und nicht als normativen Begriff ernst zu nehmen, und ihn zur Bezeichnung der sozialen Praktiken in einer spezifischen Lerngruppe zu nutzen. Mit der Rahmentheorie GOFFMANS ist es möglich, diese Bestimmung noch weiter zu präzisieren, und die Lernkultur einer Lerngruppe als Summe der in ihr verwirklichten Rahmen zu begreifen. Unter „Rahmen" werden dabei die spezifischen Ordnungsprinzipien verstanden, die den unterschiedlichen Interaktionen – je nachdem, in welchem Rahmen sie sich ereignen

– zugrundeliegen. Diese Ordnungsprinzipien müssen – wie es die Ethnomethodologie überzeugend gezeigt hat – in konkreten Interaktionen verhandelt und vereinbart werden. Diese Aushandlungsprozesse sind grundsätzlich sichtbar und damit der Analyse mittels Videoaufnahmen zugänglich.

Im dritten Kapitel (I/3) wird die Konstruktion von Differenz als Forschungsperspektive dieser Arbeit bestimmt. Diese Perspektive entsteht, wenn die Frage nach dem (pädagogischen) Umgang mit Diversität ethnomethodologisch gewendet als Frage nach der Herstellung von Unterschieden durch die pädagogische Praxis selbst begriffen wird. Ich frage also nicht, welche Diversität sich beobachten lässt, sondern welche differenzerzeugenden Praktiken sich in den Interaktionen beobachten lassen. Um die Analyse differenzerzeugender Praktiken vorzubereiten, ist es notwendig, sich mit der Frage zu beschäftigen, welche Differenzen als omnirelevant anzusehen sind. Nach einer ausführlichen Auseinandersetzung mit den Differenzlinien „Geschlecht", „NationEthnieKultur" und den pädagogischen Differenzen „Erwachsener/Kind", „LehrerIn/SchülerIn" bzw. „AnleiterIn/TeilnehmerIn" komme ich zu dem Ergebnis, dass auch die Konstruktion dieser vermeintlich „natürlichen" bzw. „selbstverständlich gegebenen" Differenzen zu beobachten sein muss. Zusätzlich soll der Blick aber auch für andere, bisher nicht beschriebene Differenzlinien offen sein. Diese offene Perspektive führt in der Auseinandersetzung mit den Videoaufnahmen dazu, dass sich neben der Frage nach differenzerzeugenden Praktiken auch die Frage nach egalitäterzeugenden Praktiken stellen lässt. Genau wie Unterschiede zwischen den beteiligten AkteurInnen nicht einfach „da sind", sondern hergestellt werden, ist auch Gleichheit nicht einfach „da", sondern wird hergestellt. Im vierten Kapitel (I/4) gelange ich daher zusammenfassend zu den folgenden beiden Forschungsfragen:
1. Welche Rahmen werden in der tanz- und theaterpädagogischen Projektarbeit wie realisiert?
2. Welche differenz- bzw. egalitäterzeugenden Praktiken lassen sich beobachten?

In Teil II *Die videographische Rahmenanalyse* wird das methodische Vorgehen erläutert und begründet. Zur Bearbeitung der Forschungsfragen nutze ich ausschließlich audiovisuelle Aufnahmen und verzichte ganz bewusst auf eine Triangulation von Datenarten. Diese Entscheidung gründet in der Erfahrung, dass verschiedene Erhebungsmethoden nicht nur methodisch verschieden sind, sondern sich auch auf unterschiedliche theoretische Annahmen beziehen, die nicht umstandslos miteinander kombiniert werden können. Gute Triangulationen erfordern auch auf der Ebene der Theorie eine Synthese. Für diese Arbeit habe ich daher die Entscheidung getroffen, nur die beobachtbaren Interaktionen zum Gegenstand der Analyse zu machen und andere Datenquellen wie z. B. Interviews, die über das subjektive Erleben Auskunft geben, nicht in die Auswertung mit einzubeziehen. Da ich mich bei der Erhebung und Analyse vor allem auf die Rahmentheorie von Erving Goffman bezogen habe, nenne ich die von mir verwendete Methode „videographische Rahmenanalyse".

Im ersten Kapitel (II/1) werden die theoretischen Grundlagen einer videographischen Rahmenanalyse unter Rückgriff auf Teil I dieser Arbeit noch einmal zusammengefasst. Ich beziehe mich auf die Ethnomethodologie als Handlungs- und Erkenntnistheorie und bestimme fünf forschungsmethodische Grundannahmen:

Alle beobachteten Handlungen sind als Handlungen zu verstehen, die sich dadurch auszeichnen, dass sie *wahrnehmbar, sinnvoll, aufeinander bezogen, wiederholbar* und *reparierbar* sind.

Im Anschluss an diese Explikation der theoretischen Grundannahmen stelle ich die verwendeten Forschungsmethoden dar. Ich orientiere mich dabei an den Phasen des Forschungsprozesses und werde zunächst auf die Datenerhebung eingehen (II/2). Ich werde hier die in diesem Forschungsprojekt angewendetete Lösung für den Umgang mit Reaktivität vorstellen, auf das Problem der Ausschnittswahl eingehen, die Differenz zwischen Beobachtung und Teilnahme thematisieren und schließlich auf technische Schwierigkeiten der Aufnahme von audiovisuellem Material Bezug nehmen.

Daran anschließend werde ich die gewählten Methoden der Datendokumentation und Datenanalyse vorstellen (II/3). Ich werde die Einsatzmöglichkeiten verschiedener Computerprogramme diskutieren und zeigen, dass diese nur als Werkzeuge einzusetzen sind; die eigentliche Analysearbeit muss von der ForscherIn geleistet werden. Als sehr hilfreich haben sich folgende Techniken erwiesen: Verlangsamung und Beschleunigung, Kombination von Bild und Text durch partielle Transkriptionen und der Einsatz von Sequenztranskripten.

Zum Abschluss dieses Methodenteils werde ich auf die besonderen Probleme eingehen, die das Videomaterial bei der Datendarstellung bereitet (II/4). Die zentrale Frage ist dabei, ob die Darstellung der Ergebnisse in reiner Textform, in einer Mischung aus Bildern und Texten oder in Bildform geschehen soll. Die Auseinandersetzung mit dieser Frage führt mich zu einer klaren Position, die auf den Einsatz von Bildern verzichtet. Die Gründe hierfür sind nicht nur technisch und rechtlich, sondern auch funktional. Der Reichtum und die grundsätzliche Vieldeutigkeit von Bildern verunmöglichen die notwendige Fokussierung, um einzelne Phänomene in den Blick zu nehmen. Ich verzichte daher in dieser Arbeit ganz bewusst auf die Darstellung von Bildmaterial, füge aber Sequenztranskripte als Ausgangspunkt der Analysen in den Text ein.

In Teil III *Rahmenanalysen der Lernkultur* stelle ich in neun Fallstudien und einem Exkurs die zentralen Rahmen vor, die von den beteiligten AkteurInnen hergestellt wurden: *Das Anfangs- und Abschlussritual, Spiele, Übungen, Gestaltungsaufgaben, Tanzrahmen, Gesprächsrahmen, Proben, Pausen* und *Atelierphasen* werden als eigenständige Rahmen analysiert. Zudem wende ich mich der Frage zu, wie *Rahmenwechsel* organisiert werden und gehe in einem Exkurs auf die Bedeutung natioethnokultureller Mitgliedschaft ein.

Zusammenfassend zeigt sich, dass die „klassischen" Differenzlinien „Geschlecht", „NationEthnieKultur" und „AnleiterIn/TeilnehmerIn" in den einzelnen Rahmen unterschiedliche Bedeutung haben. Die Differenzlinie *Geschlecht* zeichnet sich vor allem dadurch aus, dass sie immer als Unterscheidungsressource eingesetzt werden kann, aber auch genauso selbstverständlich nicht eingesetzt wird. Nur in einem Rahmen, den HipHop-Choreographien, ist es zwei der Beteiligten kaum möglich, sich als Jungen als „Tanzübende" zu zeigen. Die *natioethnokulturelle Mitgliedschaft* wird sehr selten explizit thematisiert. Wenn es geschieht, dient es dazu, ein „Wir" und ein „nicht-Wir" zu markieren. In den untersuchten Sequenzen hat aber nicht die nationale Zugehörigkeit, sondern die Sprachfähigkeit die entscheidende Bedeutung. Die Darstellung der natioethnokulturellen Mitgliedschaft auf der Bühne ist hoch problematisch, da zwei der SpielerInnen durch die Inszenierung als Nicht-Deutsche markiert werden, ohne dass es als Teil der erzählten Geschichte verstanden werden kann. Die Differenz zwischen *AnleiterInnen und TeilnehmerInnen* hat in den jeweiligen Rahmen sehr unterschiedliche Bedeutung. Zunächst ist die Unterscheidung von AnleiterInnen und TeilnehmerInnen vor allem dadurch markiert, dass die AnleiterInnen über Rahmenwechsel bestimmen. Sie sind es, denen grundsätzlich das Recht zukommt, zu entscheiden, welche Rahmen aufgebaut werden sollen. In einigen Rahmen sind die AnleiterInnen zusätzlich mit weitreichenden Handlungsrechten ausgestattet und die TeilnehmerInnen vor allem mit Handlungspflichten: in Übungen und Arbeit-an-der-Form-Proben. Diese Machtfülle erlaubt den AnleiterInnen, sehr ungewöhnliche Interaktionen zwischen den TeilnehmerInnen möglich zu machen. In den Abschlussaufführungen aber steht die Differenz von AnleiterIn und TeilnehmerIn nicht mehr als Unterscheidungsressource zur Verfügung. Die AnleiterInnen können in das Geschehen auf der Bühne nicht eingreifen, ohne dadurch die Illusion des gespielten Stücks zu zerstören. Da auch auf der Bühne vielfältige Rahmenwechsel vollzogen werden müssen, müssen die TeilnehmerInnen lernen, diese Rahmenwechsel selbst – ohne die AnleiterInnen – zu koordinieren. Erste Voraussetzung dafür ist, dass die TeilnehmerInnen sich ihrer Verantwortung für das Gelingen des Stücks bewusst werden. Das Zitat: „Ihr habt am Freitag Premiere, nicht ich" (siehe Seq. 71), das eine der beiden Anleiterinnen im Gespräch mit den TeilnehmerInnen wenige Tage vor der ersten Abschlussaufführung formuliert, steht für diese Verantwortungsübergabe an die TeilnehmerInnen. Sie sind es, die auf der Bühne stehen und ihre Handlungen ohne Hilfe der AnleiterIn koordinieren müssen. Die Verantwortungsübernahme, Rahmen selbst aufzubauen, aufrechtzuerhalten und zu beenden, ist nicht nur auf der Bühne zu beobachten, sondern auch in der Arbeit am Stück: Es entstehen multi-zentrierte Settings, „Atelier-Phasen" genannt, in denen mehrere Kleingruppen am Stück arbeiten, ohne dass in allen Gruppen eine Anleiterin für die Aufrechterhaltung des jeweiligen Rahmens sorgt.

Zudem lassen sich zwei Differenzen als lernkulturspezifisch bestimmen: Die Differenz von *Präsentierenden/ZuschauerInnen* und die Differenz von *SpielerInnen und ihren Figuren* gewinnen in vielen der untersuchten Rahmen relationale Bedeutung und schaffen so nicht-alltägliche Erfahrungsräume für die TeilnehmerInnen. Ein weiteres Merkmal der untersuchten Lernkultur ist, dass kaum normalisierende Praktiken in ihr zur Anwendung kommen und sich spezifische egalitäterzeugende Praktiken beobachten lassen: In den Communitas-Spielen, der Anordnung im Kreis und dem Spiel auf der Bühne.

In Teil IV *Einordnung der Ergebnisse und Forschungsperspektiven* schließe ich die gewonnenen Ergebnisse an drei aktuelle (erziehungs-)wissenschaftliche Diskussionen an: Zunächst zeige ich, dass die videographische Rahmenanalyse einen methodologischen Beitrag für eine Lernkulturforschung darstellt. Zudem schlage ich vor, die Perspektive auf die Konstruktion von Egalität im Kontext einer Diversity-Forschung, die sich für die Konstruktionsbedingungen von Differenz interessiert, weiter zu verfolgen. Und schließlich fasse ich die Bildungsmöglichkeiten, die mit Tanz- und Theaterprojekten verbunden sein können, folgendermaßen zusammen: Die in dieser Lernkultur realisierten Rahmen ermöglichen „Differenzerfahrungen zwischen Nicht-Ich und nicht-Nicht-Ich", „Erfahrungen der Verantwortungsübernahme" und die Erfahrung

„Sozialer Anerkennung". Die Bedeutung dieser Bildungsmöglichkeiten erhellt sich, wenn sie in Verbindung zur Theorie der Selbstwirksamkeitserwartungen gebracht werden. Ich schlage vor, „Darstellerische Selbstwirksamkeitserfahrungen" als entscheidendes Qualitätskriterium für Tanz- und Theaterprojekte, die sich als Teil Kultureller Bildung verstehen, zu bestimmen.

Im *Anhang* finden sich die verwendeten Transkriptionsrichtlinien, die zur Erstellung der Sequenztranskripte genutzt wurden, und eine Übersicht über die verwendeten Sequenzen. Alle LeserInnen dieser Arbeit sind herzlich eingeladen, die hier versammelten Sequenzen auch als eine Art „Lesebuch" zu verstehen, das einen tiefen Einblick in die praktische theatrale und tänzerische Arbeit mit Grundschulkindern ermöglichen soll. Ich würde mich freuen, wenn diese Sequenztranskripte auch zur Reflexion eigener Praxis genutzt werden und lade dazu ein, sie auch als Datenmaterial für eigene Forschungsfragen zu nutzen.

Teil I:
Die Praxis Kultureller Bildung als Forschungsgegenstand

Ziel von Teil I ist es, die Fallstudien von Teil III theoretisch vorzubereiten. Diese Vorbereitung geschieht dabei in dreierlei Hinsicht: Im ersten Kapitel dieses Teils weise ich den *Forschungsgegenstand* aus. Im zweiten Kapitel lege ich eine *methodologische Grundlage* und im dritten bestimme ich die *Forschungsperspektive* dieser Arbeit.

Im ersten Kapitel (I/1) wende ich mich zunächst dem Forschungsgegenstand zu. Dazu ist es hilfreich, sich die unterschiedlichen Ansätze der Forschung im Bereich der Kulturellen Bildung anzusehen, um so eine Einordnung der eigenen Arbeit vornehmen zu können. Es lassen sich Transferforschung, Biographieforschung und prozessorientierte Ansätze voneinander unterscheiden. Diese Arbeit wird als Teil einer prozessorientierten Forschung vorgestellt. Wendet man sich mithilfe der Forschungsmethoden der Teilnehmenden Beobachtung und der Videographie der Praxis zu, dann wird allerdings schnell deutlich, dass soziale Interaktionen unterschiedlich komplex sind: Je mehr Personen anwesend sind und je mehr die Körper und nicht nur die Sprache in diesen Interaktionen eine tragende Rolle spielen, desto komplexer und schwerer zu untersuchen werden diese Interaktionen: Was an den beobachtbaren Handlungen ist bedeutsam – und was nicht? Und wie lässt sich das Problem lösen, dass ständig viele Personen gleichzeitig unterschiedliche Dinge tun? Und: Welche Bedeutung hat eine bestimmte Sequenz für den gesamten Projektverlauf?

Es bedarf einer Theorie Sozialer Ordnungen, die als *methodologische Grundlegung* die Grundlage für den empirischen Teil darstellt. Im zweiten Kapitel (I/2) werde ich zunächst den erziehungswissenschaftlichen Begriff der Lernkultur einführen und vorschlagen, ihn als empirischen und nicht normativen Begriff ernst zu nehmen. Dies schließt an bestehende erziehungswissenschaftliche, empirisch orientierte Forschungsprojekte an, nämlich die *Berliner Ritualstudien* und *LUGS – Lernkultur und Ganztagsschulentwicklung*. Die theoretischen Impulse dieser Studien aufnehmend, wende ich mich im Anschluss daran der Ethnomethodologie zu, um so die handlungs- und erkenntnistheoretischen Einsichten zu gewinnen, die es möglich und sinnvoll machen, soziale Interaktionen durch die Forschungsmethoden der Teilnehmenden Beobachtung und der Videographie zu untersuchen. Die grundlegende Einsicht dabei ist, dass soziale Ordnungen nicht nur in den Köpfen der beteiligten AkteurInnen entstehen, sondern in den sozialen Interaktionen hergestellt werden. Dies macht es möglich, die Herstellung sozialer Ordnungen auch – sozusagen von außen – nachzuvollziehen und zu beschreiben. Mit der Goffmanschen Rahmenanalyse wird schließlich die Möglichkeit eröffnet, eine Lernkultur systematisch zu beschreiben und sie als Summe der in ihr verwirklichten Rahmen zu begreifen.

Im dritten Kapitel (I/3) bestimme ich schließlich die *Forschungsperspektive* dieser Arbeit. Ziel ist es nicht nur, die verschiedenen Rahmen, in denen die Projektpraxis stattfindet, zu beschreiben, sondern auch die Frage zu stellen, wodurch sich die Lernkultur des Projektes – als Summe der in ihr verwirklichten Rahmen – von anderen gesellschaftlichen Praktiken unterscheiden könnte. Im Anschluss an ein Zitat von Mollenhauer werde ich die Frage aufwerfen, ob dieser Unterschied nicht darin liegen könnte, dass sich die Akteure in der Lernkultur des Tanz- und Theaterprojektes anders zu einander verhalten als in anderen gesellschaftlichen Praktiken. Die pädagogische Bedeutung eines solchen „Sich-anders-Verhalten" zeigt sich durch einen Rekurs auf die Debatte um Diversity Education. Geht man auch hier von der ethnomethodologischen

Einsicht aus, dass Unterschiede nicht „einfach da" sind, sondern dass sie in sozialen Interaktionen hergestellt werden, stellt sich die Frage, wie sich pädagogische Praxis entwerfen muss, die selbst eine differenzerzeugende Praxis darstellt. Eine erste Antwort wird hier mit ANNEDORE PRENGEL gegeben, die „Verschiedenheit" von „Ungleichheit" abgrenzt und eine „intersubjektive Anerkennung zwischen gleichberechtigten Verschiedenen" einfordert. Um die Frage, welche Unterschiede in den einzelnen Rahmen welche Bedeutung erlangen, sinnvoll bearbeiten zu können, folgt schließlich noch eine Übersicht über Arbeiten, die sich differenzerzeugenden Praktiken zugewendet haben. Von besonderem Interesse ist dabei die Frage, ob bestimmte Differenzen – allen voran die Unterscheidung von Mann und Frau – als omnirelevant zu begreifen sind. Das Ergebnis wird sein, dass es zwar eine omnirelevante Ausweispflicht der Geschlechtszugehörigkeit gibt, aber nicht immer und in allen Interaktionen auf das Geschlecht als Unterscheidungsressource zurückgegriffen wird. Zugehörigkeiten können als Ressourcen begriffen werden, die eingesetzt oder nicht eingesetzt werden können. Dies gilt dabei auch für die pädagogischen Differenzlinien Kind-Erwachsener, SchülerInnen-LehrerInnen, TeilnehmerInnen-AnleiterInnen und die natioethnokulturelle Mitgliedschaft. Die Beschäftigung mit diesen drei Differenzlinien hat aber nur vorbereitenden Charakter; ganz bewusst wird in dieser Arbeit der Blick auf andere differenzerzeugenden Praktiken gerichtet, um so auch die Differenzlinien in den Blick bekommen zu können, die in dem untersuchten Material von den AkteurInnen bedeutsam gemacht werden. Dabei gilt, dass neben differenzerzeugenden Praktiken auch egalitäterzeugende Praktiken von Interesse sind.

Im vierten Kapitel (I/4) werde ich den Ertrag dieses ersten Teils sichern und schließlich meine beiden Forschungsfragen formulieren, die wie folgt lauten:
1. Welche Rahmen werden in der tanz- und theaterpädagogischen Projektarbeit wie realisiert?
2. Welche differenz- bzw. egalitäterzeugenden Praktiken lassen sich beobachten?

„Das Interesse an der bildenden Wirkung solcher [künstlerischer T.F.] Prozesse muss sich dem einzelnen Projekt, seinem konkreten Verlauf und dem Projektergebnis zuwenden."[7]

1 Forschung im Bereich der Kulturellen Bildung

Wie sich im Verlauf dieses ersten Kapitels zeigt, verbinden sich zahlreiche Hoffnungen mit „Kultureller Bildung": Soziale und emotionale Kompetenzen, kommunikative Fähigkeiten, Konzentrationsfähigkeit und Kreativität – um hier nur exemplarisch einige der in Projektbeschreibungen häufig zu lesenden „Wirkungen" zu nennen – sollen durch sie gefördert werden. Für diese vollmundigen Wirkungsbehauptungen wurde in den letzten Jahren von verschiedenen Seiten aus versucht, empirische Belege beizubringen. In diesem Kapitel werde ich die bisherigen Bemühungen, die Wirkungen Kultureller Bildung zu erfassen, zu dokumentieren und zu erforschen, systematisch darstellen, um so den spezifischen Ansatz, der dieser Arbeit zugrunde liegt, in den Diskurs um die Erforschung Kultureller Bildung einordnen zu können.

Dazu werde ich im ersten Teil (1.1) kurz auf den sehr breit genutzten Begriff der „Kulturellen Bildung" eingehen und deutlich machen, in welcher Weise er in dieser Arbeit verwendet werden soll. Dazu ist es notwendig, die beiden Begriffe „Kultur" und „Bildung" zu erörtern und so ein spezifisches Verständnis Kultureller Bildung zu entwickeln, in dem die eigene künstlerische Praxis der TeilnehmerInnen im Mittelpunkt steht. Eine so verstandene Kulturelle Bildung umfasst mehr als die häufig genutzte Bestimmung Kultureller Bildung als „education in and through the arts".

Im daran anschließenden Teil (1.2) zeigt sich, dass Kulturelle Bildung – ganz gleich ob sie sich als „education in the arts", „education through the arts" oder als „gemeinsame künstlerische Praxis" versteht – unter einem Rechtfertigungsdruck steht, dem oft mit umfangreichen Beschreibungen vermeintlicher entwicklungsfördernder Wirkungen Kultureller Bildung begegnet wird. Mehr und mehr werden dabei diese Kataloge prognostizierter Wirkungen in Frage gestellt und der Ruf nach einer empirischen Fundierung wird dringlich.

Im dritten Teil (1.3) werde ich einige Arbeiten vorstellen, die auf die Dokumentation bzw. Erforschung Kultureller Bildung abzielen. Diese Arbeiten lassen sich in fünf Gruppen unterteilen: Evaluationen, Dokumentarfilme, Transferforschung, Biographische Forschung und Prozessorientierte Forschung.

Arbeiten der ersten Gruppe versuchen, Wirkungen Kultureller Bildung dadurch zu bestimmen, dass Veränderungen bestimmter Kompetenzen gemessen werden. Die Praxis kultureller Bildung bleibt dabei eine „black box".

Im abschließenden Teil (1.4) werde ich die Ergebnisse der drei vorangegangenen Teile zusammenfassen und deutlich machen, dass im Mittelpunkt dieser Arbeit die Untersuchung der Praxis eines Projektes steht, das sich als Teil einer Kulturellen Bildung begreift, in deren Mittelpunkt die gemeinsame künstlerische Arbeit steht. Die forschungsleitende Fragestellung richtet sich dabei zunächst ganz schlicht darauf, wie denn diese gemeinsame künstlerische Praxis gestaltet wird.

---

[7] Hentschel 2008, S. 89.

1.1 Kulturelle Bildung als Prozess und als Ergebnis

Was ist „Kulturelle Bildung"? Um auf diese Frage eine Antwort zu geben, zeige ich zunächst, dass der Begriff in sehr unterschiedlichen Verwendungsweisen genutzt wird. Diese erste Analyse hat zum Ergebnis, dass es notwendig ist, sich mit den Bedeutungen der beiden Begriffsbestandteile „Kultur" und „Bildung" auseinanderzusetzen. Erst dann ist eine differenzierte Begriffsbestimmung für diese Arbeit möglich.

Die Frage nach den unterschiedlichen Verwendungsweisen des Begriffs „Kulturelle Bildung" bedarf einer Bestimmung, auf welchen Zeitraum und auf welche Bereiche so eine Suche beschränkt werden soll. Eine völlig undifferenzierte Anfrage, wie sie dank des Internets leicht zu bewerkstelligen ist, liefert nämlich eine solche Fülle an Ergebnissen, dass eine qualitative Auswertung überhaupt nicht mehr möglich ist. Eine quantitative Analyse, die dank der modernen Suchmaschinen zumindest im Internet leicht möglich ist, liefert dabei dennoch ein interessantes Ergebnis hinsichtlich des Nutzungsumfangs. Das Stichwort „Kulturelle Bildung" liefert bei Google (am 17.02.2010) 7.630.000 Treffer. Die Bedeutung dieser Zahl erhellt sich, wenn man das Ergebnis mit den Ergebnissen weiterer Suchanfragen vergleicht: „Bildung" erhält 31.000.000 Treffer, „Allgemeinbildung" 7.190.000, „Pädagogik" 4.110.000, „Erziehungswissenschaft" 706.000, „Ästhetische Bildung" 252.000 und „Theaterpädagogik" 178.000. Der Begriff „Kulturelle Bildung" erfreut sich also offensichtlich großer Beliebtheit. Grenzt man die Suchanfrage weiter ein und fragt google dezidiert nach „Was ist Kulturelle Bildung?" erhält man „nur" noch 36.500 Ergebnisse und unter den ersten 10 Treffern drei sehr unterschiedliche Begriffsbestimmungen von „Kultureller Bildung":

>> Auf der Seite des „IFA" (Instituts für Auslandsbeziehungen) versteht der Schriftsteller Mario Fortunato unter „Kultureller Bildung" Wissen und Kenntnisse über „fremde" Kulturen, d. h. Kenntnis der jeweiligen Sprache, der Geschichte, der aktuellen politischen Situation „fremder" Länder.[8]

>> Die Seite „Jazz in Bayern" verkündet die folgende Definition:
„Kulturelle Bildung ist das Zusammenwirken prägender Einflüsse auf Haltung und Verhalten Einzelner innerhalb von Gemeinschaften. Sie befähigt dazu, eigenständig und kreativ angesammeltes Wissen sinnstiftend einzusetzen."[9]

>> Und die Bundeszentrale für politische Bildung lässt Karl Ermert, den Leiter der Bundesakademie für Kulturelle Bildung, zu Wort kommen:
„Kulturelle Bildung (andere Bezeichnungen sind musische bzw. musisch kulturelle oder auch ästhetische bzw. ästhetisch kulturelle Bildung) bezeichnet den Lern- und Auseinandersetzungsprozess des Menschen mit sich, seiner Umwelt und der Gesellschaft im Medium der Künste und ihrer Hervorbringungen."[10]

---

8 www.ifa.de/pub/kulturaustausch/archiv/ausgaben-2010/grossbritannien/was-ist-kulturelle-bildung/bildung-ermoeglicht-kulturellen-austausch/, letzte Verifizierung: 21.02.2011.
9 www.jazz-in-bayern.de/index.php?option=com_content&view =article&id=5&Itemid=53, letzte Verifizierung: 21.02.2011.
10 www.bpb.de/themen/JUB24B,0,0,Was_ist_kulturelle_Bildung.html, letzte Verifizierung: 21.02.2011.

Diese durch Google erzeugte und so gerade nicht inhaltlich, sondern nur – wenn man den Verlautbarungen zu Googles Rankingsystem trauen darf – durch ihre Nutzungshäufigkeit erstellte Zusammenstellung zeigt, dass unter „Kultureller Bildung" sehr unterschiedliche Dinge verstanden werden können. Dabei fällt auf, dass in den genannten drei Fällen sowohl „Kultur" als auch „Bildung" auf sehr unterschiedliche Weisen verwendet wurden:

Fortunato verwendet den Begriff der „Kultur" offensichtlich im Kontext von „Nation/Ethnie", die Definition von „Jazz in Bayern" verwendet „Kultur" als „Sozialisation" und Ermert nutzt den Begriff der „Kultur", um eine Bildung zu konturieren, die sich im Medium der Künste entwickeln soll.

Die Verwendung des Begriffes der „Bildung" ist dabei nicht weniger mehrdeutig. Für Fortunato ist „Bildung" das Ergebnis eines Aneignungs- oder Lernprozesses und für Jazz in Bayern ist „Bildung" das Ergebnis eines Sozialisationsprozesses. Ermert hingegen nutzt den Begriff der „Bildung" weniger, um ein Ergebnis, sondern um einen Prozess zu bezeichnen.

Schon diese kurze Stichprobe macht deutlich, dass man, will man über „Kulturelle Bildung" sprechen, nicht umhin kommt, sich auch mit den beiden Begriffsteilen „Kultur" und „Bildung" auseinanderzusetzen. Ich folge dabei den Spuren von Max Fuchs, einem der wichtigsten Protagonisten der Kulturellen Bildung in Deutschland. Fuchs, Direktor der *Akademie Remscheid für musische Bildung und Medienerziehung* und Vorsitzender des *Deutschen Kulturrats*, des Spitzenverbandes der Bundeskulturverbände, hat sich in den letzten Jahren in zahlreichen Publikationen mit dem Begriff der „Kulturellen Bildung" beschäftigt und so sehr hilfreiche begriffliche und theoretische Arbeit geleistet.[11] Ich werde daher nur einige wichtige Grundmarkierungen wiederholen, um so eine Begriffseingrenzung vorzunehmen.

„Kultur" und „Bildung" – Begriffsannäherungen

Die Annäherung an die Bedeutung „Kultureller Bildung" soll durch die Bezugnahme auf die Begriffe der „Kultur" und der „Bildung" erfolgen. Fuchs macht in *Kulturelle Bildung. Grundlagen – Praxis – Politik*[12] den Vorschlag, die folgenden fünf Verwendungsweisen von Kultur zu unterscheiden:[13]

1. Der anthropologische Kulturbegriff: „Kultur" wird als Gegenbegriff zu „Natur" verwendet und bezeichnet damit alles, was Menschenwerk ist.
2. Der ethnologische Kulturbegriff: Kultur wird als eine bestimmte Lebensweise einer bestimmten sozialen Gruppe bzw. einer Ethnie verstanden.
3. Der soziologische Kulturbegriff: Kultur wird als gesellschaftliches Subsystem verstanden, in dem Werte und Normen kommuniziert werden.

---

11 Dabei arbeitet Fuchs auf mehreren Ebenen, er schreibt in Tages- und Wochenzeitungen, veröffentlicht Artikel in kulturpolitischen Zeitschriften und trägt zudem zur wissenschaftlichen Fachdebatte bei. Ich werde mich im Folgenden auf seine fachwissenschaftlichen Beiträge beziehen.
12 Fuchs 2008.
13 Vgl. zum Folgenden: Fuchs 2008, S. 111 ff.

4. Der humanistisch orientierte Kulturbegriff: Hier spielt der Gedanke der *Perfectibilité* die entscheidende Rolle. Kultur wird als Kultivierung gedacht und bezieht sich daher nicht mehr auf alles Menschengemachte, sondern nur auf Bestimmtes, das als wertvoll erachtet wird. Der Mensch wird erst durch Bildung zum Menschen.
5. Der enge Kulturbegriff: Kultur wird mit Kunst gleichgesetzt, bzw. um genauer zu sein: die verschiedenen Künste werden zusammenfassend als Kultur bezeichnet.[14]

„Bildung" bestimmt Fuchs folgendermaßen:
„Man kann sie nämlich grundsätzlich als je individuelle Disposition verstehen, unter bestimmten gesellschaftlichen Bedingungen die ‚Lebensaufgabe' einer bewussten Lebensgestaltung zu realisieren. (...) Eine weitere allgemeine Bestimmung des Bildungsbegriffs besteht darin, dass der Mensch erst werden müsse, was er ist."[15]

Es wird deutlich, dass „Kulturelle Bildung", die den 1. oder 4. Kulturbegriff nutzt, offensichtlich nur eine Dopplung der Begrifflichkeiten erreicht. Das Begriffspaar hat so keinen Sinn mehr: „Bildung" ist immer Menschenwerk und in der angestrebten Kultivierung durch Bildung gehen die Begriffe ineinander über. Setzt man einen ethnologischen Kulturbegriff ein, dann wird nicht mehr von „Kultureller Bildung", sondern von „Interkultureller Bildung" gesprochen. Hier entfaltet sich ein eigener Diskurs, der wenig mit der Diskussion um „Kulturelle Bildung" zu tun hat.[16] Für die vierte Verwendungsweise scheint ebenfalls ein anderer Begriff verwendet zu werden, der der moralischen Erziehung.[17] Es scheint also so zu sein, dass im Kontext „Kultureller Bildung" von einem engen Kulturbegriff ausgegangen werden muss, d. h. dass man anstatt von „Kultureller Bildung" auch von „Künstlerischer Bildung" sprechen könnte (wie es ja Ermert auch vorgeschlagen hat).

Fuchs diskutiert auch den Zusammenhang dieser beiden Begriffe und fügt noch einen dritten hinzu: „ästhetische Bildung".[18] Er wendet sich allerdings gegen eine Gleichsetzung dieser Begriffe und schlägt vor, die drei Begriffe als „konzentrische Kreise" zu verstehen. In der Mitte stehe dabei die „künstlerische Bildung", die Teil einer „ästhetischen Bildung" sei, die wiederum Teil einer „kulturellen Bildung" sei.[19] Der Sinn dieser Unterscheidung liegt dabei für Fuchs darin, dass er Kulturelle Bildung als Teil einer „Allgemeinbildung" verstehen möchte,[20] die mehr ist als eine Beschäftigung mit den Künsten. „Künstlerische Bildung" kann also mit Fuchs als „Ausbildung" künstlerischer Fertigkeiten verstanden

---

14 Diese Differenzierung erweist ihre Nützlichkeit, wenn man sich an die obigen Zitate zur Kulturellen Bildung zurückerinnert: Fortunato nutzt einen ethnologischen Kulturbegriff, *Jazz in Bayern* einen anthropologischen und Ermert verweist auf den Zusammenhang von „Kultur" mit den „Künsten".
15 Fuchs 2008, S. 70 f (Hervorhebung im Original).
16 Vgl. zum Beispiel das gute Einführungswerk von Marianne Krüger Potratz: *Interkulturelle Bildung; Eine Einführung* (Krüger-Potratz 2005).
17 Seltener ist auch von „moralischer Bildung" gesprochen worden, z. B. bei: Lind 2003.
18 Er stellt auch einen vierten, nämlich „musische Bildung" vor, allerdings nur um deutlich zu machen, dass dieser Begriff in den Anfängen der Kulturpädagogik in den 1920er Jahren eine Rolle gespielt hat, er nutzt ihn dann nicht weiter.
19 Vgl. Fuchs 2008, S. 13 und S. 111.
20 Vgl. hierzu und dem Folgenden: Fuchs 2008, S. 113 ff.

werden: Es geht – ganz schlicht gesagt – um das Erlernen der spezifischen Techniken der jeweiligen Künste. Die ästhetische Bildung wiederum umfasst nicht nur das Erlernen spezifischer Techniken, sondern neben der Produktion auch die Präsentation und die Rezeption und kann somit als ein größeres Feld begriffen werden. „Kulturelle Bildung" schließlich tritt nicht nur als „ästhetische Bildung" an, sondern soll als Teil einer „Allgemeinen Bildung" verstanden werden, die „mit den kulturpädagogischen Methoden vermittelt wird". Ziel ist dabei, zu einer „bewussten Lebensführung" beizutragen.

„Kulturelle Bildung" wird so allerdings als Begriff für einen *Prozess* und ein *Ergebnis* eingesetzt; der Kulturbegriff wechselt dabei seine Bedeutung:

„Kulturelle Bildung" als *Prozess* wird als eine Auseinandersetzung mit den „Künsten"[21] verstanden. Im Mittelpunkt steht dabei die eigene künstlerische Gestaltung: „Kultur" bedeutet „Künste". „Kulturelle Bildung" wird aber auch als Ergebnis dieses Auseinandersetzungsprozesses verstanden. Das Ziel ist, dass erstens künstlerische Fertigkeiten, dann ästhetisch-sinnliche Fertigkeiten und schließlich Fertigkeiten, die zu einer bewussten Lebensführung beitragen können, erworben wurden. Dann wird dann von „Kultureller Teilhabe" gesprochen[22] und „Kultur" nicht mehr auf den engen Bereich der Künste bezogen.

Diese Doppeldeutigkeit des Begriffes der „Bildung" prägt die deutsche Debatte um Kulturelle Bildung vor allem deshalb, weil oft nicht deutlich wird, ob sich die AutorIn/SprecherIn gerade auf den Prozess oder das Ergebnis beziehen will. Diese Unentschiedenheit führt schließlich auch zu einer merkwürdigen Einseitigkeit der Forschung im Bereich der Kulturellen Bildung – wie sich in Kapitel 1.3 zeigen wird.

An dieser Stelle lohnt sich ein Blick über die deutschen Sprachgrenzen hinaus. Sieht man sich eine der wichtigsten internationalen Veröffentlichungen der letzten Jahre zur Forschung in der Kulturellen Bildung (engl. „Arts Education"), Ann Bamfords *The Wow Factor*[23] genauer an, dann fällt auf, dass eine ganz andere Unterscheidung die zentrale Rolle spielt:

„Of most significance are the complementary but different benefits that accrue through education in the arts disciplines and those achieved through the use of artistic approaches to the teaching and learning of other discipline areas, on other words, education through the arts. This is an important finding as previous studies have tended to confuse these areas or see these two distinct areas as being one. It is essential to note, that for all children to maximise their educational potential, *both* approaches are needed."[24]

Bamford unterscheidet „Education in the Arts" von „Education through the Arts". Mit „Education in the Arts" bezieht sie sich dezidiert auf einen Unterricht in den künstlerischen Disziplinen (das, was Max Fuchs „künstlerische Bildung" genannt hat), mit „Education through the Arts" bezieht sie sich auf einen Unterricht, der bestimmte

---

21 Auch hier gibt es natürlich eine Diskussion, was zu den Künsten zu zählen ist und was nicht, vgl. Fuchs 2008, S. 105 ff.
22 Unter anderem bei: Ermert 2009, S. 1.
23 Bamford 2006, mittlerweile auch auf Deutsch erschienen (Bamford 2010).
24 Bamford 2006, S. 139 (Hervorhebung im Original).

kunstferne Fachinhalte durch den Einsatz künstlerischer Methoden vermitteln will.[25] Zunächst ist hier nicht von irgendetwas die Rede, das als Äquivalent zu „bewusster Lebensgestaltung" oder „Lebenskunst" verstanden werden könnte.

Im Kontext dieser Arbeit verstehe ich unter Kultureller Bildung zunächst einen Prozess, der durch die Auseinandersetzung mit „den Künsten"[26], hier mit dem Theater und dem Tanz, entsteht. Welche Ergebnisse dieser Auseinandersetzungsprozess zeitigt, soll in dieser Arbeit aber nicht schon vor Analyse des empirischen Materials behauptet werden.

1.2 Wirkungsbehauptungen in der Kulturellen Bildung

Diese Unterscheidung, die BAMFORD in ihrem Buch vornimmt bzw. aufgreift, führt allerdings nicht dazu, dass „Wirkungen" Kultureller Bildung in genau den beiden genannten Bereichen vermutet werden. Naheliegend wäre zu fragen, ob es einer „Education in the Arts" gelingt, den TeilnehmerInnen die jeweiligen Techniken der Künste beizubringen, und die „Education through the Arts" dahingehend zu befragen, ob denn die gesetzten Ziele in den anderen „discipline areas" erreicht wurden, also zum Beispiel inwieweit die Inszenierung eines Theaterstücks, das eingesetzt wird, um die Sprachkompetenz der TeilnehmerInnen zu verbessern, auch tatsächlich die Sprachkompetenz der TeilnehmerInnen gesteigert hat. Erstaunlicherweise finden sich solche Wirkungsbehauptungen und Studien, deren Design auf solche Wirkungen abzielt, in BAMFORDS Buch fast überhaupt nicht.

Im Gegenteil, ANN BAMFORD beginnt ihr Buch damit, dass sie ihren Lesern eröffnet, dass Arts Education „critical thinking, problem solving, reflection" fördere und einen Weg darstelle zu „inventiveness, design, innovation". Zudem fördere sie „risk-taking, confidence and ownership of learning" und nicht zuletzt schaffe sie einen „sense of community" und eine erhöhte „student motivation to learn".[27]

Diese Art von Aufzählung prognostizierter Wirkungen ist auch in Deutschland üblich, im Enquete-Bericht *Kultur in Deutschland,* der vom Deutschen Bundestag in Auftrag gegeben wurde, heißt es im Abschnitt zu „Kultureller Bildung":

„Eine ganzheitliche Bildung, die Musik, Bewegung und Kunst einbezieht, führt, wenn diese Komponenten im richtigen Verhältnis stehen, im Vergleich zu anderen Lernsystemen bei gleicher Informationsdichte des Unterrichts für den Lernenden zu höherer Allgemeinbildung. Gleichzeitig werden höhere Kreativität, bessere soziale Ausgeglichenheit, höhere soziale Kommunikationsfähigkeit, höhere Lernleistungen in den nichtkünstlerischen Fächern (Mathematik, Informatik), bessere Beherrschung der Muttersprache und allgemein bessere Gesundheit erreicht. Durch kulturelle Bildung werden grundlegende Fähigkeiten und Fertigkeiten erworben, die für die Persönlichkeitsentwicklung des jungen Menschen, die emotionale Stabilität, Selbstverwirklichung

---

[25] BAMFORD gibt leider kein konkretes Beispiel; es wirkt aber, als ob sie etwa daran denkt, dass etwa der Fremdsprachenunterricht auf künstlerische Mittel, zum Beispiel Lieder oder Gedichte, zurückgreift, um Sprachkompetenz zu fördern.
[26] Der Umfang dieser Künste ist dabei nicht auf den klassischen Kanon der „hohen" Künste beschränkt, auch neue Formen wie etwa Video, Webdesign oder Performances, aber auch „niedrige" Künste wie etwa die Zirkuskünste, sind in diesem Kunstbegriff enthalten.
[27] Vgl. BAMFORD 2006, S. 19.

und Identitätsfindung von zentraler Bedeutung sind: Entwicklung der Lesekompetenz, Kompetenz im Umgang mit Bildsprache, Körpergefühl, Integrations- und Partizipationskompetenz und auch Disziplin, Flexibilität, Teamfähigkeit."[28]

Es ließen sich nun viele weitere Beispiele anführen, in denen umfangreiche Kataloge benannt werden, was „Kulturelle Bildung" alles fördere, interessant ist dabei, weshalb diese umfangreichen Kataloge so oft formuliert werden. MEIKE BAADER zeigt in ihrem Artikel „Weitreichende Hoffnungen der ästhetischen Erziehung – eine Überfrachtung der Künste?"[29], dass die Geschichte der ästhetischen bzw. kulturellen Bildung schon immer mit solch hohen Erwartungen verbunden war: Die Romantiker wollten zur Poetisierung der Welt beitragen, Schiller Vernunft und Sittlichkeit versöhnen, die Reformpädagogen zu einer Geschmacksverbesserung des Volkes beitragen, Vertreter der kritischen Theorie den Menschen aus den Zwängen des Kapitalismus befreien und aktuelle Konzepte versprechen durch kulturelle Bildung eine Bewährung in einer immer vielfältiger werdenden Welt. BAADER beendet ihren Artikel schließlich damit, dass sie vor diesen hohen Erwartungen warnt, zugleich aber auch auf das hohe Potential gelungener Projekte Kultureller Bildung verweist. Auch hier lässt sich die Forderung nach einer empirischen Erforschung anschließen, die – so MAX FUCHS – „in Deutschland unterentwickelt"[30] ist.

Das größte Problem, das aus dieser Überfrachtung entsteht, ist allerdings, dass dadurch meist eine Instrumentalisierung der Künste angelegt wird. Die Aussage der Enquete-Kommission, dass die Künste auch zu „höheren Lernleistungen in den nichtkünstlerischen Fächern führen", ist nicht nur empirisch höchst fragwürdig, sondern verweist auch auf einen sehr merkwürdigen Instrumentalisierungsgedanken, dessen Skurrilität JOHANNES BILSTEIN sehr treffend deutlich macht:

„Wenn man sich die Begründungen des Kunst-Unterrichts in der Tradition der Reform-Pädagogik anschaut, dann fällt recht bald etwas auf, was ich die chronische utopische Überlastung dieses Unterrichts nennen möchte.
Nehmen wir zum Vergleich den Chemie-Unterricht. Viele finden ihn interessant, einige mögen ihn nicht, viele finden ihn nützlich, einige verstehen ihn nicht. Von vornherein ist aber klar, wofür er gut sein könnte und was man mit dem dort erworbenen Wissen anfangen könnte: Chemisches im weitesten Sinne eben. Kein Mensch käme auf die Idee, die Verbesserung des Abendlandes, die Befreiung der Menschheit oder doch wenigstens das Glück der Kinder von ihm zu erwarten."[31]

BILSTEIN kritisiert hier zu Recht die Instrumentalisierung der Künste, sein Vergleich mit dem Chemieunterricht macht deutlich, dass von diesem „nichts weiter" erwartet wird, als den Schülern „Wissen über Chemisches" zu vermitteln. Interessant daran aber ist doch, dass es keiner weiteren Begründung bedarf: Die „Nützlichkeit" chemischen Wissens scheint außer Frage zu stehen. Die „Nützlichkeit" künstlerischen Wissens hingegen scheint fragwürdig und muss durch abstraktere Zielsetzungen nachgereicht werden. Genau dagegen wendet sich BILSTEIN und plädiert dafür, die Künste nicht zu

---

28 ENQUETE-KOMMISSION 2008, S. 379.
29 BAADER 2007a.
30 FUCHS 2008, S. 113.
31 BILSTEIN 2007, S. 176.

instrumentalisieren, sondern als einen Gegenpol zu anderen Fächern zu begreifen, gerade ihre vermeintliche „Nutzlosigkeit" soll erhalten bleiben. Die Frage ist allerdings, ob sich die Vertreter Kultureller Bildung so eine Zurückhaltung leisten könnten. Die umfangreichen Wirkungskataloge sind sicherlich auch als ein Legitimationsmittel zu lesen, um im Wettbewerb um Finanzierungsmittel nicht weiter marginalisiert zu werden. Für empirische Forschung hingegen erscheinen diese umfänglichen Kataloge ziemlich unbrauchbar, da unklar ist, wie sie so zu operationalisieren wären, dass sie auch empirisch überprüft werden können.

1.3 Forschungsansätze in der Kulturellen Bildung

Wie wird versucht, Wirkungen Kultureller Bildung zu dokumentieren, zu erfassen, zu erforschen und darzustellen? Sieht man sich unter dieser Perspektive die Forschungs- und Dokumentationslandschaft der letzten Jahre an, dann erscheint es sinnvoll, fünf verschiedene Ansätze voneinander zu unterscheiden: Evaluationen, Dokumentarfilme, Transferforschung, Biographieforschung und Prozessorientierte Forschung.

In Evaluationen wird versucht, die „Wirkungen" eines ganz konkreten Projekts zu messen. Ich werde auf diese Form nicht weiter eingehen, da normalerweise mit dieser Art von Evaluation keine Aussagen verbunden werden, die über das jeweilige Projekt hinausreichen. Eine Übersicht über Forschungsmethoden, in denen auch Evaluationsansätze diskutiert werden, findet sich im Aufsatz „Wirkungsforschung zwischen Erkenntnisinteresse und Legitimationsdruck".[32] In diesem Artikel findet sich auch eine erste Analyse von Dokumentarfilmen, die in den letzten Jahren sehr zahlreich geworden sind und dank ihrer großen Popularität (allen voran „Rhtyhm is it") ein großes Publikum erreicht haben. Ich werde im Folgenden ausführlicher auf die Ansätze der *Transferforschung*, der *Biographieforschung* und der *Prozessorientierten Forschung* eingehen.

Transferforschung

Die Arbeit, die in den letzten zehn Jahren in Deutschland am meisten Aufmerksamkeit außerhalb des Fachdiskurses erzielen konnte, ist sicherlich die so genannte „Bastian-Studie"[33]. Hans Günther Bastian, Professor für Musikpädagogik in Frankfurt am Main, untersuchte mit seinem Forscherteam in einer Längsschnittuntersuchung über sechs Jahre die Auswirkungen eines so genannten „erweiterten Musikunterrichts" auf die Kompetenzentwicklung von GrundschülerInnen. Da es bei diesen Kompetenzen um solche ging, die über den Bereich musikalischer Kompetenzen hinausweisen, erscheint es sinnvoll, von „Transferforschung" zu sprechen.

Die Studie, in Fachkreisen heftig diskutiert,[34] wurde einer breiten Öffentlichkeit vor allem durch zahlreiche Zeitungsartikel bekannt, die oft, so der Vorwurf durch

---

32 Fink et al. 2010.
33 Bastian et al. 2000.
34 Vgl. hierzu unter anderem: Gembris 2001, auch dieses Buch ist mittlerweile in drei Auflagen erschienen.

BASTIAN,[35] seine Ergebnisse verkürzt darstellten. Insbesondere die Schlagzeilen, in denen der von BASTIAN beschriebene Zusammenhang von erweitertem Musikunterricht und Intelligenzentwicklung bzw. sozialen Kompetenzen, in plakative Formulierungen gefasst wurde,[36] erregten die wütende Distanzierung BASTIANS. Sieht man von dieser interessanten öffentlichen Diskussion ab,[37] soll die Auseinandersetzung mit dieser Studie dazu dienen, die Stärken und Schwächen eines transferorientierten Ansatzes zur Erforschung von Projekten Kultureller Bildung deutlich zu machen. Dabei geht es mir weniger um eine Diskussion forschungsmethodischer Fragen als vielmehr um die grundsätzliche Ausrichtung der Studie.

BASTIANS Anliegen war es, mithilfe eines Versuchs- und Kontrollgruppendesigns Antwort auf die Frage zu geben, welche Wirkungen auf verschiedene Kompetenzbereiche die Teilnahme an zusätzlichem Musikunterricht hat. Sein Design umfasste fünf Grundschulklassen verschiedener Schulen, die als Versuchsgruppe zusätzlichen Musikunterricht erhielten und zwei Grundschulklassen verschiedener Grundschulen, die als Kontrollgruppe keinen zusätzlichen Musikunterricht erhielten. Die Wirkungen dieses speziellen musikalischen Treatments sollten durch psychometrische Tests an insgesamt 13 Erhebungsterminen im Zeitraum von 6 Jahren ermittelt werden. Der Fokus der Aufmerksamkeit galt dabei einem sehr umfangreichen Katalog von Kompetenzen und anderen psychologischen Parametern: „Intelligenz", „Soziale Kompetenz", „Konzentrationsfähigkeit", „Angst und emotionale Labilität", „musikalische Begabung und Leistung", „musikalische Entwicklung", „Selbstkonzept", „Persönlichkeitsentwicklung" und „Kreativität und schöpferisches Denken". Betrachtet man diesen Katalog genauer und erinnert sich an den Vergleich BILSTEINS mit dem Chemieunterricht zurück, dann fällt auf, dass nur zwei der insgesamt neun untersuchten Phänomene einen direkten Bezug zur Musik haben. Der zusätzliche Musikunterricht soll also keineswegs nur musikalische Fähigkeiten erweitern, sondern auch eine umfangreiche Reihe weiterer Kompetenzen fördern. Dieser Katalog fordert Instrumentalisierungsgedanken geradezu heraus – wie ja auch die erwähnten Schlagzeilen zeigen – wenngleich sich BASTIAN wiederholt dagegen verwahrt und auf die Eigenbedeutung der Musik verweist.[38] Sieht man sich nun die einzelnen Fallstudien zu den erwähnten Kompetenzen genauer an, entstehen nicht nur viele forschungsmethodische Fragezeichen, es fällt vor allem auf, dass die Art und Form des „erweiterten Musikunterrichts" an den jeweiligen Schulen zwar ausführlich beschrieben wird, allerdings nur in Form der vorgesehenen Curricula (die bei den Versuchsklassen auch noch sehr unterschiedlich waren). Die konkrete Umsetzung dieses zusätzlichen Musikunterrichts war kein vorgesehener Teil der Untersuchung.[39] Diese Fokussierung auf die curriculare Beschreibung und die Verschiedenartigkeit des Treatments erweist sich in der Interpretation der ermittelten Ergebnisse als problematische Lücke. Sieht man sich zum Beispiel den Befund zur „Sozialen Kompetenz"

---

35 Vgl. BASTIAN o. J., S. 3.
36 „Mozart oder Molotow" (Der Spiegel), „Musik macht klug" (Die Zeit), „Wer singt, prügelt nicht" (Die Süddeutsche), zitiert nach BASTIAN (o. J.), S. 3.
37 Vgl. KNIGGE 2007.
38 „Musikerziehung soll zuallererst die Freude der Kinder an der Musik fördern, als der Freude am ästhetisch Schönen, am Spiel, am kreativen Selbsterleben eben in den Spiel-Räumen der Musik. Wir haben als Musikerzieher unsere Kinder zu dieser Freude an der Musik zu ‚begaben'." (BASTIAN o.J., S. 7).
39 Vgl. BASTIAN ET AL. 2000, S. 146-171.

genauer an,⁴⁰ wird deutlich, dass auf Grundlage der vorhandenen Daten überhaupt nicht nachzuvollziehen ist, „wie" bzw. „was" am erweiterten Musikunterricht zur Steigerung der sozialen Kompetenz beigetragen haben könnte. Problematisch erscheint das vor allem deshalb, weil so völlig unklar bleibt, ob der Effekt gesteigerter sozialer Kompetenzen nicht auf „außermusikalische" Faktoren zurückzuführen ist (also zum Beispiel auf das Gemeinschaftserleben bei gemeinsamen Aufführungen, das nicht als genuin musikalisch beschrieben werden kann, sondern vermutlich auch bei Theateraufführungen oder Fußballmannschaften zu beobachten wäre). Diese Kritik soll dabei nicht die Sinnhaftigkeit von Wirkungsforschung im Sinne BASTIANS grundsätzlich in Frage stellen, sondern vielmehr deutlich machen, dass nur durch die Untersuchung der konkreten Praxis Aussagen über mögliche Wirkungszusammenhänge erarbeitet werden können. Oder anders formuliert: Die eigentlich interessante Frage ist doch, *was* – zum Beispiel an bestimmten Formen des gemeinsam Musizierens – *wie* zur Förderung bestimmter Fähigkeiten beitragen könnte. Diese Fragen ließen sich aber nur durch eine Hinwendung zur konkreten Projektpraxis selbst beantworten.

Sieht man sich internationale Studien an, wird deutlich, dass die allermeisten Arbeiten versuchen, Wirkungen von Projekten Kultureller Bildung zu messen, die über den Erwerb künstlerischer Fähigkeiten weit hinausreichen. BAMFORD differenziert ihre Übersicht zu internationalen Studien, die sich mit den Wirkungen Kultureller Bildung auseinandersetzten, zunächst in sieben Bereiche, sie nennt:
1. achievement in the arts
2. student educational attainment and academic achievement
3. student attitude
4. arts education and the community
5. development of imagination and creativity
6. health and well-being
7. ICT literacies and technical skills⁴¹

Für den ersten Bereich stellt sie fest, dass „quality arts programms" zu gesteigerten künstlerischen Fertigkeiten führen, es allerdings an Studien mangelt, die deutlich machen, wie welche Fertigkeiten gefördert werden.⁴²

Die Frage, ob es zu einem Anstieg des „academic achievement" komme, wird von BAMFORD so beantwortet, dass 71 Prozent der Studien diese Annahme stützen. Sie fügt dann allerdings hinzu:

„Learning in and with the arts has been linked with increased student achievement, but the means by which the arts may support cognitive growth in students is relatively undocumentated."⁴³

Ganz ähnlich stellt sich die Situation in den anderen Bereichen dar, es gibt – neben von ihr als „anecdotal report" bezeichneten Berichten über Wirkungen – verschiedene Studien, die einzelne Wirkungsbehauptungen stützen. Die Frage, wie diese Veränderungen zustande gekommen sein könnten, bleibt aber auch hier unbeantwortet.

---
40 Vgl. BASTIAN ET AL. 2000, S. 295-342.
41 Vgl. BAMFORD 2006, S. 103-138.
42 Vgl. BAMFORD 2006, S. 106.
43 BAMFORD 2006, S. 108.

Ein Blick in eine in den USA erschienene Publikation, in der die Ergebnisse von internationalen Studien zur Frage der Wirkungen Kultureller Bildung versammelt werden, zeigt, dass Bamford tatsächlich ein internationales Defizit benennt. Im Sammelband *Critical Links: Learning in the Arts and Student Academic and Social Development*,[44] der 2002 erschienen ist, werden 62 Studien zu Wirkungen von „arts education" auf jeweils zwei Seiten mit ihrem Forschungsdesign und den zentralen Ergebnissen vorgestellt. Dabei werden die Studien nach den jeweiligen Künsten differenziert. Es finden sich Arbeiten zu den Kunstsparten „Dance", „Drama", „Multi-Arts", „Music" und „Visual Arts". Fast alle diese Untersuchungen versuchen, durch psychometrische Tests Veränderungen bei den Teilnehmern zu messen. Im Bereich des Tanzes geht es dabei zum Beispiel um die Wirkung von Kreativem Tanz auf das „Creative Thinking" oder „Basic Reading Skills". Fast alle Studien werden dabei als Vergleichsstudien konzipiert, in denen eine Versuchsgruppe ein bestimmtes Treatment erhält und eine Kontrollgruppe keines (oder ein anderes Treatment). In beiden Gruppen werden dann Tests durchgeführt und abweichende Ergebnisse auf ihre Signifikanz hin überprüft. Die eigentliche Praxis bleibt eine „black box":

> „One of the ironies of *Critical Links* is that few of the studies investigate what happens when children actually receive high quality arts instruction. Like education research generally, most *Critical Links* studies explore small questions over short periods: Does dramatic enactment improve story comprehension? Does keyboard instruction improve spatial reasoning?"[45]

Das Problem an dieser Art von Studien fasst Ute Pinkert im Einleitungskapitel des von ihr herausgegebenen Sammelbands *Körper im Spiel. Wege zur Erforschung theaterpädagogischer Praxen* folgendermaßen zusammen:

> „Bei aller kulturpolitischer Anerkennung bestand die Problematik dieser Perspektive [Messung von Veränderungen des Verhaltens bzw. der Einstellungen der untersuchten Klientel T.F.] darin, dass sie die pädagogische Praxis zu einer Art ‚black box' abstrahierte, in der die Herausbildung bestimmter Kompetenzen quasi ‚automatisch' vor sich zu gehen schien. Mit diesem Forschungsdesign wurden damit Aussagen über die spezifische Qualität der jeweiligen kulturell-ästhetischen Praxis sowie über den Zusammenhang der erworbenen Kompetenzen zu den praktisch angewandten Zielen, Inhalten und Methoden ausgeblendet. Dies und die damit einhergehende Konzentration auf Einstellungs- und Verhaltensänderungen, die im pädagogischen Kontext als ‚Sozial'- oder auch als ‚Schlüsselkompetenzen' klassifiziert werden, führte dazu, dass diese Art der Wirkungsforschung die Spezifik (und Unersetzbarkeit) kulturell-ästhetischer Bildungsangebote nicht nachweisen konnte und damit, so der Vorwurf aus bildungstheoretischer Sicht, dem zunehmenden Legitimierungsdruck der kulturell-ästhetischen Bildung letztlich eher Vorschub leistete als ihm zu begegnen."[46]

---

44 Deasy 2002.
45 Rabkin 2002, S. 4.
46 Pinkert 2008, S. 7.

Biographieforschung

Bevor ich im nächsten Abschnitt auf Arbeiten eingehe, die sich der Projektpraxis zuwenden, möchte ich hier noch einige Ansätze erörtern, die sich der Frage nach möglichen Wirkungen nicht über psychometrische Tests nähern, sondern durch eine Befragung der TeilnehmerInnen.

Das Forschungsvorhaben „Lebenskunst Theater", eines Modellprojektes der *Bundesvereinigung Kultureller Jugendbildung*, wandte sich unter der Projektleitung von Raimund Finke und Heinz-D. Haun der Frage zu, welche „psycho-sozialen Wirkungen" aktives Theaterspielen bei Jugendlichen zeitigt.[47] Sie führten zu dieser Frage Interviews mit knapp 50 Jugendlichen und jungen Erwachsenen durch, die bei verschiedenen Projektträgern in fünf verschiedenen deutschen Städten Theater spielten. Sie interessierten sich dabei für die Aussagen der Teilnehmer zur Frage, welche Bedeutung das Theaterspielen für sie habe und ob und wie sich die Teilnehmer durch das Theaterspielen verändert hätten. Zusätzlich zu diesen Einzelinterviews führten sie von ihnen als „Reflexionsworkshops" bezeichnete Veranstaltungen durch, in denen sie versuchten, die Jugendlichen mit theaterpädagogischen Mitteln (Phantasiereisen, Stegreifspiele) zur Reflexion ihrer Theatererfahrungen anzuregen.[48] Das entstandene Datenmaterial wurde dann inhaltsanalytisch ausgewertet und die Antworten bestimmten Kategorien zugeordnet. Die häufigsten Nennungen auf die Frage, was das Theaterspielen für die Beteiligten „bedeutsam" macht, waren „Botschaft vermitteln/Freude bereiten" (25 Nennungen), „Verwandlung" (24), „Gruppengefühl" (24), „Persönliches Wachstum" und „Teilhabe an Kunst/Erwerb künstlerischer Fähigkeiten" (je 18).[49] Die Frage nach den persönlichen Veränderungen wurde folgendermaßen beantwortet: „Selbstvertrauen/Selbstbewusstsein" (24), „Gesteigerte Kreativität/Ausdrucksfähigkeit" (21), Spannungslösung/Kathartische Wirkung" (16), „Grenzen erleben/Grenzen überwinden" sowie „Offenheit/Mut/Zutrauen" (je 15 Nennungen). Auch hier möchte ich nun nicht offene methodologische Fragen diskutieren – die im Übrigen auch von den Autoren durchaus selbstkritisch gestellt werden – sondern darauf verweisen, dass auch diese Art von Forschung keine Einblicke erlaubt, welche Elemente des Theaterspielens *wie* zu den von den Beteiligten genannten Veränderungen führen bzw. führen könnten. Eine Hypothesenbildung, welche spezifischen Entwicklungsmöglichkeiten welche spezifischen Elemente des Theaterspielens erlauben, ist so nicht möglich. Die Praxis des Theaterspielens bleibt auch in dieser Studie eine „black box"; die Autoren weisen allerdings darauf hin, dass es sinnvoll wäre – in weiteren Studien – auch die Projektpraxis in die Untersuchung mit einzubeziehen. Ein weiteres Beispiel für einen biographieorientierten Ansatz stellt die Arbeit von Ute Karl dar. Sie untersuchte in einer Studie zum Seniorentheater die Bildungsprozesse älterer Menschen in Bezug auf das Theaterspielen.[50] Mithilfe von narrativen Interviews, die sie mittels verschiedener Perspektiven (inhaltlich-semantisch, formal-textuell, kontextuell-sprachanalytisch) auswertet, weist sie darauf hin, dass die Bildungsmöglichkeiten des Theaters je nach

---

47 Finke und Haun o. J.
48 Vgl. Finke und Haun o. J., S. 4.
49 Vgl. Finke und Haun o. J., S. 8.
50 Vgl. Karl 2008.

lebensgeschichtlichen Selbstdeutungen der Handelnden unterschiedliche Bedeutung gewinnen. In einem der vorgestellten Fälle ist zum Beispiel der Auftritt vor Publikum und die durch das Publikum erfahrene Anerkennung von großer Bedeutung.[51] Besonders interessant an Karls Ansatz erscheint, dass sie das Interview selbst nicht nur als bloßen retrospektiven Vorgang begreift, sondern als Rahmen, in dem ebenfalls Bildungsprozesse stattfinden können, d.h für sie, dass sich „Selbst- und Weltverhältnisse"[52] verändern. Zugleich wird so aber auch deutlich, dass das Interview eine Transformation des konkret Stattgefundenen darstellt. Das Interview mit seinen Fragen und Antworten schafft eine „neue" Beschreibung der „Wirklichkeit", die sicherlich Hinweise auf bedeutsame Augenblicke der Praxis (wie etwa die Aufführung) gibt, aber immer noch nicht erlaubt, das „wie" der künstlerischen und sozialen Prozesse zu untersuchen.[53]

Das Problem, das durch diese Herangehensweise gerade nicht gelöst werden kann, wird von Pinkert und Meyer in „Transformatorische Praktiken in der Ästhetischen Bildung/ Theaterpädagogik. Skizze eines Forschungsvorhabens" folgendermaßen beschrieben:

„Offen aber bleibt, in welcher Weise diese Möglichkeiten der Transformation sich in konkreten Situationen der spiel- und theaterpädagogischen Praxis *verwirklichen* (lassen). Woran liegt es, dass sich in der einen (Lehr-)veranstaltung ein ‚Spielraum' herstellt und die Partizipierenden lustvoll Dinge wagen und probieren, die sie selbst kaum für möglich gehalten hätten; und in der anderen, ganz ähnlich konzipierten, nichts von alldem passiert?"[54]

Deutlich wird, dass sich erst durch die Hinwendung auf die Praxis Fragen nach gelingender bzw. misslingender Praxis stellen lassen. Pinkert/Meyer weisen darüber hinaus darauf hin, dass die Untersuchung konkreter Praxis ein echtes Forschungsdesiderat darstellt, das nur durch einen Perspektivenwechsel in Bezug auf den Gegenstand und die Forschungsmethodologie zu bearbeiten ist. Um die schwierigen forschungsmethodischen Fragen, die sich aus diesem Perspektivwechsel ergeben, bearbeiten zu können, verweisen sie auf Arbeiten aus dem Bereich der Schul- und Unterrichtsforschung, auf die ich im nächsten Kapitel eingehe.

Festzuhalten bleibt, dass die konkrete theaterpädagogische Praxis bisher nicht im Fokus von Untersuchungen gestanden hat und eine Hinwendung zu den Fragen des „Wie" gerade erst stattfindet. Die Haltung, die es dabei einzunehmen gilt, formuliert Ulrike Hentschel folgendermaßen:

„Ich frage nicht danach, *was* mit den Mitteln des Theaterspielens gelernt werden kann, weder im Hinblick auf eventuell zu vermittelnde Inhalte, noch auf anzustrebende soft skills. Mich interessiert vielmehr *wie* das Theaterspielen funktioniert und dann erst, welche Bildungsprozesse mit dem Theaterspielen einhergehen. Diese Bildungsprozesse können jedoch nicht normativ vorab als ‚Lernziele' bestimmt werden, sie müssen vielmehr als Bildungs*möglichkeiten* des Theaterspielens angesehen werden."[55]

Hentschel schlägt also vor, sich zuerst einmal mit der Projektpraxis zu beschäftigen, bevor die Frage nach möglichen Bildungswirkungen gestellt werden kann.

---

51 Vgl. Karl 2008, S. 137.
52 Karl 2008, S. 133.
53 Die ausführlichen Ergebnisse ihrer Arbeit finden sich in: Karl 2005.
54 Pinkert/Meyer 2006, S. 44.
55 Hentschel 2008, S. 84.

Prozessorientierte Forschung

Das „Praxisforschungsprojekt: Leben lernen", in dem das den späteren Fallstudien zugrunde liegende Videomaterial entstanden ist, widmete sich genau diesem Forschungsdesiderat und versuchte, die konkrete Praxis von Tanz- und Theaterprojekten in verschiedenen Münchner Schulen in den Forscherblick zu nehmen.

Im Mittelpunkt des Interesses standen dabei Fragen, die sich für das „Wie" der Projektpraxis interessierten. Es ging darum, „wie Kinder lernen, welche Bedingungen dabei eine Rolle spielen und worin das besondere Potential künstlerisch-kulturpädagogischer Arbeit besteht."[56] Um diesen Fragen nachzugehen, entwickelten die Projektkoordinatoren Alexander Wenzlik und Tom Biburger ein umfangreiches Praxis- und Forschungsprogramm. An mehreren Münchner Schulen wurden über den Zeitraum von zwei Jahren tanz- und theaterpädagogische Projekte durchgeführt (mit Kindern und Jugendlichen im Alter von 9-18 Jahren), die von einem interdisziplinären Team aus KulturpädagogInnen, SozialpädagogInnen und ErziehungswissenschaftlerInnen forschend begleitet wurden.[57]

Im Sammelband *Lernkultur und Kulturelle Bildung*[58] geben die Initiatoren auch Auskunft darüber, welches Verständnis von Kultureller Bildung dabei für sie leitend ist.[59]

Zunächst machen sie deutlich, weshalb sie es als sinnvoll erachten, Projekte der Kulturellen Bildung in Kooperation mit Schulen in Schulen anzubieten: Nur so sei es möglich, „alle" Gesellschaftsschichten zu erreichen. Die Tendenz, Kulturelle Bildung aus der Schule auszugliedern, führe dazu, dass diese Angebote mehr und mehr von privaten, kommerziellen Dienstleistern erbracht werden und so gerade Kinder und Jugendliche aus Familien mit problematischem Bildungshintergrund und/oder geringem Einkommen nicht erreicht werden. Dennoch streben die Initiatoren kein Schulfach „Kulturelle Bildung" an und verweisen dezidiert darauf, dass sie keinen Unterricht anbieten wollten, in denen die Grundsätze der Jugendhilfe von „Freiwilligkeit, Partizipation und Selbstbestimmung" in den Hintergrund treten.[60]

Kern Kultureller Bildung ist für die Autoren die „Ästhetische Praxis", die so gestaltet werden soll, dass die Lebenswelt der Kinder und Jugendlichen der Ausgangspunkt der Gestaltung der gemeinsamen Arbeit ist – es wird nicht mit vorgefertigten Choreographien oder fertigen Stücken gearbeitet. Diese Ästhetische Praxis, die ihren Ausgangspunkt in der Lebenswelt der TeilnehmerInnen nimmt, hat aber trotzdem einen hohen künstlerischen Anspruch, der dadurch umgesetzt wird, dass den TeilnehmerInnen das Handwerkszeug der jeweiligen künstlerischen Praxis vermittelt wird, um sie so dazu zu befähigen, einen eigenen künstlerischen Ausdruck zu finden. Genau dadurch kann und soll auch eine Transformation der Lebenswelt der Beteiligten stattfinden, die dann wiederum nicht nur auf den je Einzelnen bezogen

---

56 Vgl. Biburger/Wenzlik 2009b, S. 17.
57 Eine genaue Beschreibung des Designs findet sich in: Hill 2009.
58 Hill et al. 2008a.
59 Vgl. dazu das Einleitungskapitel des gerade erwähnten Sammelbandes: Hill et al. 2008a.
60 Vgl. Hill et al. 2008a, S. 12.

ist, sondern in einem gesellschaftlichen Kontext steht und diesen mitberücksichtigt. Oder in den Worten der Projektinitiatoren selbst:

„(…) es gilt in der Kulturellen Bildung die Brücke zu schlagen zwischen der Lebenswelt der Kinder und Jugendlichen, ihren Bildungsmöglichkeiten und Voraussetzungen und zugleich anspruchsvollen wie bewältigbaren ästhetischen Herausforderungen, die von ihnen selbst mitentwickelt werden."[61]

Kulturelle Bildung wird als eine ästhetische Praxis entworfen, in der die je spezifischen künstlerischen Techniken vermittelt werden, um den TeilnehmerInnen die künstlerische Auseinandersetzung mit den Themen zu ermöglichen, die sie in und aus ihrer Lebenswelt heraus beschäftigen. Neben dem Lebensweltbezug sind dabei die Grundsätze von Freiwilligkeit, Partizipation und Selbstbestimmung die leitenden Arbeitsprinzipien. Diese Selbstbeschreibung macht deutlich, dass das „Praxisforschungsprojekt: Leben lernen" sich als Teil der oben bestimmten Kulturellen Bildung versteht, in deren Mittelpunkt die gemeinsame künstlerische Praxis steht.

Das Forschungsdesign wurde folgendermaßen aufgebaut: Zunächst wurden alle Projekttermine von einer teilnehmenden BeobachterIn und einem Kamerateam begleitet. Zusätzlich wurden auch Interviews und Gruppendiskussionen mit den beteiligten AkteurInnen (TeilnehmerInnen, KulturpädagogInnen, LehrerInnen) geführt und schließlich auch eine quantitative Erhebung zur Entwicklung der Selbstwirksamkeitserwartungen, dem Maß der Kooperation und des Klassenklimas durchgeführt.[62] Die Ergebnisse des Projektes wurden in zwei Sammelbänden veröffentlicht. Der erste dieser beiden Bände leistet eine Einordnung des Projektes in aktuelle erziehungswissenschaftliche und kulturpädagogische Diskurse,[63] der zweite stellt Projektergebnisse vor.[64] Im Zentrum beider Bände standen der Begriff der „Lernkultur" und die Frage, ob durch die spezifische Projektanlage eine „neue" Lernkultur entsteht, die den TeilnehmerInnen spezifische Entwicklungsmöglichkeiten bietet.

Tom Biburger stellt in seinem Beitrag „Szenisches Handeln – Dramaturgie des Lernens"[65] zunächst die Entwicklung einer bestimmten theaterpädagogischen Übung – des Energiekreises – vor. Er zeigt, dass diese Übung, bei der es darum geht, sich in der Mitte der Gruppe wild und ausgelassen zu bewegen, zunächst von den Teilnehmenden abgelehnt wird. Erst als die Gruppe, angeregt durch einen Film, in dem ähnliche Tanzsequenzen zu finden sind, eine eigene Form dieser Übung entwickelt, lassen sich alle TeilnehmerInnen darauf ein und erlauben sich, wilde und raumgreifende Bewegungen in der Mitte der Gruppe aufzuführen.

Daran anschließend zeigt Biburger anhand von drei Fallstudien die Entwicklung dreier TeilnehmerInnen während des Zeitraums der Projektarbeit. Viktoria, Paul und Mira vollziehen sehr unterschiedliche Entwicklungsschritte. Geht es bei Viktoria vor allem darum, dass sie – die sehr gut tanzt und mit großem Ehrgeiz bei der Sache

---

61 Hill et al. 2008a, S. 13.
62 Die Ergebnisse weisen in den Gruppen, die freiwillig an den Projekten teilnahmen, eine signifikant erhöhte Selbstwirksamkeitserwartung nach. Bei den Gruppen, die als Klassenverband teilnehmen mussten, ist dieser Effekt nicht nachweisbar. Die detaillierte Darstellung findet sich in: Eberle 2009.
63 Hill et al. 2008a.
64 Biburger/Wenzlik 2009a.
65 Biburger 2009.

ist – einen Platz in der Gruppe und eine passende Rolle für die Abschlussaufführung findet, geht es bei Paul, der damit zu kämpfen hat, dass er oft gemobbt wird, darum, seine grundsätzlich passive Haltung aufzugeben und sich zu wehren. Mira schließlich erarbeitet sich trotz großer Lern- und Sprachschwierigkeiten einen anspruchsvollen Monolog, den sie schließlich bei den Abschlussaufführungen auch auf die Bühne bringt. In allen drei Fällen gelingt es den Jugendlichen, für sie neue Wege zu beschreiten und Dinge zu tun, die ihnen bis dahin sehr schwer gefallen waren.

Alexander Wenzlik wählt in seinem Beitrag „Kinder in Bewegung – zu den körperlichen, ästhetischen und sozialen Dimensionen von Lernkultur"[66] einen ähnlichen Weg und beschreibt zunächst zwei spezifische Übungen, den „Open Mic" und das „Bauen einer Pyramide". Der Open Mic ist eine Präsentationsform, bei der allen Beteiligten die Bühne geöffnet wird für eine Präsentation ihrer Wahl: Das kann ein kurzes Theaterstück sein, ein Gedicht, ein Tanz, ein Vortrag oder auch ein Musikstück. Im konkreten Fall hatten die TeilnehmerInnen (hier die SchülerInnen einer vierten Grundschulklasse) zwei Wochen Zeit, selbständig und eigenverantwortlich Darbietungen vorzubereiten. Die besondere Qualität der Bühnenform des Open Mic fasst Wenzlik schließlich so zusammen, dass er den TeilnehmerInnen die Möglichkeit eröffne, mit dem aufzutreten, was sie präsentieren wollen; dadurch entstehe eine große Motivation für die Sache. Zudem falle auf, dass viele der TeilnehmerInnen eine gemeinsame Präsentation vorbereitet haben. Dabei gelang es ihnen, so gut miteinander zu kooperieren, dass anspruchsvoll gestaltete Präsentationen entstanden. Bei den Präsentationen selbst lasse sich ein sehr großes Interesse der ZuschauerInnen beobachten, deren Applaus wiederum zu großem Stolz der Auftretenden führe, der sich in ihren Körperhaltungen zeigt.

In seiner zweiten Fallstudie beschäftigt sich Wenzlik mit der Gestaltung einer Szene für die Abschlussaufführung, in der alle 26 beteiligten Kinder mit ihren Körpern eine Pyramide formten. Die Gründe dafür, dass die Arbeit an dieser Szene von außergewöhnlich hoher Beteiligung und Konzentration geprägt war, erschließt Wenzlik aus der genauen Beschreibung des Probenprozesses: Die Ausrichtung des Probenprozesses auf *ein* gemeinsames Ziel, die Erfahrung, die jede/r einzelne macht, dass er/sie für das Gelingen der Pyramide unverzichtbar ist, und die Arbeit mit dem eigenen Körper als Darstellungsmittel sind für ihn die Erklärung für die außergewöhnlich hohe Beteiligung und Konzentration.

An diese beiden Beschreibungen bestimmter Gestaltungselemente der Projektarbeit schließt Wenzlik eine Fallbeschreibung des tänzerischen Prozesses einer Projektteilnehmerin an, die in der Abschlussaufführung einen Solotanz präsentiert. Er gelingt ihm so, die spezifischen Möglichkeiten des Tanzes als Medium kultureller Bildung darzustellen, die er vor allem darin begründet sieht, dass das eigene Körperbild erweitert wird und sich die Fähigkeit vergrößert, inneren Zuständen Gestalt und Form zu geben. Im beschriebenen Fall von Pia führt die Inszenierung ihres Tanzes als Außenseiterin im Stück auch dazu, dass sie ihre reale soziale Position in der Gruppe verändert.

Ich habe in dieser Veröffentlichung mit dem Beitrag „Zwischen Zeigelust und Schamangst: Die Bühne als zentraler theater- und tanzpädagogischer Handlungsraum" einen anderen Weg gewählt und mich nur mit der Beschreibung eines spezifischen

---

66 Wenzlik 2009.

Handlungsraums befasst, nämlich der Bühne.[67] Ich ging dabei der Fragestellung nach, wie die TeilnehmerInnen mit ihren Schamgrenzen umgehen und inwieweit und wie die Projektarbeit dazu führte, dass sich diese Schamgrenzen verschoben haben. Durch die genaue Analyse der Abschlussaufführungen einer Projektgruppe von Dritt- und Viertklässlern und die Analyse verschiedener Spiel-, Übungs- und Probensituationen konnte ich zeigen, dass sich die Schamgrenzen verschieben und die TeilnehmerInnen lernen, sich auf der Bühne ihrer Zeigelust hinzugeben. Den AnleiterInnen kommt dabei eine doppelte Aufgabe zu: Als PädagogInnen gestalten sie verschiedene Möglichkeitsräume, in denen die TeilnehmerInnen mit ihren Schamgrenzen experimentieren können. Als KünstlerInnen tragen sie dafür Sorge, dass sich die TeilnehmerInnen mit ihrer Abschlussaufführung nicht öffentlich blamieren, indem sie die ästhetische Gestaltung der Szenen professionell begleiten.

Spiele erweisen sich dabei als zentrales Mittel, um Möglichkeits- und Übungsräume zu schaffen. Die ästhetische Gestaltung hingegen wird durch intensives Proben unterstützt. Den Tanz- und TheaterpädagogInnen sind somit verschiedene Kompetenzen zu eigen, zum einen pädagogische und zum anderen künstlerische.

Mit diesem Sammelband liegt eine Arbeit vor, in der versucht wurde, sich konsequent mit der Praxis Kultureller Bildung, im Medium von Tanz und Theater,[68] zu beschäftigen und Hypothesen über mögliche „Wirkungen" über die Beschreibung der Projektpraxis und den dort sichtbaren Veränderungen zu generieren. Wie im Untertitel sichtbar wird, spielt der Begriff der „Lernkultur" dabei eine entscheidende Rolle. Es wurde versucht, eine erste Annäherung an eine empirisch gehaltvolle Bestimmung der Spezifika einer künstlerisch-kulturpädagogischen Lernkultur zu unternehmen. Die Beschreibung spezifischer Projektelemente, des Energiekreises, des Open Mic, des Pyramidenbaus und der Bühne weist den Weg in diese Richtung. Der systematische Stellenwert dieser Elemente wird allerdings noch nicht deutlich: Handelt es sich hier um die „Ausnahmesituationen", die „Sahnehäubchen" der Projektarbeit? Oder handelt es sich um „ganz normale" Projektsituationen, die stellvertretend für viele andere stehen? Auch die Frage, die oben schon gestellt wurde, was die Faktoren für gelingende bzw. misslingende Praxis sind, wurde noch nicht systematisch aufgegriffen; es finden sich allerdings schon interessante Gemeinsamkeiten der beschriebenen Situationen, die darauf hinweisen, dass zum Beispiel die Mitgestaltungsmöglichkeiten der TeilnehmerInnen von zentraler Bedeutung sein könnten.

Die vorgestellten Fallstudien zu einzelnen TeilnehmerInnen verweisen darauf, dass sehr unterschiedliche Entwicklungen in der gemeinsamen Projektarbeit realisiert wurden, die systematische Bestimmung der wesentlichen Elemente dieser Entwicklungen steht allerdings noch aus. Ist das Wesentliche die Auseinandersetzung mit dem künstlerischen Medium? Oder die Beziehung zu den AnleiterInnen? Oder die Artikulation eigener Bedürfnisse? Oder die Möglichkeit, einen Bühnenraum zu nutzen? Oder die Erfahrung der gemeinsamen Aufführungen?

---

67 Vgl. Fink 2009.
68 Für den Bereich der Bildenden Kunst hat Georg Peez eine Studie vorgelegt, die ebenfalls den Prozess in den Blick zu nehmen versucht (Peez 2005) und für den Bereich der Musik sei die Studie von Burkhard Hill erwähnt (Hill 1996).

Ziel der vorliegenden Arbeit ist es daher, die hier vorgestellten Fallstudien weiter zu systematisieren und der Frage nachzugehen, wie sich die realisierte „Lernkultur" der Projektarbeit systematisch beschreiben lässt. Um dies möglich zu machen, werde ich im nächsten Kapitel auf die intensiv geführte erziehungswissenschaftliche Diskussion um „Lernkultur" eingehen. Eine genaue Bestimmung dieses Begriffes wird das Instrumentarium zur Verfügung stellen, um in den empirischen Fallstudien des dritten Teils eine systematische Beschreibung der untersuchten Lernkultur vorstellen zu können.

1.4 Die Projektpraxis als Forschungsgegenstand: Eine Zusammenfassung

Ich habe in den vorausgegangen Kapiteln gezeigt, dass unter Kultureller Bildung oft sowohl ein Prozess als auch ein Ergebnis verstanden wird. Als *Prozess* versteht sich Kulturelle Bildung als Auseinandersetzung mit den Künsten, als *Ergebnis* umfasst sie – falls der Prozess gelungen ist – künstlerische und ästhetisch-sinnliche Fertigkeiten; darüber hinaus soll sie aber auch Fertigkeiten vermitteln, die zu einer bewussten Lebensgestaltung beitragen.

Dass Kulturelle Bildung bestimmte Fertigkeiten im Umgang mit den Künsten vermitteln soll, steht außer Frage und ist kaum Gegenstand größerer Diskussion. Auch hier gilt allerdings, dass die Frage, wie diese Vermittlung tatsächlich geschieht, als empirische Frage weitgehend unerforscht ist.

Die Frage, welche Bedeutung Kultureller Bildung darüber hinaus zukommt und welche Fertigkeiten vermittelt werden, wird kontrovers diskutiert: Die Kulturelle Bildung steht unter Rechtfertigungsdruck, auf den nicht selten mit umfangreichen Wirkungsbehauptungen reagiert wird, die nicht empirisch belegt sind. Dies ruft wiederum Kritiker auf den Plan, die eine Instrumentalisierung der Kulturellen Bildung fürchten, die dazu führe, dass ihr Eigenwert verloren gehe.

Vor diesem Hintergrund sind in den letzten zehn Jahren einige Versuche unternommen worden, Kulturelle Bildung zu einem Gegenstand empirischer Forschung zu machen. Einige Arbeiten, die ich vorschlage als „Transferforschung" zu bezeichnen, versuchen, langfristige Kompetenzveränderungen zu messen, die durch die Teilnahme an Projekten Kultureller Bildung verursacht sein sollen. Folgende Probleme entstehen bei dieser Art der Forschung:

>> Die Feldbedingungen erlauben oft nicht die Bildung valider Kontrollgruppen. Zudem ist es schwierig, die gleiche Form des Treatments zu gewährleisten.
>> Die ermittelten Kompetenzzuwächse lassen sich nur schwer erklären, da unklar bleibt, was genau an den Treatments für die Veränderungen verantwortlich sein soll.
>> Durch diese Form der Forschung wird eine Instrumentalisierung nahe gelegt: Kulturelle Bildung dient dann nur noch der Kompetenzsteigerung (z. B. der Intelligenz), die dann für die „wirklich wichtigen Dinge" eingesetzt werden kann.
>> Die Projektpraxis bleibt eine „black box"; die Bedingungen für gelingende, bzw. misslingende Praxis werden nicht erhellt.

Von dieser Kritik ausgehend entwickelten sich Formen der Biographie- und Praxisforschung, die sich für die einzelnen TeilnehmerInnen bzw. den Arbeitsprozess von Projekten Kultureller Bildung interessieren. In der Biographieforschung wird versucht, die subjektive Bedeutung der künstlerischen Auseinandersetzung darzustellen. In der prozessorientierten Praxisforschung geht es hingegen darum, das „wie" der Projektarbeit zu beleuchten, um so Hypothesen entwerfen zu können, welche besonderen Entwicklungsmöglichkeiten mit bestimmten Projekten Kultureller Bildung verbunden sein könnten und wie eine gelingende Praxis gestaltet werden kann. Das Vorgehen ist als hypothesengenerierend zu verstehen und fragt dezidiert nach den Besonderheiten der jeweiligen künstlerischen Medien und dem spezifischen Selbstverständnis der Projektpraxis.

Der Ergebnisband des „Praxisforschungsprojekt: Leben lernen" ist als ein erstes Ergebnis dieses Ansatzes zu lesen. Deutlich wird hierbei, dass die konkrete Projektpraxis ein so reichhaltiges Material bietet, dass die getroffene Auswahl der Ereignisse bzw. die Beschreibung des Entwicklungsprozesses einzelner TeilnehmerInnen (noch) zufällig erscheint. Offen bleibt, wie sich die Lernkultur, die in den einzelnen Projektgruppen realisiert wurde, systematisch beschreiben lässt.

„Not, then, man and their moments. Rather moments and their men."[69]

2 Theoretische Grundlagen zur Erforschung sozialer Interaktionen

In diesem Kapitel werde ich zeigen, dass der Begriff der Lernkultur genutzt werden kann, um pädagogische Praxis zu beschreiben und zu analysieren. Dazu bedarf es allerdings zunächst der Konturierung dieses mittlerweile sehr beliebten und in vielfältigen unterschiedlichen Zusammenhängen benutzten Begriffes. Im ersten Abschnitt (2.1) werde ich die vielfältige Begriffsgeschichte von Lernkultur nachzeichnen, die zu dem erstaunlichen Ergebnis führen wird, dass es zwar von Anfang an um die Frage nach einer Neubestimmung des „Wie" des Lernens ging, aber damit lange kein empirisches Forschungsprogramm verbunden wurde, das sich mit den realen Wirklichkeiten des Lernens auseinandersetzte.

Erst in den letzten Jahren sind Forschungsvorhaben entstanden, die den Begriff der Lernkultur als deskriptiven Begriff nutzen; die so genannten „Berliner Ritualstudien" und „LUGS – Lernkultur und Ganztagsschulentwicklung". Diese Arbeiten werde ich in Kapitel 2.2 vorstellen. In beiden Forschungszusammenhängen ging es auch darum, den Begriff der Lernkultur theoretisch zu fassen. Die zentralen Begriffe der Berliner Arbeiten lauten dabei „Ritual", „Performativität" und „Mimesis". Bei „LUGS" sind es die Begriffe der „Sozialen Praktiken" und der „Sozialen Ordnung". Diese Arbeiten lassen sich – im Verbund mit anderen ethnographischen Arbeiten der letzten Jahre – als eine neue Richtung empirischer pädagogischer Forschung verstehen, die sich in klarer Opposition zur traditionellen Unterrichtsforschung verstehen.[70]

Die Kritik an diesen beiden Forschungsprojekten richtet sich dann darauf, dass in den Veröffentlichungen unklar bleibt, welchen Stellenwert die ausgewählten Sequenzen für die „gesamte" Lernkultur einer bestimmten Gruppe haben. Der Begriff der Lernkultur, der ja auf eine gewisse Einheit, eine spezifische Ordnung verweist, wird so nicht befriedigend gefüllt.

Durch Rückgriff auf die Ethnomethodologie (2.3) wird ein spezifisches Verständnis für den Zusammenhang von Handlung(en) und Sozialer Ordnung herausgearbeitet, das im Grundsatz darauf basiert, dass jede Handlung zur Etablierung, Bestätigung oder Infragestellung sozialer Ordnungen beiträgt. Diese Grundeinsicht löst allerdings noch nicht das Problem, auf welche Handlungen sich eine Analyse von Lernkulturen konzentrieren könnte.

Im daran anschließenden Kapitel (2.4) werde ich daher den GOFFMANschen Begriff des Rahmens einführen und zeigen, dass dieser Begriff zur systematischen Beschreibung von Lernkulturen genutzt werden kann.

Das Abschlusskapitel (2.5) wird den Ertrag dieses Kapitels sichern und deutlich machen, dass die durch die Rahmenanalyse bereitgestellten Begrifflichkeiten die Grundlage dafür bilden können, die Lernkultur eines Tanz- und Theaterprojektes systematisch zu beschreiben.

---

69 GOFFMAN 1967, S. 3.
70 Zu einer Grundlegung dieser alternativen Perspektive auf Unterricht vgl.: BREIDENSTEIN 2008. Für eine Übersicht über aktuelle Forschungsarbeiten vgl. den gesamten Band: HÜNERSDORF ET AL. 2008.

2.1 Zur Begriffsgeschichte: Lernkultur

Der Begriff der „Lernkultur" hat eine erstaunliche und vielseitige Karriere hinter sich. Er hat es dabei geschafft, die engen Grenzen seiner Verwendung in erziehungswissenschaftlichen Fachdiskursen hinter sich zu lassen und im Kontext des „PISA-Schocks" zu einer Leitformel für den Ruf nach veränderten Schulen zu werden. Auch wenn dieser Ruf relativ folgenlos verhallt zu sein scheint, hat der Begriff seine Bedeutsamkeit im Fachdiskurs behalten. Er wird hier allerdings in sehr unterschiedlicher Absicht und Konturierung gebraucht. Ich werde im Folgenden wichtige Stationen seiner Entwicklung nachzeichnen und verschiedene Traditionslinien voneinander unterscheiden[71], um deutlich zu machen, dass der Begriff der Lernkultur in dieser Arbeit nicht als normativer, sondern als deskriptiver Begriff genutzt werden soll.

1987 erschien das Buch *Belebungsversuche. Ausgrabungen gegen die Verödung der Lernkultur* des Erziehungswissenschaftlers HORST RUMPF. Mit diesem Buch gelang es ihm, den Beginn eines nunmehr dreißigjährigen lebhaften Diskurses zu setzen. Der Begriff der Lernkultur nimmt bei RUMPF eine exponierte Stellung ein. Er beginnt sein Buch mit folgendem Satz:

„Unsere Lernkultur ist stark im Überwinden von Offenheiten und Widersprüchen
– das Ausgraben und Scharfmachen von Unvertrautem hingegen gilt uns kaum
als Lernleistung, so wenig wie das Aushalten von Leere, von Mehrdeutigkeiten."[72]

Im weiteren Verlauf des Buches wird deutlich, dass RUMPF Lernkultur als einen Alternativbegriff zu Unterricht verwendet, um so eine pädagogische Praxis entwerfen zu können, die sich vom traditionellen Unterricht mit seiner klassischen Rollenverteilung in Lehrer und Schüler und der Fokussierung auf die möglichst effiziente Vermittlung von Faktenwissen abhebt. Diese Form pädagogischer Praxis charakterisiert er als Lernkultur, die sich der „Vermittlung von Wissenschaft und alltäglichem Leben"[73] verschrieben hat und an „Erfahrung der Teilhabe, des Sich-treffen-lassens, des Spürens von Gegenwart"[74] interessiert ist. Sein Buch widmet sich dabei kaum der Beschreibung konkreter Lernsituationen als vielmehr einer anthropologischen Begründung seiner Forderungen nach einer veränderten Lernkultur. Die Aufgabe von „Bildung" sieht er schließlich darin, der vorherrschenden „Verödung" entgegen zu wirken:

„Es ist nur die Frage, ob Schule, ob Hochschule, ob Kulturarbeit den übermächtigen Trend in Richtung Beherrschung und Distanzierung noch weiter forcieren sollten, ob sie also auch bloß Vermittler von Beherrschungswissen und Beherrschungsstrategien sein sollten – und sonst nichts. Oder ob sie Gegenerfahrungen ausgraben, intensivieren sollten, mit langem Atem. Schon Spurenelemente wirklicher Nachdenklichkeit können den Bann brechen."[75]

---

71 Eine ausführlichere Darstellung der Begriffsgeschichte von „Lernkultur" ist im Aufsatz „Lernkultur als soziale Praxis pädagogischen Geschehens" (FINK 2008) enthalten.
72 RUMPF 1987, S. 12.
73 RUMPF 1987, S. 219.
74 RUMPF 1987, S. 15.
75 RUMPF 1987, S. 220.

In der Denkschrift der Bildungskommission N.R.W. mit dem Titel „Zukunft der Bildung – Schule der Zukunft"[76] bekommt der Begriff der Lernkultur 1995 wieder einen prominenten Platz zugewiesen. Der Text, der vom damaligen Ministerpräsidenten von Nordrhein-Westfalen, Johannes Rau, in Auftrag gegeben worden war, wurde von einer vielköpfigen Kommission erstellt, der neben ErziehungswissenschaftlerInnen auch VertreterInnen der Wirtschaft und der Politik angehörten.[77] Im Hauptkapitel des Textes „Das Haus des Lernens" nutzen die AutorInnen den Begriff der Lernkultur mit einer ähnlichen Stoßrichtung wie Rumpf. Sie machen deutlich, dass die Schule weiterhin ein Ort bleiben soll, in dem das Lernen im Mittelpunkt steht, und wenden sich zugleich – wie Rumpf auch – gegen ein überholtes Verständnis von Lernen:

„Der traditionelle Lernbegriff geht von einem festen, geschlossenen Wissenskanon und einem auf seine Vermittlung hin orientieren Unterrichtsplan aus. Er ist auf Lernergebnisse im Sinne von Reproduktion überprüfbaren Wissens hin orientiert und vernachlässigt den Lernprozess selbst, die Entwicklung von Interessen, den Hinzugewinn von anwendungsbezogenem Wissen, die Zunahme von Handlungskompetenz und die Möglichkeit sozialer Erfahrungen. Dieser erweiterte Lernbegriff, der die Schule der Zukunft prägen soll, erfordert anders gestaltete Lernsituationen. Sie müssen Fachlichkeit und überfachliches Lernen, individuelle und soziale Erfahrungen, Praxisbezug und die Erarbeitung des gesellschaftlichen Umfelds miteinander verknüpfen."[78]

Auch in der Denkschrift wird der Begriff der Lernkultur genutzt, um darauf zu verweisen, dass sich die Schulen von traditionellen Vorstellungen, wie Lernen zu organisieren ist, verabschieden müssen und „anders gestaltete Lernsituationen" organisieren sollten. Auch in der Denkschrift verbleibt dies eine normative Forderung, es gibt keine empirischen Beschreibungen konkreter pädagogischer Praxis.

In den Jahren ab 1997 erscheinen zahlreiche weitere Publikationen zum Thema Lernkultur. Es entstehen dabei auch einige Monographien von ErziehungswissenschaftlerInnen, die die Bedeutungsvielfalt des Begriffes der Lernkultur weiter ausdehnen:

Als besonders drastisches Beispiel sei hier Kösel genannt, der zur Entdifferenzierung des Begriffes beiträgt und „Lernkultur" synonym mit „Unterrichtskultur" und „Schulkultur" verwendet.[79] Seine Zusammenstellung der Faktoren, die für eine „Unterrichts-/Schul-/Lernkultur" bedeutsam sein sollen, ist unsystematisch und in ihrer Auswahl nicht weiter begründet. Er nennt unter anderem: „Richtlinien und Normen", „Fachdidaktischer Habitus", „Themen", „Denkmethoden", „Kleiderkultur", „Geruchskultur", „Leitfiguren", „Körpersprache", „Gewohnheiten" usf. (insgesamt 38 Faktoren).[80]

Krapf[81] nutzt den Begriff der „neuen Lernkultur" und charakterisiert – ausgehend von eigenen empirischen Studien, die er aber nur sehr ausschnitthaft und ohne empirisches Material vorstellt – traditionellen Unterricht als einen lehrerzentrierten,

---

76 BILDUNGSKOMMISSION N. R. W. (1995).
77 Die 23 Mitglieder finden sich namentlich und mit ihrer damaligen Funktion unter http://de.wikipedia.org/wiki/Bildungskommission_NRW#Mitglieder_der_Kommission, letzte Verifizierung: 21.02.11.
78 BILDUNGSKOMMISSION N.R.W. (1995), S. 82.
79 KÖSEL 1997.
80 Vgl. KÖSEL 1997, S. 336ff.
81 KRAPF 1997.

„fragend-entwickelnden" Unterricht.⁸² Diese Art des Unterrichts wird – angesichts einer sich rasant verändernden Welt – als nicht mehr zeitgemäß verworfen und die Forderung nach einer „neuen Lernkultur" erhoben. Im programmatischen Schlussteil des Buches wird sie folgendermaßen beschrieben:

> „Gefordert ist eine Besinnung auf die Grundidee von Lernen und die Idee, Lernen in Schulen und Institutionen zu ermöglichen: Selbstwerdung und Mitgestaltung in einer weltumspannenden menschlichen Gemeinschaft, die sich eins fühlt mit dem Kosmos, heißt die umfassende Zielstellung."⁸³

Auch Winter spricht von einer „neuen Lernkultur" und versucht, eine programmatische Bestimmung vorzunehmen.⁸⁴ Seiner Auffassung nach sollte sich eine „neue" Lernkultur durch folgende Merkmale auszeichnen: Selbstbestimmung, Prozessorientierung, alltagsnahe Aufgaben, Partizipation und Demokratie.⁸⁵ Er diskutiert dann die Probleme, die sich aus diesen Forderungen für die traditionelle Leistungsbewertung ergeben, und macht Vorschläge für alternative Leistungsbeurteilungsformen. Er interessiert sich dabei allerdings nicht für Fragen der konkreten Umsetzung von Unterrichtsarrangements (=Lernkulturen), die den oben genannten Anforderungen entsprechen.

Arnold und Schüssler⁸⁶ greifen die gesellschaftskritische Verwendungsweise von Rumpf wieder auf und fragen sich, weshalb in unseren Schulen nach wie vor ein sehr einseitiges Verständnis von Lernen existiert.⁸⁷ Sie treten dabei ebenfalls mit einem normativen Anspruch auf und verstehen ihr Buch als Beitrag zur Frage, wie sich Lernkulturen verändern müssten, damit die Menschen möglichst gut auf eine sich rasch verändernde Welt vorbereitet sind. Sie bemühen sich aber auch um eine Schärfung und Abgrenzung des Begriffes der „Lernkultur", die sie als „immer wieder aufs neue hergestellte *Rahmung*"⁸⁸ verstehen:

> „Selten ist den Beteiligten bewusst, daß sie zu einem großen Teil die bestehende Lernkultur selbst erzeugen. Viele Lehrende beklagen zwar die rigiden Lernstrukturen, folgen aber weiterhin einer traditionellen Lernlogik und perpetuieren sie damit aufs neue, wenn sie zum Beispiel nicht auf Kolleginnen und Kollegen zugehen, um mit ihnen realisierbare Lösungen für Projektideen zu entwickeln, oder nur von lebendigen Lernkulturen dozieren, anstatt sie mit den Lernenden zu erproben. Lernkulturen werden aber auch durch die Aneignungsaktivitäten der Lernenden geprägt, die sich z. B. mit einem „Belehren" arrangiert haben, dieses gar „erwarten" und aus Gründen der bequemen Gewohnheit aktivierenden, auf Selbsttätigkeit gerichteten Methoden eher ablehnend gegenüberstehen."⁸⁹

Arnold und Schüssler kommt hier das Verdienst zu, nicht nur normative Forderungen zu stellen, sondern auch deutlich zu machen, dass eine Lernkultur nicht einfach gegeben ist, sondern von den Beteiligten „erzeugt" wird. Diese Perspektive wird

---

82 Vgl. Krapf 1997, S. 18f.
83 Krapf 1997, S. 254.
84 Vgl. Winter 2004.
85 Vgl. Winter 2004, S. 6.
86 Arnold/Schüssler 1998.
87 Vgl. Arnold/Schüssler 1998, S. 2.
88 Arnold/Schüssler 1998, S. 4.
89 Arnold/Schüssler 1998, S. 5.

allerdings in ihrem Buch nicht weiter verfolgt und sie widmen sich nicht der Frage, wie sich Lernkulturen empirisch erforschen lassen.

In der Folge der Veröffentlichung der PISA-Ergebnisse Ende 2001 begann eine neue Phase für den Begriff der „Lernkultur"; die Formel der „neuen Lernkultur" verließ den Fachdiskurs und wurde zum öffentlichen Schlagwort. In allen wichtigen deutschsprachigen Zeitungen[90] wurden Artikel zum Thema „neue Lernkultur" veröffentlicht. Dabei war „Lernkultur" das Schlagwort für die Forderungen nach einem veränderten Unterricht bzw. einer veränderten Schule in Deutschland.[91]

Diese „Popularisierung" des Begriffs führte aber keineswegs dazu, dass der Begriff der „Lernkultur" in der erziehungswissenschaftlichen Diskussion an Bedeutung verlor, im Gegenteil, auch in den erziehungswissenschaftlichen Publikationsforen mehrten sich die Aufsätze, die „Lernkultur" schon in ihrem Titel tragen[92], und einige erziehungswissenschaftliche/pädagogische Zeitschriften veröffentlichten Themenschwerpunkte zu „Lernkultur".[93]

Die Zahl der Artikel ist dabei so groß, dass MEINERT A. MEYER im einleitenden Artikel des Schwerpunktes „Neue Lernkultur" der Zeitschrift für Erziehungswissenschaft konstatiert, „dass ihre Fülle von einer Einzelperson nicht überschaut werden kann."[94] MEYERS Artikel versucht dennoch so etwas wie eine Übersicht zu geben. Augenfälligstes Ergebnis dabei ist, dass die Diskussion über „Neue Lernkultur" auf – eigentlich altbekannte – reformpädagogische Theoriebestände zurückgreift. Das Problem scheint, so MEYER weiter, nicht darin zu liegen, dass „guter" Unterricht (oder eben eine „neue Lernkultur") nicht theoretisch zu beschreiben wäre, sondern vielmehr darin, dass die pädagogische Praxis sich seit den Anfängen der Reformpädagogik bis heute erstaunlich

---

90 Durchsucht man zum Beispiel das Archiv der „Zeit", dann finden sich in den Jahren 1985-1987 fünf Artikel, die das Wort „Lernkultur" enthalten, zwei davon sind von HORST RUMPF verfasst worden. Erst im Jahr 1995 gibt es den nächsten Artikel und Ende 2001 werden drei Artikel veröffentlicht, gefolgt von je drei in den Jahren 2002, 2003 und 2004. Dann schwächt sich diese Zahl wieder ab, im Jahr 2005 ist es einer, im Jahr 2006 kein Artikel mehr. In anderen wichtigen Zeitungen ergibt sich ein ähnliches Bild, die Zahl steigt Ende 2001 und im Jahr 2002 und fällt dann wieder ab: Der Spiegel veröffentlichte Ende 2001 zwei Artikel und 2002 ebenfalls zwei, die FAZ 2002 3 Artikel und die taz Ende 2001 vier und im Jahr 2002 elf Artikel, in denen Lernkultur als zentraler Begriff erscheint.

91 Interessanterweise erscheint der Begriff „Lernkultur" in den PISA-Berichten nicht; es wird dort von Unterrichtsklima, Schulklima und Lernklima gesprochen, diese Begriffe hatten aber nie eine ähnlich große Bedeutung wie „Lernkultur". Vgl. OECD (2001) und OECD (2004).

92 Als Beispiele unter vielen seien genannt: LIPSKI, JENS (2002): „Lernen außerhalb der Schule – Anregungen für eine künftige Lernkultur; ERMERT, KARL (2002): „Neue Lernkultur und Kulturelle Bildung. Überlegungen zur Theorie und Praxis; KIPER, HANNA (2004): „Der Klassenrat – ein Beitrag zur Lernkultur?"; LIPSKI, JENS (2005): „Kooperation von Schulen mit außerschulischen Akteuren – Chance für eine neue Lernkultur?".

93 Vgl. z. B.: Grundschule konkret: Neue Lernkultur, Heft 17/ 2002.
Pädagogische Führung. Zeitschrift für Schulleitung und Schulberatung: „Neue Lernkultur(en)", 2/2004.
Zeitschrift für Erziehungswissenschaft: „Schwerpunkt: Neue Lernkultur", Heft 1/2005.
Jahrbuch für Pädagogik: „Infantilisierung des Lernens? Neue Lernkulturen – ein Streitfall", 2006.
Zeitschrift für Pädagogik: „Thementeil: Kulturen der Bildung", Heft 1, Januar/Februar 2008 („Lernkultur" ist hier nur einer der Begriffe, die eine Rolle spielen, neben „Schulkultur" und „Jugendkultur", die Einleitung des Thementeils weist auf die Schwierigkeiten hin, die durch den vielfältigen Gebrauch dieser „Bindestrichkulturbegriffe" entstehen).
Berufsbildung: „Schwerpunkt: Neue Lehr- und Lernkulturen", 109/110, März 2008.

94 MEYER 2005, S. 8.

resistent gegenüber diesen Empfehlungen erwiesen hat. Daraus folgt für Meyer, dass es um die konkrete Erforschung der Lernkulturen in Schule gehen sollte. Auch er bleibt aber Hinweise darauf, wie diese Erforschung gestaltet werden könnte, schuldig.[95]

Im Anschluss an diesen exzessiven Gebrauch des Begriffes der Lernkultur in der Erziehungswissenschaft wurde er auch in der bildungspolitischen Diskussion zunehmend wichtiger. Der „Arbeitsstab Forum Bildung", ein Expertengremium aus Vertretern der Wissenschaft und der Wirtschaft, das von der Bund-Länder-Kommission für Bildungsplanung und Forschungsförderung ins Leben gerufen worden war, veröffentlichte 2001 einen Bericht mit dem Titel „Neue Lern- und Lehrkultur"[96]. In diesem Bericht wird dezidiert auf die Metapher des „Haus des Lernens" aus der Denkschrift der Bildungskommission hingewiesen und eine veränderte „Lern-Lehrkultur" gefordert, die sich durch „Individualisierung von Lernprozessen", die „Übernahme von Verantwortung und dem Erwerb sozialer Kompetenzen" und der „Vermittlung von methodisch-instrumentellen Kompetenzen" auszeichnet. Der Fokus solle dabei auf den „Lernenden" liegen und die „Lehrenden" werden aufgefordert, ein neues Rollenverständnis zu entwickeln, das über das klassische Verständnis des „(Be-)lehrens" hinausgeht. Es wird darüber hinaus auch auf die Bedeutung der Eltern und der Peers für die Gestaltung einer neuen Lernkultur hingewiesen und auf die Relevanz informellen Lernens verwiesen. Auch im zwölften Kinder- und Jugendbericht, der von einer Expertengruppe im Auftrag der Bundesregierung 2005 entstand,[97] spielt der Begriff der Lernkultur eine Rolle. Im Kontext der umfangreichen Fördermaßnahmen zum Ausbau von Ganztagsschulen in Deutschland wird das Schlagwort der „neuen Lehr- und Lernkultur" genutzt.[98] Der Kontext „Ganztagsschule" ist nun auch genau der Bereich, in dem der Begriff der Lernkultur seit etwa 2005 eine bedeutende Rolle spielt. „Lernkultur" dient dabei oft als programmatisches Schlagwort,[99] aber auch in vielen Publikationen ist „Lernkultur" ein zentraler Begriff. Auffällig ist auch hier wieder, dass der Begriff in sehr unterschiedlichen Bedeutungen verwendet wird und nicht zur Beschreibung konkreter Projektpraxis dient.[100]

Was zeigt nun dieser Rückblick in die Begriffsgeschichte von „Lernkultur"?
Er zeigt, dass in der Diskussion über Lernkultur(en) von Beginn an über die Formen des Lernens gestritten wurde. Es ging dabei nicht um Fragen curricularer Inhalte, sondern um Fragen der Vermittlung, darum, wie Lernen organisiert sein sollte. Erstaunlich ist allerdings, dass diese Frage bis in die 2000er Jahre nicht zu empirischen Arbeiten angeregt hat, die sich konkreter pädagogischer Praxis zuwenden. Dies hat, so die Vermutung, die die Rekonstruktion der Begriffsgeschichte von Lernkultur nahe legt, damit zu tun, dass „Lernkultur" in fast allen Fällen mit einer normativen Stoßrichtung verwendet wurde. Dadurch wurde viel Mühe für programmatische Formulierungen aufgewendet, die Frage nach dem empirischen Nutzen des Begriffes wurde systematisch nicht gestellt.

---

95 Vgl. Meyer 2005, S. 23.
96 Arbeitsstab Forum Bildung (2001): Neue Lern- und Lehrkultur.
97 Bundesregierung (2005).
98 Bundesregierung (2005), S. 13.
99 Die Pressemitteilung zur Einrichtung der Serviceagentur „Ganztägig lernen" durch das BMBF steht beispielsweise unter dem Titel „Schulen brauchen eine neue Lernkultur". Vgl. dazu: www.bmbf.de/_media/press/pm_20050318-065.pdf, letzte Verifizierung: 21.02.2011.
100 Eine genauere Analyse findet sich in Fink (2008), S. 91.

Erst in den letzten Jahren sind auch empirische Forschungsvorhaben entstanden, die den Begriff der Lernkultur nicht mehr als normativ-programmatische Leitformel verwenden, sondern als deskriptiven Begriff, der es ermöglichen soll, pädagogische Praxis – jenseits etablierter Unterrichtsforschung – in den Forscherblick zu nehmen.

Da der Begriff der Lernkultur auch in dieser Arbeit so verwendet werden soll, werde ich im folgenden Kapitel zwei aktuelle bundesdeutsche Forschungsvorhaben skizzieren, in denen der Begriff der Lernkultur als deskriptiver Begriff eine entscheidende Rolle spielt.

2.2 Lernkultur als Begriff empirischer Bildungsforschung

Das Forschungsprojekt „LUGS – Lernkultur- und Unterrichtsentwicklung an Ganztagsschulen" ist eine Erweiterung der bundesweiten StEG-Studie (Studie zur Entwicklung von Ganztagsschulen). Ziel war es, Schulen, die zu Ganztagsschulen werden, zu begleiten und die Frage aufzuwerfen, ob und wenn ja wie sich die Lernkultur(en) an den betreffenden Schulen verändern. Das Projekt wurde im September 2009 abgeschlossen, der Abschlussband ist allerdings noch nicht veröffentlicht. In einem eigenen, schon veröffentlichten Artikel „Lernkultur: Überlegungen zu einer kulturwissenschaftlichen Grundlegung qualitativer Unterrichtsforschung"[101] stellen die Autoren der Studie allerdings ihr theoretisches Verständnis von Lernkultur vor.

Zunächst ordnen sie ihre Arbeit in den Diskurs über Lernkultur ein und machen deutlich, dass sie kein normatives Verständnis von Lernkultur vertreten, sondern den Begriff der Lernkultur zur Beschreibung konkreter Unterrichtssituationen in den untersuchten Schulen nutzen wollen.[102]

Sie gehen dabei von zwei Prämissen aus:
1. Lernkultur muss an einen deskriptiven soziologischen Kulturbegriff angeschlossen werden.
2. Lernkultur bildet das Zentrum schulischer Kultur.[103]

Zunächst zur ersten Prämisse:

Wie oben schon deutlich gemacht, wenden sich die Autoren gegen ein normatives Verständnis von Lernkultur und versuchen den Begriff zur Beschreibung realer Interaktionen fruchtbar zu machen. Dazu beziehen sie sich auf einen Kulturbegriff, den sie in Anschluss an RECKWITZ als „bedeutungsorientierten Kulturbegriff"[104] fassen. Damit verweisen sie darauf, dass sie „(Lern)kultur" als eine „in sozialen Praktiken erzeugte performative und symbolische Ordnung"[105] verstehen wollen. „Kultur" bezieht sich so nicht mehr nur auf eine große Gruppe (Ethnie, Nation oder gar alle Menschen), sondern dient als Bezeichnung für die Praktiken, die in einer ganz bestimmten Gruppe realisiert werden.

---

101 KOLBE ET AL. 2008.
102 Vgl. KOLBE ET AL. 2008, S. 126.
103 Vgl. KOLBE ET AL. 2008, S. 130.
104 Eine ausführliche Darstellung dieses „bedeutungsorientierten" Kulturbegriffs – in Abgrenzung zu einem „totalitätsorientierten" – findet sich unter anderem in: RECKWITZ 2001.
105 KOLBE ET AL. 2008, S. 131.

Den Begriff der „Sozialen Praktik" übernehmen sie dabei von Schatzki, der darunter „regelgeleitete, typisierte und routinisiert wiederkehrende Aktivitäten"[106] versteht. Wichtigstes Merkmal ist dabei die *Wiederholbarkeit*: Bestimmte soziale Praktiken werden wiederholt aufgeführt und konstituieren in ihrer jeweiligen Wiederholung eine bestimmte Ordnung. Dabei gilt, dass sich diese Ordnung nicht einfach im Kopf der beteiligten Menschen befindet, sondern in den konkreten Interaktionen realisiert werden muss:

> „Mit dem hier vorgeschlagenen Verständnis von Praktiken wird grundlegend die Dimension der Materialität des Sozialen rehabilitiert. Dies meint vor allem die Fundierung des Sozialen im körperlichen Vollzug: Alle Handlungen sind zunächst einmal auch Bewegungen des Körpers. Zugleich bedeutet diese Rehabilitation der Materialität, den Blick auf Artefakte zu richten, also auf hergestellte Gegenstände und die in diesen materialisierten Praktiken und Wissensbestände. Soziale Praktiken werden als Körper/Artefakte/Wissenskomplex in ihrer sinnlich-leiblichen Verankerung, ihrer raumzeitlichen Struktur gesehen. Empirischer Gegenstand einer Lernkulturforschung sind nach diesem praxistheoretischen Verständnis von Kultur demnach *szenische Gefüge körperlich hervorgebrachter Praktiken – und dazu gehören auch Sprechakte bzw. die Aufführung von Interaktionsmustern und pädagogische Kommunikationen.*"[107]

Folgerichtig entscheiden sich die Autoren für die Videographie als Forschungsmethode, um so die Möglichkeit zu gewinnen, die Herstellung der sozialen Ordnung einer Lernkultur durch den Vollzug sozialer Praktiken nachvollziehen zu können.

Mit ihrer zweiten Prämisse, Lernkultur als das Zentrum der Kultur einer Schule verstehen zu wollen, bestimmen die Autoren ihre Forschungsperspektive. Sie gehen davon aus, dass „Unterricht" als eine ganz spezifische soziale Ordnung zu verstehen ist, in der ständig drei Differenzen bearbeitet werden müssen:

Zunächst muss sichergestellt werden, dass die spezifische Ordnung des Unterrichts in Gültigkeit bleibt bzw. zunächst hervorgebracht wird. Die Autoren stellen hier die Frage, mit welchen Mitteln dies geschieht und vermuten, dass die Rollenaufteilung in SchülerInnen und LehrerInnen und spezifische schulische Interaktionsstrukturen hier die entscheidende Rolle spielen.

Die Besonderheit der sozialen Ordnung des Unterrichts liegt für die Autoren dabei darin, dass beständig die *„Differenz zwischen Aneignung und Vermittlung"* bearbeitet werden muss und beständig zwischen *„schulisch relevanten und dem schulisch nicht relevanten Wissen und Können"* unterschieden werden muss.[108] Diese Differenzbearbeitungen müssen von den beteiligten AkteurInnen bewältigt werden, zur Bezeichnung dieser Praktiken führen die Autoren den Begriff der „pädagogischen Praktiken"[109] ein.

Sie beziehen sich dabei auf Kade und Luhmann und bestimmen als die „Leitdifferenzen" des Erziehungssystems die Unterscheidung von „besser vs. schlechter" und das Problem von „Aneignung und Vermittlung".[110] Aus dieser Forschungsperspektive heraus

---
106 Kolbe et al. 2008, S. 131.
107 Kolbe et al. 2008, S. 132 (Hervorhebung im Original).
108 Vgl. Kolbe et al. 2008, S. 133 (Hervorhebungen im Original).
109 Kolbe et al. 2008, S. 133.
110 Vgl. Kolbe et al. 2008, S. 130.

entwerfen sie eine Untersuchungsmatrix, die die unterschiedlichen Handlungen der beteiligten AkteurInnen (Gestaltung/Umgang mit Artefakten, Gestaltung von Raum/Zeit, Konstitution der Körper, Interaktionen) auf diese Perspektiven bezieht:[111]

Differenzbezüge ... Ebenen des Sozialen ...	Differenz von sozialer Ordnung der pädagogischen Angebote und anderer sozialer Ordnungen	Differenz von Vermittlung und Aneignung	Differenz von schulisch anerkanntem und nicht anerkanntem Wissen
Konstitution der Körpersubjekte/Formung der Körper			
Sinnstrukturiertheit der Interaktion			
Gestaltung von/Umgang mit Artefakten/Schulmaterial			
Gestaltung von/Umgang mit Raum und Zeit			

Abbildung 1: Matrix

Durch diese Grundlegung gelingt es den Autoren sich des „normativen Ballasts"[112] zu entledigen, der davor die Debatte um Lernkultur gekennzeichnet hatte. Zudem gewinnen sie durch ihre Definition einer Lernkultur als soziale Ordnung, die in beobachtbaren Praktiken hervorgebracht wird, die Möglichkeit, diese Lernkulturen auch empirisch beschreiben zu können. Dazu verweisen sie auf die Videographie und machen deutlich, dass es gilt, eine mikrologische Perspektive einzunehmen. Die Bestimmung ihrer Forschungsperspektive erscheint nun allerdings von verschiedenen nicht explizierten Vorannahmen auszugehen, die meines Erachtens zu einer vorschnellen Beschränkung der Forschungsaufmerksamkeit führen. Die Autoren machen für sich geltend, dass sie sich für die Lernkultur in Ganztagsschulen interessieren und auch „offene Unterrichtsarrangements", ja sogar „außerunterrichtliche Lernarrangements"[113] untersuchen wollen. Angesichts dieser Maßgabe scheint die Fokussierung auf die Bearbeitung der drei oben genannten Differenzen nur noch bedingt plausibel. Zeichnen sich diese „Arrangements" nicht vielleicht gerade dadurch aus, dass in ihnen keine LehrerInnen/SchülerInnen-Rollen mehr vergeben werden? Vielleicht auch dadurch, dass sie als eigene soziale Ordnung – jenseits des Unterrichts – zu verstehen sind und die Unterscheidung von Vermittlung und Aneignung gar nicht mehr problematisch ist, weil es keine vermittelnde Person gibt? Hier erschiene es mir viel sinnvoller, offene Fragen zu formulieren anstatt schon vorher – und gerade nicht durch das empirische Material begründet – diese Einschränkung der Forschungsperspektive vorzunehmen. Im Kontext der dieser Arbeit zugrunde liegenden Frage nach dem „Wie" theater- und tanzpädagogischer Praxis erscheint die vorgeschlagene Perspektive ebenfalls nicht sinnvoll.

---

111 Diese Abbildung findet sich in KOLBE ET AL. 2008, S. 137.
112 KOLBE ET AL. 2008, S. 126.
113 Vgl. KOLBE ET AL. 2008, S. 139.

Ob die tanz- und theaterpädagogische Praxis eine Form von Unterricht darstellt, die Differenz von LehrerInnen und SchülerInnen, die Frage von Vermittlung und Aneignung und die Differenz von richtig/falsch bedeutsam sind, ist vor der Analyse des Materials nicht zu entscheiden Das Interesse dieser Arbeit richtet sich daher dezidiert darauf, die Frage zu stellen, ob und wie in dieser Praxis eine spezifische soziale Ordnung, eine spezifische Lernkultur entsteht, in der andere Differenzen bearbeitet werden müssen.

In den so genannten „Berliner Ritualstudien", die im Kontext des „Sonderforschungsbereich: Kulturen des Performativen" an der FU Berlin entstanden sind, spielt der Begriff der Lernkultur ebenfalls als deskriptiver Begriff eine zentrale Rolle. Die Forschergruppe um Christoph Wulff untersuchte in vier Gesamtstudien[114] und mehreren Einzelstudien[115] die Lernkulturen an einer Berliner Grundschule. Sie richteten ihr Interesse dabei nicht nur auf die Formen der Lernkultur in der Schule, sondern untersuchten auch familiäre Lernkulturen, das Lernen in Peergroups und das Lernen, das durch Mediennutzung stattfindet. Die Fokussierung auf „pädagogische Praktiken" wird hier also nicht vorgenommen.

Im Kontext dieser Studien kam es allerdings ebenfalls zu zahlreichen theoretischen Auseinandersetzungen, die das Ziel hatten, die Gesamt- und Einzelstudien vorzubereiten und eine theoretisch fundierte Basis zur Untersuchung von Lernkulturen zu schaffen. Insbesondere der Band *Grundlagen des Performativen*[116] versucht dabei unter einem interdisziplinären Rückgriff auf so verschiedene Autoren wie Austin, Habermas, Bourdieu, Butler und Goffman, die Bedeutung von „Ritual", „Performativität" und „Mimesis" für die Untersuchung (und Gestaltung!) pädagogischer Praxis herauszuarbeiten. Diese drei Begriffe bilden das theoretische Instrumentarium, das zur Untersuchung der Lernkulturen eingesetzt wurde und das auch für diese Arbeit bedeutsam ist, da diese Begriffe dazu beitragen zu verstehen, wie durch Handlungen soziale Ordnungen konstituiert werden.

Das Interesse an *Ritualen* speist sich aus der Annahme, dass Rituale eine gemeinschaftsstiftende Wirkung haben. Unter Rückgriff auf die *ritual studies* zeichnen die Autoren diese Funktionsweise nach. Sie gehen dabei davon aus, dass Rituale als „körperliche Bewegungen" zu verstehen sind, „die einen Anfang und ein Ende haben, die gerichtet sind, und die den Beteiligten eine Position zuweisen."[117] Die gemeinschaftsstiftende Wirkung von Ritualen entfaltet sich also nur im realen körperlichen Vollzug, sie sind aufeinander bezogen und weisen den Beteiligten bestimmte soziale Positionen zu. Rituale werden dabei nicht als außergewöhnliche, sondern als ganz alltägliche Phänomene verstanden, die ständig stattfinden und Gemeinschaft konstituieren. Wichtiger Aspekt ist dabei ihre Wiederholbarkeit bzw. ihre Wiederholung; genau dadurch können die Handlungen von den Beteiligten gedeutet und verstanden werden.

Durkheim, mit seinen religionssoziologischen Studien einer der Bezugspunkte der Berliner Studie, charakterisiert schon 1912 Rituale als „Handlungen, die nur im Schoß von versammelten Gruppen entstehen können und die dazu dienen, bestimmte Geisteszustände dieser Gruppen aufrechtzuerhalten oder wieder herzustellen."[118] Die

---

114 Drei davon sind abgeschlossen: Wulf et al. 2001, Wulf et al. 2004, Wulf et al. 2007 (die vierte zu „Gesten" läuft noch bis 2010).
115 Für eine Übersicht vgl.: Wulf 2008, S. 68.
116 Wulf et al. 2001.
117 Wulf 1999, S. 267
118 Zitiert nach Wagner-Willi 2005, S. 26.

Forschergruppe um WULFF versuchte nun, genau diese Handlungen in der pädagogischen Praxis zu identifizieren und darzustellen.

Um verstehen zu können, wie es durch Rituale gelingt, Gemeinschaften zu stiften oder wieder aufleben zu lassen, ist der Begriff der *Performativität* ein wichtiger Schlüssel. Damit wird dieser Begriff zum zweiten wichtigen theoretischen Bezugspunkt. Der Begriff „Performativität" wurde von JOHN L. AUSTIN entwickelt, um bezeichnen zu können, dass wir mit manchen unserer Aussagen nicht nur etwas sagen, sondern auch etwas tun. Diese Sprechakte nannte er performativ – im Unterschied zu anderen, die er zunächst als konstativ bezeichnete.[119] GÖHLICH stellt nun in seinem Beitrag im schon erwähnten Sammelband *Grundlagen des Performativen*[120] die Frage, wie und ob sich der Begriff des Performativen, der ja von AUSTIN für Sprechakte entwickelt wurde, auch auf die Untersuchung non-verbaler Handlungen übertragen lasse. Er schlägt dazu vor, das „etwas tun, indem man etwas sagt", in ein „etwas tun, indem man etwas tut"[121] zu überführen. Diese zunächst tautologisch anmutende Formulierung gewinnt ihren Sinn, wenn man sich an die Frage nach der Wirkungsweise von Ritualen zurückerinnert. Die Frage ist dann, wie es möglich ist, dass bestimmte Handlungen über ihren eigentlichen Vollzug hinaus Bedeutung haben und in dem Sinne etwas „tun" – nämlich Gemeinschaft stiften – im Unterschied zu anderen Handlungen, die das eben nicht tun. Die Antwort, die GÖHLICH darauf gibt, ist die, dass diese Handlungen nicht als „bloßes Tun", sondern als ein „Vollziehen" beschrieben werden müssen. Durch dieses „Vollziehen" wird deutlich gemacht, dass es um durch Wiederholung konventionalisierte Handlungen geht, deren „Sinn" auch den anderen Anwesenden bekannt ist. Als Beispiel nennt GÖHLICH das „Melden", das eben gerade nicht nur das „bloße" Hochheben eines Armes bedeutet, sondern etwas „tut": Es zeigt nämlich an, dass der, der hier den Arm in die Luft gestreckt hat, etwas sagen möchte und um Zuteilung des Rederechts nachsucht. Das „etwas tun, indem man etwas tut" lautet also für diesen Fall: „X zeigt an, dass er etwas sagen möchte, indem X seinen Arm in die Luft streckt". Der performative Charakter des „Arm in die Luft strecken" liegt also darin, dass die Person, die das tut, sich „meldet". Rituale scheinen nun auf genau diese Arten von Handlungen angewiesen zu sein, damit sie „etwas tun können". Das Beispiel mit dem „Melden" verweist dabei schon darauf, dass eine Handlung keinesfalls immer dasselbe anzeigt. In vielen Kontexten ist es nicht angebracht, den Arm zu heben, um das Rederecht zugeteilt zu bekommen: Auf einer Cocktailparty etwa wird die Redeverteilung anders organisiert: Einen Arm in die Luft strecken würde hier eventuell gar nicht als „Melden" identifiziert werden und wenn doch, dann würde der Sinn von den anderen Anwesenden nicht gedeutet werden können, da die Rederechte auf Cocktailpartys eben nicht über das „Melden" organisiert werden.

Einen Finger in die Luft zu heben bedeutet im Kontext von Unterricht, dass sich der Betreffende „meldet", gleichzeitig etabliert und bestätigt der Betreffende durch seine Handlung – vorausgesetzt, sie wird von den anderen verstanden – eine bestimmte soziale Ordnung, hier die des Unterrichts.

---

119 Vgl. AUSTIN 1975.
120 GÖHLICH 2001.
121 GÖHLICH 2001, S. 30.

Der dritte Begriff schließlich, die *Mimesis*, kann Antwort auf die Frage geben, wie Menschen lernen, Rituale zu verstehen und auszuführen. „Mimesis" wird in scharfer Abgrenzung zu „Mimikry", d. h. der schlichten Imitation einer Handlung, verstanden, „Mimesis" wird als ein (meist) körperliches Mittun, als ein Nachvollzug von Handlungen verstanden, in dem sich der Handelnde einem anderen oder einer Sache „anähnelt". Wulff beschreibt das so:

„Mimesis bedeutet nicht die lediglich kopierende Imitation eines Vorbildes. Mimesis bedeutet, etwas *zur Darstellung bringen*, etwas *ausdrücken*, sich einer Sache oder einem Menschen *ähnlich machen,* ihr oder ihm *nacheifern*. Mimesis bezeichnet die Bezugnahme auf einen anderen Menschen oder auf eine andere ‚Welt', in der Absicht, ihm oder ihr ähnlich zu werden."[122]

Im Kontext der Berliner Ritualstudien lässt sich also folgendes Verständnis von Lernkulturen gewinnen:

Lernkulturen entstehen durch die performativen Handlungen der beteiligten AkteurInnen. Besondere Bedeutung kommt dabei Ritualen zu. Diese Rituale sind als alltägliche Handlungen zu verstehen, die sich dadurch auszeichnen, dass mit ihnen Handlungen vollzogen werden, die bestimmte soziale Ordnungen etablieren, aufrechterhalten oder auflösen. Rituale werden dabei nicht in ihrer Bedeutung erklärt und dadurch erlernt, sondern durch ein mimetisches Mittun als praktisches Wissen erworben.

An einer konkreten Studie aus dem Kontext der Berliner Ritualstudien werde ich im Folgenden zeigen, dass die Begriffe des Rituals, der Performativität und der Mimesis dabei helfen können, die Beschreibung und Analyse von Lernkulturen zu ermöglichen. Es wird aber auch deutlich werden, dass sie alleine nicht ausreichen, um die jeweiligen Lernkulturen auch systematisch zu beschreiben.

In ihrem Beitrag „Ritualisierte Bewegungsexzesse. Gemeinschaftliches Lernen im Breakdance"[123] untersuchten Birgit Althans und Sebastian Schinkel die Lernkulturen von zwei verschiedenen Breakdancegruppen. Ihr Erkenntnisinteresse formulieren sie folgendermaßen:

„Von Interesse sollten jedoch nicht nur Einzeloperationen sein, sondern ebenso der soziale Raum (inklusive der gegenständlichen Arrangements), in dem sich eine spezifische Lern- oder Zeigekultur etabliert. Lernprozesse finden innerhalb sozialer Rahmen statt und sind durch die Körperlichkeit der Akteure in rituelle Rahmungen eingebettet."[124]

Durch die detaillierte Analyse von Videomaterial, das sie in dichte Beschreibungen und Standbilder verwandelt dem Leser zugänglich machen, versuchen die beiden AutorInnen, Antworten auf die Organisation des Lernens in den beiden Gruppen zu geben.

Sie beginnen ihren Aufsatz mit einer ausführlichen Beschreibung der räumlichen Arrangements und können so zeigen, dass es verschiedene „soziale Räume" innerhalb der Übungsräume gibt, die für unterschiedliche Zwecke genutzt werden. In der Gruppe „Halle" findet sich zum Beispiel als der zentrale Ort des Geschehens eine aus Einzelmatten zusammengesetzte Matte, die als „Bühne" fungiert. Hier werden Bewegungsele-

---

122 Wulf 1999, S. 256 (Hervorhebung im Original).
123 Althans/Schinkel 2007. Ich wähle diesen Beitrag deshalb aus, weil hier ebenfalls ein Projekt Kultureller Bildung untersucht wurde.
124 Althans/Schinkel 2007, S. 289.

mente unter Beobachtung ausgeführt und es gilt, sein Können zu demonstrieren. Der vordere Raum der Halle wird als ein Ort markiert, an dem Nebentätigkeiten stattfinden, hier wird zum Beispiel Basketball gespielt. Zwischen diesen beiden Räumen beschreiben die AutorInnen einen Zwischenraum, in dem zwar breakdancespezifische Bewegungen ausgeführt werden, allerdings ohne den Aufführungscharakter der großen Matte, hier wird gezeigt, probiert und geübt. Diese unterschiedlichen sozialen Räume werden dabei weniger von den beiden anwesenden Gruppenleitern, einem Sozialpädagogen und einem Breakdancetrainer, hergestellt, als vielmehr von den Teilnehmern selbst durch ihre Handlungen *performativ* hervorgebracht:

„Dies geschieht durch ein dynamisches Wechselspiel von Mitte und Rand, von Zuschauern und Aufführern, in dem das Aufführungs- und Aufmerksamkeitszentrum durch die anwesenden Personen hervorgebracht wird – wobei die Konzentration auf den Ort je nach Teilnahme und Intensität der Aktivitäten an- und abschwillt: Es gibt Situationen, in denen die Jungen mehrheitlich um die Matte herum sitzen oder auch seitlich liegen, nur vereinzelt stehen und zuschauend ruhig verharren. In anderen Situationen wird an schnell wechselnden Aufführungen, die auch von mehreren Jungen gleichzeitig ausgeführt werden können, vorwiegend stehend und gestisch lebhaft teilgenommen."[125]

Der Aufführungscharakter der Matte ist also nicht statisch und schon vor den Handlungen der beteiligten Akteure gegeben, erst durch ihre Handlungen wird die Matte zu einem „Aufführungs- und Aufmerksamkeitszentrum".

Die Bedeutung von *Ritualen* arbeiten die Autoren über die Beschreibung spezifischer Elemente des Breakdance heraus. Das „battle", ein „Schaukampf", bei dem es darum geht, sein Können unter Beweis zu stellen, und die „power moves", bestimmte Bewegungsfolgen mit feststehenden Namen, werden beschrieben. Dabei wird deutlich, dass gerade die stark formalisierte Bewegungsabfolge dieser „power moves" ihren rituellen Charakter ausmacht. Dabei geht es nicht nur um die Bewegungsabfolge an sich, sondern auch um ganz bestimmte einen Power Move vorbereitende Bewegungen. Wie die Autoren zeigen können, dienen diese Bewegungen dazu, anzukündigen, dass im Folgenden in der Mitte des Geschehens ein Power Move ausgeführt werden soll. Dadurch wird ein Anspruch auf die Inanspruchnahme des Aufmerksamkeitszentrums angemeldet. Durch diese Ankündigung wird – ganz ohne verbale Abstimmung – eine Reihenfolge des Auftretens performativ erzeugt. Das Beherrschen dieser Bewegungsfolgen hat zudem eine weitere wichtige Bedeutung, das Beherrschen von Power Moves verschafft „Respect", d. h. die Anerkennung der anderen Breakdancer.

Auch die Beziehung zwischen den Teilnehmern und den Gruppenleitern wird thematisiert: In der Gruppe „Halle" geben die beiden Gruppenleiter weder eine räumliche noch eine zeitliche Organisationsstruktur vor; sie sind „nur" anwesend und beteiligen sich von Zeit zu Zeit an den Aktionen der Teilnehmer. In der Gruppe „Club" hingegen gestaltet der Gruppenleiter die räumliche und zeitliche Struktur. Er tritt als „Trainer" auf und gibt klare Anweisungen, was zu tun ist. Dabei kommt es auch zu Konflikten und er ermahnt die Teilnehmer, sich besser zu konzentrieren, ihm zuzuhören und auch zu Hause mehr zu üben. In der Beschreibung einzelner Sequenzen aus den beiden

---

125 A<small>LTHANS</small>/S<small>CHINKEL</small> 2007, S. 293.

Gruppen spielen nun im Fall von „Halle" die beiden Gruppenleiter keine große Rolle, es wird beschrieben, wie sich die Teilnehmer untereinander bei den Proben unterstützen – durch körperliche Hilfestellungen, durch Vormachen, Nachmachen und an einer Tafel Bewegungsfolgen zeichnen. Im „Club" wird eine Szene geschildert, in der der Anleiter in einer deutlichen Lehrerrolle auftritt und seine Schüler in der Kunst des „Wall-Flips" zu unterweisen sucht. In allen Fällen spielt dabei *Mimesis* eine zentrale Rolle: Die Lernenden versuchen, die Könner nachzuahmen, sich ihre Bewegungsformen zu eigen zu machen. In einem Falle wird das sehr anschaulich, als zwei Zuschauer die Bewegungsfolge des Auftretenden schon während des Auftritts in reduzierter, aber deutlich mitvollziehender Form durchführen.[126]

Die Autoren geben durch ihre materialgesättigten Beschreibungen einen interessanten Einblick, wie das Lernen in den beiden Gruppen organisiert wurde. Welchen systematischen Stellenwert die einzelnen Schilderungen haben, bleibt allerdings offen, ebenso folgende Fragen:

>> *Inwiefern unterscheiden sich nun die beiden Lernkulturen der untersuchten Gruppen?*
Es wird zwar deutlich, dass in den beiden Gruppen die Gruppenleiter sehr unterschiedlich handeln und dass unterschiedliche Formen des Lernens praktiziert werden. Aber: Welche Bedeutung hat das?
>> *Welche „Sozialen Rahmen" werden wie voneinander unterschieden?*
Die Autoren verweisen zwar auf den Begriff des „Sozialen Rahmens", machen aber nicht deutlich, was sie genau darunter verstehen wollen. So bleibt unklar, ob einzelne Elemente, wie etwa das battle, als eigene Rahmungen zu verstehen sind. Zudem bleibt die Frage offen, woran sich unterschiedliche Rahmungen erkennen lassen: Es wird zum Beispiel lediglich festgestellt, dass dieselben Bewegungen im Zwischenraum aufgeführt eine andere Bedeutung haben, als wenn sie auf der Matte aufgeführt werden. Offen bleibt aber: Woran sieht man das? Unklar bleibt auch, welchen Stellenwert die beschriebenen Elemente für die gesamte Lernkultur einer Gruppe haben. Sind sie wesentliche, immer wiederkehrende, oder nur singuläre Ereignisse?

Diese Fragen verweisen darauf, dass es noch eines weiteren Begriffes bedarf, um Lernkulturen auch systematisch zu beschreiben. Es gilt, den hier erwähnten Begriff „Rahmen" theoretisch so auszuarbeiten, dass er zur systematischen Beschreibung von Lernkulturen eingesetzt werden kann.

Ich fasse zusammen: In den beiden vorgestellten Forschungsprojekten nimmt der Begriff der Performativität eine zentrale Stellung ein. Die Autoren sind sich einig, dass Lernkulturen als spezifische soziale Ordnung zu beschreiben sind, die durch die Handlungen der beteiligten AkteurInnen hergestellt werden. Das Interesse dafür, wie diese Herstellung vollzogen wird, führte in beiden Fällen zu einer mikrologischen Perspektive. Um diese Perspektive einnehmen zu können, bedarf es spezifischer Forschungsmethoden, in beiden Fällen waren die Teilnehmende Beobachtung und die Videographie die Hauptmethoden.

---

126 Vgl. Althans/Schinkel 2007, S. 299.

Die Begriffe des „Rituals" bzw. der „sozialen Praktik" werden eingesetzt, um die performative Wirkung von Handlungen zu bezeichnen und der Begriff der „Mimesis" kann verständlich machen, wie das praktische Können und Wissen, das zur Durchführung dieser Praktiken notwendig ist, durch ein Mittun im Vollzug erworben werden. Zudem macht der Begriff verständlich – da er eben nicht ein reines Nachahmen, sondern ein Nachvollziehen bezeichnet – dass und wie sich diese Praktiken auch verändern können.

Das Verhältnis einzelner Handlungen zu der sozialen Ordnung der untersuchten Lernkultur(en) bleibt allerdings in beiden Fällen unbestimmt und es stellt sich die Frage, welche Bedeutung einer einzelnen Handlung für den Aufbau einer „sozialen Ordnung" zukommt. Zudem bleibt offen, welche Reichweite der Begriff der „Lernkultur" haben soll: Geht es um die Beschreibung situativ erzeugter sozialer Ordnungen oder um die Beschreibung der „sozialen Ordnung" bestimmter Gruppen oder gar ganzer Schulen?

2.3 Die Ethnomethodologie als Handlungstheorie

Erstaunlich ist, dass weder in den Berliner Ritualstudien noch in LUGS auf die Ethnomethodologie verwiesen wird, deren zentrales Thema die Frage nach der Herstellung sozialer Ordnungen ist. Die folgende Darstellung einer ethnomethodologischen Handlungstheorie präzisiert die bisher entwickelten Begriffe der *Performativität*, des *Rituals* (der *sozialen Praktik*), der *sozialen Ordnung* und der *Mimesis*. Dabei wird vor allem deutlich werden, dass grundsätzlich jede Handlung als „performativ" anzusehen ist und dass soziale Ordnungen durch jede Handlung etabliert, bestätigt oder in Frage gestellt werden können.

Um die Position Harold Garfinkels, des Begründers der Ethnomethodologie, verständlich zu machen, werde ich damit beginnen, seine Kritik am Modell seines Lehrers Talcott Parson darzustellen.

Parson, genauso wie Garfinkel, interessierte sich für die Frage, wie soziale Ordnung überhaupt möglich ist, d. h. wie Menschen es schaffen, koordinierte Handlungen zu vollziehen. In Parsons Modell spielen die folgenden Annahmen die zentrale Rolle:[127]
1. Es gibt AkteurInnen.
2. Es gibt Ziele, die die AkteurInnen durch ihre Handlungen erreichen wollen.
3. Die AkteurInnen verfügen über internalisierte Normen und Regeln.
4. Diese Normen und Regeln geben den AkteurInnen vor, welche Handlungen zur Erreichung der Ziele in der ganz konkreten Situation erlaubt sind und welche nicht.
5. „Rationale" AkteurInnen wählen eine dieser erlaubten Handlungsoptionen.[128]

Die Bedeutung und das Verhältnis von „Normen", „Situationen" und „Zielen" bei Parson wird in folgendem Zitat deutlich:

„Action must always be thought of as involving a state of tension between two different orders of elements, the normative and the conditional. As a process, action is, in fact, the process of alteration of the conditional elements in the direction of conformity with norms. Elimination of the normative aspect allto-

---
127 Ich beziehe mich hier und im Folgenden auf Bergmann 2000 und Heritage 1984.
128 Vgl. Heritage 1984, S. 10.

gether eliminates the concept of action itself and leads to a radical positivistic position. Elimination of conditions, of the tension from that side, equally eliminates action and results in idealistic emanationism. Thus conditions may be conceived at one pole, ends and normative rules at the other, means and effort as the connecting links between them."[129]

In Parsons Theorie spielen Normen die entscheidende Rolle: Sie machen verständlich, warum die Menschen nicht „irgendwie" handeln. Normen geben die „Rahmung" vor, innerhalb derer der Einzelne die jeweilige Situation in Beziehung zu seinen Zielen setzt, sie machen ihm klar, welche Handlungen zur Zielerreichung erlaubt sind und welche nicht.

Die Theorie von Parson hat nun aber mit drei großen Schwierigkeiten zu kämpfen: dem *Problem der Rationalität, dem Problem der Intersubjektivität und dem Problem der Reflexivität.*[130]

Innerhalb der Parsonschen Theorie werden nur die Handlungen als „rational" eingestuft, die die Zielerreichung unter Berücksichtigung der gültigen Normen möglich gemacht haben. Handlungen, die von diesen Normen abweichen, werden als irrational angesehen. Dabei gilt, dass die WissenschaftlerIn über die Rationalität der Handlungen entscheidet, nicht die AkteurInnen selbst, die sich immer an „ihren" Normen orientieren und nicht „wissen", ob sie die gültigen Normen internalisiert haben. Die „Rationalität" der Handlung liegt dabei genau darin, dass die Handelnden die je konkrete Situation „richtig" einschätzen, d. h. ihre Ziele mit Hilfe von Handlungen erreichen, die den Normen entsprechen. Garfinkels Kritik richtet sich nun gegen Parson, der davon ausgeht, dass es in konkreten Situationen rationale und irrationale Handlungen gäbe und die AkteurInnen selbst gar nicht beurteilen könnten, was sie gerade machen, da sie „nur" die ihrer Meinung nach gültigen Regeln anwenden. Parson mache – so die berühmte Kritik Garfinkels – die Menschen zu „judgemental dopes"[131], zu „Beurteilungstrotteln".

Koordinierte Handlungen sind in Parsons Modell nur möglich, wenn es intersubjektiv gültige Werte und Normen, ähnliche Ziele und gleiche Situationseinschätzungen gibt. Parson selbst maß der Frage, wie diese intersubjektive Übereinstimmung erreicht wird, relativ wenig Bedeutung bei, und versuchte das Problem mit einer korrespondenztheoretischen Position zu lösen. Diese Position erklärt die Übereinstimmung der AkteurInnen dadurch, dass es eine „objektive Welt" gibt, die nun von den AkteurInnen in den allermeisten Fällen auch erkannt und „richtig" beschrieben wird. Andere Beschreibungen können dann als „falsch" ausgemacht und zurückgewiesen werden. Ganz allgemein vertritt Parson hier eine zeichentheoretische Position, die eine eindeutige Beziehung zwischen Zeichen und Referent postuliert. Im folgenden Zitat wird aber deutlich, dass auch Parson um die Mehrdeutigkeit von Zeichen weiß:

„When such a generalization occurs, and actions, gestures or symbols have more or less the same meaning for both ego and alter, we may speak of a common culture existing between them."[132]

---

[129] Zitiert nach: Heritage 1984, S. 13.
[130] Vgl. hierzu: Heritage 1984, S. 24-33.
[131] Garfinkel 1967, S. 68.
[132] Zitiert nach: Heritage 1984, S. 28.

Genau hier wendet sich nun GARFINKEL von seinem Lehrer ab und stellt die Frage, wie die Intersubjektivität angesichts der grundlegenden Mehrdeutigkeit von Zeichen überhaupt hergestellt werden kann: Er diskutiert in den *Studies of Ethnomethodology* das Problem indexikalischer Ausdrücke,[133] deren Bedeutung nur durch den Kontext ihrer Verwendung beschrieben werden kann (klassische Beispiele sind „hier" oder „ich"). Diese Beispiele machen die Schwächen einer zeichentheoretischen Korrespondenztheorie offensichtlich: „Hier" und „Ich" beziehen sich – je nach konkreter Situation – als Zeichen auf immer unterschiedliche Referenten. GARFINKEL zieht daraus den Schluss, dass grundsätzlich jedes Zeichen als indexikalisch aufzufassen ist, d. h. die Bedeutung eines Zeichens kann nur im Kontext seiner Verwendung beschrieben werden. Die Frage, wie intersubjektive Übereinstimmung, die es ja tatsächlich gibt, da Menschen zu koordinierten Handlungen fähig sind, überhaupt hergestellt werden kann, gewinnt dadurch große Brisanz und GARFINKEL stellt diese Frage in den Mittelpunkt seiner Forschungen: Wie kommt es dazu, dass wir Situationen überhaupt „gleich" – oder zumindest ähnlich – einschätzen? Und woher „wissen" wir, dass der Andere „versteht", was ich sage?

Die PARSONschen AkteurInnen haben keinen Zugang zu ihren internalisierten Normen und Werten. Sie verfügen nicht über sie, sondern werden von ihnen geleitet. PARSON kann an diesem Punkt auch keine andere Position vertreten, da sonst diese Werte und Normen nicht mehr als Erklärung für die Stabilität und Koordiniertheit menschlichen Verhaltens dienen könnten. Gerade weil die Menschen sich zu ihren Werten und Normen nicht verhalten können, sorgen diese Werte und Normen dafür, dass wir uns „gleich" bzw. koordiniert verhalten. Die Kritik, die aus einer ethnomethodologischen Warte an dieser Position formuliert wurde, richtet sich dagegen, dass es (wenn Parson recht hätte) zum einen kein „strategisches Handeln" geben könnte (d. h., dass Menschen sich ganz bewusst nur „zum Schein" an bestimmte Regeln halten) und dass Veränderungen der Werte und Normen nicht erklärbar sind, wenn sich AkteurInnen zu ihren Normen nicht verhalten könnten, sondern ihnen nur folgen würden.

GARFINKEL weist also PARSONS Erklärungsmodell für koordinierte Handlungen zurück. Er stellt dem aber keine eigene, geschlossene „Theorie" entgegen, sondern macht das Problem der wechselseitigen Verständigung zu seinem Forschungsgegenstand. Er interessiert sich dafür, *wie* Menschen in ganz konkreten, alltäglichen Situationen Verständigung herstellen. Er geht dabei davon aus, dass diese Verständigung ständig – ganz alltäglich – und gleichzeitig meist unbemerkt bewerkstelligt wird. Die Untersuchung der „Methoden", die Menschen dabei einsetzen, nennt er „Ethnomethodologie"[134]:

„I use the term ‚ethnomethodology' to refer to the investigation of the rational properties of indexical expressions and other practical actions as contingent ongoing accomplishments of organized artful practices of everyday life."[135]

Diese „organized artful practices of everyday life" sind es, die GARFINKEL in seinem Werk in den Blick nimmt. Er unternimmt dabei immer wieder den Versuch, aus der Analyse dieser Praktiken Aussagen zu treffen, die über den je konkreten Fall hinaus-

---

133 Vgl. hierzu: GARFINKEL 1967, S. 4-7.
134 GARFINKEL nutzt hier den Begriff „Ethno" nicht zur Beschreibung von „Ethnien" im Sinne der Unterscheidung verschiedener „Völker", sondern als Bezeichnung für Gruppen von Menschen, die bestimmte Methoden teilen.
135 GARFINKEL 1967, S. 11.

weisen. In seinem 1963 erschienenen Aufsatz „A Conception of, and Experiments with ‚Trust' as a Condition of Stable Concerted Actions"[136] arbeitet er – zunächst für Spiele – drei Grundbedingungen heraus, die wechselseitige Verständigung überhaupt erst ermöglichen:
1. Wir kennen Regeln und sind bereit, uns nach diesen Regeln zu richten.
2. Wir erwarten, dass das auch unsere Interaktionspartner tun.
3. Wir gehen davon aus, dass auch unsere Interaktionspartner von uns erwarten, dass wir das tun.[137]

Deutlich wird hier, dass Regeln auch bei Garfinkel eine große Rolle spielen. Im Unterschied zu Parsons Beschreibung von Normen und Werten sieht Garfinkel Regeln aber nicht als grundsätzlich handlungsdeterminierend an. Zudem gelten diese Regeln nur für bestimmte soziale Situationen und nicht für alle, und drittens „regeln" die Regeln nicht alle möglichen Situationen. Er macht dies – im gerade schon zitierten Artikel – an der Untersuchung verschiedener Spiele deutlich, deren Regeln zum Teil, wie etwa beim Schach, sehr ausführlich und klar beschrieben sind. Dennoch gilt auch für diese hoch kodifizierten Spiele, dass die formulierten Regeln nicht alle möglichen Handlungen regeln:

„With the regard to the well-ordered character, I have been unable to find any game whose acknowledged rules are sufficient to cover all the problematic possibilities that may arise, or that one cannot with only slight exercise of wit make arise within the domain of play. For example, although chess would seem to be immune to such manipulations, one can at one´s move change pieces around on the board – so that, although the over-all positions are not changed, different pieces occupy the squares – and then move. On the several occasions in which I did this, my opponents were disconcerted, tried to stopp me, demanded an explanation of what I was up to, were uncertain about the legality (but wanted to assert its illegality nevertheless), made it clear to me that I was spoiling the game for them, and at the next round of play made me promise that I would not ‚do anything this time'. They were not satisfied when I asked that they point out where the rules prohibited what I had done. Nor were they satisfied when I pointed out that I had not altered the material positions and, further, that the maneuver did not affect may changes of winning. If they were not satisfied, neither could they say to *their* satisfaction what was wrong. Prominently in their attempts to come to terms, they would speak of the obscurity of my motives. One subject remarks that it reminded him of the way the Harlem Globetrotters played basketball, and that he had never considered that they played real basketball."[138]

Interessant an diesem „breaching experiment", wie Garfinkel seine vielfältigen „Versuche" nennt, mit denen er die Alltagsroutinen aufbricht, ist, dass seine Spielpartner die von ihm vorgenommenen Handlungen nicht einordnen können und sie genau deshalb so verwirrend finden. Sie erwarten eine Erklärung für sein Verhalten, die seine Motive, die ihnen verborgen sind, enthüllen. Da Garfinkel diese Erklärung

---
136 Garfinkel 1963.
137 Vgl. Garfinkel 1963. S. 190.
138 Garfinkel 1963, S. 199.

nicht gibt, sondern nur darauf hinweist, dass er doch keine Regel gebrochen habe, sind die MitspielerInnen weiterhin verunsichert und verlangen von ihm, dass er dieses Verhalten einstellen soll. Sollte er sich weiterhin weigern, würden sie mit hoher Wahrscheinlichkeit das Spiel beenden. Die Erklärung dafür liegt darin, dass GARFINKELS Verhalten die oben beschriebenen Grundbedingungen in Frage stellt. Die Versuchspersonen wissen eben nicht mehr, ob GARFINKEL bereit ist, sich „an die Regeln zu halten" und damit verflüchtigt sich das notwendige Vertrauen, das die Voraussetzung dafür ist, eine soziale Interaktion einzugehen.

Welche Bedeutung haben denn nun aber Regeln in unseren alltäglichen Interaktionen? HERITAGE bedient sich zur Beantwortung dieser Frage eines Gedankenexperiments:[139]

Zunächst stellt er „Gruß und Gegengruß" als ein Beispiel vor, bei dem es sehr einfach erscheint, die geltende Regel zu formulieren: „Wenn Du gegrüßt wirst, grüß zurück."

Dann stellt er sein Beispiel vor: Ein Mann, der in einem Bürohaus den Gang entlang geht, wird von einer anderen Person begrüßt. Damit ändert sich die ganze Situation, da unserem Mann eine Interaktion vorgeschlagen wird. Der Mann wird nun – ob er will oder nicht – vor eine Entscheidungssituation gestellt, er kann die Situation nicht „anhalten" (und zum Beispiel eine Minute darüber nachdenken, was er als nächstes tun wird): Er hat die Möglichkeit, zurückzugrüßen oder es nicht zu tun.

Tut er es, erfüllt er die Erwartung des Grüßenden, und ratifiziert das Interaktionsangebot.

Grüßt er nicht, enttäuscht er die Erwartung des Grüßenden und die Szene wird wieder zu einer Szene ohne Interaktion – allerdings zu einer anderen als vor dem Gruß, da der Grüßende nun höchstwahrscheinlich versucht, das Nichtgrüßen des Anderen zu deuten: Hat er mich nicht gehört? Will er anzeigen, dass er verärgert ist?

Der Grüßende geht also nicht unbedingt davon aus, dass der Begrüßte sich „falsch" verhalten hat, sondern sucht nach einer Erklärung für dieses Verhalten. Hier zeigt sich eine weitere Schwäche der PARSONschen Theorie, da hier so getan wird, als ob sich die soziale Situation durch die jeweiligen Handlungen nicht verändern würde, so als ob AkteurInnen einmal eine Situation als eine bestimmte erkannt und dann nach den passenden Regeln handeln würden. Im Kontext einer ethnomethodologischen Handlungstheorie wird – im Gegensatz dazu –, davon ausgegangen, dass sich die soziale Situation mit jeder Handlung verändert und wir grundsätzlich jede Handlung als „sinnvoll" verstehen wollen – auch wenn sie unseren Erwartungen widerspricht. Dabei versuchen wir ständig, das beobachtbare Verhalten Anderer in Einklang mit uns bekannten Regeln bzw. möglichen Motiven des Anderen zu bringen. GARFINKEL nennt das „Reflexivity". Diese „Reflexivity" macht sich dabei aber grundsätzlich nicht selbst zum Thema, d. h., dass der reflexive Charakter unserer Handlungen so selbstverständlich ist, dass wir diesen Vorgang selbst grundsätzlich nicht problematisieren.

GARFINKEL schreibt dazu:

„Members know, require, count on, and make use of this reflexivtiy to produce, accomplish, recognize, or demonstrate rational-adequacy-for-all-practical-purposes of their procedures and findings. Not only do members [...] take that reflexivity for granted, but they recognize, demonstrate, and make observable

---

139 HERITAGE 1984, S. 103-134.

for each other the rational character of their actual, and that means occasional, practices while respecting that reflexivity as an unalterable and unavoidable condition of their inquiries."[140]

Das von Heritage beschriebene Beispiel des Grüßens zeigt deutlich die Schwächen der Parsonschen Theorie: Hier können nur die Fälle verstanden werden, in denen Menschen immer grüßen, und die, in denen die Menschen es nie tun (das sind die schlecht sozialisierten). Um auch die Fälle, in denen Menschen manchmal grüßen und manchmal nicht, verstehen zu können, führen Handlungstheoretiker Parsonscher Prägung „unless-Klauseln" ein: Auf einen Gruß reagiert man mit einem Gegengruß, außer (unless) man kennt die Person nicht, außer man denkt der Gruß ist nicht ernst gemeint, außer usf..

Das Problem daran ist aber nun, dass dieser Theoretiker seine AkteurInnen mit einer schier unendlichen Zahl an Regeln und Ausnahmen von den Regeln ausstatten müsste, damit diese handlungsfähig bleiben. Und selbst wenn man davon ausgeht, dass Menschen sehr viele „unless-Regeln" kennen, bliebe das Problem bestehen, dass immer vage bleibt, auf welche Fälle bestimmte Regeln anzuwenden sind und auf welche eben nicht.

Jede Handlung einer Person wird daher von den Anderen immer auch als ein Zeichen gedeutet, an welcher Regel sich der Handelnde gerade orientiert. Diese besondere Zeichenhaftigkeit menschlicher Handlungen wird von Garfinkel als „accountable" bezeichnet.

In den allermeisten Fällen gilt dabei, dass die Handelnden die ihrem Handeln zugrunde liegenden Regeln nicht formulieren können.

Am jetzigen Punkt der Auseinandersetzung mit einer ethnomethodologischen Beschreibung sozialer Ordnung stellt sich die Frage, wie zu erklären ist, dass es in den meisten Interaktionen zwischen Menschen zu koordinierten Handlungen kommt. Die grundsätzliche Indexikalität von Zeichen, die grundsätzlich mögliche verschiedene Einschätzung der Situation und die grundsätzliche Vagheit von Regeln scheinen eine „gemeinsame Welt" zu einem höchst schwierig „zu produzierenden" Zustand werden zu lassen. Dies widerspricht nun aber unserer common-sense Erfahrung, dass man in alltäglichen Situationen eigentlich recht selten in Schwierigkeiten gerät und meistens der Überzeugung sein kann, mit den Anderen „eine" Welt zu teilen.

Garfinkel bietet für dieses Problem eine Lösung an: Seine *Documentary Method of Interpretation* (Im Folgenden: DMI) macht verständlich, wieso wir uns – trotz der vielen Unwägbarkeiten – meist ganz unproblematisch in „einer" Welt bewegen.

An der oben zitierten Schachspielszene lässt sich gut veranschaulichen, was es mit der DMI auf sich hat: „Normalerweise" unterscheiden wir gar nicht zwischen der Wahrnehmung einer Bewegung (oder dem Hören eines Satzes) und der dazugehörigen Interpretation: Spiele ich mit einer Person Schach und sehe, dass sie eine Figur regelkonform auf dem Spielbrett bewegt, „sehe" ich – sozusagen sofort – einen Zug und nicht erst eine Tätigkeit, die ich dann als Zug interpretiere. Dieses Phänomen wird von Garfinkel, in Anlehnung an Karl Mannheim, als „documentary method of interpretation" beschrieben.

---

140 Garfinkel 1967, S. 8.

„The [documentary, T.F.] method consists of treating an actual appearance as ‚the document of', ‚as pointing to', as ‚standing on behalf of' a presupposed underlying pattern. Not only is the underlying pattern derived from its individual documentary evidences, but the individual documentary evidences, in their turn, are interpreted on the basis of ‚what is known' about the underlying pattern. Each is used to elaborate the other."[141]

Ich sehe also das Verrücken der Schachfigur als „Zug", dies bedeutet dabei gleichzeitig, dass ich auch davon ausgehe, dass der Andere einen „Zug" machen wollte und nicht einfach nur „zufällig" eine Schachfigur regelkonform verschoben hat. In dem Moment, in dem ich eine Handlung eines Anderen als „konform" (sei es mit Regeln oder Motiven) erkannt habe, gehe ich davon aus, dass der Andere das auch so „gemeint" hat, ich denke <u>nicht</u> über mögliche andere Motive oder Regeln nach. Dies geschieht nur, wenn ich – wie in Garfinkels Schachspiel, in dem er Figuren auswechselt – die Motive bzw. Regeln des Anderen nicht mehr verstehe. Hier funktioniert die DMI nicht mehr, da die Versuchspersonen die Handlung Garfinkels nicht mehr als „document of", „standing for" oder „standing on behalf of" einschätzen können. Genau deshalb ist das Verhalten Garfinkels für sie so irritierend. Die DMI sorgt also dafür, dass wir in unseren ganz alltäglichen Handlungen nicht ständig über die Bedeutung von etwas grübeln, sondern jede Handlung anderer „sofort" als „Etwas" auffassen. Wie bedeutsam die DMI für das Funktionieren alltäglicher Interaktionen ist, zeigt sich besonders eindrücklich an einer weiteren Reihe von breaching experiments:

„Case 1. The subject was telling the experimenter, a member of the subject´s car pool, about having had a flat tire while going to work the previous day.
(S) ‚I had a flat tire.'
(E) ‚What do you mean, you had a flat tire?'
She appeared momentarily stunned. Then she answeered in a hostile way: ‚What do you mean? What do you mean? A flat tire is a flat tire. That is what I meant. Nothing special. What a crazy question!' (…)
Case 6. The victim waved his hand cheerily.
(S) ‚How are you?'
(E) ‚How am I in regard to what? My health, my finance, my school work, my peace of mind, my…'
(S) (Red in the face and suddenly out of control.) ‚Look! I was just trying to be polite. Frankly, I don´t give a damn how you are.' "[142]

Die Experimentatoren (E) brechen hier die alltägliche Verwendung der DMI auf und fragen nach, was denn die Versuchspersonen (S) eigentlich „meinen". Die heftigen Reaktionen auf diese Frage zeigen, dass die Versuchspersonen den Sinn dieser Nachfragen überhaupt nicht verstehen, es ist für sie sonnenklar, was sie meinen bzw. wollen und sie setzen dieses Verständnis auch bei ihren Gesprächspartnern voraus. Dies wird von Garfinkel in Anlehnung an Alfred Schütz als „Reziprozität" bezeichnet.[143]

Diese Beispiele zeigen aber nicht nur, dass wir im Alltag davon ausgehen, dass die Anderen verstehen, was wir meinen, sondern auch, dass die DMI ein vortreffliches

---
141 Garfinkel 1967, S. 78.
142 Garfinkel 1963, S. 221 f. Als deutsche Übersetzung in: Garfinkel 1973, S. 206f.
143 Vgl. hierzu: Heritage 1984, S. 76.

Werkzeug ist, soziale Interaktion möglichst reibungsfrei ablaufen zu lassen. In den allermeisten Fällen fällt unsere Wahrnehmung in eins mit unserer Interpretation und ermöglicht uns so eine direkte und „richtige" Anschlusshandlung.

Wie selbstverständlich die DMI in unseren Alltag eingewoben ist, zeigt sich daran, dass wir in Situationen, in denen es uns nicht mehr möglich ist, etwas als „ein Zeichen für etwas" zu deuten, mit großer Verwirrung reagieren. Dies gilt dabei auch für ganz „unbedeutende Situationen":

> „When, however, incongruity-inducing procedures were applied in ‚real life' situation, it was unnerving to find the seemingly endless variety of events that lent themselves to the production of really nasty surprises. These events ranged from those that, according to sociological commonsense, were ‚critical', like standing very, very close to a person while otherwise maintaining an innocuous conversation, to others that according to sociological commonsense were ‚trivial', like saying ‚hello' at the termination of a conversation. Both procedures elicited anxiety, indignation, strong feelings on the part of experimenter and subject alike of humiliation and regret, demands by the subjects for explanation, and so on."[144]

Hier zeigt sich, dass „Regelverletzungen" möglich sind, ohne dass diese Regeln klar formuliert sein müssen und wir sie „bewusst" anwenden würden (die Regel „stehe nicht zu dicht an anderen Personen, wenn Du sie nicht gut kennst und nichts Vertrauliches mit ihnen besprichst" ist nirgends „formuliert" – wir könnten die „erlaubten" Zentimeter auch nicht nennen – und doch halten wir uns in den allermeisten Fällen daran und eine „Verletzung" dieser „Regel" bedarf einer Erklärung). Die im Beispiel von GARFINKEL geschilderten heftigen Reaktionen müssen daher so verstanden werden, dass das Problem nicht die „Uneindeutigkeit" der Handlungen war, sondern die „Nicht-Interpretierbarkeit". „Vagheit" ist eine Eigenschaft, mit der die AkteurInnen solange kein Problem haben, solange sie der Handlung mögliche Regeln und Motive zuordnen können. Ob ihre Zuordnung auch „stimmt", das heißt, ob der Andere seine Handlung auch tatsächlich „so gemeint" hat, bekümmert uns nicht, solange die Handlungen des Anderen für uns verständlich bleiben.

Ich möchte hier noch einmal darauf hinweisen, dass die DMI sich so vollzieht, dass wir zwischen der Wahrnehmung und der Interpretation nicht trennen, ja kaum trennen können und so die Gültigkeit unserer Interpretationen gar nicht in Frage gestellt werden kann (und auch nicht muss). GARFINKEL selbst nennt dieses Phänomen, dass wir etwas als Dokument wahrnehmen und zugleich den Konstruktionscharakter unserer Wahrnehmung nicht wahrnehmen: „seen but unnoticed".[145]

Eine ethnomethodologische Handlungstheorie lässt sich wie folgt zusammenfassen:
1. Jedes Zeichen ist grundsätzlich *indexikalisch*.
2. Die Handlung einer Person gibt immer auch Hinweise darauf, wie sie ihr Handeln verstanden wissen will (*Accountability*).
3. Dabei gilt, dass grundsätzlich jede Handlung von den Beteiligten als *sinnvoll* angesehen wird und angesehen werden kann, niemand handelt „zufällig" oder „falsch".

---

[144] GARFINKEL 1963, S. 198.
[145] GARFINKEL 1967, S. 36.

4. Jede soziale Situation *entwickelt* sich durch jede weitere Handlung eines Beteiligten *weiter* und kann sich so verändern.
5. Weil das so ist, wird die konkrete Situation beständig auf mögliche Regeln und Motive bezogen, diese „Reflexivität" (*Reflexivity*) wird dabei selbst nicht hinterfragt.
6. Wahrnehmung und Interpretation vollziehen sich – solange es keine Verständnisschwierigkeiten gibt – in einem (*DMI*).
7. Die AkteurInnen gehen von einer *Reziprozität* der Perspektiven aus, der je Andere sieht die Welt „genauso".
8. Die Akteure sind bereit, mit *Vagheit* umzugehen, solange sie nur „irgendeine" mögliche Erklärung für das Verhalten des Anderen zur Verfügung haben.[146]

Von diesem Hintergrund ausgehend wird deutlich, dass grundsätzliche jede Handlung als „performativ" anzusehen ist, da jede Handlung immer auch einen Hinweis enthält, wie die Handlung verstanden werden soll (accountability). Jede soziale Praktik etabliert, bestätigt oder transformiert eine soziale Ordnung, die von den Beteiligten meist nicht explizit benannt werden muss, da die Handlung „immer schon" als bestimmter Zug in einer Ordnung verstanden wird. Dabei wird davon ausgegangen, dass der Andere es auch so gemeint hat, wie ich es verstehe. Die Verständigung über die geltende soziale Ordnung bleibt somit grundsätzlich vage. Dies stellt allerdings kein Problem dar, solange mögliche Erklärungen für das Verhalten zur Verfügung stehen.

Wenn wir uns nun wieder dem Problem der Untersuchung konkreter Lernkulturen zuwenden, stellt sich die Frage, wie sich die zu untersuchenden Lernkulturen beschreiben lassen sollen, wenn doch die soziale Ordnung durch jede einzelne Handlung verändert werden kann:

Welche Stellen des Materials können dann unanalysiert bleiben?

Und wie lässt sich eine Aussage treffen über die „gültige" soziale Ordnung, wenn diese doch nur aus einem wechselseitig unterstellten Konsens zwischen den AkteurInnen besteht und beständig verändert werden kann?

Zu diesem Problem bemerkt PAUL, ein Vertreter der pragmatischen Linguistik, die ethnomethodologischen Einsichten verpflichtet ist:

> „Das bedeutet natürlich nicht, daß jedes Kommunikationsereignis sozusagen die Geburtsstunde einer neuen sozialen Wirklichkeit ohne historisches Vorbild ist, für deren Konstitution die Beteiligten jeweils neue Regeln entwerfen. Die Verstehbarkeit sozialer Prozesse beruht bei all ihrer Singularität in gleicher Weise für die Aktanten wie für die Analytiker auf der Anwendung eines typifizierenden Verfahrens der Sinnzuschreibung, das von Garfinkel (...) als ‚Dokumentarische Methode' beschrieben wurde. (...) Die konkreten individuellen Erscheinungsformen einer Handlungssequenz können von den Beteiligten einem bestimmten Handlungsmuster zugeordnet werden; Muster und Erscheinungsform ergänzen sich also ständig."[147]

PAUL schlägt hier also vor, die Dokumentarische Methode als analytisches Mittel einzusetzen, um den Zusammenhang zwischen einzelnen Ereignissen und dazugehö-

---
146 Diese Zusammenfassung orientiert sich an folgenden zusammenfassenden Beschreibungen der Ethnomethodologie: Cicourel 1973, S. 183-185, Garfinkel 1963, S. 200 ff.
147 PAUL 1990, S. 18 f.

rigen „Mustern" explizit zu machen. Die Verstehbarkeit von Handlungen liegt eben genau darin, dass wir sie als Teil eines Musters verstehen. Diese Muster müssen wir im normalen Vollzug allerdings nicht thematisieren, sondern erst, wenn es zu Verständnisschwierigkeiten kommt. In einer analytischen Untersuchung müssen wir daher versuchen, das Ineinsfallen von Handlung und Interpretation auseinander zu nehmen und das GARFINKELsche „seen but unnoticed" in ein „seen and noticed" zu überführen, um so das zugrunde liegende „Muster" benennen zu können. Der Begriff „Muster" wird dabei vor allem für bestimmte *sprachliche* Muster verwendet, die den Untersuchungsgegenstand der pragmatischen Linguistik bilden. Im Kontext dieser Arbeit, die sich dezidiert auch für nicht-sprachliche Handlungen interessiert, soll allerdings auf einen anderen Begriff zurückgegriffen werden:

> „Es besteht kein Zweifel, daß ein nächster Redezug stets auf den vorhergehenden Bezug nimmt, daß ‚Verstehen', also ‚turn by turn' hergestellt wird. Daraus folgt aber nicht, daß der ganze Bezugsrahmen ‚turn by turn' markiert wird. Es gibt im Gegenteil gute Gründe anzunehmen, daß der Raum möglicher Redezüge von Rahmenbedingungen abhängt. Diese Rahmenbedingungen verursachen keine Redezüge, d. h. sie sind nicht ableitbar, obschon manche von ihnen von Teilnehmern ‚vernünftigerweise' (SCHÜTZ) vorhersehbar sind. Sie sind aber eine Bedingung, insofern sie den Teilnehmern erlauben, ihre Redezüge als Handlungen innerhalb dieses Rahmens zu sehen. Es sind ‚accountability frames'."[148]

Der Begriff „Rahmen" wird hier als Alternative zum Begriff „Muster" eingesetzt. Die Hypothese ist, dass jede einzelne Handlung ihren Sinn daraus gewinnt, dass wir sie als Teil eines bestimmten Rahmens interpretieren. Der große Vorteil des Begriffes des Rahmens ist dabei, dass er darauf verweist, dass diese Rahmen nicht nur in den Köpfen der beteiligten AkteurInnen entstehen, sondern in konkreten Handlungen realisiert werden. Im folgenden Kapitel werde ich unter Rückgriff auf GOFFMAN zeigen, wie der Begriff des Rahmens dabei helfen kann, Lernkulturen systematisch zu beschreiben.

2.4 ERVING GOFFMANNS Interaktionsordnungen und der Begriff des Rahmens

Die Auseinandersetzung mit der Ethnomethodologie hat vielfältige Einsichten gebracht, wie soziale Ordnungen performativ hergestellt werden. Offen bleiben allerdings nach wie vor, wie sich Lernkulturen systematisch beschreiben lassen und was als „Lernkultur" bestimmt werden soll. Folgendes Zitat von GOFFMAN kann hier weiterhelfen, er schreibt:

> „Zusammengenommen bilden die primären Rahmen einer sozialen Gruppe einen Hauptbestandteil von deren Kultur."[149]

Im Kontext dieser Arbeit werde ich also versuchen, die „Lernkultur" einer Projektgruppe durch die Beschreibung und Analyse der in ihr verwirklichten Rahmen zu bestimmen.

Zur Vorbereitung dieser Analyse werde ich etwas genauer auf die Arbeiten von GOFFMAN eingehen. Ich werde dabei versuchen, seine Arbeiten – insbesondere seine

---

148 WIDMER 1991, S. 232.
149 GOFFMAN 1977a, S. 37.

Rahmenanalyse – so aufzubereiten, dass sie für die Analyse von audiovisuellen Aufnahmen konkreter Praxis nutzbar werden. Dies wird dadurch erschwert, dass GOFFMAN zwar mit vielfältigem Material arbeitet, um seine Ausführungen zu illustrieren – Beobachtungen, Zeitungsausschnitte, Gedankenexperimente, Romane, Filme, Gerichtsurteile usf. – sich aber nicht mit der Analyse von audio(visuellen) Aufnahmen natürlicher Interaktionen beschäftigt hat. Dennoch wird sich zeigen, dass viele der GOFFMANschen Begrifflichkeiten auch für die Analyse solcher Daten nutzbar sind.

GOFFMAN beschäftigte sich in seinem umfangreichen Werk vor allem mit der Untersuchung von „face-to-face-Interaktionen". Er interessierte sich dabei für die Frage, wie Menschen ihre Begegnungen aufbauen, gestalten und beenden. In seinen vielen Publikationen wandte er sich dieser Frage mit immer wieder neuen Begriffen und Perspektiven zu.[150] Er vermied es dabei meist, sich auf methodologische Diskussionen einzulassen und er lässt sich keiner soziologischen Schule eindeutig zuordnen. Trotzdem oder vielleicht gerade deshalb gehört er zu den erfolgreichsten soziologischen Autoren, dessen Bücher in viele Sprachen übersetzt wurden und auch außerhalb des Fachdiskurses eine breite Leserschaft erreichten.[151]

Wie sich im Folgenden zeigen wird, lässt sich GOFFMAN mit den Grundeinsichten der Ethnomethodologie verbinden,[152] und er gibt mit seiner „Rahmenanalyse"[153] wertvolle Hinweise darauf, wie sich „Lernkulturen" systematisch beschreiben lassen könnten.

Schon zu Beginn der *Rahmenanalyse* wird deutlich, dass GOFFMANS Herangehensweise eine große Nähe zur ethnomethodologischen Position GARFINKELS aufweist:

„Ich gehe davon aus, dass Menschen, die sich gerade in einer Situation befinden, vor der Frage stehen: Was geht hier eigentlich vor? Ob sie nun ausdrücklich gestellt wird, wenn Verwirrung oder Zweifel herrschen, oder stillschweigend, wenn normale Gewissheit besteht – die Frage wird gestellt, und die Antwort ergibt sich daraus, wie die Menschen weiter in der Sache vorgehen. Von dieser Frage geht das Buch aus, und es versucht ein System darzustellen, auf das man zur Beantwortung zurückgreifen kann."[154]

Das „System", das GOFFMAN hier ankündigt, soll nun vorgestellt werden: Zunächst ist ein Unterschied einzuziehen zwischen verschiedenen Formen der „Zusammenkunft" („gathering") von Menschen. GOFFMAN unterscheidet zwischen „zentrierten" und „nicht-

---

150 Ein guter deutschsprachiger Überblick über sein Werk findet sich in: LENZ 1991.
151 Hier ist insbesondere sein Buch „The Presentation of Self in Everday Life", dt. „Wir alle spielen Theater" zu nennen. Siehe hierzu: KNOBLAUCH 2006.
152 Das Verhältnis von GOFFMANS Arbeiten zur Ethnomethodologie wird kontrovers diskutiert, siehe hierzu: WIDMER 1991, BERGMANN 1991, HECHT 2009, S. 103-157. Es geht dabei vor allem um die Frage, welche Bedeutung kognitiven Elementen bei der Herstellung sozialer Ordnungen zukommt. Folgendes Zitat von GOFFMAN zeigt aber meiner Meinung nach, dass er hier eine ethnomethodologische Sicht vertritt, da er seine „Rahmen" immer auch als in der sozialen Situation realisierte Rahmen begreift:
„Wir sagten auch, diese Rahmen seien nicht bloß eine Sache des Bewusstseins, sondern entsprächen in gewissem Sinne der Organisationsweise einer Seite der Vorgänge selbst – besonders solcher, an denen soziale Wesen unmittelbar beteiligt sind. Es kommen Organisationsprämissen herein, und diese werden irgendwie erkannt, nicht erzeugt. Die Menschen haben eine Auffassung von dem, was vor sich geht; auf diese stimmen sie ihre Handlungen ab, und gewöhnlich finden sie sie durch den Gang der Dinge bestätigt. Diese Organisationsprämissen – die im Bewusstsein und im Handeln vorhanden sind – nenne ich den Rahmen des Handelns." GOFFMAN 1977a, S. 274.
153 GOFFMAN 1977a.
154 GOFFMAN 1977a, S. 16.

zentrierten Interaktionen". Eine „nicht-zentrierte Interaktion" liegt dann vor, wenn Menschen zusammenkommen, ohne dass sie einen gemeinsamen Aufmerksamkeitsfokus ausbilden, also zum Beispiel beim Aneinandervorbeigehen auf öffentlichen Plätzen. Auch bei diesen Begegnungen müssen die Menschen allerdings ihr Handeln aufeinander abstimmen.[155]

„Zentrierte Interaktionen" zeichnen sich dadurch aus, dass ein gemeinsamer Aufmerksamkeitsfokus hergestellt wird. Um genau diese Arten von Begegnung geht es GOFFMAN in der „Rahmenanalyse". Sein Begriff des Rahmens ist dabei eine Antwort auf die Frage, welche Antwort wir auf die Frage: „Was geht hier eigentlich vor?" geben:

„Ich gehe davon aus, dass wir gemäß gewissen Organisationsprinzipien für Ereignisse – zumindest für soziale – und für unsere persönliche Anteilnahme an ihnen Definitionen einer Situation aufstellen; diese Elemente, soweit mir ihre Herausarbeitung gelingt, nenne ich ‚Rahmen'. Das ist meine Definition von ‚Rahmen'."[156]

GOFFMANS These ist, dass unsere Antwort auf die Frage, was eigentlich vor sich geht, eine Antwort ist, die eine Situationsdefinition beinhaltet. Wie aber können ForscherInnen, die schließlich nicht in die Köpfe der AkteurInnen hineingucken können (und selbst wenn sie es könnten, wahrscheinlich in vielen Fällen nur eine „stillschweigende" Antwort finden würden) diese Situationsdefinition bestimmen? GOFFMAN schlägt dazu vor, dass wir auch als ForscherInnen unser Verständnis von Situationen nutzen müssen und uns die Frage stellen müssen, welche „Rahmen" denn den beobachteten Handlungen einen Sinn verleihen:

„Doch um weiterzukommen, wollen wir wenigstens vorläufig die Arbeitshypothese einführen, dass die Handlungen des täglichen Lebens verstehbar sind wegen eines (oder mehrerer) primärer Rahmen, die ihnen einen Sinn verleihen, und dass die Aufdeckung dieses Schemas weder eine triviale noch, so wollen wir hoffen, eine nicht zu bewältigende Aufgabe ist."[157]

An Beispielen lässt sich gut deutlich machen, was GOFFMAN als „Rahmen" verstehen will: Die Bedeutung von „einen Finger in die Luft strecken" wird erst durch einen Rahmen verständlich, innerhalb dessen diese Handlung vorgenommen wird. Es handelt sich nur dann um ein „Melden", wenn sie innerhalb des Rahmens „Unterricht" vollzogen wird. Ganz ähnlich verhält es sich mit Zügen in Spielen: Die Handlung, eine Figur auf einem karierten Brett von einem Feld auf ein anderes zu ziehen, gewinnt ihre Bedeutung nur durch ihr Eingebundensein in den Rahmen des Schachspiels. Wer diesen Rahmen nicht kennt, der kann die Bedeutung, den „Sinn" dieser Handlung, nicht verstehen. Dabei gilt, dass die Regeln, die in den jeweiligen Rahmen gelten, unterschiedlich explizit formuliert sein können. Im Falle von Spielen wie Schach sind sie sehr explizit formuliert, in anderen Fällen, wie etwa in Gesprächsrahmen, deutlich weniger. Wer kann schon für die vielen unterschiedlichen Gesprächsrahmen angeben, wie die Redereihenfolge bestimmt wird? – Und dies gilt, obwohl es in allen Gesprächs-

---

[155] Das Thema „Nicht-zentrierter Interaktionen" behandelt GOFFMAN vor allem in „Behavior in Public Places" (GOFFMAN 1963).
[156] GOFFMAN 1977a, S. 19.
[157] GOFFMAN 1977a, S. 37.

rahmen „Regeln" für die Aushandlung der Redereihenfolge gibt; auch wenn wir sie nicht formulieren können, verhalten wir uns diesen Regeln entsprechend.

Wie aber lassen sich „Rahmen" identifizieren? Oder genauer gefragt: Wie erkennen die AkteurInnen, welcher Rahmen in Gültigkeit ist, und wie kann man als Forscher erkennen, welcher Rahmen in Gültigkeit ist?

GOFFMAN macht hier den Vorschlag, dass die Hinweise auf die jeweils gültigen Rahmen nicht nur in den Handlungen der Personen stecken, sondern auch durch sehr konkrete Zeichen angekündigt werden:

„Vorgänge, die auf bestimmte Weise gerahmt sind – vor allem kollektiv organisierte soziale Aktivitäten –, werden oft von dem umgebenden Fluß der Ereignisse durch bestimmte konventionelle Grenzzeichen abgesetzt. Sie fassen den Vorgang als zeitliche Anfangs- und Schlußklammern oder als räumliche Klammern ein. Wie ein Bilderrahmen gehören diese Zeichen wohl weder zum eigentlichen Inhalt der Tätigkeit noch zur Welt außerhalb, sondern sowohl zum Innen wie zum Außen."[158]

Dieser Gedanke lässt sich wieder gut an einem Beispiel illustrieren: Der Pfiff des Schiedsrichters setzt den Rahmen des Fußballspiels in Gang und beendet ihn, so dass ein Tor, das nach dem Pfiff fällt, „kein" Tor ist. Folgt man diesem Gedankengang, dann lässt sich ein idealtypisches Modell der Etablierung, Aufrechterhaltung und Beendigung von Rahmen aufstellen, das ich im Folgenden als *Rahmendrehbuch* bezeichnen werde:

1. *Verständigung, dass eine zentrierte Interaktion vorgenommen werden soll*: Eine soziale Situation hat einen Beginn; die Beteiligten machen sich durch Zeichen – zum Beispiel durch Blicke – deutlich, dass sie eine zentrierte Interaktion vornehmen wollen. Auch Artefakte und räumliche und zeitliche Bedingungen können diese Verständigungsfunktion übernehmen (zum Beispiel, wenn eine Person an einen Fahrkartenschalter tritt).
2. *Verständigung über den Rahmen:* Es findet eine Verständigung darüber statt, welcher Rahmen in Gültigkeit sein soll. Diese Phase kann sehr umfänglich und langwierig sein, aber auch ausfallen, wenn die Interaktion zum Beispiel an einem bestimmten Ort stattfindet, der vorgibt, welcher Rahmen in Gültigkeit sein soll – vor einem Fußballspiel muss man sich nicht unbedingt über die Regeln verständigen, vorausgesetzt, dass die Regeln für alle Beteiligten feststehen.
3. *Handlungen innerhalb des Rahmens:* Manchmal gibt es ein klares Startzeichen (meist in Spielen), manchmal gibt es einen fließenden Übergang zu den Handlungen, die innerhalb des Rahmens stattfinden.
4. *Zeichen für den Abschluss oder Wechsel des Rahmens:* In vielen Fällen werden Zeichen darüber ausgetauscht, dass der Rahmen abgeschlossen oder gewechselt werden soll. In manchen Fällen ist dieses Ende auch vorher schon festgelegt – zum Beispiel durch eine bestimmte Spieldauer.
5. *Beendigung oder Wechsel des Rahmens:* Es gibt Zeichen für die Beendigung oder den Wechsel des Rahmens. Hier sind bestimmte Spiele wieder ein deutliches Beispiel: Der Schlusspfiff des Schiedsrichters beendet das Fußballspiel endgültig.

---

158 GOFFMAN 1977a, S. 279.

In dieser idealtypischen Beschreibung gibt es für die handelnden AkteurInnen keine Schwierigkeiten. Die Antwort auf die Frage: „Was geht hier eigentlich vor?" ist ihnen so klar, dass sie noch nicht einmal die Frage stellen müssen. Wie Goffman uns im weiteren Verlauf seiner *Rahmenanalyse* klar macht, ist die Sache aber nicht so einfach. Zunächst ist es keineswegs so, dass alle Rahmen von so klaren „Grenzzeichen" umschlossen sind, wie im Falle des Fußballspiels. Zudem gilt, genau wie es Garfinkel zutreffend festgestellt hat, dass keineswegs für alle Handlungen Regeln vorliegen, die die Zu- oder Unzulässigkeit von Handlungen regeln würden, und drittens gibt es zahlreiche Möglichkeiten, einen Rahmen zu „transformieren". Diese Transformation wird von Goffman als „Modulation" (im Original: „keying") bezeichnet. Diese Modulationen zeichnen sich dadurch aus, dass sie nicht als eigene „Rahmen" zu verstehen sind, sondern als Veränderungen von „Rahmen", die aber dazu führen, dass etwas grundlegend Anderes passiert. Als Beispiel nennt Goffman die Modulation eines Kampfes zu einem gespielten Kampf. Solche Modulationen sind nach Goffman folgendermaßen charakterisiert:

>> Es handelt sich um eine systematische Transformation eines Materials, das bereits im Rahmen eines Deutungsschemas sinnvoll ist, ohne welches die Modulation sinnlos wäre.
>> Es wird vorausgesetzt, dass die Beteiligten wissen, dass die Transformation das, was vor sich geht, grundlegend neu bestimmt.
>> Es gibt (meist) zeitliche Klammern, die Beginn und Ende der Transformation bestimmen, und oft auch räumliche Klammern.
>> Die Modulation verändert entscheidend, was in den Augen der Beteiligten vor sich geht.[159]

Auf die Goffmansche Ausgangsfrage: „Was passiert hier eigentlich?" können nun Antworten gegeben werden, die sich sozusagen innerhalb eines bestimmten Rahmens oder seiner Modulation bewegen oder außerhalb. Innerhalb des Rahmens oder einer Modulation würde sich die Antwort auf eine konkrete Handlung beziehen, also zum Beispiel, „X schlägt Y in den Bauch", außerhalb des Rahmens bzw. der Modulation würde die Antwort zum Beispiel lauten: „X und Y ‚spielen' Kämpfen".

Goffman macht uns also klar, dass wir nicht nur „Rahmen" voneinander unterscheiden, sondern dass wir auch zu vielfältigen Modulationen in der Lage sind. Seine Beispiele zeigen dabei deutlich, dass keineswegs immer klar ist, ob eine Modulation vorliegt oder nicht und dass Rahmen immer für Modulationen anfällig sind. Rahmen oder Modulationen können also durch jede weitere Handlung moduliert werden; in manchen Fällen soll genau das verhindert werden:

„So ist es eine der Funktionen von Schiedsrichtern bei Wettkämpfen, zu verhindern, daß die Spieler ein Spiel *spielen*, das heißt, den Wettkampf nicht ernst nehmen und etwas nochmals modulieren, was eine weniger komplizierte Rahmenstruktur haben sollte."[160]

Mit der Frage, wie Rahmen Stabilität gewinnen, beschäftigt sich Goffman auch in seinem Aufsatz „Spaß am Spiel"[161]. Hier macht er deutlich, dass „Rahmen" bestimmte

---
159 Vgl. Goffman 1977a, S. 53 f.
160 Goffman 1977a, S. 95 (Hervorhebung im Original).
161 Goffman 1973.

"Regeln der Irrelevanz" beinhalten. Ein irrtümliches Umwerfen einer Schachfigur wird innerhalb des Rahmens des Schachspiels nicht als „Zug" angesehen, die Figur wird „einfach" wieder aufgestellt. Irrelevante Handlungen werden, so lange dies möglich ist, missachtet. Falls sie zu massiv werden, wird versucht, ihnen auszuweichen oder sie aktiv zu unterdrücken.[162]

Innerhalb eines Rahmens lassen sich aber nicht nur irrelevante Handlungen bestimmen, sondern es lässt sich auch die Frage stellen, welche Handlungen als bedeutsam angesehen werden. Dabei spielen nun „Hilfsmittel" die entscheidende Rolle. Zum einen geht es Goffman dabei um spezifische Artefakte (Operationsbestecke etwa), die innerhalb der Rahmen von entscheidender Bedeutung sind, und um spezifische Rollen, die von den AkteurInnen innerhalb von Rahmen übernommen werden. Dabei wird die Frage beantwortet, wer überhaupt als AkteurIn innerhalb des Rahmens wahrgenommen wird, und auch, wer bestimmte Befugnisse durch besondere Rollenzuweisung erlangt.

Bei der Etablierung bzw. Aufrechterhaltung von Rahmen kann es nun allerdings auch zu Schwierigkeiten kommen. Zunächst nennt Goffman hier die „Täuschung", die dann vorliegt, wenn einer der AkteurInnen nur so tut, als ob ihr Handeln sich innerhalb eines bestimmten Rahmens bewegt – eines seiner Beispiele ist hier der Heiratsschwindler.[163] Neben diesen Täuschungen geht Goffman auch noch auf „Irrtümer" ein. Hier schildert er Fälle, in denen bestimmte Handlungen so mehrdeutig sind bzw. sein können, dass ihre Bedeutung unklar bleibt – er nennt hier als Beispiel das Winken mit einem Arm, das als Begrüßungszeichen oder als Abbiegezeichen beim Fahrradfahren gedeutet werden kann. Neben dieser „Mehrdeutigkeit" gibt es auch die Fälle von „Rahmenirrtümern", in denen ein Beteiligter eine Rahmung oder eine Modulation falsch deutet. Das häufigste Beispiel hierfür ist, dass etwas, das als „scherzhafte" Handlung gemeint war, „ernst" genommen wird, oder auch umgekehrt, dass eine „ernstgemeinte" Handlung als „scherzhaft" verstanden wird. Schließlich verweist er noch auf einen dritten Irrtum, den der „Rahmenstreitigkeiten". Hier nennt er nun zahlreiche Beispiele, in denen sich die Handelnden über den gültigen Rahmen streiten:

„Als Beispiel nannte er eine junge Frau aus Los Angeles, die den Leiter einer Privatschule aus Hollywood in ihre Wohnung einlud, nachdem sie heimlich ein Tonbandgerät unter ihrem Sofa angebracht hatte. Sie nahm seine amourösen Avancen auf und begann später, ihn zu erpressen. Der Schulleiter jedoch ging zur Polizei und Staatsanwaltschaft, und die junge Dame wurde festgenommen. Doch sie wurde wieder freigelassen, als sie trocken zu Protokoll gab, die Aufnahme sei ein Scherz gewesen, und sie habe wirklich erwartet, der Schulleiter werde sie heiraten."[164]

Er führt hier ein gutes Dutzend ähnlicher Beispiele an, in denen die Akteure nach einer bestimmten Interaktion darüber streiten, in welchem Rahmen (oder welcher Modulation) ihre Handlungen gemeint waren und wie sie deshalb (nicht selten juristisch) zu bewerten sind. Da Goffman, wie eingangs schon bemerkt, nicht mit Transkripten natürlicher Kommunikation arbeitet, beschäftigt er sich hier nicht mit Fällen, in denen

---

162 Vgl. Goffman 1973, S. 21 ff.
163 Vgl. Goffman 1977a, S. 98-142, er widmet sich hier ein ganzes Kapitel den möglichen Täuschungsmanövern.
164 Goffman 1977a, S. 364.

die Rahmenstreitigkeiten in der Situation selbst verhandelt werden. Wie sich in den späteren Fallstudien zeigen wird, sind diese Fälle aber von besonderem Interesse, da hier deutlich wird, dass die AkteurInnen mit unterschiedlichen Machtinstrumenten ausgestattet sein können, um die anderen Personen dazu zwingen, in ihrem Rahmen „mitzuspielen". Ein institutioneller Kontext zum Beispiel, der als eine Art äußere Rahmung innere Ereignisse rahmen kann, kann bestimmte Personen mit besonderen Machtmitteln ausstatten. An anderer Stelle geht Goffman genau darauf ein und betrachtet den Unterschied zwischen institutionalisierten und wenig formalisierten Rahmungen:

„Eine Einladung [im Sinne einer Party T.F.] unterscheidet sich ja von organisierten sozialen Veranstaltungen mit einem formalisierten Kern dadurch, daß der innere Vorgang keineswegs mit Sicherheit in Gang zu bekommen ist. Ein Lehrer in einer Klasse, ein Gerichtsdiener, ein Vorsitzender bei einer Klubversammlung kann mehr oder weniger den Übergang von informellen Einzelgesprächen zur Behandlung der Sache anordnen, doch ein Gastgeber kann eine Party nicht zur Ordnung rufen."[165]

Für den Kontext dieser Arbeit – die ja das Handeln in einem institutionellen Kontext untersucht – wird die Frage, wie und von wem bestimmte Rahmen durchgesetzt werden, von großer Bedeutung sein.

Als letzten wichtigen Punkt für die spätere Analyse der realisierten Rahmen, werde ich im Folgenden noch auf die Bedeutung der Regeln des Engagements eingehen. In dem schon erwähnten Artikel „Spaß am Spiel" wendet sich Goffman ausführlich dem „Engagement" zu.[166] Er beschreibt dabei, dass es in Spielen häufig zu beobachten sei, dass sich die daran Teilnehmenden vom Geschehen äußerst stark in Anspruch nehmen lassen und ihre volle Aufmerksamkeit auf das Spielgeschehen lenken. Sie zeigen dann, so formuliert es Goffman, ein hohes Maß an „spontanem Engagement". Im weiteren Verlauf seiner Überlegungen macht Goffman dann deutlich, dass die Frage nach dem richtigen Maß an Engagement nicht nur für Spiele gilt, sondern auch für alle anderen Formen von Interaktionen. Dabei gilt, dass es auch Situationen gibt, in denen ein zu hohes Maß an Engagement unpassend wäre. Die Beschreibung der geltenden Regeln des Engagements stellt dabei für Goffman eine weitere wichtige Möglichkeit dar, Rahmen zu unterscheiden:

„Die Frage des spontanen Mit-Engagements reicht also ins Herz der Dinge und hilft, die speziellen Merkmale der Interaktion von Angesicht zu Angesicht zu isolieren."[167]

2.5 Zusammenfassung:
Die Rahmenanalyse als Mittel, Lernkulturen systematisch zu beschreiben

Ich habe in diesem Kapitel den Begriff der „Lernkultur" eingeführt, um eine systematische Beschreibung der Praxis eines Projektes der Kulturellen Bildung vorzubereiten. Dabei wurde deutlich, dass ich den Begriff nicht in normativ-programmatischer Weise einsetzen will, sondern als Bezeichnung für die soziale Praxis einer Lerngruppe. Unter

---
165 Goffman 1977a, S. 291.
166 Goffman 1973, S. 41-46.
167 Goffman 1973, S. 45.

Rückgriff auf eine ethnomethodologische Handlungstheorie und die Rahmenanalyse von Goffman konnte ich zeigen, dass die Beschreibung und Analyse einer Lernkultur für BeobachterInnen möglich ist, da sich die AkteurInnen wechselseitig anzeigen, in welchem Rahmen sie ihre Interaktionen gestalten (wollen). Dieses wechselseitige „Anzeigen" ist sichtbar und daher auch der Analyse durch ForscherInnen zugänglich. Die Analyse einer Lernkultur wird darin bestehen, die einzelnen Rahmen, die in der zu untersuchenden Lernkultur von den AkteurInnen aufgebaut, etabliert und beendet werden, zu beschreiben. Dabei gilt, dass alle Rahmen begonnen, durchgeführt und beendet werden müssen und dass sich Rahmen durch die in ihnen geltenden Regeln voneinander unterscheiden lassen. Diese Regeln weisen unter anderem aus, welche Handlungen überhaupt als relevante bzw. als nicht-relevante Handlungen angesehen werden und welchen Grad des Engagements der jeweilige Rahmen vorsieht. Zudem ist davon auszugehen, dass in den jeweiligen Rahmen unterschiedliche Personen als TeilnehmerInnen akzeptiert werden und dass es unterschiedliche Handlungsrechte und -pflichten für die beteiligten AkteurInnen gibt.

„... den besseren Zustand aber denken als den, in dem man ohne Angst verschieden sein kann."[168]

3 Forschungsperspektive: Diversität

Das vorangegangene Kapitel hat mit der Rahmenanalyse eine Theorie vorgestellt, die es möglich machen soll, die Lernkultur einer tanz- und theaterpädagogisch arbeitenden Projektgruppe systematisch zu beschreiben. Ziel dieses Kapitels ist es, die Perspektive zu bestimmen, die für die weitere Analyse der gefundenen Rahmen leitend sein soll.

Im Zentrum des Interesses steht dabei die Frage, in welcher Hinsicht die zu untersuchenden Rahmen spezifische „Entwicklungsmöglichkeiten" bieten könnten. Wie ich in I/1 gezeigt habe, trat das „Praxisforschungsprojekt: Leben lernen" mit dem Anspruch an, den Teilnehmenden besondere Entwicklungspotentiale zu bieten, die durch die spezifische kulturpädagogisch-künstlerische Arbeit möglich werden sollen.

Mit einem Zitat von Klaus Mollenhauer nähern wir uns der Frage, in welcher Richtung denn diese „Entwicklungspotentiale" liegen könnten:

„Was geschieht in solchen [ästhetischen, T.F.] Akten, hervorbringend oder empfänglich, mit dem Subjekt dieser Akte? Meine Vermutung ist, daß darin das Ich – das hervorbringende oder empfangende, das spontane oder das rezipierende – sich zu sich selbst anders verhält als sonst im Alltag der gesellschaftlichen Praxen. Es fädelt sich nicht ein in dasjenige, was heute zumeist ‚Identität' genannt wird, in die Zuverlässigkeit von Lebensfeldern, in die in Verstandesbegriffe vermessenen Verhältnisse, in eingespielte Erwartungen und Erwartungserwartungen, sondern es schafft sich, wie immer minimal auch, eine Distanz zu diesen."[169]

Mollenhauer schlägt also vor, dass die ästhetische Praxis ein anderes Verhalten zu sich selbst beinhalten soll. Die interessante Frage ist nun, ob sich ein solches „anderes Verhalten zu sich selbst" nicht auch in den Interaktionen der Handelnden zeigen müsste. Mollenhauers Annahme lässt sich daher folgendermaßen umformulieren: Meine Vermutung ist, dass sich die TeilnehmerInnen eines Tanz- und Theaterprojektes auch *zueinander* anders verhalten als „im Alltag gesellschaftlicher Praxen". Um verständlich zu machen, welche Bedeutung denn ein „anders verhalten" haben könnte, werde ich in diesem Kapitel auf die Debatte um Diversität eingehen.

Dabei werde ich zunächst zeigen, dass Diversität als Ergebnis ständiger Differenzierungen zu verstehen ist – und nicht als essentialisierter Unterschied, der in den einzelnen Menschen begründet liegt – auch hier ist die Ethnomethodologie Grundlage der Überlegungen (3.1).

In einem zweiten Unterkapitel werde ich dann die normative Diskussion über den „richtigen" Umgang mit Diversität nachzeichnen und die Frage stellen, welche Auswirkungen ein ethnomethodologisches Verständnis von Diversität auf diese Debatte hat (3.2).

---
168 Adorno 1985, S. 131.
169 Mollenhauer 1991, S. 3.

Von diesen Überlegungen ausgehend wird deutlich werden, dass Diversität auch als eine Forschungsperspektive verstanden werden kann, die sich zum Ziel setzt, die diversitätserzeugenden Praktiken in sozialen Interaktionen detailliert zu beschreiben (3.3). Durch eine Analyse ausgewählter Arbeiten, die dies für die Differenzlinien Geschlecht (3.4), Nation-Ethnie-Kultur (3.5) und die pädagogischen Differenzlinien (3.6) Kind-Erwachsener, LehrerIn-SchülerIn und AnleiterIn-TeilnehmerIn vorgenommen haben, lässt sich eine Position gewinnen, die für geltende Ausweispflichten sensibilisiert, sowie die Frage nach rahmenspezifischen Differenzlinien stellt.

3.1 Ein ethnomethodologisches Verständnis von Diversität

Was bedeutet „Diversität"? Zunächst erscheint der Begriff der „Diversität" als kein sonderlich problematischer Begriff, er bezeichnet – ganz schlicht – die Verschiedenheit von Dingen. In der Logik heißt „verschieden", dass „ein Gegenstand x nicht identisch oder gleich ist wie ein Gegenstand y".[170] Zur Charakterisierung menschlicher Gesellschaften eingesetzt, verweist der Begriff der „Diversität" auf die Verschiedenartigkeit der Menschen. Da kein Mensch mit einem anderen identisch oder gleich ist, sind alle Menschen voneinander verschieden, sie sind divers. So weit, so unproblematisch. Der Begriff der Diversität (engl. Diversity) wird aber nicht nur dafür eingesetzt, um die grundsätzliche, individuelle Verschiedenheit von Menschen zu bezeichnen, sondern auch dazu, Gruppen von Menschen von anderen Gruppen von Menschen zu unterscheiden.

Begibt man sich allerdings auf die Suche nach einer Definition von „Diversität" (oder seinem englischen Pendant „Diversity") zeigt sich, dass Autoren, die von „Diversity" sprechen, selten Mühe darauf verwenden, deutlich zu machen, was sie unter diesem Begriff verstanden wissen wollen. Die Verschiedenheit von ganz unterschiedlichen Dingen wird da benannt, zum Beispiel „Sprachenvielfalt", „kulturelle Vielfalt" oder auch „Theorienvielfalt".[171]

Greift man sich nun eine Definition von „Diversity" heraus, wird deutlich, wie problematisch der Begriff „Diversität" werden kann. Im „Diversity Dictionary" der Ohio University findet sich zu „Diversity" zum Beispiel folgender Eintrag:

„A situation that includes representation of multiple (ideally all) groups within a prescribed environment, such as a university or a workplace. This word most commonly refers to differences between cultural groups, although it is also used to describe differences within cultural groups, e.g. diversity within the Asian-American culture includes Korean Americans and Japanese Americans. An emphasis on accepting and respecting cultural differences by recognizing that no one culture is intrinsically superior to another underlies the current usage of the term."[172]

Hier werden nun auch Anleihen bei dem Begriff der „Biodiversity" genommen und nicht mehr nur verschiedene Menschen voneinander unterschieden: „Diversität" dient als Bezeichnung für eine Situation, in der verschiedene Gruppen von Menschen

---
170 MITTELSTRASS ET AL. 2004, Band 4, S. 526.
171 Vgl. KRELL 2007, S. 8.
172 DIETZ zitiert das Diversity Dictionary der Ohio University (www.ohio.edu/orgs/one/dd.html#4), vgl. DIETZ 2007, S. 8.

anwesend sein sollen, die sich hinsichtlich ihrer „kulturellen" Herkunft unterscheiden. Dabei wird eine Verschiedenheit zwischen den verschiedenen Gruppen postuliert und – sonst würde die Zuordnung zu einer Gruppe keinen Sinn machen – eine gewisse innere Homogenität der jeweiligen Gruppen. Im zitierten Beispiel geht es dabei um unterschiedliche „cultural groups".

Im obigen Zitat wird zudem noch auf eine weitere Verwendungsweise von „Diversity" hingewiesen, nämlich darauf, dass der Begriff auch dazu dienen kann, Unterschiede *innerhalb* von „cultural groups" zu beschreiben. Außerdem wird deutlich gemacht, dass die Benennung „kultureller Unterschiede" im Kontext von „Diversität" einen anti-diskriminierenden Anspruch hat und nicht davon ausgegangen wird, dass irgendeine der Kulturen einer anderen überlegen ist. Mit der Formulierung des „ideally all" wird dann auch noch darauf verwiesen, dass in vielen Diversitäts-Konzeptionen das Vorhandensein von Verschiedenem als Wert angesehen wird.

Diese Definition von Diversity beleuchtet einige der wichtigsten Aspekte, die oft mit diesem Begriff verbunden werden. Zugleich lässt sich an diesem Zitat aber auch gut deutlich machen, welche Probleme darin enthalten sind:

Das erste Problem an der genannten Definition ist, dass es sich trefflich streiten lässt, was denn eine „cultural group" sein soll, wird hier auf eine „Kultur" oder eine „Ethnie" oder eine „Nation" verwiesen? Und wer bestimmt diese Einheiten?

Die nächste Unklarheit entsteht durch die Formulierung, dass es auch innerhalb dieser „cultural groups" „Diversität" geben kann, sich auch hier wiederum „kulturelle Untergruppen" bilden lassen. Lässt sich diese Unterteilung dann weiter fortführen, gibt es auch innerhalb der „Korean Americans" „kulturelle Untergruppen" und dann wiederum weitere Untergruppen und noch mehr Untergruppen? Welche Bedeutung kann denn dann noch den Unterschieden zukommen?

Das dritte Problem schließlich entsteht durch die Formulierung „accepting and respecting cultural differences". Hier wird vorausgesetzt, dass sich so etwas wie „kulturelle Unterschiede" bestimmen lassen und es wird nicht auf das Problem verwiesen, dass allein die Zuordnung einer Person zu einer bestimmten kulturellen Gruppe, der bestimmte Eigenschaften zugeschrieben werden, ein ethnisierender und stigmatisierender Akt sein kann. Die viel interessantere Frage, wann und zu welchem Zweck Zuordnungen erfolgen, wird hier nicht gestellt.

Das hier vorgestellte Verständnis von „Diversity" bleibt – trotz der vorgestellten Möglichkeit zur Differenzierung innerhalb von „cultural groups" einem Verständnis von Kultur verhaftet, das seit vielen Jahren scharf kritisiert wird. In Deutschland ist einer der prominentesten Vertreter dieser Kritik Wolfgang Welsch.

Welsch wendet sich in seinen Arbeiten gegen ein Verständnis von „Kultur", das von ihm als „traditioneller Kulturbegriff" bezeichnet wird. Dieser traditionelle Kulturbegriff zeichnet sich durch drei Kriterien aus:

Zum einen ist jede Kultur klar von anderen geschieden, zum zweiten gibt es einen definitorischen Kern, ein Volk als Träger der Kultur und zum dritten hat dieses Verständnis von Kultur eine Vereinheitlichungsfunktion, da davon ausgegangen wird, dass jede Handlung und auch jedes Objekt unverwechselbarer Bestandteil genau einer Kultur ist.[173]

---

[173] Vgl. hierzu und auch zu den historischen Bezügen zu Pufendorf und Herder, die Welsch zieht: Welsch 1992, S. 6.

Welsch erhebt nun zwei Arten von Einwänden gegen dieses Verständnis von Kultur: Zum einen zweifelt er am Erklärungswert dieses Verständnisses von Kultur für das Leben der Menschen zu Beginn des 21. Jahrhunderts und zum anderen fordert er, sich die normativen Implikationen vor Augen zu führen, die dieses Verständnis von Kultur mit sich bringt. Zunächst zur ersten Gruppe der Einwände: Welsch wirft diesem Verständnis von Kultur vor, dass es die vielfältigen Differenzierungen, die es innerhalb vermeintlich geschlossener „Kulturen" gebe, überhaupt nicht abbilden könne. Die Lebensstile der einzelnen Menschen seien von so vielfältigen Einflüssen (Region, Beruf, Sprache, Sozioökonomischer Status ...) geprägt, dass der „alte" Kulturbegriff sie nicht mehr zusammenfassen könne. Zudem gingen bestimmte Lebensstile quer durch „verschiedene" Kulturen hindurch, die versuchte klare Trennung zwischen den Kulturen wird so zusehends problematischer.[174] Gewichtiger noch wiegen aber seine Argumente gegen die problematischen normativen Implikationen: Er wirft dem „traditionellen Kulturbegriff" vor, „kulturrassistisch" zu sein: Das Beharren auf der klaren Geschiedenheit der Kulturen führe dazu, dass nach innen die „Authenzität" der Kultur verteidigt und nach außen eine Abschottung gegen fremdartige Einflüsse geleistet werden müsse. Dadurch werde die Pluralisierung der Lebensstile diskreditiert und die Menschen, die keiner „Kultur" mehr eindeutig zuzurechnen sind, zu „Bastarden" erklärt. Die vermeintliche Reinheit der Kulturen zu erhalten, wird zum Ziel erklärt.[175]

Zunächst scheint die Diversity-Definition des Diversity-Dictionary hier differenzierter zu argumentieren, die genannte Gruppe der „Asian Americans" ist ja eine Art von „Mischgruppe" – Asiaten, die in den USA leben – und zudem wird auch von der Möglichkeit der weiteren Differenzierung innerhalb dieser Gruppe gesprochen. Sieht man allerdings genau hin, wird deutlich, dass an einem essentialistischen Verständnis von Kultur festgehalten wird, es geht um „kulturelle Unterschiede", die zwischen den „cultural groups" existieren sollen, diese Unterschiede müssen – da sie ja akzeptiert und respektiert werden sollen – benennbar sein und sie müssen bedeutungsvoll sein – sonst wären sie kein Umstand, den es zu akzeptieren bzw. zu respektieren gilt. Diese „Unterschiede" werden dabei als gegeben angesehen, der konstruktive Charakter von Unterschiedsbenennungen wird nicht diskutiert, obgleich er schon vor über 40 Jahren gesehen wurde:

„Am nachdrücklichsten grenzen sich oft Gruppen voneinander ab, die einander sehr ähnlich sind – katholische und evangelische Iren, Griechen und Türken oder auch Deutsche und Franzosen im 19. und in der ersten Hälfte des 20. Jahrhunderts. Auch sind die (sub) kulturellen Unterschiede innerhalb jeder Gruppe – etwa Unterschiede zwischen verschiedenen Klassen – in der Regel größer als die zwischen den Gruppen. Barth leitete daraus ein ‚konstruktivistisches' Argument ab. Es ist nicht so, dass ‚zuerst' kulturelle Unterschiede da wären und man sich dann abgrenzt, sondern ‚zuerst' sind Abgrenzungen da und auf der Folie der Abgrenzungen ‚entdeckt' man die kulturellen Unterschiede. Man beginnt, diejenigen Eigenschaften am anderen zu betonen, die am au-

---

[174] Er nennt hier als Beispiele z. B. den Lebensstil von Managern, die international tätig sind und deren Lebensstil, so behauptet Welsch, derselbe sei.
[175] Die Diskussion um eine „deutsche Leitkultur" zeigt, wie Recht Welsch mit seinen Befürchtungen des „Kulturrassismus" hat, wenn an einem traditionellen Kulturbegriff festgehalten wird.

genfälligsten den Unterschied markieren und entwirft ausgehend von diesen Eigenschaften das Bild des anderen."[176]

Damit verändert sich die Sicht auf die Frage nach der Unterschiedlichkeit. Angeregt wird hier eine Perspektive, die nicht nach Unterschieden zwischen verschiedenen (kulturellen) Gruppen fragt, sondern den Fokus der Aufmerksamkeit auf die Konstruktion von Verschiedenheit richtet. Diversität ist dann nicht mehr ein vorzufindendes Phänomen, sondern eine in sozialen Praktiken erzeugte Unterschiedlichkeit:

„‚Diversität', verstanden als soziale und kulturelle Vielfalt, begegnet uns als sozialer Tatbestand. Es scheint offensichtlich, dass Menschen in unterschiedliche Identitätsgruppen, kulturelle und soziale Kategorien unterteilt werden können, Kategorien, deren Unterschiede obendrein zu mehr oder weniger antagonistischen Spannungen und Spaltungen führen. (...) Wir müssen uns jedoch mehr vielleicht noch als bei anderen sozialen Aspekten bewusst sein, dass Diversität *nicht einfach als gegeben* genommen werden kann. Worte wie Diversity, Multikulturalität, Gender-Differenz oder Generationenkonflikt behandeln als Faktum, was eigentlich das Ergebnis von Prozessen und Handlungen – interpretativen Handlungen – ist und *deshalb* immer neu bestimmt wird. Das heißt, soziologisch oder ethnologisch beziehungsweise anthropologisch verstanden, ist soziale Diversität das Resultat von Differenzierungen, von Differenz*handlungen*."[177]

Wie dieses Zitat deutlich macht, sehen wir „normalerweise" soziale und kulturelle Vielfalt als „sozialen Tatbestand" an, d. h. wir gehen ganz selbstverständlich davon aus, dass es zum Beispiel verschiedene Kulturen, aber auch Männer und Frauen „gibt", der konstruktive Charakter dieser Unterscheidungen wird sehr selten mitgedacht.

Judith Butler hat für den vermeintlich natürlichen Geschlechtsunterschied überzeugend gezeigt, welche Funktion diese Naturalisierung des Geschlechtsunterschieds hat. Sie argumentiert in *Das Unbehagen der Geschlechter*[178] folgendermaßen: Die Binarität der Geschlechter, d. h. die Einteilung aller Menschen in genau und nur zwei Geschlechter, wird am besten dadurch gesichert, dass diese Dualität in ein „vordiskursives" Feld verschoben wird.[179] Dieses vordiskursive Feld stellt dabei die „Natur" dar, der Geschlechtsunterschied, bzw. die Aufteilung der Menschen in zwei Geschlechter, wird als „natürliches" Faktum behandelt, das sich damit der Gestaltung durch den Menschen entzieht: Ob man (oder frau) nun diese Trennung „gut" oder „schlecht" findet, zu ändern ist sie nicht und daher ist es schlicht töricht, gegen diese Unterscheidung aufzubegehren. Butler wendet sich nun gegen diese Naturalisierung und stellt eine der wichtigsten Unterscheidungen des klassischen Feminismus in Frage: Die Unterscheidung von „sex" und „gender" als Bezeichnungen für das „natürliche Geschlecht" bzw. der „Geschlechtsidentität" wird von ihr zu einem Teil des Problems erklärt, da diese Unterscheidung an der Naturalisierung der Geschlechterdifferenz mitarbeitet und so gerade nicht dabei helfen kann, den Konstruktionscharakter der Binarität der Geschlechter zu entlarven. Dabei gilt, dass ein

---

176 Schiffauer 2002, S. 55. Er bezieht sich auf die berühmt gewordene Einleitung von Fredrik Barth zu dem Sammelband *Ethnic Groups and Boundaries* (Barth 1969). Das von Schiffauer genannte Argument wird vor allem auf S. 33 f. dargestellt.
177 Fuchs 2007, S. 17.
178 Butler 2003.
179 Vgl. Butler 2003, S. 24.

Aufbrechen und Infragestellen der Binarität der Geschlechter auf großen Widerstand und Ablehnung durch die meisten Menschen stößt. Dies erklärt Butler dadurch, dass sie die Geschlechtszugehörigkeit als wichtigstes Element der individuellen Identitätsentwürfe ansieht. Ein Infragestellen der grundsätzlichen Binarität von Geschlecht stellt so auch die Identitätsentwürfe der Menschen infrage:

"Da aber die ‚Identität' durch die stabilisierenden Konzepte ‚Geschlecht' (sex), ‚Geschlechtsidentität' (gender) und ‚Sexualität' abgesichert wird, sieht sich umgekehrt der Begriff der ‚Person' selbst in Frage gestellt, sobald in der Kultur ‚inkohärent' oder ‚diskontinuierlich' geschlechtlich bestimmte Wesen auftauchen, die Personen zu sein scheinen, ohne den gesellschaftlich hervorgebrachten Geschlechter-Normen (gendered norms) kultureller Intelligibilität zu entsprechen, durch die die Personen definiert sind."[180]

Hier wird deutlich, wieso die meisten Menschen nicht über den konstruktiven Charakter von Diversität nachdenken. Die Annahme von natürlichen Unterschieden – wie Butler es für den Geschlechtsunterschied zeigt – ist konstitutiv für das eigene Selbstverständnis. Dies gilt dabei nicht nur für die Differenz, die durch die Geschlechtszugehörigkeit markiert wird, sondern auch für die Differenz, die durch die Kulturzugehörigkeit markiert wird.

Thomas Höhne, Thomas Kunz und Frank-Olaf Radtke zeigen mit ihrer Arbeit *Bilder von Fremden. Was unsere Kinder aus Schulbüchern über Migranten lernen sollen*[181] eindrucksvoll, dass auch die Differenz, die entlang der „Kulturzugehörigkeit" eingezogen wird, naturalisiert wird und die klare Zuordnung wichtiger Bestandteil von Identitätsentwürfen ist.

Mit den Illustrationen, die hier einem Aufsatz von Kunz entnommen sind, in dem er sich mit der Analyse der Darstellungen der Metapher des „Zwischen zwei Stühlen sitzen"[182] beschäftigt, lässt sich zeigen, dass die kulturelle Zugehörigkeit ein wichtiges identitätsstiftendes Merkmal ist, das keine Zwischenformen oder unklaren Zuordnungen erlaubt:

Abbildung 1, übernommen aus Kunz 2002, S. 234

---

180 Butler 2003, S. 38.
181 Höhne et al. 2005.
182 Vgl. Kunz 2002.

Die hier zu sehende Collage wurde in drei von den Autoren untersuchten Publikationen verwendet. Sie zeigt ein Mädchen mit einem Kopftuch, das auf zwei Stühlen sitzt. Ein Stuhl ist rot und trägt die Symbole der Nationalflagge der Türkei, der zweite Stuhl ist in den Farben der Nationalflagge Deutschlands gehalten.

Das Mädchen, in der Mitte auf beiden Stühlen sitzend, hat nun das Problem, das aus beiden Richtungen, der deutschen und der türkischen, Arme an den Stühlen ziehen. Gelingt es ihr nicht, die beiden Stühle zusammenzuhalten, dann werden ihr die Stühle weggezogen und das Mädchen würde zwischen den Stühlen auf den Boden fallen. Diese Darstellung soll dem Leser deutlich machen, dass das Mädchen ein großes Problem hat, da sie nicht auf einem der Stühle sitzt, sondern eben auf beiden, diese doppelte Zuordnung ist prekär und nur unter großer Kraftanstrengung aufrecht zu erhalten. Eine Lösung scheint nur darin zu bestehen, dass sich das Mädchen entscheidet, auf welchem Stuhl es sitzen will, d.h zu welcher Kultur es gehören will.

Im Text von KUNZ findet sich wenig später eine zweite Darstellung der Stuhlmetapher:

Abbildung 2, übernommen aus KUNZ 2002, S. 243

Auch hier sind die Stühle klar voneinander unterschieden mit Nationalflaggen gekennzeichnet und der abgebildete Jugendliche sitzt, nachdenklich den Kopf auf einen Arm gestützt, zur Hälfte auf jedem Stuhl und zugleich über dem Abgrund, der sich zwischen den Stühlen auftut. Die Botschaft des Bildes ist: Ein Leben zwischen zwei Kulturen ist für ein Individuum mit vielen Problemen verbunden, eine Lösung ist nicht in Sicht. Auch hier, genau wie im oberen Bild, sitzt der Junge alleine zwischen den Stühlen, dies unterstreicht die Dramatik des Problems und macht deutlich, dass es sich um ein je individuelles Identitätsproblem handeln soll. Die soziale Tatsache, dass es in der Bundesrepublik sehr viele Menschen gibt, die dieses Problem betrifft, bzw. betreffen könnte, wird so nicht thematisiert und dies nicht zufällig: Die Darstellung einer großen Menge von Menschen, die vermeintlich zwischen den Stühlen sitzt, würde die klare Geschiedenheit der nationalen Kulturen in Frage stellen und auf deren Heterogenität verweisen, zudem würde diese Menge von Menschen ein neues Identitätsangebot zur Verfügung stellen, das ist aber mit diesen Darstellungen nicht intendiert, also müssen die beiden alleine zwischen ihren Stühlen sitzen.

Dass diese Beispiele nicht zufällig sind, wird deutlich, wenn man sich das Abschlusskapitel des erwähnten Sammelbands ansieht, in dem KUNZ die Ergebnisse der durchgeführten Schulbuchanalysen zusammenfasst.[183] „Kultur" spielt dabei die entscheidende Rolle in der Markierung der „semantischen Grundmatrix" von *wir/sie* bzw. *deutsch/ausländisch*. Die Kulturzugehörigkeit markiert die Differenz:

„Die *kulturellen Unterschiede* von Migranten und Deutschen, die in Schulbüchern und Medien hervorgehoben werden, beziehen sich auf verschiedene Formen. ‚Kultur' wird hierbei gleichgesetzt mit a) nationaler Kultur (deutsche/türkische Kultur), b) Religion (islamische/christliche Kultur) und c) Folklore und Orientalismus. In diesem Sinne stellt sich ‚Kultur' als ein komplexes semantisches Muster dar, in dem die wesentlichen Differenzen markiert werden. In hessischen und bayerischen Schulbüchern für die Grundschule werden die unterschiedlichen Lebensweisen von Migranten am Beispiel verschiedener Speisen, Trachten/ Kleidung, Tänze, religiöser Rituale oder Festivitäten vorgeführt. Der hierbei eingeübte folkloristisch-touristische Blick auf die ‚andere Kultur' wird in den Sozialkundebüchern politisch kontextualisiert, wodurch die fremde Lebensweise nun auch politisch zu einem Problem wird. (...) Entscheidend ist, dass die Differenzlogik, durch die nach (nationalen) ‚Einheimischen' und Migranten unterschieden wird, auch in der Form der didaktischen Brechung (vom Konkreten zum Abstrakten) kontinuierlich über den Untersuchungszeitraum durchgehalten wird. Die Kulturdifferenz stellt daher das alle Medien übergreifende dominante Muster dar, das einen vielfältigen thematischen Ausdruck erhält."[184]

Ein essentialistisches Verständnis von Kultur ist in den untersuchten Schulbüchern ungebrochen in Kraft, die Kulturen sind klar voneinander unterscheidbar und werden von Völkern getragen,[185] daher lässt sich auch anhand der Sitten und Gebräuche zeigen, was diese Kultur, bzw. all die Menschen, die dieser Kultur angehören, ausmacht. Die

---

183 Vgl. HÖHNE ET AL. 2005, S. 591-612.
184 HÖHNE ET AL. 2005, S. 602.
185 Dass auch „Religionen" als „Kulturen" verstanden werden, stellt merkwürdigerweise nicht die doch als so bedeutsam eingeführten nationalen Kulturunterschiede in Frage.

Analysen von Höhne, Kunz und Radtke zeigen dabei, dass die „Kulturdifferenz" genutzt wird, um die Unterscheidung von „wir" und „sie" zu markieren. Diese Differenz scheint dabei so „natürlich", dass sie fast nie „offen" diskriminierend genutzt wird, sondern mit den besten Absichten des „Sich besser Kennenlernen" verwendet wird. Der „Witz" an dieser Art von Darstellungen aber ist, dass die Probleme, die vermeintlich nur beschrieben werden, durch die Form der Darstellung jedem einzelnen Schüler zum Problem gemacht werden. Die Darstellung der Stuhlmetapher impliziert die Anfrage an jeden einzelnen Schüler – und auch an jede Schülerin: „Sag mir, bist Du Türke/Türkin oder Deutscher/Deutsche, auf welchem Stuhl sitzt Du denn?" Dieses „Identitätsproblem" nicht zu haben, scheint nicht vorgesehen und ist in einer Gesellschaft, in der bei der Beantwortung der Frage: „Wer bist Du?" auch eine „national/kulturelle Antwort" erwartet wird, schwer zu vermeiden. Antworten wie „Das ist mir egal", „Ich bin Mensch" oder „Ich lebe in Deutschland, also bin ich Deutscher" werden nicht zugelassen. Genau in diesem Sinne fungiert das Schulbuch auch als diskursbekräftigendes Medium, indem es die SchülerInnen mit der Frage nach ihrer national-kulturellen Herkunft behelligt. Ein eindrucksvolles Beispiel dazu findet sich in Diehm (2000), in dem eine Erzieherin die Kinder die „richtige Antwort" auf die Frage nach der Herkunft lehrt:

„Frau Z. (die Erzieherin) schlägt den Kindern vor, einen Stuhlkreis zu bilden, damit wir uns gegenseitig vorstellen können. (...) Ich sage meinen Namen, mein Alter und erzähle den Kindern, wo ich wohne und dass ich in den Kindergarten gekommen sei, zu sehen und aufzuschreiben, was sie spielen. Die Kinder fahren mit der Vorstellung fort. Einige jüngere Kinder sind sehr schüchtern, sie möchten kaum ihren Namen sagen. Die älteren Kinder verhalten sich in dieser Gesprächssituation dagegen relativ offen und vertrauensvoll, sie teilen ihre Namen mit, manche sagen ihr Alter, und auf das Nachfragen von Frau Z. erzählen einige Kindern, dass sie oder ihre Eltern aus einem anderen Land als Deutschland kommen. Der vierjährige P. erzählt, dass er ein Spanier sei, seine Mutter käme aus Deutschland, aber er sei wie sein Papa ein Spanier. Ein großer Teil der jüngeren Kinder kann mit dieser Frage aber gar nichts anfangen. Sie reagieren mit Unverständnis und antworten nicht. Zwei Kinder antworten auf Frau Z.s Nachfrage, sie kämen aus Niederrad (einem Stadtteil von Frankfurt, I.D.) bzw. Frankfurt. Frau Z. ergänzt die Antworten, in dem sie sagt: ‚Ja, M., Du wohnst jetzt in Niederrad, geboren bist Du in Polen und S. ist in Indien geboren.' ‚Aber ich bin ein Deutscher!' erwidert M., der polnische Junge."[186]

Frau Z. handelt hier übrigens ebenfalls mit den „besten Absichten", da sie in ihrem Kindergarten eine „multikulturelle Projektarbeit" durchführt, um den Kindern die „Vielfalt der Kulturen", die es in ihrem Kindergarten gibt, nahe zu bringen. Sie greift dabei aber auf ein essentielles Verständnis von Kultur zurück und verwehrt M. „Deutscher" zu sein, da er ja in Polen geboren sei, ergo Vertreter der polnischen Kultur zu sein hat.[187]

Diversität als Resultat von Differenzhandlungen zu verstehen und nicht als gegebenes Faktum anzusehen, ist also eine Position, die die eigenen Identitätskonstruktionen

---
186 Diehm 2000, S. 265.
187 Das ist ein Beispiel dafür, wie tief das Prinzip des „ius sanguinis" bei dieser Erzieherin in Gültigkeit ist, ohne dass ihr das wahrscheinlich bewusst ist.

in Frage stellt. Es ist daher nicht verwunderlich, dass dieses Verständnis von Diversität in der Alltagspraxis nicht sonderlich weit verbreitet ist.

Für eine wissenschaftliche Auseinandersetzung mit dem Thema der Diversität erscheint allerdings eine differenzkritische Position, die die Herstellung von Unterschieden zu ihrem Untersuchungsgegenstand macht, die einzige Möglichkeit, um nicht selbst an der Essentialisierung von Unterschieden mitzuarbeiten.[188] Bevor ich in Kapitel 3.3 Arbeiten vorstelle, die sich genau mit dieser Fragestellung pädagogischer Praxis zugewendet haben, gilt es allerdings im nächsten Kapitel noch auf das Problem einzugehen, wie eine pädagogische Praxis gestaltet werden kann, die sich selbst als diversitätserzeugend versteht. Dieses Problem stellt sich umso dringlicher, weil es zum einen in der Alltagspraxis kaum möglich scheint, auf Differenzierungen entlang der traditionellen Differenzlinien zu verzichten (man kann als Pädagoge nicht einfach „ohne Geschlecht" auftreten) und zum zweiten die Differenzen nicht einfach durch Nichtbeachtung eliminiert werden können. Sie sind zwar nicht als „natürliche" Unterschiede gegeben, aber eben als „soziale":

„But to say that a category such as race or gender is socially constructed is not to say that that category has no significance in our world. On the contrary, a large and continuing project for subordinated people [...] is thinking about the way power has clustered around certain categories and is exercised against others. This project attempts to unveil the processes of subordination and the various ways those processes are experienced by people who are subordinated and people who are privileged by them. It is, then, a project that presumes that categories have meaning and consequences."[189]

In diesem Zitat wird deutlich, dass die Unterscheidungen, die anhand bestimmter Kategorien gezogen werden, zwar nicht als „natürliche" Unterschiede zu verstehen sind, aber als sozial wirksame Unterscheidungspraxis. Hier werden „race" und „gender" als sozial wirksame Kategorien benannt. Welche Kategorien als sozial wirksam betrachtet werden, unterscheidet sich dabei in den einzelnen Sprachzusammenhängen. Im englischsprachigen Raum wird oft von den „big 8" gesprochen: race, gender, ethnicity/nationality, organizational role/function, age, sexual orientation, mental/physical ability, religion.[190] In Deutschland sind die am häufigsten thematisierten Differenzen „Geschlecht", „Kultur/Ethnie/Nation" und „Alter".[191] Einige AutorInnen weiten dies aber auch deutlich aus. Lutz/Wenning zum Beispiel nennen 13 Differenzlinien, die sie für sozial wirksam halten: Geschlecht, Sexualität, Rasse/Hautfarbe, Ethnizität, Nation/Staat, Klasse, Kultur, Gesundheit, Alter, Sesshaftigkeit/Herkunft, Besitz, Nord-Süd/Ost-West, Gesellschaftlicher Entwicklungszustand.[192] Wichtig ist, dass die AutorInnen hier versuchen, sozial wirksame Kategorien zu benennen, d. h. Kategorien, die für die Organisation des sozialen Lebens eine Rolle spielen. Es geht

---

188 Da auch dies geschieht, ist eine Diskurskritik der eigenen Wissenschaft ein notwendiges Arbeitsfeld, Hamburger 1999 fordert hier zur „Re-interpretation" von wissenschaftlichen Arbeiten auf, in denen ethnisierend und kulturalisierend argumentiert wird. Zur Durchführung einer solchen Re-interpretation vgl. Fink (im Erscheinen).
189 Crenshaw 1991, S. 1296f.
190 Vgl. Krell 2007, S. 9.
191 Vgl. Krell 2007, S. 9.
192 Vgl. Lutz/Wenning 2001, S. 20.

ihnen nicht darum, alle „möglichen" Unterschiede, die zwischen Menschen zu ziehen sind, zu benennen. Wichtig ist diese Feststellung deshalb, weil es gerade im Bereich des Diversity Managements eine Tendenz gibt, diese sozial wirksamen Unterschiede mit anderen Unterschiedskategorien, die keine oder sehr wenig soziale Bedeutung haben, zu vermischen. Hier wird dann zum Beispiel auch über „Musikgeschmack" oder „Essensvorlieben" gesprochen und zwar so, als ob die Zugehörigkeit zu einer bestimmten Fangruppe oder die Zugehörigkeit zu „Pastaessern" dieselbe Bedeutung habe wie die Geschlechtszugehörigkeit.[193] Nimmt man allerdings die Perspektive der Gestaltung von Unterschieden ernst, dann stellt sich die Frage, ob nicht in bestimmten sozialen Situationen ganz andere Zugehörigkeiten die zentrale Rolle spielen, die dann auch sozial hoch wirksam werden (man denke hier etwa an Fußballfans, für die die Zugehörigkeit zu ihrem Verein – mindestens im Stadion – sozial hochwirksam und bedeutend ist). Als „sozial wirksam" sollen in dieser Arbeit die Differenzen bezeichnet werden, die die jeweilige Untersuchungssequenz strukturieren. Dabei ist zu erwarten, dass die „klassischen" Differenzlinien, wie etwa Geschlecht, bedeutsam werden, es ist allerdings auch vorstellbar, dass es ganz andere Differenzen sind, die in der Theater- und Tanzarbeit eine Rolle spielen. Die Forschungsperspektive wird in dieser Arbeit bewusst offen gehalten, um auch diese anderen Differenzen in den Blick bekommen zu können.

3.2 Diversity Education: Betonung der Gleichheit oder Erziehung zur Vielfalt?

Wie im ersten Abschnitt dieses Kapitels gezeigt wurde, ist Diversität nicht ein vorzufindender, sondern ein gemachter Zustand. Nimmt man diese Perspektive ernst, stellt sich die Frage, wie pädagogische Praxis gestaltet werden soll, da ja auch sie – wie jede andere Praxis auch – an der Konstruktion von Unterschieden beteiligt ist. Mit welchen Zielen sollte eine pädagogische Praxis antreten? Sollte es darum gehen, die Gleichheit der AkteurInnen zu betonen und auf ein Unterschiede-Machen zu verzichten – da das Unterschiede-Machen immer eine Voraussetzung zur Diskriminierung von Menschen gewesen ist?

„Alle gleich behandeln" – das klingt ja zunächst nach einem durchaus respektablen, da gerechten und scheinbar nicht diskriminierenden pädagogischen Ansatz. Wenn es, wie im vorherigen Kapitel festgestellt wurde, mit so vielfältigen Schwierigkeiten verbunden ist, Unterschiede zu machen, warum sollte dann nicht für pädagogische Praxis darauf verzichtet werden und der Leitsatz, alle gleich zu behandeln, gelten?

Oder sollte – ganz im Gegenteil – eine Erziehung zur Vielfalt stattfinden, so dass alle AkteurInnen individuelle Besonderheiten entwickeln können?

Das nun folgende Kapitel versucht auf diese Frage eine Antwort zu geben, indem zunächst gezeigt wird, dass der Versuch, Alle zu Gleichen zu machen, selbst in die Gefahr gerät, totalitär zu wirken und zudem der Bedeutung der sozialen Konstruktionen von Unterschieden nicht gerecht wird. Unterschiede-Machen muss Teil pädagogischer Praxis sein. Die Unterscheidung der beiden Begriffe „Verschiedenheit" und „Ungleich-

---

193 Ich beziehe mich hier auf persönliche Gespräche, in denen mir über die Gestaltung von Diversity Trainings berichtet wurde.

heit" wird dann dabei helfen, eine Praxis des Unterschiede-Machens vorzustellen, die nicht diskriminierend wirkt.

Gegen den Grundsatz des „Alle gleich behandeln" sprechen die folgenden drei Gründe:

1. *Die pädagogische Praxis selbst ist eine Beziehung von Ungleichen:* Es werden unterschiedliche Rollen besetzt, die von LehrerInnen/AnleiterInnen und die von SchülerInnen/TeilnehmerInnen. Der Versuch, alle gleich zu behandeln, täuscht genau über diese Tatsache hinweg: die pädagogische Praxis ist keine Praxis unter Gleichen, sondern durch unterschiedliche Rollen gekennzeichnet, die mit unterschiedlichen Handlungsrechten ausgestattet sind. Über die Gestaltung dieser Handlungsrechte gilt es nachzudenken und zu begründen, welche Unterschiedlichkeit legitim und notwendig ist.
2. *Soziale Bedeutung von Unterschieden wird negiert:* Wie oben schon deutlich gemacht, sind Unterschiede nicht als naturgegeben zu verstehen, nichtsdestotrotz haben sie eine soziale Wirksamkeit, die nicht einfach außer Kraft gesetzt werden kann. Die AkteurInnen pädagogischer Praxis treten als Männer/Jungen oder Frauen/Mädchen auf, sie haben eine Staatsangehörigkeit, ein eigenes Selbstverständnis der „Kulturzugehörigkeit", ein gewisses Haushaltseinkommen, eine Religionszugehörigkeit oder eben keine Religionszugehörigkeit usf. Diese sozialen Tatbestände zu ignorieren, bedeutet sie unangetastet und unhinterfragt zu lassen und auch die Lebensbedingungen der beteiligten AkteurInnen nicht anzuerkennen.
3. *Verantwortung für Unterschiede:* Die gemeinsame Praxis kann dazu führen, dass Unterschiede zwischen den AkteurInnen bedeutsam werden, zum Beispiel wenn eine TeilnehmerIn die Unterrichtssprache nicht ausreichend beherrscht, um alles zu verstehen. Dem Gleichheitsgrundsatz folgend dürfte eine LehrerIn/AnleiterIn nun diese TeilnehmerIn nicht anders behandeln, sie/er dürfte also nicht – zum Beispiel – das eben Gesagte für die TeilnehmerIn übersetzen lassen oder es noch mal langsamer wiederholen. An diesem Beispiel wird deutlich, dass eine LehrerIn/AnleiterIn in solchen Fällen eine Verantwortung dafür trägt, Unterschiede zu machen und dafür Sorge zu tragen, dass auch diese TeilnehmerIn dem Geschehen folgen kann. Eine Gleichbehandlung würde hier zu einem Ausschluss dieser TeilnehmerIn führen und somit eine diskriminierende Praxis darstellen.

Alle gleich zu behandeln ist also aus den genannten Gründen keine sinnvolle Lösung für die pädagogische Praxis: die pädagogische Praxis selbst konstituiert eine Beziehung von Ungleichen, es gibt sozial bedeutsame Unterschiede und es gibt eine spezifische Verantwortung, die PädagogInnen für den Umgang mit diesen haben.

Wie kann dann aber eine pädagogische Praxis gestaltet sein, die Unterschiede macht, aber trotzdem diskriminierende Praktiken nicht reproduziert?

ANNEDORE PRENGEL weist in ihrer *Pädagogik der Vielfalt*[194] einen interessanten Lösungsweg für dieses Problem auf. Sie unterscheidet die Begriffe „Verschiedenheit" und „Ungleichheit" voneinander. Sie greift dabei auf den mathematischen Begriff der Inkommensurabilität zurück, um deutlich zu machen, in welcher Hinsicht sich

---

194 PRENGEL 1995.

diese beiden Begriffe unterscheiden.[195] Inkommensurabilität bezeichnet in der Mathematik das Verhältnis zweier Strecken zueinander, das nicht in rationalen Zahlen auszudrücken ist. Radius und Kreisumfang sind inkommensurabel, der Kreisumfang ist nicht ein einfaches Vielfaches von r, sondern nur durch die irrationale Zahl Pi auszudrücken. Die beiden Strecken sind also in dem Sinne verschieden, dass sich das Verhältnis zwischen ihnen nicht eindeutig bestimmen lässt. Genau darauf will PRENGEL nun hinaus, ihr Begriff der „Verschiedenheit" soll deutlich machen, dass Unterschiede gemacht werden, die sich nicht „einfach" miteinander vergleichen lassen, sie stehen nicht in einem messbaren, eindeutigen Verhältnis zueinander. Ganz anders hingegen der Begriff der „Ungleichheit", er bezeichnet das Verhältnis von Verschiedenem hinsichtlich eines gemeinsamen Maßes. In Rückbezug zur Mathematik würde es hier um Strecken gehen, die jeweils ein Vielfaches der anderen Strecke darstellen, etwa eine Strecke a mit 2 cm und eine Stecke b mit 4 cm. Diese beiden Strecken sind nicht „verschieden", sondern „ungleich". In diesem Fall lässt sich das Verhältnis der beiden Strecken als ein „quantitatives" bezeichnen, im Falle von Radius und Kreislinie als ein qualitatives. NORBERT WENNING zeigt in seinem Aufsatz „Differenz durch Normalisierung"[196] unter Rückgriff auf FOUCAULT, dass das Bewertungssystem, das an den meisten Schulen verwendet wird, als ein System verstanden werden muss, dass die SchülerInnen nicht als Verschiedene, sondern als Ungleiche behandelt: Zunächst wird eine Gruppe von SchülerInnen „homogensiert", in dem sie in altersgleichen Klassen zusammengefasst werden. Daran anschließend findet eine Quantifizierung statt, meist in Form von Prüfungssituationen, in denen bestimmte Punktwerte erreicht werden können. Zum Schluss findet dann eine „Normalisierung" statt, d. h. dass ein Normalwert bestimmt wird, den alle SchülerInnen, die als „normal" gelten wollen, zu erreichen haben. Die, die diesen Wert nicht erreichen, werden als defizitär, als „unnormal" eingeschätzt.[197] Hier wird deutlich, dass die Bewertungspraxis der Schule als eine Ungleichbehandlung verstanden werden muss: Zunächst wird die Verschiedenheit der SchülerInnen durch die Homogenisierung in altersgleichen (mit Beginn der Sekundarstufe auch in vermeintlich leistungshomogenen) Klassen aufgehoben, dann wird eine quantifizierende Praxis durchgeführt, in der es gerade nicht darum geht, die Verschiedenheit der Beteiligten anzuerkennen, sondern ihre Leistungen zu quantifizieren und sie damit kommensurabel zu machen. In der dritten Phase wird schließlich eine binäre Differenz eingeführt, es gibt nun die „normalen" SchülerInnen, die einen bestimmten Normwert erreichen und die „unnormalen" SchülerInnen, die diesen Wert eben nicht erreichen. Besonders problematisch erscheint an dieser dritten Phase, dass die Einführung der Kategorie der Normalität wiederum eine Naturalisierung der vorgenommenen Unterscheidungen darstellt. Durch die Bestimmung der Norm wird suggeriert, dass es eine „natürliche" Grenze gäbe, die die, die „normal" sind auch erreichen können. So wird erneut verschleiert, dass die stattgefundene Homogenisierung, Quantifizierung und Normalisierung ein soziales und kein natürliches Geschehen darstellt. Genau gegen diese Praxis der Herstellung von Ungleichheit wendet sich PRENGEL mit ihrer Forderung

---

195 Die folgenden Ausführungen beziehen sich auf das Kapitel „Zur Theorie und Geschichte von Gleichheit und Verschiedenheit" bei PRENGEL 1995, S. 29-63.
196 WENNING 2001.
197 Dieses Phasenmodell der Normalisierungspraxis findet sich bei WENNING 2001 auf S. 280 f.

nach einer Praxis des Unterschiedemachens, die Menschen als verschiedene – und eben nicht als ungleiche – versteht und behandelt. Sie bestimmt dabei ihre Vorstellung einer „egalitären Differenz", einer „Verschiedenheit" in Abgrenzung zu „Ungleichheit" genauer:[198]
1. Das Ziehen von Differenzen darf nicht zur Legitimation von Hierarchieverhältnissen missbraucht werden.
2. Das Wissen um die Konstruiertheit jeder Differenz verhindert, dass die Differenzverhältnisse als statisch und unveränderbar angesehen werden.
3. Es soll immer ein Vergleichspunkt benannt werden, anhand dessen eine Differenz Bedeutsamkeit erlangt, so wird verhindert, dass ein Unterschied zu einem absoluten erhoben wird.
4. Die Anerkennung der Verschiedenheit des Anderen ist Voraussetzung dafür, dass egalitäre Differenz entstehen kann.
5. Es gibt eine Offenheit dafür, neue, unerwartete Differenzen entstehen zu lassen.

PRENGELS Pädagogik der Vielfalt, die von ihr als eine Pädagogik der „intersubjektiven Anerkennung zwischen gleichberechtigten Verschiedenen"[199] verstanden wird, gibt so entscheidende Hinweise darauf, wie sich eine Praxis des Unterschiedemachens realisieren lässt, ohne dabei zu diskriminieren. Die Untersuchung differenzerzeugender Praktiken wendet sich also nicht grundsätzlich gegen jede Form des Unterschiedemachens, sondern interessiert sich für die Frage, von wem anhand welcher Differenzlinien mit welchen Wirkungen Unterschiede gemacht werden.

3.3 Diversitätserzeugende Praktiken als Forschungsperspektive

Die folgenden Kapitel (3.4-3.6) haben die Funktion, die Untersuchung der in der Projektpraxis verwirklichten Rahmen vorzubereiten. Es gilt die Frage zu beantworten, wie sich Unterschiede, bzw. das Unterschiede machen, beobachten lassen und welche Bedeutung dabei Beschreibungskategorien haben, die auch in anderen sozialen Interaktionen eine Rolle spielen.

Zunächst (3.4) werde ich mich daher mit der Frage beschäftigen, ob „Geschlecht" als omnirelevante Kategorie anzusehen ist. Spielt Geschlecht in allen sozialen Interaktionen eine Rolle – ganz unabhängig davon, ob es sich um ein Tanz- und Theaterprojekt, einen Brötchenkauf oder ein Fußballspiel handelt? Ich werde dafür argumentieren, dass es einer differenzierten Verwendungsweise des Terminus „omnirelevant" bedarf: Omnirelevant ist die Verpflichtung seine Geschlechtszugehörigkeit eindeutig auszuweisen – jeder und jede hat die Verpflichtung darzustellen, zu welcher Geschlechtskategorie er oder sie gezählt werden will. Der Ausweis der Geschlechtszugehörigkeit ist also omnirelevant – welche Bedeutung diese Geschlechtszugehörigkeit dann in der jeweiligen sozialen Interaktion zukommt, ist eine Frage, die es empirisch zu beantworten gilt. Dabei werde ich zeigen, dass es einer Haltung bedarf, die davon

---
198 Vgl. PRENGEL 1995, 181 ff.
199 PRENGEL 1995, S. 62.

ausgeht, dass sich im Material sowohl Formen des „doing gender", d. h. einer Fokussierung der Geschlechtszugehörigkeit als auch Formen des „undoing gender", d. h. der Marginalisierung des Geschlechtsunterschieds finden lassen werden. Grundsätzlich lassen sich dabei zwei verschiedene Formen des „doing gender" unterscheiden: Zum einen Formen, in denen Personen direkt als Mitglieder einer Geschlechtskategorie angesprochen werden und zum anderen solche, in denen die Geschlechtszugehörigkeit der Akteure die Handlungsrechte im realisierten Rahmen bestimmen.

Im nächsten Kapitel (3.5) werde ich die Frage stellen, ob „Nation-Ethnie-Kultur" ebenfalls eine omnirelevante Kategorie darstellt. Ich werde dafür argumentieren, dass – auch wenn natioethnokulturelle Mitgliedschaften nicht binär und deutlich diffuser strukturiert sind als Geschlecht, die Frage offen bleibt, ob es nicht für Minderheitenangehörige eine ähnliche Ausweispflicht gibt wie im Falle des Geschlechts. Dabei gilt aber auch hier, dass die Zugehörigkeit eventuell eine ominrelevante Forderung darstellt, die Frage, welche Bedeutung diese Zugehörigkeit darüber hinaus erfährt, wiederum als empirische Frage zu betrachten und zu bearbeiten ist. Die Sichtung verschiedener Arbeiten, die sich der Herstellung natioethnokultureller Mitgliedschaften in pädagogischen Feldern zugewendet haben, zeigt, dass sich Formen des „doing" und „undoing Nation-Ethnie-Kultur" beobachten lassen und auch, dass es auch hier die oben genannten zwei Formen des „doing Nation-Ethnie-Kultur" gibt: Personen werden als Vertreter bestimmter Nationen-Ethnien-Kulturen angesprochen und es gibt Rahmen, in denen die unterschiedliche oder gleiche Zugehörigkeit die Handlungsrechte innerhalb des Rahmens bestimmt.

Im Anschluss daran werde ich mich schließlich genuin pädagogischen Differenzlinien zuwenden (3.6) und die Frage stellen, welche Unterschiede zwischen den möglichen Differenzlinien Kind/Erwachsener, SchülerIn/LehrerIn, TeilnehmerIn/AnleiterIn auszumachen sind. Aus dieser Auseinandersetzung wird sich die Frage ergeben, welche Formen die Unterscheidung von AnleiterInnen und TeilnehmerInnen in einem Tanz- und Theaterprojekt annimmt.

3.4 Ist Geschlecht omnirelevant?

Wie die Diskussion von Judith Butlers Kritik an der Naturalisierungspraxis des Geschlechtsunterschieds gezeigt hat, spielt der Geschlechtsunterschied eine zentrale Rolle in der Organisation von Gesellschaften. Die Zugehörigkeit zu einer und genau einer Geschlechtskategorie teilt die Menschen von Geburt an ein Leben lang (Geschlechtsumwandlungen sind hier die Ausnahme, die aber die grundsätzliche Dualität gerade nicht in Frage stellen) in Mann und Frau ein. Ausgehend von dem berühmt gewordenen Aufsatz von Harold Garfinkel über „Alice", eine Frau, die die ersten 17 Jahre ihres Lebens als ein Mann gelebt hat[200], haben verschiedene ethnomethodologische Untersuchungen gezeigt, dass die Darstellung einer Geschlechtszugehörigkeit eine beständig von allen zu bewerkstelligende Aufgabe darstellt.[201] Diese Darstellungsleis-

---

200 „Passing and the managed achievment of sex status in an ‚intersexed' person" in: Garfinkel 1967, S. 116-185.
201 Vgl. Goffman 1977b.

tung ist den Menschen allerdings so selbstverständlich, dass sie sich – normalerweise – ihrer überhaupt nicht bewusst sind. Es erfolgt nämlich nicht nur die Wahrnehmung dieser Darstellungsleistung wieder „seen but unnoticed", sondern auch die Darstellung selbst vollzieht sich „done and unnoticed". Im erwähnten Aufsatz macht GARFINKEL diese Darstellungsleistung und die spezifischen Methoden, die angewendet werden müssen, um als Mann oder Frau zu erscheinen, zu seinem Thema. Alice wird dabei von ihm als ein „practical methodologist"[202] vorgestellt, für die die Darstellungsleistung als Frau eben gerade nicht selbstverständlich und unbemerkt vollzogen werden kann, sondern eine fortwährende Herausforderung darstellt. Menschen, die ihre Zugehörigkeit zu einem Geschlecht wechseln, müssen nämlich besondere Fähigkeiten ausbilden:

„They had as resources their remarkable awareness and uncommon sense knowledge of the organization and operation of social structures that were for those that are able to take their sexual status for granted routinized, ‚seen but unnoticed' backgrounds of their everyday affairs."[203]

Das größte Problem stellt dabei dar, dass die Zuordnung zu einem Geschlecht durch unpassendes Verhalten oder das Sichtbarwerden von „falschen" Geschlechtsteilen so verkompliziert werden kann, dass die Zuordnung nicht mehr möglich ist. Dies stellt aber – wie oben schon mit Butler gezeigt – eine der Grundordnungen unserer Gesellschaft in Frage und führt daher zu größten Verwirrungen. WEST und FENSTERMAKER berichten in ihrem ebenfalls zu den ethnomethodologischen Klassikern zählenden Aufsatz „Doing Gender" über die Begegnung einer Bekannten mit einer Person, deren Geschlecht von ihr nicht zugeordnet werden konnte:

„This issue reminds me of a visit I made to a computer store a couple of years ago. The person who answered my questions was truly a *salesperson*. I could not categorize him/her as a woman or a man. What did I look for? (1) Facial hair: She/he was smooth skinned, but some men have little or no facial hair. (This varies by race, Native Americans and Blacks often have none.) (2) Breasts: She/he was wearing a loose shirt that hung from his/her shoulders. And, as many women who suffered through a 1950s' adolescence know to their shame, women are often flat-chested. (3)Shoulders: His/hers were small and round for a man, broad for a woman. (4) Hands: Long and slender fingers, knuckles a bit large for a woman, small for a man. (5) Voice: Middle range, unexpressive for a woman, not at all the exaggerated tones some gay males affect. (6)His/her treatment of me: Gave off no signs that would let me know if I were of the same or different sex as this person. There were not even any signs that he/she knew his/her sex would be difficult to categorize and I wondered about that even as I did my best to hide these questions so I would not embarrass him/her while we talked of computer paper. I left still not knowing the sex of my salesperson, and was disturbed by that unanswered question (child of my culture that I am)."[204]

An dieser Schilderung fällt nun zunächst auf, dass die Unterscheidung des Geschlechts auch die englische (und auch die deutsche) Sprache so durchdringt, dass die Geschichte gar nicht „einfach" erzählt werden kann, da unklar ist, welches Personalpro-

---
202 GARFINKEL 1967, S. 181.
203 GARFINKEL 1967, S. 118.
204 WEST/ZIMMERMAN 1987, S. 133 f. (Hervorhebung im Original).

nomen auf die „salesperson" anzuwenden ist. Deutlich wird auch wie verwirrend und unangenehm diese Situation für die Kundin war, sie versucht, durch das Überprüfen bestimmter Merkmale der „salesperson" eine Antwort auf die Zugehörigkeit zu bekommen, keines der Merkmale aber liefert ihr einen Anhaltspunkt,[205] dies hinterlässt sie verwirrt und unzufrieden – gleichzeitig versucht sie aber, die VerkäuferIn nicht merken zu lassen, dass sie ihre Geschlechtszugehörigkeit nicht feststellen kann. Im schon erwähnten Artikel von GARFINKEL findet sich ein viel drastischeres Vorgehen, hier wird einer der Gesprächspartner von GARFINKEL in öffentlichen Räumen wiederholt von Fremden angesprochen, ob er/sie nun ein Mann oder eine Frau sei.[206] Wie verwirrend die Unklarheit über die Geschlechtszugehörigkeit tatsächlich ist, lässt sich gut durch ein Photo illustrieren, das in der Ausgabe des Zeit-Magazins vom 8.4.2010 erschienen ist:

Abbildung 3: aus Zeit-Magazin, 08.04.2010

Das Photo stammt aus einer Photokolumne von Jürgen Teller und die dazugehörige Bildunterschrift lautet:
„Roni Horn fotografiert mich, ich fotografiere Roni.

---

205 Sie versucht hier den „if-can"-Test anzuwenden, der von HARVEY SACKS beschrieben wurde (vgl. hierzu in: WEST/ZIMMERMAN 1987, S. 133. Der Test besagt, dass man, wenn ein unterscheidungsrelevantes Merkmal auf eine Person zutrifft, man diese Person auch der betreffenden Gruppe zuordnen kann. Also: Wenn jemand einen Bart hat, dann ist er ein Mann. Oder: Wenn jemand Brüste hat, ist er eine Frau. Im von ZIMMERMANN und WEST beschriebenen Fall gelingt keine Zuordnung über den if-can Test, da keines der normalerweise Männlichkeit oder Weiblichkeit anzeigenden Merkmale eindeutig zuortbar ist.
206 Vgl.GARFINKEL 1967, S. 149.

Mich hat es schon immer interessiert, wie Roni so oben ohne ausschaut. Kennengelernt habe ich sie bei unserem gemeinsamen Verleger Steidl. Dem Namen nach dachte ich erst, sie sei ein Mann, sie kommt auch ziemlich androgyn rüber. Wir finden immer die gleichen Frauen gut. Sie hat mich Upstate New York in ihrem See fotografiert, da ist dann der Unfall passiert mit ihrem Fuß, den man auf meinem Foto sieht. Als wir nach dem Barbecue und fröhlichen Drinks nachts schwimmen gingen, war es dann so weit. Weg waren die großen, unfemininen Hemden. Mir war klar: Bei ihrem Foto musste unbedingt die Brust raus. Beim nächtlichen Schwimmen streichelte sie mich und sagte: ‚Ich würde, wenn ich nur könnte.' "[207]

Auch diese Bildunterschrift lässt die LeserInnen ratlos zurück, wer oder was ist denn nun „Roni", ist er eine Frau? Und was bedeutet der kryptische Satz „Ich würde, wenn ich nur könnte"? Deutlich wird hier, wie außergewöhnlich es ist, auf eine Person zu treffen, deren Geschlecht nicht sofort und unmissverständlich einer Gruppe zuzuordnen ist.[208] Von diesen Beobachtungen ausgehend erscheint die These, dass „Geschlecht" als eine „ominrelevante Kategorie" zu verstehen ist, starke empirische Begründung zu haben. Die These der Omnirelevanz, d. h. dass Geschlecht in allen Interaktionen eine zentrale Rolle spielt, wird zum Beispiel von WEST/ZIMMERMANN in „Doing Gender" vertreten:

„If sex category is omnirelevant (or even approaches being so), then a person engaged in virtually any activity may be held accountable for performance of that activity as a *woman* or a *man,* and their incumbency in one or the other sex category can be used to legitimate or discredit their other activities. Accordingly, virtually any activity can be assessed as to ists womanly or manly nature." [209]

Gegen diese Argumentation der Omnirelevanz des Geschlechts regt sich allerdings auch Widerstand bzw. die Forderung nach einer Präzisierung dessen, was unter „Omnirelevanz" zu verstehen ist. STEFAN HIRSCHAUER hat zu dieser Frage in mehreren Beiträgen Stellung genommen. Er vertritt dabei die These, dass die Omnirelevanzhypothese dazu führe, dass die Frauen- bzw. Männerforschung aufgrund ihres Interesses an der Differenz von Geschlecht die Bedeutung des Geschlechtsunterschieds grundsätzlich überbewerte bzw. die Möglichkeit von „Geschlechterneutralität" grundsätzlich unterschätze.[210] Demgegenüber geht er zugleich davon aus, dass Theorien funktionaler Differenzierung umgekehrt dazu neigen, Geschlechtsneutralität zu überschätzen und die Bedeutung von Geschlechtsdifferenzen zu unterschätzen. Davon ausgehend stellt sich HIRSCHAUER die Frage, wie „sich Relevanz und Irrelevanz der Geschlechterdifferenz praxeologisch rekonstruieren lassen, anstatt sie strukturtheoretisch vorauszusetzen oder abzuleiten".[211] Seine Antwort darauf ist eine ethnomethodologische, er

---

207 Zeit-Magazin, 08.04.2010, S. 8.
208 Ein kleiner Test auf jedem beliebigen öffentlichen Platz macht dieses Phänomen ganz deutlich: Man stelle sich auf einen öffentlichen Platz und beobachte die Vorbeigehenden. In fast allen Fällen können wir die Passanten – selbst wenn sie relativ weit entfernt, mit dem Rücken zu uns in Wintermäntel gehüllt sind – eindeutig als „Männer" oder „Frauen" identifizieren.
209 WEST/ZIMMERMAN 1987, S. 136.
210 Vgl. HIRSCHAUER 2001, S. 213.
211 HIRSCHAUER 2001, S. 209.

fordert die Praktiken des „doing gender" und die Praktiken des „undoing gender" zu beobachten und zu beschreiben. Dabei habe zu gelten, dass sowohl das „doing" als auch das „undoing" von Geschlecht als Handlungsoption angenommen werden muss. Die Omnirelevanz von Geschlecht sieht Hirschauer insofern gegeben, dass jeder Teilnehmer an einer Interaktion sich als Angehöriger/Angehörige eines Geschlechts ausweisen muss, um als „bona fide member, d. h. legitimer und überhaupt denkbarer Interaktionspartner"[212] angesehen zu werden. Angesichts dieser Tatsache ist „Geschlechtsneutralität" allerdings ein herzustellender Zustand und bedeutet nicht, dass Geschlechtszugehörigkeit nur ein temporäres Phänomen ist oder dass diese Geschlechtsneutralität die Eigenschaft einer Person sein könnte. Hirschauer geht es darum, Interaktionen dahingehend zu untersuchen, ob in ihnen und durch sie die Geschlechtszugehörigkeit „fokussiert" oder „marginalisiert" wird. Die Neutralisierung von Geschlecht wird dabei von ihm als „undoing gender" bezeichnet und stellt nicht ein „not doing gender" dar, sondern ein aktives „undoing".

Er unterscheidet dabei zwei Formen von „doing gender": Im ersten Fall wird die Geschlechtszugehörigkeit einer Person zu einer Mitgliedschaftskategorie gemacht und der Interaktionspartner wird „als Mann" oder „als Frau" angesprochen – deutlich macht Hirschauer das mit dem Beispiel der Ansprache einer Person mit der Formulierung: „Sie als Frau".[213] Die Mitgliedschaft zu einer Geschlechtskategorie kann aber nicht nur verbal von Anderen betont werden, sie kann auch von einer Person selbst betont oder eben nicht betont werden. Hirschauer verweist hier auf den „Darstellungsstil", mit dem es durch Kleidung, Frisur, Gestik und Mimik möglich ist, die eigene Geschlechtszugehörigkeit zu betonen oder eben nicht zu betonen. Eine starke Betonung der Geschlechtszugehörigkeit macht es aufwändiger, so Hirschauer, die Geschlechtszugehörigkeit zu neutralisieren.

Der zweite Fall von „doing gender" findet nun dadurch statt, dass Geschlecht als „Relationskategorie" aufgebaut wird. Im Unterschied zum ersten Fall wird also nicht nur eine Mitgliedschaftskategorie einer Person fokussiert – oder eben nicht fokussiert, sondern die Mitgliedschaftskategorien aller an der Interaktion Beteiligten. Eine Interaktion wird dadurch entweder als gegengeschlechtliche oder als gleichgeschlechtliche markiert. Dadurch entsteht, so Hirschauer, ein „Rahmen im Sinne Goffmans, durch den das gesamte Interaktionsgeschehen als Durchführung einer Geschlechterbeziehung konnotiert werden kann."[214] Bestimmte Rahmen sind also als vergeschlechtlichte Rahmen zu verstehen, in denen die jeweilige Geschlechtszugehörigkeit die Rede- und Handlungsrechte innerhalb des Rahmens vorherbestimmt. Ein deutliches Beispiel für diese vergeschlechtlichten Rahmen stellen zum Beispiel Paartänze dar, in denen es unterschiedliche Schritte und Aufgaben für die „Herren" und die „Damen" gibt. Es gibt zudem auch vergeschlechtlichte Rahmen, in denen die Geschlechterunterscheidung

---

212 Diese Begrifflichkeit übernimmt er von Garfinkel, bei dem der Begriff des „bona fide members" eine zentrale Rolle spielt, vgl. Garfinkel 1967, S. 76 ff.
213 Hirschauer 2001, S. 218.
214 Hirschauer 2001, S. 220.

den Teilnehmerkreis beschränkt, d. h. dass nur „Männer" oder „Frauen" überhaupt als Teilnehmer bzw. Teilnehmerinnen zugelassen sind.[215]

Für beide Formen des „doing gender" gilt, dass ein „undoing gender" beobachtbar sein muss: Im Falle des Angesprochenwerdens als Frau könnte man sich zum Beispiel vorstellen, dass jemand antwortet: „Wie Frauen das sehen weiß ich nicht, ich als Soziologin würde sagen, dass...". Ein undoing gender im Kontext der Verwendung von Geschlecht als relationale Kategorie hingegen müsste eigentlich dazu führen, dass der spezifisch geschlechtlich strukturierte Rahmen nicht stattfinden kann oder – ganz im Sinne GOFFMANS – eine Modulation erfahren muss. Im Falle des Paartanzes etwa könnte eine Modulation des Tanzes entstehen, indem die beiden TanzpartnerInnen nicht mehr unterschiedliche Tanzschritte ausführen.

Geschlecht ist also in dem Sinne als „omnirelevant" zu verstehen, dass alle AkteurInnen als Angehörige einer und genau einer „sex category" auftreten müssen, genauer formuliert: Das Ausweisen der Zugehörigkeit zu einer Geschlechtskategorie ist omnirelevant. Darüber hinaus kann die Geschlechtszugehörigkeit aber fokussiert oder eben nicht fokussiert werden. Die Fälle von „undoing gender" sind dabei mindestens ebenso interessant und lehrreich für die Bedeutung der Geschlechtsunterscheidung wie die Fälle des „doing gender", weil in diesen Fällen der grundsätzlich zur Darstellung gebrachte Unterschied in den Mitgliedschaftskategorien zum Verschwinden gebracht werden muss. Offen bleibt allerdings – und das sieht auch HIRSCHAUER so – wie sich ein „undoing gender" von einem „not doing gender" unterscheiden lassen soll, oder anders gefragt: Ist es überhaupt möglich ein „not doing gender" zu praktizieren – wenn doch in konkreten Interaktionen immer alle als Mitglieder einer Geschlechtskategorie auftreten und genau in dem Sinne immer schon „doing gender" betreiben?

Zu welchen Ergebnissen diese Perspektive führen kann, lässt sich an der Studie *Geschlechteralltag in der Schulklasse* von GEORG BREIDENSTEIN und HELGA KELLE zeigen, die die Praktiken der Geschlechtsunterscheidung in Schulklassen zu ihrem Forschungsgegenstand gemacht hatten. Sie beziehen sich dabei explizit auf GOFFMAN und die Ethnomethodologie und nehmen die „interaktiven Praktiken, die aus aufeinander bezogenen, bestimmten Mustern folgenden Handlungen bestehen"[216], in den Blick. Sie kommen dabei zu dem Ergebnis, dass das Geschlecht oft, aber keineswegs immer, als Ressource zur Strukturierung der Alltagspraxis genutzt wird. Sie unterscheiden die folgenden fünf Bereiche[217]:

1. *Spielparteien bilden:* Die Autoren verweisen hier auf eine Gruppe von Spielen, die in den Pausen von den beobachteten Kindern gespielt werden. Dabei wird die Aufteilung in zwei Spielparteien durch die Nutzung der Geschlechtszugehörigkeit vollzogen: Es gibt „die Jungen" und „die Mädchen", die zum Beispiel „Knutschpacken" spielen. Das ist ein Spiel, in dem es darum geht, einen Angehörigen des anderen Geschlechts zu fangen. Die/Der Gefangene kann sich dann aussuchen, ob sie/er eine Backpfeife, einen Handkuss oder einen Backenkuss haben wollen.

---

215 WEST und ZIMMERMANN erwähnen diese Rahmen ebenfalls und betonen ihre Bedeutung für die Produktion der Geschlechterdifferenz, obwohl bzw. gerade weil das andere Geschlecht nicht anwesend ist: WEST/FENSTERMAKER 1996, S. 378.
216 BREIDENSTEIN/KELLE 1998, S. 19.
217 Vgl. BREIDENSTEIN/KELLE 1998, S. 37-60.

Zudem spielen die beobachteten Kinder weniger durch Spielregeln formalisierte Spiele, wie etwa „Mädchen ärgern" oder „Verfolgungsjagd", in denen die Gruppenzugehörigkeit ebenfalls nach Geschlechtszugehörigkeit erfolgt. Diese Spiele sind ein Beispiel für den von Hirschauer beschriebene Form des „doing gender", durch das vergeschlechtlichte Rahmen entstehen. Die Spiele strukturieren sich genau dadurch, dass zwei Gruppen unterschiedlichen Geschlechts teilnehmen, die mit je unterschiedlichen Handlungsrechten ausgestattet sind.

Breidenstein und Kelle identifizieren dabei die Nutzung des Geschlechtsunterschieds als pragmatische und jederzeit aktivierbare Lösung, die jedes Kind, auch neu hinzukommende, genau einer der beiden Spielgruppen zuweist. In anderen von ihnen beschriebenen Spielen wird hingegen die Aufteilung in Mädchen und Jungen nicht vorgenommen, oder wegen der nicht zum Spiel passenden Aufteilung wieder verworfen. Das Beispiel, das sie geben, ist ein Tauziehen zwischen Mädchen und Jungen. Da die Jungen aber deutlich stärker sind, wird in der nächsten Runde von den Kindern selbst neu gemischt, um zwei möglichst ausgeglichene Spielgruppen zu bekommen.

2. *Tische oder Zimmer verteilen:* Wenn es darum geht, dass die beobachteten Schulklassen sich in kleinere Gruppen aufteilen sollen, teilen sich die Kinder – falls es ihnen freigestellt ist – fast immer in geschlechtshomogene Gruppen auf. Dies stellt dabei den Normalfall dar und wird nicht weiter thematisiert.[218] Die Organisation gemischtgeschlechtlicher Gruppen gestaltet sich dem gegenüber komplizierter. Im genannten Beispiel, in dem es um die Aufteilung der Kinder auf die Zimmer einer Jugendherberge geht, hat die Lehrerin ausdrücklich auch gemischtgeschlechtliche Zimmer erlaubt, die nach langen und komplizierten Verhandlungen auch zustande kommen.

3. *Pädagogische Prozesse organisieren:* Zur Organisation bestimmter pädagogischer Abläufe, also zum Beispiel der Organisation einer Redereihenfolge wird ebenfalls häufig auf das Geschlecht zurückgegriffen und Regeln wie „immer Mädchen und Junge abwechselnd" von den Lehrern/Anleitern eingeführt. Im Kontext der untersuchten Gruppen an der Laborschule Bielefeld gab es neben diesen Praktiken, die auf eine Abschwächung der Geschlechtertrennung, bzw. zumindest auf eine „Mischung" abzielen, auch die Form von Versammlungen, an denen nur die Mädchen, bzw. nur die Jungen teilnehmen durften. Im Kontext dieser Veranstaltungen, die als „Mädchenkonferenz", bzw. als „Jungenkonferenz" bezeichnet wurden, wurde dann auch das Geschlecht der Teilnehmenden BeobachterInnen von größerer Bedeutung. Es war „unausgesprochen klar"[219], dass Georg Breidenstein an der „Jungenkonferenz" teilnimmt und Helga Kelle an der Mädchenkonferenz. Auch hier zeigt sich aber, dass es möglich ist, Angehörigen des anderen Geschlechts die Teilnahme zu erlauben, die Jungengruppe will nämlich trotzdem von ihrer Lehrerin in der Jungenkonferenz begleitet werden, da „keiner der Männer sie so gut kenne"[220]. Der Unterschied von „vertraut/nicht-vertraut" ist hier den Jungen also wichtiger als der Unterschied „männlich/weiblich" und sie erlauben ihrer Lehrerin an ihrer Jungenkonferenz teilzunehmen. Diese Regelung entsteht aber erst nach einer längeren Diskussion, in der, so lässt

---

218 Die AutorInnen erwähnen hier auch, dass diese Beobachtung auch von anderen AutorInnen gemacht wurde und sie gilt auch für die im Rahmen des Praxisforschungsprojektes untersuchten Gruppen.
219 Breidenstein/Kelle 1998, S. 49.
220 Breidenstein/Kelle 1998, S. 49.

sich mit Hirschauer sagen, ein „undoing gender" der Lehrerin passiert: Es wird dabei nicht geleugnet, dass sie zur Kategorie der Frauen gehört, aber ihr wird aufgrund anderer Merkmale, nämlich dem, eine Vertrauensperson der Jungen zu sein, die Mitgliedschaft in der Jungengruppe gestattet. Die Jungenkonferenz bleibt trotz des „falschen" Geschlechts der teilnehmenden Lehrerin eine Jungenkonferenz.

4. *Argumentieren:* Anhand von zwei Situationen zeigen die Autoren, dass die Geschlechtszugehörigkeit auch argumentativ eingesetzt wird, um bestimmte Verhaltensweisen Einzelner als „typisch Junge" bzw. „typisch Mädchen" zu klassifizieren. Im ersten Fall nutzt ein Mädchen diese Form der Verallgemeinerung, um dafür zu argumentieren, dass sie als Mädchen jetzt mal den Ball haben dürfe, da „ihn die Jungs viel öfter haben".[221] Im zweiten Fall entspinnt sich eine Diskussion in der Klasse, bei der über die zulässige Verallgemeinerung der Handlungen einzelner auf die ganze Geschlechtsgruppe gestritten wird.

5. *Beobachten und Beschreiben:* In diesem Abschnitt machen die Autoren deutlich, dass auch sie als Beobachter ständig – und zunächst selbstverständlich und unreflektiert – auf die Geschlechtszugehörigkeit zurückgreifen, um Situationen zu beschreiben. Gerade in Fällen, in denen zum Beispiel Angehörige anderer Klassen an den Interaktionen partizipieren, deren Namen den Beobachtern nicht bekannt sind, werden diese als „Jungen" oder „Mädchen" beschrieben. Auch die Beobachter greifen auf die Geschlechtsunterscheidung zurück, gerade dann, wenn kein anderes Kriterium zur Verfügung steht oder wenn es gilt, komplexe Interaktionssysteme zu beschreiben. Dabei versuchen Breidenstein und Kelle die Geschlechtszugehörigkeit nicht nur unreflektiert als Beschreibungsressource zu nutzen, sondern in ihren Protokollen darauf zu verweisen, ein Verzicht erscheint ihnen aber weder möglich noch sinnvoll:
„Die Geschlechtsunterscheidung wird, jedenfalls von der methodologisch reflektierten und mit den Debatten um die Kategorie Geschlecht vertrauten Ethnographin, mit großer Vorsicht und allen Zeichen der Unumgänglichkeit verwendet. Die Geschlechtsunterscheidung bietet andererseits Möglichkeiten, die sie auch für die Ethnographie als unverzichtbar erscheinen lassen: Sie ist aufgrund ihrer hohen Sichtbarkeit (im Vergleich zu anderen Merkmalen) jederzeit verfügbar und bietet sich gerade in unübersichtlichen und verwirrenden Situationen an, um die Wahrnehmung zu orientieren und die Beschreibung zu strukturieren."[222]

Neben dieser wichtigen Thematisierung der Beobachterperspektive, die deutlich macht, dass auch ein Beobachter nicht „einfach" auf die Geschlechtsunterscheidung verzichten kann, fällt an der Darstellung von Breidenstein und Kelle auf, dass sie unterschiedliche Situationen beschreiben, in denen die Geschlechtszugehörigkeit unterschiedlich eingesetzt wird. Die Autoren selbst sprechen dabei wiederholt von „Rahmen"[223], ohne aber auf die Rahmentheorie Goffmans dezidiert einzugehen. Im Anschluss an die Fallstudien zu Geschlecht stellen die AutorInnen in ihrer Studie weitere für das Feld der Schule bedeutsame Mitgliedschaften vor, sie beziehen sich hier auf die Schulklasse,

---

221 Breidenstein/Kelle 1998, S. 51.
222 Breidenstein/Kelle 1998, S. 58.
223 Breidenstein/Kelle 1998, S. 39, 49, 51.

die Tischgruppe und die Cliquen und stellen deren Bedeutung ausführlich dar. In ihrem abschließenden Kapitel ziehen sie dann folgendes Fazit:

„Der Umstand, daß man Angehöriger mehrerer Sorten von Gruppen ist, bedeutet, daß im interaktiven Alltag verschiedene Zugehörigkeiten präsent oder relevant sein können: Einzelne Zugehörigkeiten treten situativ in den Vordergrund, andere geraten in den Hintergrund. Kein Zugehörigkeitskriterium ist immer und überall von Bedeutung. Welches gerade zählt, entscheidet sich in der Situation."[224]

In gewisser Weise formulieren sie hier das Forschungsprogramm dieser Arbeit: In den folgenden Fallstudien werde ich der Frage nachgehen, in welchen Rahmen welche Zugehörigkeiten Bedeutsamkeit erlangen. Dabei gilt für die Geschlechterdifferenz, dass sie eine grundsätzlich zur Verfügung stehende Ressource darstellt, da alle Beteiligten an sozialen Interaktionen immer und zu jeder Zeit einer der beiden Geschlechtskategorien zuordenbar sind. Diese Zugehörigkeit kann betont werden oder sie kann im Hintergrund verbleiben und nicht fokussiert werden.[225]

3.5 Natioethnokulturelle Mitgliedschaft

Das folgende Unterkapitel widmet sich der Betrachtung der Differenzlinie „race" bzw. „Nation-Ethnie-Kultur". Wie ein Blick in die angloamerikanische Debatte zeigt, spielt „race" dort eine ähnlich bedeutende Rolle wie „gender". WEST und FENSTERMAKER sprechen ebenfalls von einer Omnirelevanz der „race category".[226] Ihnen zufolge gibt es in den USA so gut wie keine soziale Interaktion, in der die „race category" keine Rolle spiele. Ganz ähnlich wie im Falle der „sex category" gehen die beiden Autorinnen davon aus, dass „race" eine immer zur Verfügung stehende Ressource darstelle, Menschen bestimmten Gruppen zuzuteilen. Zudem seien diese Rassen mit bestimmten Eigenschaften versehen. Daher wird auch die Frage gestellt, ob sich eine Person auch ihrer Rassenzugehörigkeit entsprechend verhalte. Diese Beschreibung lässt nicht nun nicht bruchlos auf die Bundesrepublik Deutschland übertragen. Wie unter anderen HELMA LUTZ treffend bemerkt, kann in Deutschland aufgrund der Geschichte des Dritten Reichs nicht mehr über „Rasse" gesprochen werden.[227] Zudem, so LUTZ unter Bezug auf FRANKENBERG weiter, sei in Europa ein „Selbstverständnis von ‚whiteness' " entwickelt worden, dass stillschweigend davon ausgehe, dass die weiße Hautfarbe eine „unmarkierte und damit unproblematische" Sprecherposition darstelle.[228] Ganz ähnlich wird in Deutschland auch der Begriff der „Ethnie" gebraucht, der vor allem als Begriff für türkische ArbeitsmigrantInnen eingesetzt wird, von einer „deutschen" Ethnie wird kaum gesprochen, auch hier gilt, „ethnisch bestimmbar" sind nur die Anderen und

---

[224] BREIDENSTEIN/KELLE 1998, S. 266.
[225] Für einen umfassenden Überblick über Arbeiten, die die geschlechtliche Unterscheidungspraxis bei Kindern und Jugendlichen untersucht haben, vgl. ROHRMANN 2008, insbesondere Kapitel 3, S. 31-138. Auch ROHRMANN kommt zu dem Schluss, dass die These von den „Zwei Welten", in denen Jungen und Mädchen leben sollen, zu undifferenziert ist und nur eine situative Perspektive Aufschluss über die Bedeutung des Geschlechtsunterschieds bzw. der Geschlechtsunterscheidungspraktiken geben kann.
[226] Vgl. WEST/FENSTERMAKER 1996, S. 373.
[227] Vgl. LUTZ/WENNING 2001, S. 223.
[228] Vgl. LUTZ/WENNING 2001, S. 221.

auch dort nur manche. Für den Begriff der „Kultur" hingegen gilt, dass er auch zur Beschreibung einer eigenen „Kultur" in Anspruch genommen wird – wie oben schon bei der Darstellung der Schulbuchstudie gezeigt, wird dabei davon ausgegangen, dass sich alle Menschen einer und genau einer „Kultur" zuordnen lassen sollen. PAUL MECHERIL führt noch einen weiteren Begriff in die Diskussion ein, den der „Nation", und spricht von „natioethnokultureller Mitgliedschaft"[229], die für deutschaussehende deutschsprachige Menschen mit deutscher Staatsangehörigkeit eine „fraglose Mitgliedschaft" darstelle, d. h. diese Menschen werden in alltäglichen Begegnungen in einem „selbstverständlichen Akt des „Als-Mitglied-Erkennens" festgestellt.[230] An einem Interviewausschnitt mit einer Frau, die dunkle Haare und braune Augen hat und somit „nicht-deutsch" aussieht, macht er dann deutlich, dass dieser Frau – selbst wenn sie die offizielle Mitgliedschaft, sprich die deutsche Staatsangehörigkeit habe – diese fraglose Mitgliedschaft verwehrt bleibe. Die Frage stellt sich also, ob nicht „natioethnokulturelle" Mitgliedschaft eine ähnlich omnirelevante Kategorie wie die „sex category" darstellt. Dies vorschnell zu bestreiten könnte sich als ein ‚Mehrheitsangehörigenbias' herausstellen: für die Personen, die in Deutschland eine fraglose natioethnokulturelle Mitgliedschaft erleben, mag die Frage nach national-ethnisch-kultureller Herkunft scheinbar oft keine Rolle spielen, für Personen in Deutschland, die nicht eine fraglose Mitgliedschaft erleben, gilt vermutlich in vielen Situationen ebenfalls eine „Ausweispflicht", man muss erklären, wo man „eigentlich" hingehört:

Abbildung 4: Karikatur des Zeichners TOM

---

229 MECHERIL 2002. Er führt diesen Begriff ein, um deutlich zu machen, dass in der Bundesrepublik Deutschland nicht trennscharf mit diesen drei Begriffen umgegangen wird. Sie werden sehr häufig so wild durcheinander gebraucht, dass er eine Trennung zur Beschreibung des Phänomens nicht für sinnvoll hält, weil gerade in der verwirrenden Mischung die Funktion dieser Mitgliedschaftskategorie liegt.
230 Vgl. MECHERIL 2002, S. 111.

Greift man die von HIRSCHAUER eingeführte Unterscheidung von Situationen des „doing gender" wieder auf – er unterschied die Fälle, in denen jemand direkt als Mitglied einer Geschlechtskategorie angesprochen wird von denen, in denen die Mitgliedschaft zur gleichen oder nicht gleichen Kategorie die Gestaltung des Rahmens bestimmt – wird sicherlich deutlich, dass die direkte Anfrage an ein Mitglied einer Nation-Ethnie-Kultur häufig vorkommt. Die Frage „Und wie ist das bei euch so?" als Anfrage an Angehörige einer anderen Nation-Ethnie-Kultur ist sicherlich häufig. Schwieriger scheint die Frage zu beantworten zu sein, ob Nation-Ethnie-Kultur auch als relationale Kategorie Verwendung findet. Gibt es Rahmen, die nur dann stattfinden können, wenn alle TeilnehmerInnen derselben oder eben verschiedenen (vielleicht auch bestimmten) Nation-Ethnie-Kultur angehören? FREDERIK BARTH geht genau davon aus und sieht darin einen der möglichen Gründe, weshalb überhaupt Ethnien entstanden sind:

„To the extent that actors use ethic identities to categorize themselves and others for purposes of interaction, they form ethnic groups in this organizational sense."[231]

Es bezieht sich dann auf einige Gesellschaften in Südostasien, in denen bestimmte Formen sozialen Austauschs dadurch gekennzeichnet sind, dass die AkteurInnen unterschiedlichen Ethnien angehören.[232] Sieht man sich nun aktuelle Arbeiten an, die sich den Unterscheidungspraktiken in pädagogischen Zusammenhängen hinsichtlich Nation-Ethnie-Kultur zugewendet haben, finden sich auch hier beide Formen von „doing Nation-Ethnie-Kultur":

SUSANNE HORSTMANN wendet sich einem 2002 erschienen Artikel realer Unterrichtskommunikation zu und untersucht zwei Gesprächssituationen, in denen es um das Thema „Fremdsein" bzw. „kulturelle Zugehörigkeit" geht.[233] Besonders in ihrem zweiten Beispiel wird sehr deutlich, dass „Zugehörigkeit" von den Angehörigen der Mehrheitskultur definiert wird. Das Beispiel ist dabei besonders eindrucksvoll, da der Lehrer die Benennung eines Schülers der Klasse, eines „Russlanddeutschen", durch einen anderen Schüler als „Ausländer", zunächst mit den Worten: „mit joachim und ignatz isses ja nun gerade umgekehrt gewesen die sin hier in ihrem land und warn vorher in russland und da warn sie fremde in russland"[234] zurückweist. Dennoch hebt er die Beurteilung von Joachim und Ignatz als „Ausländer" nur scheinbar auf, da er sie als eine Art „Sonderdeutsche"darstellt, die „ihre Heimat in einem fremden Land hatten" und nun mit „ihrem Land unvertraut" sind. [235] Deutlich wird hier, wie zutreffend der von MECHERIL gewählte Terminus der „natioethnokulturellen Mitgliedschaft" ist: Joachim und Ignatz kann - obwohl von der Nationalität und der ethnischen Abstammung her „deutsch" - nicht der Status der fraglosen Mitgliedschaft gewährt werden, da sie ja „kulturell" andere Erfahrungen in Russland gemacht haben. Ein ganz ähnliches Beispiel findet sich bei ULRIKE ZÖLLER, die ebenfalls davon berichtet, dass „Russlanddeutschen" die fraglose Zugehörigkeit verweigert wird.[236] In beiden Fällen handelt es sich dabei um ein "doing Nation-Ethnie-Kultur", in dem bestimmten Personen Mitgliedschaften explizit abgesprochen werden.

---

231 BARTH 1969, S. 14.
232 Vgl. BARTH 1969, S. 16 f.
233 HORSTMANN 2002.
234 HORSTMANN 2002, S. 154.
235 Vgl. HORSTMANN 2002, S. 156.
236 Vgl. ZÖLLER 2008.

Bei Annita Kalpaka finden sich hingegen auch Fälle, in denen die unterschiedliche Zugehörigkeit zu Nation-Ethnie-Kultur als relationales Merkmal Bedeutsamkeit erlangt. Sie berichtet über den Umgang mit bzw. die Herstellung von national-ethnisch-kultureller Verschiedenheit in einem Jugendzentrum.[237] Im ersten, ausführlich erörterten Fall, geht es um die in einem Jugendzentrum gültige Regel, dass die anwesenden Jugendlichen miteinander Deutsch sprechen müssen. Über diese Regel lässt Kalpaka die StudentInnen eines Seminars diskutieren und fordert auch den Studenten, der von dieser Regel erzählt hatte, auf, die Geschichte zu erzählen, die zu dieser Regel geführt habe. Er erzählt, dass die Regel entstanden sei, da einige Jugendliche wiederholt türkisch miteinander gesprochen hätten und so die Anderen ausgegrenzt hätten.[238] Kalpaka fasst diese Praktik des Verbots einer anderen außer der deutschen Sprache als eine „Diskriminierung durch Gleichbehandlung" auf, die die Differenzen, die für die AkteurInnen bedeutsam sind, systematisch ausblende und genau dadurch aber verstärke.[239] Die deutsche Sprache wird so zum relationalen Kriterium gemacht: Nur wer bereit und in der Lage ist, deutsch zu sprechen, darf im Rahmen des Jugendzentrums in Erscheinung treten.

Eine weitere Fokussierung von Nation-Ethnie-Kultur, die von Kalpaka selbst auch als ein „doing ethnicity" beschrieben wird, findet auf sogenannten „Multikultifesten" statt.[240] Hier ist die natioethnokulturelle Mitgliedschaft das relationale Band, das den Rahmen eines solchen „Multikultifests" überhaupt erst ermöglicht: Nur dadurch, dass sich die Beteiligten mindestens zwei (meist aber deutlich mehr) verschiedenen Nationen-Ethnien-Kulturen zuordnen, ist so ein Fest möglich, auf dem dann typische kulinarische Besonderheiten angeboten und traditionelle folkloristische Darbietungen zu sehen sind.

Karin Reindlmeier beschreibt für die internationale Jugendarbeit dieselbe Form von „doing Nation-Ethnie-Kultur". Sie berichtet von den sehr beliebten „Länderabenden", bei denen die Teilnehmer die Aufgabe haben, ihre „Kultur" vorzustellen.[241] Das größte Problem liegt für Reindlmeier dabei darin, dass meist auf folkloristische Elemente zurückgegriffen wird und im Sinne der Unterhaltsamkeit des Programms auf die Darstellung von Konflikten und Differenzen innerhalb der Gruppen bzw. der Länder nicht eingegangen werde. Zudem kritisiert sie, dass in den seltensten Fällen eine Reflexion über die gewählte Form der Darstellung stattfinde, da diese Abende als Teil des „informellen Programms" gelten. Ihr zweites Beispiel für ein „doing Nation-Ethnie-Kultur" findet dann in Form von bestimmten Spielen statt, die ebenfalls im Kontext der internationalen Jugendarbeit sehr beliebt sind. In den beiden von ihr beschriebenen Spielen „Karo meets Delta" und „Bei den Derdianen" geht es um die Simulation der Begegnung zweier verschiedener „Kulturen". In der Spielvorbereitung wird die Gruppe geteilt und jede Hälfte in die typischen Eigenheiten der jeweiligen Kultur eingewiesen, im Anschluss daran findet dann die Begegnung statt, im Spiel „Karo meets Delta" ist die Aufgabe, ein Ressourcenproblem (es gibt nur noch im Gebiet der Karo Wasser, aber nur die Delta verfügen über das Wissen, dieses Wasser auch zu

---

237 Vgl. Kalpaka 2006.
238 Vgl. Kalpaka 2006, S. 272.
239 Vgl. Kalpaka 2006, S. 279.
240 Vgl. Kalpaka 2006, S. 279.
241 Vgl. Reindlmeier 2006.

gewinnen) zu lösen; im Spiel „Bei den Derdianen" muss ein Gruppe „internationaler Experten" gemeinsam mit dem Volk der Derdianen eine Brücke bauen. In beiden Fällen werden den einzelnen Kulturen (die auch als Völker bezeichnet werden) sehr spezifische und konträre Eigenschaften zugewiesen (das Verhältnis der Geschlechter, Bedeutung von Religion, Ausübung von Handwerk usf.), die bei den Zusammentreffen dann zu Problemen führen sollen und auch – so die Beschreibung durch Reindlmeier – tatsächlich führen. Dabei beschreibt sie, dass die TeilnehmerInnen – auch die, die am Anfang sich eher zögerlich und verhalten auf das Spiel einlassen – großen Spaß und viel Freude haben, sich entsprechend ihrer Kultur zu verhalten. In den sich anschließenden Reflexionen wird dabei von den TeilnehmerInnen selbst so gut wie nie thematisiert, dass sie durch ihr Verhalten, das sich eng an den Spielvorgaben orientierte, auch die Verantwortung für ihr individuelles Verhalten abgegeben haben. Ganz im Gegenteil werden diese Spiele von vielen als treffende Simulation von „echten" Begegnungen von Angehörigen „unterschiedlicher Kulturen" wahrgenommen.[242] Gerade wegen dieser Übertragung der Spielsituation auf die Verhältnisse in der realen Welt steht Reindlmeier diesen Spielen sehr skeptisch gegenüber. Sie schreibt:

„In den Simulationsübungen wird das Verhalten der Einzelnen meist mit deren ‚Kultur' erklärt. [...] Zumindest implizit wird kulturelle Zugehörigkeit dabei mit nationaler Zugehörigkeit gleichgesetzt. Die Betonung der ‚Differenz zwischen den Kulturen' trägt auf diese Weise dazu bei, dass auch die nationale bzw. ethnische Differenz und die Unterscheidung in ‚Wir und die Anderen' gestärkt wird. Gleichzeitig ist es nicht beliebig, wessen Verhaltensweisen und Handlungen als stark ‚kulturell geprägt' gedacht werden. Während im Rahmen von ‚Karo meets Delta' sowohl bei den Karos als auch bei den Deltas davon ausgegangen wird, dass ‚Kultur' für deren Verhalten eine wichtige Rolle spielt, so wird in der Übung ‚Bei den Derdianen' in dieser Hinsicht durchaus zwischen den Gruppen unterschieden. In diesem Fall sind es nur die Derdianen, bei denen davon ausgegangen wird, dass ‚Kultur' eine derartig festgelegte Rolle spielt, für die Gruppe der ‚ausländischen Experten' gilt dies hingegen nicht. Es scheint also klar zu sein, wer ‚fremd' ist und als das ‚Andere' definiert wird.[243]

Besonders deutlich wird hier, dass die Differenz von Nation-Ethnie-Kultur hier genutzt wird, um den je besonderen Spielrahmen zu kennzeichnen; die unterschiedliche Zugehörigkeit zu einer vorgestellten Nation-Ethnie-Kultur wird hier zum relationalen und das Spiel bestimmenden Merkmal.

Ich fasse zusammen: Nation-Ethnie-Kultur stellt eine weitere Kategorisierungsmöglichkeit dar. Im Unterschied zu Geschlecht ist allerdings die Zuordnung diffuser und nicht binär strukturiert. Der Name der Kategorie wechselt dabei – je nach Gesellschaft und auch je nach Zusammenhang. Eine Ausweispflicht der Zugehörigkeit scheint es eher für Minderheitenangehörige zu geben als für Mehrheitsangehörige. „Doing Nation-Ethnie-Kultur" kann darin bestehen, dass eine Person direkt als Mitglied – oder auch als Nicht-Mitglied – einer bestimmten Nation-Ethnie-Kultur angesprochen wird, aber auch darin, dass die verschiedenen Zugehörigkeiten Voraussetzung dafür sind, dass

---

242 Vgl. Reindlmeier 2006, S. 246f.
243 Reindlmeier 2006, S. 253f.

ganz bestimmte Rahmen stattfinden können. Als Beispiele wurden genannt: Multikulti-Feste, Länderabende, Karo meets Delta und Bei den Deridanen. Nation-Ethnie-Kultur stellt also wie Geschlecht eine Ressource dar, die zur Gestaltung von Interaktionen eingesetzt werden kann. Auch hier ist davon auszugehen, dass es auch ein „undoing Nation-Ethnie-Kultur" geben kann, zum Beispiel wenn eine Person die Kategorisierung zurückweist oder sich weigert, als ein Vertreter einer Nation-Ethnie-Kultur innerhalb eines Rahmens zu fungieren.[244] Für das vorliegende Material wird es also auch eine Fragestellung sein, ob sich Formen von „doing" und „undoing Nation-Ethnie-Kultur" finden und in ihrer Funktion und Wirkung beschreiben lassen.

3.6 Pädagogische Differenzlinien: Erwachsener/Kind – LehrerIn/SchülerIn – AnleiterIn/TeilnehmerIn

„Geschlecht" und „Nation-Ethnie-Kultur" stellen zwei omnirelevante Kategorien dar, die in allen gesellschaftlichen Kontexten – und auch in allen Interaktionen eine Rolle spielen bzw. spielen können, es gibt Ausweispflichten und kaum verhandelbare Zugehörigkeiten. Wendet man sich nun pädagogischen Interaktionen zu, fällt auf, dass es noch weitere Kategorien gibt, die in diesen Interaktionen offensichtlich von großer Bedeutung sind. Liest man zum Beispiel Beobachtungsprotokolle, fällt auf, dass oft von „LehrerInnen" und „SchülerInnen" die Rede ist, in anderen hingegen von „AnleiterInnen" und „TeilnehmerInnen" und in manchen Fällen auch von „Erwachsenen" und „Kindern". Beginnt man über diese Kategorien nachzudenken, verlieren sie – genau wie „Geschlecht" und „Nation-Ethnie-Kultur" – schnell ihre selbstverständliche Verständlichkeit. Gewinnen die AkteurInnen in bestimmten Interaktionen manche dieser Kategorien allein durch ihre institutionelle Funktion, d. h. sind LehrerInnen LehrerInnen, weil die den Beruf der LehrerIn ausüben? Wie aber steht es dann mit dem Begriff des „Anleiters"/der „Anleiterin", der ja eigentlich keine Berufsbezeichnung darstellt? Und wie steht es mit „Schüler/Schülerin", ist das ebenfalls ein „Job", wie es von Georg Breidenstein provokativ formuliert wird?[245] Und was ist denn ein „Teilnehmer"/ eine „Teilnehmerin"? Und was sind die Kategorien „Kind" und „Erwachsener" – sicherlich keine Berufsbezeichnungen. Und gilt auch hier, dass es eines „doing" bedarf und so auch die Möglichkeit eines „undoing" gedacht werden muss? Das folgende Kapitel setzt sich zum Ziel, diese Fragen zu klären, um so die anschließenden Rahmenuntersuchungen vorzubereiten. Es ist wichtig, die Unterschiede dieser Kategorien im Vorfeld zu bestimmen, um nicht einem pädagogischen Bias aufzusitzen, der die Differenz von „LehrerIn-SchülerIn" oder „AnleiterIn-TeilnehmerIn" oder auch „Erwachsener-Kind" für selbstverständlich nimmt und daher die Varianten des „doing" und „undoing" überhaupt nicht in den Blick nehmen kann.

---

244 Reindlmeier beschreibt in ihrem Artikel das anfängliche Zögern einiger SpielteilnehmerInnen, sich auf das Spiel einzulassen und im Sinne „ihrer" Kultur zu handeln: Vgl. Reindlmeier 2006, S. 244. Erst wenn die TeilnehmerInnen ihr Zögern einstellen, kann das Spiel „richtig" beginnen, weil „Kultur" dann als relationales Kriterium funktioniert.
245 Vgl. Breidenstein 2006.

Ein Artikel von ROLF NEMITZ mit dem Titel „Frauen/Männer, Kinder/Erwachsense" hilft, eine erste Unterscheidung vorzunehmen: Die Differenz von „Kind" und „Erwachsener" wird von ihm als „die Leitdifferenz der Erziehungswissenschaft und in diesem Sinne *die* pädagogische Differenz" bestimmt, da „Erziehung als eine bestimmte Form des Umgangs zwischen Kindern und Erwachsenen" konzipiert wird.[246] Erziehung leitet ihre Berechtigung aus dem Unterschied zwischen Kindern und Erwachsenen ab. Wendet man sich mit NEMITZ der Frage zu, ob denn auch dieser Unterschied als ein konstruierter und nur quasi-natürlicher Unterschied zu verstehen ist, erweist sich auch hier, dass es keine „natürliche" Begründung für das Einführen dieses Unterschieds gibt. NEMITZ zeigt dies anhand der drei Kriterien, die für die Unterscheidung in Kind bzw. Erwachsener gelten: Zum einen gelte, dass sich menschliches Leben in zwei Phasen unterteilen lasse: die Kindheitsphase und die Erwachsenenphase. Zudem gelte, dass der Übertritt durch die Geschlechtsreife markiert werde und als drittes schließlich, dass die Einteilung nach Kind oder Erwachsener klassen- und geschlechtsübergreifend gültig sei.[247] Die Bezugnahme auf die Fortpflanzungsfähigkeit stellt nun für NEMITZ kein sehr überzeugendes Argument für die binäre Einteilung dar, da sich eher drei Phasen anbieten würden: Vor der Fortpflanzungsfähigkeit, die Zeit der Fortpflanzungsfähigkeit und die Phase nach der Fortpflanzungsfähigkeit. Zudem kann sich Pädagogik zur Begründung der Notwendigkeit von Erziehung gar nicht auf ein biologisches Argument beziehen, da die Fortpflanzungsfähigkeit ja einen Reifungsprozess darstellt, zu dem man nicht erzogen werden muss und auch nicht erzogen werden kann. Eine Begründung zur Erziehung und damit eine Begründung zur Zweiteilung in Kinder und Erwachsene kann sich also nicht an der Fortpflanzungsfähigkeit festmachen. Der Artikel von NEMITZ gibt hier nun leider keine weiteren Antworten, am plausibelsten erscheint aber, auf eine notwendige sozial/kulturelle Entwicklung zu verweisen, deren Ziel die Mündigkeit ist und die nur durch einen Erziehungsprozess erworben werden kann. Auf eine weitere Diskussion über die Begründung bzw. Begründbarkeit von Erziehung wird hier verzichtet, wichtig ist, dass durch die grundsätzliche Einsicht in die Notwendigkeit von Erziehung (durch welche Gründe auch immer) die Differenz von Kindern und Erwachsenen geschaffen wird – es verhält sich hier ähnlich wie mit den in der Öffentlichkeit nicht direkt sichtbaren Geschlechtsteilen: Wir schließen aus den Accounts der Geschlechtszugehörigkeit auf das Geschlecht und glauben dann, einen Mann oder eine Frau zu sehen, *weil* er oder sie die „passenden" Geschlechtsteile hat. Genauso „sehen" wir Kinder und Erwachsene und meinen daraus die Notwendigkeit von Erziehung begründen zu können, dabei begründen wir die Notwendigkeit von Erziehung und sehen *dann* Kinder und Erwachsene. Diese Unterteilung gilt dabei keineswegs nur für den pädagogischen Bereich, die Unterscheidung von Kindern und Erwachsenen stellt auch juristisch eine zentrale Unterscheidungskategorie dar und auch in den von Personen zu erwartenden Umgangsformen: Ein Kind kann sich „altklug" und damit nicht kindgerecht verhalten, ein Erwachsener kann sich „kindisch" und damit nicht erwachsenengerecht verhalten. Im Unterschied zu den Geschlechtskategorien gibt es aber bezüglich der Unterscheidung von Kindern und Erwachsenen eine große „Zwischenkategorie", nämlich die

---

246 Vgl. NEMITZ 2001, S. 179.
247 Vgl. NEMITZ 2001, S. 184.

der Jugendlichen. NEMITZ deutet Jugendliche allerdings nicht als eigene Kategorie, sondern als *„nicht mehr Kinder und noch nicht Erwachsene"*[248], die die Binarität nicht auflösen, sondern bestätigen. Ohne diese Frage hier weiter vertiefen zu wollen – es ließen sich hier sicherlich Argumente finden, die die Annahme von Jugendlichen als eigenständige Kategorie stützen – steht also zu vermuten, dass auch ein „doing child" und ein „doing adult" (bzw. ein „doing youth") in sozialen Interaktionen zu beobachten sein sollte[249] – und dementsprechend auch die Frage ist, ob sich Formen des „undoing child" und des „undoing adult" beobachten lassen.

In pädagogischen Settings spielt aber nicht immer[250] und keineswegs nur die Differenz von Kindern und Erwachsenen eine Rolle, für institutionalisierte pädagogische Settings scheint die unterschiedliche Rollenverteilung in „LehrerIn/SchülerIn", „AnleiterIn/TeilnehmerIn", „DozentIn/ StudentIn" konstitutiv zu sein. Die hier aufgeführten unterschiedlichen Begriffe für die AkteurInnen in unterschiedlichen pädagogischen Settings verweisen schon darauf, dass es wohl einen Unterschied geben muss zwischen dem, was LehrerInnen bzw. AnleiterInnen bzw. DozentenInnen und dem was SchülerInnen bzw. TeilnehmerInnen bzw. StudentenInnen tun. Für den Bereich der Schule gibt es eine lange Tradition ethnomethodologischer Untersuchungen, in denen das „doing teacher" bzw. das „doing student" bzw. das „doing lessons" nachvollzogen wird. Eine sehr gute Übersicht, die vor allem die englischsprachigen Arbeiten einbezieht, findet sich bei MICHAEL HECHT.[251] Einer der Schwerpunkte der ethnomethodologischen Arbeiten lag bisher darin, die unterrichtsspezifische Form der Gesprächsorganisation nachzuzeichnen.[252] HUGH MEHAN hat hier mit *Learning Lessons: social organisation in the classroom* einen der Klassiker publiziert. Er untersuchte detailliert die Formen der Gesprächsorganisation in Schulklassen und identifizierte dabei *die* typische schulische Gesprächseinheit: „Initiation – Reply – Evaluation (IRE)".[253] Dieses „Frage-Antwort-Bewertung-Schema" organisiert dabei weite Teile des Unterrichts. Die LehrerIn stellt eine Frage, bestimmt einen Antwortenden, dieser antwortet und die LehrerIn evaluiert diese Antwort. Fällt sie positiv aus, ist die Sequenz abgeschlossen, fällt sie negativ aus, hat die nächste SchülerIn die Chance, eine Antwort zu versuchen. Im Sinne der von HIRSCHAUER eingeführten Unterscheidung der Relevantsetzung bestimmter Kategorien durch das direkte Ansprechen oder durch die relationale Bedeutung verschiedener oder gleicher Rollen, die den Ablauf eines ganzen Rahmens bestimmt, wird hier deutlich, dass die verschiedenen Rollen von LehrerInnen und SchülerInnen konstitutiv für die Durchführung des IRE sind. Die LehrerInnen sind es, die fragen und evaluieren, die

---

248 NEMITZ 2001, S. 187 (Hervorhebung im Original).
249 FAULSTICH-WIELAND ET AL. 2009 beschreibt Praktiken von SchülerInnen der Mittelstufe, die sie als „doing adult" bezeichnet, zum Beispiel das dezidierte Fragen nach dem Alter, das Stehenlassen von Bärten, den Vergleich der Körpergrößen, siehe hierzu: S. 108 ff., S. 182 ff., S. 188 ff. Auch BREIDENSTEIN und KELLE erwähnen ein „doing adult", bei dem die beobachteten AkteurInnen sich als „cool" bezeichneten und so von „Kindern" abzugrenzen versuchten BREIDENSTEIN/KELLE 1998, S. 261.
250 Im Bereich der treffend so genannten „Erwachsenbildung", aber natürlich auch in den höheren Klassen allgemeinbildender Schulen und den Hochschulen gibt es keine Unterscheidung mehr von „Erwachsenen" und „Kindern".
251 Vgl. HECHT 2009, S. 128-134.
252 Für den deutschsprachigen Raum sind hier vor allem die Arbeiten von EHLICH und REHBEIN von Bedeutung, vgl. EHLICH/REHBEIN 1983 und EHLICH/REHBEIN 1986.
253 Die Ausführungen zur „IRE" finden sich in MEHAN 1979, S. 35-49.

SchülerInnen sind es, die antworten. Ein Artikel von Ewald Terhart beweist eindrucksvoll, dass IRE auch in Deutschland zur Anwendung kommt und dass die Rollenverteilung normalerweise kaum Modifikationen erfährt – bzw. diese systematisch ausgeblendet werden. In einem Artikel berichtet er von einem „Interpunktionsexperiment"[254], bei dem er einer Gruppe von LehrerInnen und einer Schulklasse das Transkript einer kurzen Unterrichtssequenz vorgelegt hat. Dieses Transkript hatte allerdings keine Interpunktion mehr, d. h. dass es zu einem Fließtext gemacht worden war, aus dem nicht mehr ersichtlich war, wie lange ein turn gedauert und wer ihn beigetragen hat. Terhart bat nun die LehrerInnen bzw. SchülerInnen diesen Fließtext wieder zu interpunktieren, d. h. Sprecherwechsel einzuzeichnen und zu markieren, ob der jeweilige turn wohl von einer LehrerIn oder einer SchülerIn beigetragen worden sei. Das Ergebnis war, dass Sequenzen, die dem IRE-Schema folgten, von beiden Gruppen richtig zugeordnet werden konnten. Ein evaluierendes „Nein", das von einem Schüler nach einer falschen Antwort geäußert wurde, wurde folgerichtig auch dem Lehrer zugeordnet, die wenigen turns des Lehrers, die keine klare Frage oder Evaluation darstellten, konnten deutlich schwieriger zugeordnet werden. Im Kontext dieser Arbeit stellt sich nun die Frage, ob in den zu untersuchenden Rahmen des Tanz- und Theaterprojektes ähnliche – oder aber auch ganz andere – Formen der Gesprächs- bzw. Rahmenorganisation zu finden sind, mit und in denen die AkteurInnen deutlich machen, dass sie als AnleiterIn bzw. TeilnehmerIn auftreten.[255] So weit mir bekannt ist, liegen für den Bereich der Kulturellen Bildung keine entsprechenden ethnomethodologischen Arbeiten vor, die hier als Bezugspunkt dienen könnten.

Ich fasse zusammen: Es ist zu vermuten, dass die Differenzkategorien Erwachsene/Kinder, LehrerIn/SchülerIn, AnleiterIn/TeilnehmerIn im zu untersuchenden Material ebenfalls eine große Rolle spielen werden. Die Unterscheidung von Erwachsenen und Kindern ist dabei eine Unterscheidung, die auch außerhalb pädagogischer Institutionen eine große Rolle spielt, die beiden anderen beziehen sich auf die Rollenverteilung innerhalb pädagogischer Institutionen. Die Vermutung liegt nahe, dass die Gestaltung der Interaktionen stark durch unterschiedliche Rollen von AnleiterInnen und TeilnehmerInnen (es wird im kulturpädagogischen Kontext so gut wie nie von LehrerInnen und SchülerInnen gesprochen) geprägt ist. Von Interesse wird daher sein, inwiefern die realisierten Formen von klassischen LehrerIn/SchülerIn-Interaktionen abweichen und inwieweit in den unterschiedlichen Rahmen unterschiedliche Gestaltungen der Differenz von AnleiterInnen und TeilnehmerInnen zu beobachten sind.

---

254 Terhart 1980.
255 Im Kontext kulturpädagogischer Projekte wird so gut wie nie von „LehrerInnen" oder „SchülerInnen" oder „Unterricht" gesprochen, die verwendete Terminologie ist meist „AnleiterInnen", „TeilnehmerInnen" und „Projekt", selbst wenn das Projekt, wie in diesem Fall, in einer Schule stattfindet. Zu vermuten ist also, dass die AkteurInnen hier andere Gesprächsformen realisieren. Die Kenntnis des IRE und anderer Grundregeln der Gesprächsorganisation (es geht hier vor allem um die besondere Form der Organisation des Sprecherwechsels in Unterricht) können dabei wertvolle Hinweise geben, wann von den beteiligten Akteuren auf ein „doing lessons" zurückgegriffen wird bzw. welche Modulationen in der gemeinsamen Arbeit entstehen.

3.7 Egalitäterzeugende Praktiken als Forschungsperspektive

Nach dieser ausführlichen Darstellung der vorhandenen Untersuchungen des „doing difference" stellt sich die Frage, ob nicht auch die gegenteilige Praxis des „doing equality" in sozialen Interaktionen zu beobachten sein müsste.

Am Beispiel der Kleidung kann man sich verdeutlichen, dass es neben differenzerzeugenden Praktiken auch egalitäterzeugende Praktiken gibt. Die Unterscheidung von Kleidungstücken für Frauen und Kleidungsstücken für Männer beinhaltet, dass Frauen und Männer die geschlechtsspezifischen Kleidungsstücke nutzen können, um ihre Geschlechtszugehörigkeit auszuweisen. Genau dies geschieht auch und Kleidungstücke haben in den allermeisten Fällen die Funktion, Geschlechtszugehörigkeit auszuweisen.

Kleidung kann aber auch einen anderen, egalitäterzeugenden Effekt haben, immer dann nämlich, wenn eine Gruppe von Personen genau dieselben Kleidungsstücke tragen, zum Beispiel Uniformen oder Trikots. Dadurch weisen sich die AkteurInnen als „Gleiche" aus, zum Beispiel als ZugschaffnerInnen oder als Mitglieder einer bestimmten Fußballmannschaft.

Die Frage stellt sich also, ob sich in sozialen Interaktionen nicht auch egalitäterzeugende Praktiken beobachten lassen, die in den bisherigen Arbeiten, die sich für die Konstruktion von Differenz interessierten, nicht thematisiert wurden. Ich schlage daher vor, nicht nur die Frage nach den differenzerzeugenden, sondern auch die Frage nach egalitäterzeugenden Praktiken zu stellen.

4 Zusammenfassung: Eine differenzorientierte Rahmenanalyse

Im ersten Kapitel dieser theoretischen Grundlegung habe ich gezeigt, dass bei der Nutzung des Begriffes der Kulturellen Bildung von (Bildungs-)Prozessen und (Bildungs-)Ergebnissen gesprochen wird. Dabei wird meist nicht sorgfältig zwischen diesen beiden Verwendungsweisen unterschieden. Für diese Arbeit nutze ich den Begriff der Kulturellen Bildung zunächst als einen Begriff, um den Auseinandersetzungsprozess mit den „Künsten" zu beschreiben. Welche Ergebnisse dieser Prozess beinhaltet, soll hingegen nicht schon vor Analyse des empirischen Materials behauptet werden. Sieht man sich, so wie es im ersten Kapitel dieser Arbeit unternommen wurde, bisherige Forschungsbemühungen im Kontext Kultureller Bildung genauer an, fällt auf, dass sehr häufig starke Wirkungsbehauptungen mit Projekten Kultureller Bildung verknüpft wurden und werden. Die TeilnehmerInnen an diesen Projekten sollen sozial kompetenter, lernmotivierter und intelligenter werden. Diese Wirkungsbehauptungen werden dann in Kontroll- und Vergleichsgruppendesigns unter Zuhilfenahmen von psychometrischen Testverfahren überprüft und schließlich als „wissenschaftlich" belegte Wirkungen angepriesen. Neben der berechtigten methodischen Kritik an diesem Vorgehen verbleibt die konkrete Praxis der Projekte eine „black box". So bleibt unklar, was denn genau die untersuchte Wirkung angestoßen bzw. verursacht haben soll. Folgerichtig fordern ForscherInnen eine praxisorientierte Forschung im Bereich der Kulturellen Bildung – ohne dabei schon im Vorfeld Wirkungsbehauptungen aufzustellen. Das „Praxisforschungsprojekt: Leben lernen" stellte diesbezüglich einen ersten Versuch dar, sich einer solchen Praxisforschung zuzuwenden. Wie eine Übersicht über die publizierten Ergebnisse dieses Forschungsvorhabens aber gezeigt hat, fehlte es bisher an einer theoretischen Grundlegung, die es gestatten würde, die Komplexität der Projektpraxis so zu ordnen, dass der Stellenwert einer bestimmten Sequenz für den gesamten Projektverlauf zu bestimmen wäre.

Im zweiten Kapitel des ersten Teils wurde daher eine theoretische Grundlage geschaffen, die es ermöglichen soll, die Lernkultur einer Projektgruppe durch die Analyse der in ihr verwirklichten Rahmen systematisch zu beschreiben. Unter Rückgriff auf erkenntnis- und handlungstheoretische Einsichten der Ethnomethodologie, erziehungswissenschaftliche Forschungsprojekte und die Arbeiten von Erving Goffman konnte so ein begriffliches Instrumentarium zur Verfügung gestellt werden, das es erlaubt, die performative Wirkung von Handlungen zu verstehen, Rahmen von einander zu unterscheiden und die Frage zu stellen, welche Bedeutung der jeweilige Rahmen für den gesamten Projektzusammenhang hat.

Im Anschluss daran habe ich mich der Frage zugewendet, welche besonderen Erfahrungsmöglichkeiten mit Projekten Kultureller Bildung verbunden sein könnten und habe die Hypothese aufgestellt, dass sich die TeilnehmerInnen in diesen Projekten anders zueinander verhalten, als sie es im Alltag gesellschaftlicher Praxen tun.

Welche Bedeutung so einem „anders verhalten" zukommen könnte, habe ich durch die Darstellung der aktuellen pädagogischen Diskussion um Diversität gezeigt. Auch hier dient die Ethnomethodologie als Verstehensgrundlage, um deutlich zu machen, dass Unterschiede zwischen den Menschen ganz grundsätzlich nicht „einfach da sind", sondern in sozialen Interaktionen hergestellt werden. Diese Position schafft allerdings ein pädagogisches Problem, da nun nicht mehr die Frage zu stellen ist, wie eine PädagogIn mit den vermeintlich „natürlichen" Unterschieden der ihr anvertrauten Menschen umgeht. Es geht vielmehr um die Frage, wie eine pädagogische Situation gestaltet werden soll, die selbst ebenfalls differenzerzeugend wirkt. Mit ANNEDORE PRENGEL argumentierte ich dabei nicht für den Versuch der Gleichbehandlung aller, sondern für eine Haltung, mit der es möglich wird, das Unterschiedemachen nicht mit der Einführung hierarchischer und statischer Differenzlinien zu begleiten. Die sich daran anschließende Übersicht über Forschungsarbeiten, die differenzerzeugende Praktiken untersucht hatten, konnte die entscheidenden Hinweise liefern, wie die Frage nach der Omnirelevanz bestimmter Differenzlinien zu beantworten ist. „Geschlecht", „Nation-Ethnie-Kultur" und die pädagogischen Differenzen „Kind-Erwachsener", „SchülerIn/LehrerIn" bzw. „AnleiterIn/TeilnehmerIn" stellen rahmenübergreifend zur Verfügung stehende Ressourcen dar, die in konkreten Interaktionen genutzt, aber auch nicht genutzt werden können. Es geht also darum, die differenzerzeugenden Praktiken der jeweiligen Rahmen zu beschreiben. Genauso interessant erscheint aber auch die Frage, ob sich auch egalitäterzeugende Praktiken finden, in denen nicht Unterschiede zwischen den AkteurInnen gezogen werden, sondern Gleichheit (in Bezug auf bestimmte Aspekte) zwischen den AkteurInnen hergestellt wird.

Die beiden Forschungsfragen dieser Arbeit lauten damit:
1. Welche Rahmen werden in der tanz- und theaterpädagogischen Projektarbeit wie realisiert?
2. Welche differenz- bzw. egalitäterzeugenden Praktiken lassen sich beobachten?

Teil II:
Die videographische Rahmenanalyse

„No method is without theoretical assumptions. Methods, far from being neutral tools, promote both concrete working practices and theoretical ideas."[256]

Es ist sehr einfach geworden, audiovisuelle Daten als Forschungsmaterial zu nutzen. Selbst Handys verfügen mittlerweile über eine integrierte Videofunktion, die es erlaubt, Videomitschnitte von ansehnlicher Qualität zu produzieren. Zudem stellt das Internet millionenfaches Analysematerials zur Verfügung: in Filmdatenbanken wie youtube, myvideo oder clipfish. Diese Situation war noch vor wenigen Jahren – vor Beginn der Videotechnik in den 1980er Jahren – ganz anders. Bis dahin waren audiovisuelle Daten nur sehr aufwändig und teuer mit schweren Filmkameras zu produzieren. Und auch die analoge Videotechnik war vor der digitalen Speicherung der Daten, die sich ab den 2000er Jahren durchsetzte, kostenintensiv und die Videos waren nur mit speziellen Schnittgeräten zu bearbeiten. Daher ist es nicht verwunderlich, dass audiovisuelle Daten nur sporadisch – vor allem in der Ethnologie – eingesetzt wurden und erst seit Ende der 1980er Jahre große Verbreitung finden.

Mittlerweile werden audiovisuelle Daten in unüberschaubar vielen Forschungszusammenhängen als Forschungsmaterial genutzt. Allein für den Bereich der „qualitativen" Videoanalyse zählen Knoblauch und Schnettler eine dezidert als unvollständig angekündigte Liste von Forschungsgebieten auf: Arzt-Patienten-Interaktionen, Kontrollzentren, Religionsforschung, Medizinsoziologie, Schulforschung, Museumsforschung, Technik- und Innovationsforschung und qualitative Marktforschung.[257] Genauso vielfältig wie die Bereiche in denen geforscht wird, sind auch die Methoden, die eingesetzt werden, um mit audiovisuellem Material umzugehen. Dabei gilt die von Jordan und Henderson formuliert Einsicht, dass Methoden keine neutralen Werkzeuge sind, die zu jedem beliebigen Zweck eingesetzt werden können. Sie umfassen, wie Jordan und Henderson im vorangestellten Zitat verdeutlichen, "working practices" und „theoretical ideas". Der zweite Teil dieser Arbeit hat daher das Ziel, die zugrundeliegenden theoretischen Annahmen noch einmal zu explizieren und die verwendeten Methoden vorzustellen.

Ich werde zunächst zeigen, welche schwerwiegenden Probleme entstehen, wenn die mit der Methode verbundenen theoretischen Annahmen nicht ausreichend expliziert und reflektiert werden und werde unter Rückgriff auf die Ausführungen des ersten Teils dieser Arbeit noch einmal die theoretischen Grundlagen der Rahmentheorie erläutern (II/1).

Im Anschluss daran werde ich die verwendeten Methoden erläutern. Ich orientiere mich dabei an einer Dreiteilung: Zunächst werde ich auf die Datenerhebung eingehen (II/2), im Anschluss daran auf die Datenarchivierung und Datendokumentation (II/3) und schließlich auf die Datendarstellung zu sprechen kommen (II/4).

---

256 Jordan/Henderson 1995, S. 40.
257 Vgl. Schnettler/Knoblauch 2009.

1 Theoretische Grundlagen der videographischen Rahmenanalyse

Die Fülle an Bereichen, in denen in den letzten Jahren mit und über audiovisuelles Material geforscht wurde, zwingt dazu, eine Auswahl zu treffen, mit welchen Arbeiten man sich zur Vorbereitung der eigenen Methodenwahl auseinandersetzen will. Da ich die vorliegende Arbeit als erziehungswissenschaftliche Arbeit verstehe, beziehe ich mich zunächst auf Arbeiten, die im Kontext der Erziehungswissenschaft entstanden sind. Durch die Auseinandersetzung mit den Arbeiten Goffmans und der Ethnomethodologie spielen zudem die Arbeiten, die oft als „Interaktionsanalysen" bezeichnet werden, eine bedeutende Rolle.

Zunächst also zu erziehungswissenschaftlichen Arbeiten: Dinkelaker und Herrle nennen in ihrem Einführungsband „Erziehungswissenschaftliche Videographie" mehr als 20 videographische Studien, die in den letzten Jahren im deutschsprachigen Raum entstanden sind.[258] Sieht man sich diese Publikationen an, wird deutlich, dass die Arbeiten mit sehr unterschiedlichen Fragestellungen sehr unterschiedliches Material bearbeiten. Dinkelaker und Herrle schlagen daher vor, drei verschiedene Forschungsbereiche voneinander zu unterscheiden: Die „Filmanalyse", die „videogestützte Unterrichtsqualitätsforschung" und die „erziehungswissenschaftliche Videographie".[259] In der Filmanalyse sind Videos bzw. Filme nicht das Forschungsmittel, sondern der Forschungsgegenstand. Es geht um die Analyse von audiovisuellem Material, das nicht von den ForscherInnen selbst prodziert wurde, sondern als Spielfilm, als TV-Serie oder als Amateurvideo. Die meisten Studien im Kontext erziehungswissenschaftlicher Forschung lassen sich aber den beiden anderen Gruppen zuordnen, die von Dinkelaker und Herrle hinsichtlich ihrer Analysemethoden unterschieden werden: Im Kontext der Unterrichtsqualitätsforschung werden die Videodaten in bestimmten Ratingverfahren in Zahlenwerte übersetzt, die dann zu Korrelationsanalysen von bestimmten, vorher festgesetzten Variablen, eingesetzt werden. Die Arbeiten, die sie als erziehungswissenschaftliche Videographie bezeichnen, setzen die Videodaten nicht in Zahlenwerte um und versuchen vielmehr die Komplexität pädagogischer Interaktionen durch interpretative Verfahren zu analysieren.[260]

Eine etwas genauere Auseinandersetzung mit dieser Einteilung zeigt aber, dass es sich um eine sehr vereinfachende Unterscheidung handelt. Sieht man sich zum Beispiel den von Dinkelaker und Herrle dem Bereich der Unterrichtsqualitätsforschung zugerechneten Sammelband *Nutzung von Videodaten zur Untersuchung von Lehr-Lern-Prozessen: aktuelle Methoden empirischer pädagogischer Forschung*, der 2001 von Stefan Aufschnaiter und Manuela Welzel herausgegeben wurde, etwas genauer an, dann wird

---

258 Dinkelaker/Herrle 2009.
259 Dinkelaker/Herrle 2009, S. 11.
260 Vgl. Dinkelaker/Herrle 2009, S. 10.

deutlich, dass auch im Bereich der Unterrichtsqualitätsforschung nicht immer eine Standardisierung der Videodaten stattfindet.[261]

Es fällt auf – allein Brandt et al. bildet hier eine Ausnahme –, dass wenig Mühe darauf verwendet wird, die theoretischen Grundannahmen, die mit der Wahl der Videographie als Methode verbunden sind, zu explizieren.

Dies zeigt sich besonders gut im Artikel von Klieme und Thussbas, „Kontextbedingungen und Verständigungsprozesse im Geometrieunterricht"[262], in dem ein Ausschnitt aus einer Geometriestunde, die im Rahmen einer großangelegten Studie (der TIMSS-Videostudie) aufgezeichnet wurde, analysiert wird. Die beiden AutorInnen wählten diese Stunde aus, da sie von den „Video-Ratern" der TIMSS-Studie als überdurchschnittlich „erfolgreich, anwendungs- und verständnisbezogen sowie kognitiv aktivierend"[263] eingeschätzt worden war. Die Feinanalyse des Transkriptes, die Klieme und Thussbas in ihrem Aufsatz durchführen, zeigt dann aber, dass es zwischen Lehrer und SchülerInnen im Grunde zu keiner echten Verständigung über die Beweisführung der Ähnlichkeit zweier Dreiecke in einem rechtwinkligen Dreieck kommt. Das Urteil der AutorInnen ist vernichtend, sie attestieren dem Lehrer nur „misslungene Versuche zur Aktivierung von Vorwissen" bzw. „misslungene Versuche eines fragend-entwickelnden Gesprächs".[264] Diese Diskrepanz zwischen der Einschätzung der Rater und dem Ergebnis ihrer Feinanalyse wird nun von den AutorInnen nicht zum Thema gemacht – und zwar, so meine Erklärung dieser Tatsache – weil sie die Widersprüchlichkeit ihrer theoretischen Vorannahmen nicht erkannt haben: Ratingverfahren für die Analyse von videographischem Material sind nur möglich, wenn bestimmte Zusammenhänge als bekannt und stabil und damit als codierbar ausgewiesen werden. Für die Rater ist genau vorgegeben, welches Verhalten der Lehrpersonen sie als „kognitiv aktivierend" oder als „anwendungs- und verständnisbezogen" zu codieren haben. Ob dieses Verhalten (z. B. „Fragen des Lehrers an die Schüler") dann im konkreten Fall auch tatsächlich zu kognitiver Aktivierung führt, kann aufgrund der großen Menge an zu analysierendem Material nicht überprüft werden – das erscheint aber auch nicht notwendig, weil dieser Zusammenhang als stabil angenommen wird.

Bei der Analyse des Transkripts machen die AutorInnen nun ganz andere theoretische Vorannahmen, sie analysieren das Transkript in Anlehnung an ethnomethodologische Ansätze, wie sie selbst schreiben.[265] Hier gilt, dass eine bestimmte Handlung für sich genommen überhaupt keine Aussagen über ihre Bedeutung zulässt, sondern erst in der Reaktion der anderen AkteurInnen ihren Sinn gewinnt. Im Kontext einer ethnomethodologischen Handlungstheorie sind stabile Zuordnungen bestimmter Handlungen zu bestimmten Wirkungen daher kaum möglich, da die Interpretation einer Handlung in jedem Einzelfall von den beteiligten AkteurInnen neu getroffen werden muss und getroffen wird. ForscherInnen müssen daher immer den konkreten

---

261 Es finden sich vier Aufsätze, in denen die Videodaten nicht standardisiert werden: Stadler et al. 2001, Brandt et al. 2001, Roth/Welzel 2001, Klieme/Thussbas 2001.
262 Klieme/Thussbas 2001.
263 Klieme/Thussbas 2001, S. 55.
264 Klieme/Thussbas 2001, S. 50 f.
265 Vgl. Klieme/Thussbas 2001, S. 50.

Einzelfall untersuchen, um an der Reaktion der Beteiligten die Wirkung dieser Handlung beurteilen zu können.

Der Widerspruch zwischen der Einschätzung der Rater und der Interpretation durch Klieme und Thussbas ließe sich nur auflösen, indem die theoretischen Vorannahmen einer Überprüfung unterzogen werden: Hält man an einem korrelativen Paradigma fest, müssten die AutorInnen deutlich machen, dass die Unterscheidungen der Rater nicht genau genug sind und nach einer Möglichkeit suchen, erfolgreiche von nicht erfolgreichen Aktivierungsstrategien zu unterscheiden. Eine Entscheidung für ein ethnomethodologisches Paradigma müsste dazu führen, dass die Ratingpraxis verändert werden müsste, da sie immer zu ungenau bleiben wird, wenn nicht Zeit genug ist, die je konkrete Praxis zu analysieren. Da die AutorInnen diese Entscheidung aber nicht treffen, gelingt es ihnen nicht, den in ihrem Artikel deutlich gewordenen Widerspruch aufzulösen. Dieses Beispiel zeigt, dass – wie das einleitende Zitat auch schon deutlich gemacht hat – keine Methode „einfach so" angewendet werden kann: Ratingverfahren haben bestimmte theoretische Hintergrundannahmen und ethnomethodologische orientierte Interpretationsverfahren ebenfalls. Eine „einfache" Kombination kann es nicht geben, da die Ergebnisse der beiden Verfahren nicht mehr miteinander in Einklang zu bringen sind. Um eine solche Situation zu vermeiden, werde ich hier – bevor ich mich der Darstellung meiner konkreten Forschungsmethoden widme – im Folgenden noch mal die theoretischen Grundannahmen zusammenfassen, die dieser Arbeit zugrunde liegen. Dabei gilt es bedauerlicherweise festzustellen, dass diesem wichtigen Aspekt in der Arbeit mit empirischem Material oft zu wenig Aufmerksamkeit gewidmet wird. In der schon erwähnten Publikation zur „Erziehungswissenschaftlichen Videographie"[266] findet sich zum Beispiel kein Kapitel zur Notwendigkeit einer theoretischen Positionierung der jeweiligen Forschungsarbeit. Auch hier werden Methoden so vorgestellt, als ob es sie ohne theoretische Vorannahmen geben könnte – als Werkzeuge, die sich für jeden beliebigen Einsatz eignen. Dabei gilt die entscheidende Warnung: „Wer einen Hammer hat, dem wird die Welt zum Nagel."

Eine Methode ist also nicht ein neutrales „Tool", sondern impliziert bestimmte theoretische Vorannahmen. Diese müssen aber expliziert werden, um deutlich zu machen, weshalb die gewählte Methode auch tatsächlich zur Bearbeitung der gewählten Fragestellung eingesetzt werden kann. Genau diese Explikation werde ich im Folgenden leisten.

In Teil I dieser Arbeit habe ich bereits eine ausführliche Darstellung der Rahmentheorie und ihren Bezug zu ethnomethodologischen Ansätzen dargestellt. Ganz bewusst habe ich diese Auseinandersetzung in den Theorieteil der Arbeit gelegt, da ich deutlich machen wollte, dass die Rahmentheorie die Möglichkeit bietet, der Diskussion um Lernkultur eine empirische Fundierung zu geben und dies es wiederum möglich macht, die Praxis Kultureller Bildung zum Forschungsgegenstand zu machen. Ich werde im Folgenden noch einmal die wichtigsten Aspekte der Rahmentheorie zusammenfassen, um so die theoretischen Grundlagen der gewählten Methoden auch in diesem Methodenkapitel noch einmal darzustellen.

---

266 Dinkelaker/Herrle 2009.

Ich gehe mit Goffman in dieser Arbeit davon aus, dass alle Interaktionen zwischen Menschen in Rahmen stattfinden. Diese Rahmen „stecken" dabei nicht allein in den Köpfen der Handelnden, sondern müssen in der Interaktion „hergestellt" werden. Hier grenze ich mich von der Verwendung anderer Begrifflichkeiten, die im Kontext der Analyse von Interaktionen oft genutzt werden, ab: „Sinnzusammenhang", „Sprachspiel", „Orientierungsmuster", „Interaktionsmuster" oder „Dominante Sinnordnungen" verweisen allesamt auf Ordnungen, die in den Köpfen der handelnden Personen zu finden sein sollen. Ich gehe davon aus, dass die Rahmen von den AkteurInnen aktiv und sichtbar hergestellt werden. Dabei gelten die folgenden Grundannahmen:
>> Jedes Zeichen ist grundsätzlich *indexikalisch*.
>> Die Handlung einer Person gibt immer auch Hinweise darauf, wie sie ihr Handeln verstanden wissen will (*Accountability*).
>> Es gilt, dass grundsätzlich jede Handlung von den Beteiligten als *sinnvoll* angesehen wird und angesehen werden kann, niemand handelt „zufällig" oder „falsch".
>> Jede soziale Situation *entwickelt* sich durch jede weitere Handlung eines Beteiligten und kann sich so verändern.
>> Weil das so ist, wird die konkrete Situation beständig auf mögliche Regeln und Motive bezogen, diese „Reflexivität" (*Reflexivity*) wird dabei selbst nicht hinterfragt.
>> Wahrnehmung und Interpretation vollziehen sich – solange es keine Verständnisschwierigkeiten gibt – *in einem (DMI)*.
>> Die AkteurInnen gehen von einer *Reziprozität* der Perspektiven aus, der je Andere sieht die Welt „genauso".
>> Die AkteurInnen sind bereit, mit *Vagheit* umzugehen, solange sie nur „irgendeine" mögliche Erklärung für das Verhalten des Anderen zur Verfügung haben.[267]

Diese handlungstheoretischen Grundannahmen haben nun auch forschungsmethodische Folgen. Zur Analyse der Rahmen kann von Folgendem ausgegangen werden:
1. *Wahrnehmbares Handeln:* Die AkteurInnen müssen sich wechselseitig ihre aktuelle Rahmendefinition anzeigen, dies geschieht durch wahrnehmbare Zeichen – vor allem durch Stimme, Körperhaltung und Blicke. Dieses Anzeigen (Accountability) ist nicht nur für die handelnden AkteurInnen wahrnehmbar, sondern auch für die ForscherInnen. Dabei gilt allerdings, dass es Zeichen geben kann, deren Bedeutung die ForscherInnen nicht erkennen. Dieses Problem wird als „Membership Knowledge" diskutiert und muss durch eine geeignete Methodenwahl aufgefangen werden (siehe hierzu 2.3).
2. *Sinnvolles Handeln:* Die wichtige Grundbedingung alltäglicher Verständigung, dass alle Handlungen grundsätzlich als sinnvoll interpretiert werden, gilt auch für ForscherInnen. Es ist nicht zulässig, bestimmte scheinbar unverständliche Verhaltensweisen als „zufällig" oder „nicht beabsichtigt" aus der Analyse auszuschließen.
3. *Aufeinanderbezogenes Handeln:* Interaktionen entwickeln sich beständig fort, die Bedeutung einer Handlung bleibt immer vage (Indexikalität aller Zeichen) und kann nur durch die Beobachtung der Folgehandlung erschlossen werden. Die vor-

---

267 Diese Zusammenfassung orientiert sich an folgenden zusammenfassenden Beschreibungen der Ethnomethodologie: Cicourel 1973, S. 183-185, Garfinkel 1963, S. 200ff.

genommenen Interpretationen müssen sich mit den Reaktionen der AkteurInnen in Einklang bringen lassen.[268]
4. *Wiederholtes Handeln:* Die Indexikalität von Zeichen bedeutet nicht, dass ihre Bedeutung beliebig wandelbar ist. Die Handlungen von AkteurInnen werden immer auf der Grundlage alter Erfahrungen bewertet und „als Zeichen für" aufgefasst. Es ist davon auszugehen, dass AkteurInnen bestimmte Handlungen wiederholen, wenn sie denselben Rahmen aufbauen wollen. Nur so kann eine bestimmte Handlung als Zeichen für den Vorschlag, einen bestimmten Rahmen zu etablieren, aufgefasst werden.
5. *Reparierendes Handeln:* Zugleich gilt, dass Handlungen nicht immer dasselbe bedeuten. Dies hat zur Folge, dass es auch zu Mißverständnissen über die Rahmendefinition kommen kann. In diesen Situationen muss ein „reparierendes Handeln" einsetzen, indem der Konsens über den gültigen Rahmen wieder hergestellt wird.

Auf der Grundlage dieser theoretischen Annahmen gehe ich davon aus, dass sich das „Wie" der Etablierung sowie Aufrechterhaltung und Beendigung der verschiedenen Rahmen im Videomaterial beobachten lassen müssen. Ich gehe davon aus, dass das folgende Rahmendrehbuch eingehalten werden muss:

1. *Verständigung, dass eine zentrierte Interaktion vorgenommen werden soll:* Eine soziale Situation hat einen Beginn, die Beteiligten machen sich durch Zeichen – zum Beispiel durch Blicke – deutlich, dass sie eine zentrierte Interaktion vornehmen wollen. Auch Artefakte und räumliche und zeitliche Bedingungen können diese Verständigungsfunktion übernehmen (zum Beispiel, wenn eine Person an einen Fahrkartenschalter tritt). Zudem spielen die Körperpositionen und Körperhaltungen bzw. Gesten eine wichtige Rolle bei der Verständigung über den gültigen Rahmen. Eine videographische Rahmenanalyse kann sich daher nicht allein auf die Analyse der gesprochenen Sprache beschränken.
2. *Verständigung über den Rahmen:* Es findet eine Verständigung darüber statt, welcher Rahmen in Gültigkeit sein soll. Diese Phase kann sehr umfänglich und langwierig sein, aber auch ausfallen, wenn die Interaktion zum Beispiel an einem bestimmten Ort stattfindet, der vorgibt, welcher Rahmen in Gültigkeit sein soll – vor einem Fußballspiel muss man sich nicht unbedingt über die Regeln verständigen, vorausgesetzt, dass die Regeln für alle Beteiligten feststehen.
3. *Handlungen innerhalb des Rahmens:* Manchmal gibt es ein klares Startzeichen (meist in Spielen), manchmal gibt es einen fließenden Übergang zu den Handlungen, die innerhalb des Rahmens stattfinden.
4. *Zeichen für den Abschluss oder Wechsel des Rahmens:* In vielen Fällen werden Zeichen darüber ausgetauscht, dass der Rahmen abgeschlossen oder gewechselt werden soll. In manchen Fällen ist dieses Ende auch vorher schon festgelegt – zum Beispiel durch eine bestimmte Spieldauer.
5. *Beendigung oder Wechsel des Rahmens:* Es gibt Zeichen für die Beendigung oder den Wechsel des Rahmens. Hier sind bestimmte Spiele wieder ein deutliches Bei-

---

268 MEHAN nennt das „Convergence between researchers and participants perspectives", vgl. MEHAN 1979, 22.

spiel: Der Schlusspfiff des Schiedsrichters beendet das Fußballspiel unwiderruflich. Jordan und Henderson messen dem Anzeigen und Verstehen von Rahmenwechseln eine große Bedeutung für die Mitgliedschaft in einer Gemeinschaft zu:
„In every case, participants need to make clear to themselves and to each other that something is finished and something new is starting. The ability to achieve such transitions in a seamless way is one of the ways in which membership in a community of practise is displayed."[269]

Zudem werde ich in den folgenden Fallstudien versuchen, die Regeln der Relevanz bzw. Irrelevanz herauszuarbeiten. Wie ich in der Auseinandersetzung mit Goffman gezeigt habe (I/2.4), kann denselben Handlungen in unterschiedlichen Rahmen ganz verschiedene Bedeutung beigemessen werden. Man stelle sich zum Beispiel zwei Personen vor, die vor einem Schachbrett sitzen. Spielen sie ein Schachspiel, dann sind die relevanten Handlungen die, mit denen eine SpielerIn ein regelkonformes Verrücken einer Figur vornimmt. Spielen sie nicht, sondern unterhalten sich, ist das Verrücken einer Figur natürlich auch möglich, gewinnt aber eine ganz andere Bedeutung: Es wird zum Beispiel von der anderen Person kaum wahrgenommen oder als Zeichen für Langeweile gedeutet. Die Frage, auf welche Handlungen die AkteurInnen ihre Aufmerksamkeit richten, gibt also auch Hinweise darauf, welcher Rahmen gerade in Gültigkeit ist.

Ganz ähnlich verhält es sich mit den Regeln des Engagements – unterschiedliche Rahmen erlauben bzw. verlangen unterschiedlich hohes Engagement. So bietet sich eine Beschreibung eines erlaubten bzw. verlangten Maßes an Engagement ebenfalls an, um verschiedene Rahmen voneinander zu unterscheiden.

Die Ausführungen des dritten Teils dieser Arbeit zielen also darauf ab, durch die Analyse der audiovisuellen Aufnahmen eines Tanz- und Theaterprojekts die Etablierung, Aufrechterhaltung und Beendigung verschiedener Rahmen nachzuzeichnen. Die gefundenen Rahmen werden dann durch die Regeln der Relevanz bzw. Irrelevanz sowie des Engagements weiter voneinander unterschieden. Im Anschluss an diese Rahmenanalyse lässt sich dann die zweite Forschungsfrage stellen: Mit welchen Unterscheidungspraktiken sind die jeweiligen Rahmen verbunden?

Nachdem ich nun die theoretischen Grundannahmen, die dieser Arbeit zugrunde liegen, noch einmal dargestellt habe, werde ich im folgenden Kapitel mein konkretes Vorgehen beschreiben. Notwendig ist dies, weil sich in der Forschungsarbeit mit audiovisuellem Material vielfältige Probleme stellen. Ich werde die von mir benutzten Methoden beschreiben und darstellen. Dabei gilt – ethnomethodologische Einsicht auch auf sich selbst angewendet – dass die Darstellung der verwendeten Methoden nicht „einfach" als „wirkliche" Beschreibung des Vorgehens misszuverstehen ist. Arbeiten, die den tatsächlichen Forschungsvollzug in den Blick nehmen, sind hier ein Desiderat.[270] Dies kann und wird diese Arbeit jedoch nicht leisten können. Mein Anspruch ist allerdings, dennoch über die von mir verwendeten Methoden detailliert Auskunft

---

[269] Jordan/Henderson 1995, S. 61.
[270] Auf diesen interessanten Aspekt, dass Forschung über das „Wie" der Forschung im sozialwissenschaftlichen Bereich noch ausstehe, verwies Udo Kelle bei den Berliner Methodentagen 2007 in seiner Keynote „Integration qualitative und quantitative Sozialforschung".

zu geben, auch wenn es, wie Bergmann beschreibt, eher nicht zu den Ethnomethoden der Ethnomethodologen gehört, viel über die eigenen Methoden zu schreiben:

„Es gibt in der Ethnomethodologie große Vorbehalte dagegen, die Verfahrensregeln ihres eignen Ansatzes zu explizieren und im Rahmen einer Methodenlehre verbindlich zu machen. Methoden, so die dahinter liegende Überzeugung, dürfen sich in keinem Fall vor die Gegenstände schieben – und müssen im Zweifelsfall, d. h. wenn es vom Untersuchungsgegenstand her erforderlich wird, aufgegeben werden."[271]

Da ich diese Haltung teile – Methoden haben sich nach dem Gegenstand zu richten und nicht der Gegenstand nach der Methode – werde ich folgendermaßen vorgehen: Zunächst werde ich die Probleme und Schwierigkeiten vorstellen, die sich in den einzelnen Phasen des Forschens mit Video ergeben, daran anschließend werde ich die in diesem Forschungsvorhaben entlang der Forschungsfragen entwickelten Lösungen plausibel machen.

---

271 Bergmann 2006, S. 644.

2 Die videographische Datenerhebung

Ziel dieser Arbeit ist die Beschreibung und Interpretation der Lernkultur eines Tanz- und Theaterprojekts mit Grundschulkindern. Um diese Beschreibung und Interpretation möglich zu machen, versuche ich, die im Projekt verwirklichten Rahmen voneinander zu unterscheiden. Da diese Rahmen durch die konkreten Interaktionen der beteiligten AkteurInnen realisiert werden, bietet es sich an, diese Interaktionen mit Video festzuhalten, um so eine Analyse möglich zu machen. In einem ersten Schritt ist es also notwendig, videographisches Material zu erheben. Schon bei diesem ersten Forschungsschritt stellen sich videospezifische Probleme, auf die es eine Antwort zu finden gilt:

Zunächst werde ich auf die *Reaktivität* eingehen (2.1). Unter diesem Stichwort wird erörtert, ob und wenn ja welchen Einfluss die Anwesenheit einer Kamera auf die Interaktionen der AkteurInnen hat.

Im Anschluss daran werde ich mich dem Problem zuwenden, dass eine Kamera nur einen bestimmten *Ausschnitt* filmen kann (2.2). Gerade bei Tanz- und Theaterprojekten passieren sehr viele Dinge in unterschiedlichen Ecken des Raumes gleichzeitig – was soll/muss da gefilmt werden und auf was kann verzichtet werden?

Des Weiteren ist die *Differenz zwischen Beobachtung und Teilnahme* zu beachten (2.3). Eine Kamera nimmt nur audiovisuelle Daten aus der Perspektive einer ZuschauerIn auf. Betrachtet nun eine ForscherIn dieses Videomaterial, hat sie grundsätzlich „nur" eine Beobachterposition und nur noch zwei Kanäle der Wahrnehmung. Diese Perspektive kann sich – eventuell erheblich – von der Perspektive der handelnden AkteurInnen unterscheiden. Das Problem ist, dass die ForscherIn allein durch die Betrachtung des Videomaterials nicht wissen kann, wie groß die Lücken tatsächlich sind.

Und schließlich gilt es auch *technische Schwierigkeiten* zu bedenken (2.4). Videoaufnahmen, deren Ton- und Bildqualität schlecht ist, eignen sich kaum für die Analyse von Interaktionen. Gerade in großen Räumen mit wechselnden Lichtverhältnissen stellen sich hier besondere Bedingungen.

2.1 Das Problem der „Reaktivität"

Rahmen werden in und durch die Interaktionen der beteiligten AkteurInnen aufgebaut. Dabei gilt, dass sowohl die räumliche Anordnung der Körper als auch auch die vorhandenen Artefakte einen großen Einfluss auf die Rahmengestaltung haben. Daher stellt sich die Frage, ob nicht die „Anwesenheit" einer Kamera die Ausgangsbedingungen so stark verändert, dass das konservierte Material gar keine „natürlichen" Interaktionen enthält, sondern immer nur Interaktionen vor einer Kamera? Dieses Problem wird unter dem Stichwort der „Reaktivität" diskutiert. Jordan/Henderson schlagen dazu vor, eine

Kamera ohne Kameramann/-frau aufzubauen, da nach ihrer Erfahrung die AkteurInnen – sobald sie ihre Aufmerksamkeit auf ihre „eigentlichen" Tätigkeiten richten – sehr schnell vergessen, dass eine Kamera vorhanden ist:

> „On a tape of toddlers in a nursery school for example, 3-year-olds initially come up to the camera, gesticulating and making faces, but 5 min later they play with hardly a glance to its direction. Linde found that policemen initially cleaned up their talk for the camera by substituting euphemisms for profanity but switched back to profanities and other familiar speech patterns as events heated up."[272]

Henderson/Jordan setzen darauf, dass die AkteurInnen – sobald sie von ihren eigentlichen Tätigkeiten herausgefordert werden – vergessen, dass sie gefilmt werden. Sie beobachten dabei unterschiedliche Verhaltensweisen, zum einen die, in denen die Kamera offensichtlich einen Einfluss hat und solche, in denen ein solcher Einfluss nicht sichtbar ist. Diese unterschiedliche Reaktivität deuten sie dabei auch als einen Hinweis darauf, mit welcher Intensität die AkteurInnen gerade in ihre eigentlichen Tätigkeiten involviert sind und Interaktionen mit der Kamera werten sie als Hinweis darauf, dass der „high point of an event"[273] vorüber ist.

Im Kontext dieses Forschungsvorhabens konnte jedoch nicht auf einen Kameramann/eine Kamerafrau verzichtet werden, da eine Kameratotale die vielfältigen lokal begrenzten Interaktionen nicht mit ausreichender Nähe erfassen kann. Es musste also einen Kameramann/eine Kamerafrau geben, die das Projekt mit ihrer Videokamera begleitete. Um die Reaktivität dennoch möglichst klein zu halten, orientierten wir uns an der Vorgehensweise von Lothar Krappmann und Hans Oswald, die für teilnehmende BeobachterInnen eine „Unsichtbarkeit durch Sichtbarkeit" anregen.[274] Ihre These ist dabei, dass eine teilnehmende BeobachterIn vor allem dann die Interaktionen massiv beeinflusst, wenn sie versucht, sich möglichst im Hintergrund zu halten und nichts über den Sinn und Zweck ihrer Anwesenheit verrät. Sie schreiben dazu:

> „Nichts irritiert wohl Menschen und ihr Verhalten mehr, als wenn sich eine Person in ihre Nähe begibt, deren Identität ihnen unklar ist."[275]

Die Frage nach der „Identität" von teilnehmenden BeobachterInnen und auch Kamermännern/frauen ist dabei vor allem eine Frage nach dem Sinn und der Funktion der gemachten Aufzeichnungen. Im Kontext der Videoaufnahmen, die das Material dieser Arbeit bilden, wurde den teilnehmenden Kindern daher sehr genau erklärt, zu welchem Zweck der Kameramann Tim und auch die teilnehmenden BeobachterInnen (siehe dazu 2.3) anwesend waren. Zudem gestattete der Kameramann den Kindern in den Pausen des Projekts immer wieder auch selbst die Kamera zu führen und die anderen Kinder aufzunehmen. Tim beteiligte sich auch hin und wieder an Spielen und dem Anfangs- und Abschlussritual. Dadurch wurde er mit seiner Kamera zu einem vertrauten Akteur, an dessen Anwesenheit sich die Kinder schnell gewöhnt hatten. Sichtbar wird das an den wenigen Situationen, in denen die TeilnehmerInnen auf die Kamera reagieren. Ihr dann deutlich verändertes Verhalten wird als Hinweis darauf interpretiert, dass sie in

---

[272] Jordan/Henderson 1995, S. 55.
[273] Jordan/Henderson 1995, S. 55.
[274] Vgl. Krappmann/Oswald 1995.
[275] Krappman/Oswald 1995, S. 44.

den anderen Situationen die Anwesenheit der Kamera tatsächlich „vergessen" haben. Im Unterschied zu Jordan & Henderson waren die Situationen, in denen eine Reaktion der TeilnehmerInnen auf die Kamera zu beobachten war, aber nicht nur die, in denen der Höhepunkt der eigentlichen Aktivität überschritten war – wie etwa in Pausen – sondern auch solche, in denen starke Emotionen eine Rolle spielten.

Da diese Stellen aber sehr selten sind (es finden sich nur wenige Sequenzen, in denen „Kamerablicke" der TeilnehmerInnen zu beobachten sind und nur zwei Sequenzen in den 80 Stunden, in denen Tim von den TeilnehmerInnen dezidiert aufgefordert wird, sie jetzt nicht zu filmen), kann festgehalten werden, dass sich das Prinzip der „Unsichtbarkeit durch Sichtbarkeit" auch für die videographische Arbeit bewährt.

2.2 Das Verhältnis von Videoabbildung und „Wirklichkeit"

Eine Auseinandersetzung mit den Methoden der Erhebung videographischen Materials muss sich auch mit der Frage konfrontieren, in welchem Verhältnis die audiovisuellen Daten zur „Wirklichkeit" stehen. Es lassen sich hier zwei Extrempositionen formulieren:

>> Videomaterial stellt ein detailgetreues Abbild der Wirklichkeit dar.
>> Videomaterial stellt nicht mehr als die völlig subjektive Sicht einer Kamerafrau/ eines Kameramanns dar.

Bedauerlicherweise wird auch dieser Frage oft sehr wenig Aufmerksamkeit gewidmet[276] und es scheint meist davon ausgegangen zu werden, dass man durch das Videomaterial ein detailgetreues Abbild der Wirklichkeit erhält. Eine sehr anregende und umfängliche Auseinandersetzung mit diesem Problem findet sich hingegen bei Elisabeth Mohn, die sich in ihrer Dissertation „Filming Culture: Spielarten des Dokumentierens nach der Repräsentationskrise"[277] intensiv mit der Frage auseinandersetzt, in welchem Verhältnis Wirklichkeit und audiovisuelles Material stehen. Sie stellt hier verschiedene Positionen vor, die sich zwischen den oben formulierten Extrempositionen bewegen. Das von ihr als „Starkes Dokumentieren" bezeichnete Arbeiten versucht, die Wirklichkeit möglichst umfänglich und ohne weitere Vorannahmen zu „registrieren" und sich so dem Ideal eines detailgetreuen Abbildes der Wirklichkeit anzunähern. Das von ihr als „Anti-Dokumentieren" bezeichnete Arbeiten verwirft die Idee der detailgetreuen Abbildung und setzt sich mit der Frage auseinander, welche subjektiven Färbungen im Material zu finden sind. Zudem stellt sie verschiedene Formen des „Paradoxen Dokumentierens" vor, in denen versucht wird, „Material in einem Zustand des Noch-nicht-zum-Dokument-geronnenen" zu halten.[278]

Eine andere Lösung dieses Problems stellen Jordan/Henderson vor. Sie gehen nicht davon aus, dass audiovisuelles Material das Abbild der Wirklichkeit darstellt, sondern einen

---

276 Dinkelaker und Herrle erwähnen dieses Problem nur kurz, gehen aber nicht weiter auf einen möglichen Umgang damit ein – sie behandeln es als ein „technisches" Problem und diskutieren Aufstellungsort und Blickwinkel von Kameras, vgl. Dinkelaker/Herrle 2009, S. 22-27.
277 Mohn 2002.
278 Vgl. Mohn 2002, Kap. 2-4.

bestimmten Blickwinkel auf die Welt. Um das Problem zu umgehen, dass eine Kamerafrau/ein Kameramann durch seine Art des Filmens seinen „Bias" in das Material trägt, schlagen die AutorInnen vor, die Kamera möglichst unbewegt zu lassen, da so „nur" ein technischer Bias das Material bestimme, der den großen Vorteil habe, dass er vorurteilsfrei alles gleich filme.[279] Diese Lösung kommt für ein Theater- und Tanzprojekt, wie oben schon beschrieben, aufgrund der raumgreifenden Handlungen nicht in Frage und führt zudem zu merkwürdig kalten, distanzierten Videos, die mit ganz eigenen Problemen belastet sind:

> „Viele Sozialwissenschaftler haben Bedenken, sie könnten beim Forschen die Situationen und beim Filmen ihre Datenproduktion stören und versuchen daher, von außen, oben oder hinten aus zu beobachten – unauffällig, unbewegt und unter Verzicht auf Bild gebende Entscheidungen. Beim Forschen mit der Kamera spitzen sich die Konsequenzen solcher Strategien verdeckter Präsenz entscheidend zu: Eine Schulklasse z. B. von hinten zu filmen, bedeutet Rücken statt Gesichter vor die Kamera zu bekommen. Sie aus einer starren Überblicksposition heraus zu filmen, bedeutet einen Verzicht auf erkundende selektive Bilder und dies ähnelt dem Versuch, ,Autobahn fahrend' die Beschaffenheit von Feldwegen beschreiben zu wollen, die aber angesichts der Blicke durch hochgekurbelte Fenster bloß vorüber gerauscht sind. Solche Video-Daten sind in der Regel außerordentlich ausdruckslos, doch wurde bislang nicht im Geringsten reflektiert, auf welche Weise ihre visuelle Unattraktivität die daran anknüpfenden Wissensprozesse beeinträchtigt anstatt zu befördern."[280]

Wir wählten daher einen anderen Weg und entschieden uns auch hier ganz bewusst gegen eine feste Kameraposition. Die „Subjektivität", die dadurch in die Daten gerät, stellt für uns ein zu bearbeitendes Problem dar, da sie als eine „alltagspraktisch kontrollierte" Subjektivität verstanden werden kann. Wie ich im ersten Teil dieser Arbeit unter Rückgriff auf GARFINKEL deutlich gemacht habe, vollzieht sich unsere Alltagspraxis so, dass „Dokument" und „Interpretation" in eins fallen: Bin ich in einem Klassenzimmer und sehe, dass eine Person den Finger in die Luft streckt, sehe ich nicht zuerst einen Finger, der sich in die Luft hebt und interpretiere das als ein Melden, sondern ich „sehe" ein Melden. In unserer Alltagspraxis trennen wir nicht zwischen der Wahrnehmung und unserer Interpretation dieser Wahrnehmung. GARFINKEL nannte das DMI (Documentary Method of Interpretation). Die Art zu filmen, die wir in unserer Arbeit angewendet haben, macht sich nun die Fähigkeit der Kameraleute, Alltagspraxis zu verstehen, zunutze und lässt ihnen freie Hand, das zu filmen, was sie gerade für am Interessantesten halten. Da sie ihren Blick mit einer Kamera begleiten, ist es in der späteren Analyse möglich, genau darauf eine Antwort zu geben und herauszuarbeiten, welches Dokument, d. h. welche Handlung, die Interpretation einer interessanten Handlung hervorgerufen hat. Zudem gilt, dass wir als Personen, die sich im Alltag dank der Fähigkeit zur DMI gut bewegen können, unsere Aufmerksamkeit auf die wichtigen Handlungen lenken, da wir diese nutzen müssen, um unsere Interpretation der Situation erzeugen zu können. Die Kamera, die dem „alltäglichen" Blick folgt, zeichnet nun genau diese Handlungen auf und wir können in der späteren Interpreta-

---

279 Vgl. JORDAN/HENDERSON 1995, S. 53.
280 MOHN 2007, S. 180.

tion das Dokument von seiner Interpretation trennen. Das audiovisuelle Material, das dieser Arbeit zugrunde liegt, ist also ein Material, das ganz bewusst als „subjektives Material" entstanden ist, das aber dadurch keineswegs als wissenschaftlich unbrauchbar ausgewiesen ist – sondern ganz im Gegenteil – auf die entscheidenden Details fokussiert.[281] Dass durch diese Vorgehensweise auch große Lücken entstehen, da oft nur ein sehr begrenzter Ausschnitt aufgenommen wurde, stellt kein zu großes Problem dar: Das, was in Bezug auf rahmenkonstituierende Handlungen bedeutsam ist, findet so oft statt, dass es auch in ausschnitthaft aufgenommenem Material zu finden ist.

2.3 Der Unterschied zwischen Beobachtung und Teilnahme

Der „subjektive" Blick der Kamera ist kein Problem, solange die Kamerafrau/der Kameramann das Vorsichgehende versteht. Voraussetzung dafür ist aber, dass sie/er auch in der Lage ist, die Zeichen der AkteurInnen zu deuten. Wie die Ethnomethodologie deutlich macht, gilt nämlich, dass es bereichsspezifische Methoden – eben die „Ethnomethoden" – gibt, mit denen sich AkteurInnen ihre jeweilige Rahmendeutung anzeigen. Kann ein Kameramann/eine Kamerafrau diese Zeichen nicht deuten, dann weiß sie/er auch nicht, was zu filmen ist. Zudem kann auch die folgende Situation entstehen, die MICHAEL AGAR, ein amerikanischer Soziolinguist, beschreibt:

„I'll tell you an anthropological story. [...] It occured when I worked in a village in South India. One day I noticed that the men wore two kinds of shirts. One kind had button-down collars and the other didn't. Since I lived there during the sixties, the button-down collar carried all kinds of symbolic value in my home territory, so I naturally assumed that the style difference meant something in the village as well. It didn't. Try as I might, I received only confused looks when I asked why a person would buy one shirt rather than another. No, I was told over and over again, people bought shirts because of price, for the most part. Nobody seemed to care about the collar style."[282]

AGAR misst hier der Form des Kragens eine Bedeutung zu und versucht herauszufinden, welche Bedeutung die Kragenform in dem von ihm besuchten Dorf hat. Es zeigt sich aber, dass die Form des Kragens keine Bedeutung hat – sie stellt hier keine „Ethnomethode" dar und AGAR hat vergeblich nach der Unterscheidung geforscht.

Das Beispiel zeigt, dass es zwei mögliche Probleme gibt, die bei der Verwendung einer „subjektiven Kamera" entstehen können: Zum einen kann die Kamerafrau/der Kameramann die bereichsspezifischen Ethnomethoden nicht kennen und damit die wichtigen Zeichen nicht deuten und damit auch nicht filmen und zum anderen kann sie/er Zeichen falsch deuten bzw. nach einer Bedeutung forschen, obwohl sie gar keine haben.

Das Beispiel von AGAR zeigt, dass er dadurch, dass er vor Ort war, die Möglichkeit hatte, die Dorfbewohner nach der Bedeutung der Kragenform zu fragen. Hätte er nur Videomaterial aus dem Dorf zur Verfügung gehabt, hätte er unter Umständen viele Stunden damit zugebracht, aus den Interaktionen Theorien über die Bedeutung der

---

281 ELISABETH MOHN nennt diese Art zu arbeiten „Kamera-Ethnographie", vgl. dazu: MOHN 2007.
282 AGAR 1994, S. 40.

Kragenform herauszuarbeiten. Hier zeigt sich die Bedeutung der Kombination eines videographischen Vorgehens mit ethnographischen Elementen. Die teilnehmende Beobachtung erlaubt es, sich in das zu untersuchende Feld einzugewöhnen, um so mögliche bereichsspezifische Ethnomethoden kennen zu lernen und dann auch im Material identifizieren zu können. Um dieses ethnographische, feldspezifische Wissen zu erwerben, wurden im Rahmen des „Praxisforschungsprojekt: Leben lernen" nicht nur alle Projekttermine mit der Videokamera begleitet, sondern zusätzlich durch teilnehmende BeobachterInnen. Dieses Vorgehen birgt noch einen weiteren großen Vorteil: Eine teilnehmende BeobachterIn kann – von technischen Ausrüstungen wie der Videokamera völlig befreit – an Teilen des Projekts aktiv teilnehmen und so eine Perspektive erfahren, die durch eine Kamera kaum zur Verfügung gestellt werden kann. Dies lässt sich am Beispiel einer Bühnensituation gut veranschaulichen:

Eine Kamera, die Handlungen auf der Bühne verfolgen will, hat das Problem, welcher Blickwinkel gewählt werden sollte: Im Rücken der ZuschauerInnen aufgebaut, kann die Interaktion zwischen Darstellenden und ZuschauerInnen nicht aufgenommen werden. Baut man die Kamera so auf, dass ZuschauerInnen und Präsentierende zu sehen sind, sind womöglich die Interaktionen auf der Bühne nicht mehr gut zu verfolgen und baut man die Kamera hinter der Bühne auf, hat man nur die ZuschauerInnen im Blick. Begibt man sich nun selbst – im Rahmen einer teilnehmenden Beobachtung – auf die Bühne, wird deutlich, dass die Beschränkungen der Kamera nicht nur im eingeschränkten Kamerawinkel liegen. Die Blicke der ZuschauerInnen lassen sich förmlich spüren, der Bühnenraum bekommt eine ganz andere Bedeutung, wenn man ihn bespielt, als wenn man auf ihn sieht und die Gleichzeitigkeit von Interaktionen auf der Bühne und den Interaktionen, die mit dem Publikum stattfinden, lässt sich nur auf der Bühne in der Rolle des Präsentierenden erleben. Die Erfahrung am eigenen Leib ist es, die den entscheidenden Unterschied markiert. Diese Erfahrung erlaubt es dann, die Videoaufnahmen mit einem anderen Verständnis der Situation zu betrachten und den Fokus auf die wesentlichen Zeichen zu richten.

Ich habe etwa die Hälfte der Termine, in denen das videographische Material, das dieser Arbeit zugrunde liegt, entstanden ist, als teilnehmender Beobachter begleitet und habe dadurch wichtige Informationen gesammelt, die mir bei der Analyse des Materials sehr hilfreich waren.

2.4 Technische Schwierigkeiten

Das letzte Problem schließlich, das bei der Datenerhebung gelöst werden muss, stellen technische Schwierigkeiten dar. Da diesem Thema häufig viel Raum gewidmet wird, werde ich mich hier auf eine kurze Beschreibung der besonderen Probleme, die bei der Erhebung dieses Materials aufgetreten sind, beschränken. Das größte Problem bei der Arbeit mit einem sich bewegenden Kameramann und sich bewegenden AkteurInnen stellt die Tonqualität dar. Im Unterschied zur Qualität der Bildaufnahmen, die auch bei größerer Distanz noch relativ gut und vor allem auch in der Analyse vergrößerbar sind, nimmt die Qualität der Tonaufnahmen mit der Entfernung der SprecherInnen zur Kamera rapide ab. Zudem kommt es an vielen Stellen dazu, dass mehrere Interaktionszentren im Raum vorhanden sind, in denen gesprochen wird. Die Lösung, mit mehreren Mikrofonen im Raum zu arbeiten, wurde schnell wieder verworfen, da der Auf- und Abbau dieser Mikrofone, die von der Decke hätten hängen müssen, sehr zeitaufwändig gewesen wäre. Es wurde daher ein qualitativ hochwertiges Mikrofon gewählt, das fest mit der Kamera verbunden ist und eine einigermaßen gute Tonqualität gewährleistet. Um dem Kameramann die flexible Bewegung im Raum zu ermöglichen, wurde mit einer semiprofessionellen Handkamera gearbeitet, die mit einem Körperstativ verbunden war. Die Speicherung der Daten erfolgte auf Mini-DV Kassetten.

3 Komplexitätsreduktion durch Datendokumentation und Datenanalyse

Das Material, das dieser Arbeit zugrunde liegt, umfasst 80 Videographierte Zeitstunden. Videodaten enthalten – auch wenn sie die „Wirklichkeit" nicht reproduzieren können – eine überwältigende Fülle an Informationen. Ziel dieses Kapitels ist es, meinen Umgang mit diesem Material darzustellen. Ich orientiere mich dabei an der ethnomethodologischen Idee, dass sich der Umgang mit den Daten nach den Daten richten muss und nicht die Daten nach der verwendeten Methode. Dies bedeutet allerdings nicht, dass der Umgang mit den Daten beliebig variiert werden kann. Dieses Kapitel hat somit auch die Funktion, mein Vorgehen zu begründen. Ich werde dazu die Probleme aufzeigen, die sich ganz grundsätzlich bei der Arbeit mit audiovisuellem Material ergeben und auch auf die Probleme, die speziell in bewegungsintensiven, oft nicht-sprachlichen Interaktionen zu bearbeiten sind.

Zunächst werde ich kurz auf die Anregungen eingehen, die sich aus der Durchsicht zur Verfügung stehender Auswertungsprogramme und verschiedener Texte zur Methodologie von Videoanalysen ergeben haben (3.1), dann werde ich zeigen, wie ich mit dem Problem der Datenmenge und des Datenzugriffs umgegangen bin (3.2), der ausführlichste Teil wird sich schließlich mit den von mir angewendeten Techniken der Datenanalyse beschäftigen (3.3).

Ziel all dieser Schritte ist es, die Komplexität der Daten begründet so zu reduzieren, dass eine Analyse möglich wird.

3.1 Analysemethoden zwischen Bleistift, MoviScript, Transana, EXMARaLDA

NORMAN K. DENZIN, einem US-amerikanischen Soziologen, der sich intensiv mit der Analyse von audiovisuellen Daten befasst hat, wird das Bonmot zugeschrieben, zu einer Videoanalyse brauche man nicht mehr als einen Bildschirm und einen Bleistift. Diese Haltung wird von vielen ForscherInnen aber nicht geteilt, es gibt mehrere Versuche, eigene Softwareprogramme zu entwickeln, die die Videoanalyse unterstützen sollen. MOViQ etwa ermöglicht es, aus einem Film eine Standbildfolge zu erzeugen, die dann mit Transkripten und Beschreibungen unterschrieben werden kann.[283] Transana ermöglicht die Arbeit mit mehreren Fenstern: einem Videofenster, einem Dateibaumfenster, einem Transkriptionsfenster und einem Fenster, in dem die Tonausschläge aufgezeichnet sind.[284] EXMARaLDA erlaubt eine Partiturtranskription[285], die direkt mit den betreffenden Videostellen verlinkt wird.[286] Diese Programme bieten sehr reizvolle Möglichkeiten, auch

---
283 Vgl. www.moviscript.net.
284 Vgl. www.transana.net.
285 So werden Transkriptionssysteme bezeichnet, in denen jeder SprecherIn eine eigene Zeile zugewiesen ist – so wie in einer Orchesterpartitur jedes Instrument eine eigene Zeile hat.
286 Vgl. www.exmaralda.org.

hier gilt aber, dass sie keine theoriefreien Werkzeuge darstellen, sondern von bestimmten Grundannahmen über sinnvolle Forschung mit audiovisuellen Daten ausgehend, bestimmte Funktionen in ihre Programme einbauen und andere eben nicht. Die eigene Denkarbeit ersetzen können diese Programme nicht, und die Frage, welche Methoden zur gewählten Fragestellung und zum hoffentlich explizierten Theoriehintergrund passen, beantworten sie auch nicht. Daher ist es hilfreicher, sich mit Texten auseinander zu setzen, in denen eine Methodologie der Forschung mit audiovisuellen Daten entwickelt wird. Um diese Auseinandersetzung einzugrenzen, ist es sinnvoll einige Formen der videographischen Forschung aus der Betrachtung auszuschließen:

All die Verfahren, in denen Videomaterial durch Rater in Zahlenwerte übersetzt wird, sind für den explorativen Ansatz meiner Studie uninteressant. Ich versuche ja nicht, einen vermuteten Zusammenhang zwischen zwei Phänomenen nachzuweisen. Zudem lassen meine theoretischen Grundannahmen, wie Interaktionen zwischen Menschen ablaufen, eine standardisierte Auswertung sinnlos werden – nur eine sehr genaue Analyse kann die Bedeutung einer einzelnen Handlung ermitteln.

Ich interessiere mich auch nicht für die Verfahren, mit deren Hilfe Filmmaterial, das unabhängig von der Forschungssituation entstanden ist, analysiert werden kann. Hier sind in den letzten Jahren zwar interessante Methodologien entwickelt worden – etwa BOHNSACKS „Qualitative Bild- und Videoanalyse"[287] – diese Verfahren richten sich aber nicht auf „natürliche Interaktionen" und sind daher nur schwer für mein Forschungsvorhaben nutzbar.

Die videographische Rahmenanalyse steht in einer Tradition mit der „Interaction Analysis", die im angelsächsischen Raum schon seit über 30 Jahren praktiziert wird.[288]

Die methodologischen Hinweise, die sich aus dieser Tradition gewinnen lassen, haben dabei weniger den Charakter der Darstellung konkreter Methoden als vielmehr methodologischer Grundhaltungen, denen die dann verwendeten Methoden folgen müssen. HUGH MEHAN etwa, der mit seinen videographischen Untersuchungen in Schulen bekannt geworden ist, formuliert seine methodologischen Grundannahmen in „Learning lessons: social organization in the classroom"[289] folgendermaßen:

1 *Retrievability of data:* MEHAN fordert hier, dass die Daten mitveröffentlicht werden, um alternative Interpretationen möglich zu machen.
2 *Comprehensive data treatment:* Hier geht es darum, dass das Ziel einer Analyse sein muss, ein Modell zu entwickeln, das alle Daten des Datensatzes verständlich macht, da – so die theoretische Annahme – auch die AkteurInnen selbst ständig aus allem Sinn machen.
3 *Convergence between researchers and participants perspectives:* Die Zulässigkeit der Interpretationen einer ForscherIn misst sich an der Übereinstimmung dieser Interpretation mit der der abgebildeten AkteurInnen. Er verwirft dabei die Idee, diese Übereinstimmung durch Befragung zu überprüfen[290] und geht davon aus, dass

---

[287] BOHNSACK 2009.
[288] Lesenswerte deutschsprachige Texte, die in der Tradition der „Interaction Analysis" stehen, finden sich von SCHNETTLER und KNOBLAUCH, die ihre Form der Videoanalyse „VIA" (Videointeraktionsanalyse) nennen: KNOBLAUCH 2004, KNOBLAUCH ET AL. 2006, SCHNETTLER/KNOBLAUCH 2009.
[289] Vgl. MEHAN 1979.
[290] Dies wird von anderen ForscherInnen als ein möglicher Weg angesehen, vgl. zum Beispiel: KNOBLAUCH 2004, S. 135.

das sichtbare Verhalten der AkteurInnen im Material der Gradmesser der zulässigen Interpretationen sein muss.
4 *Interactional level of analysis:* Mehan verlangt auch, die Interaktionen zu analysieren, da es so möglich ist, die „organizing machinery" zu beschreiben.

Ich schließe mich diesen Forderungen Mehans an und werde zeigen, wie ich durch die Wahl meiner spezifischen Methoden versucht habe, diesen Forderungen gerecht zu werden.

3.2 Der Datenzugriff

Videodaten sind sehr reichhaltig. Allein die aufgenommene Bildermenge ist gewaltig: Die 24 pro Sekunde erzeugten Bilder ergeben für eine Minute 1440 Bilder. Eine Videostunde besteht also aus 86.400 Bildern, der gesamte Korpus des Materials von 80 Zeitstunden also aus 6.912.000 Bildern.[291] Dazu kommt eine Tonspur, auf der Geräusche, Musik und Sprache aufgezeichnet sind. Wie kann und soll mit so einem Datenberg umgegangen werden?

Die einzige Möglichkeit besteht darin, „Forschungstunnel" zu graben, die sich an den Forschungsfragen entlang bewegen. Ich habe daher die gesamten 80 Stunden in einem ersten Analyseschritt durchgesehen und mir Notizen zu jedem einzelnen der videographierten Projekttermine gemacht. In Anlehnung an die Codierverfahren, die im Rahmen der „Grounded Theory"[292] entwickelt wurden, entstanden so Memos zu jedem einzelnen Projekttermin, in denen ich das mir relevant Erscheinende festgehalten habe. So kam ich zu ersten Hypothesen, welche Rahmen sich im Material unterscheiden lassen und welche Differenzen in diesen Rahmen bedeutsam gemacht werden. Zudem entstand eine Inhaltsangabe zu jedem Projekttermin. Im Anschluss an diese erste chronologische Sichtung des Materials, die tatsächlich nur mit dem „modernen Bleistift", nämlich einem Textverarbeitungsprogramm, durchgeführt wurde, stellte sich allerdings ein neues Problem, nämlich das Problem des Datenzugriffs.

Auf Mini-DVs gespeichertes Material hat diesbezüglich einige Nachteile: Zum Abspielen wird eine Videokamera benötigt, die über eine Schnittstelle mit dem Computer verbunden ist, dadurch wird es sehr schwierig mehrere Ausschnitte in verschiedenen Fenstern gleichzeitig anzusehen, da dazu mehrere Kameras und mehrere Schnittstellen notwendig wären. Zudem sind Mini-Dvs Kassetten, d. h. dass das Auffinden bestimmter Stellen nur möglich ist, wenn man den genauen Timecode kennt. Zudem ist das Hin- und Herspulen sehr zeitaufwändig. Um diese Probleme zu lösen, wurde das gesamte Datenmaterial auf einer Festplatte archiviert. Ich wählte dazu ein Programm aus, das es ermöglicht, die Aufnahmen eines Projekttermins in Clips geschnitten aufzubewahren. Dadurch ist es möglich, sehr schnell auf verschiedene Clips – auch aus verschiedenen Projektterminen – zuzugreifen.

Abbildung 5: Sreenshot des in Sequenzen geschnitten Filmmaterials

---

291 Diese Zahlen verdeutlichen, dass Programme wie MOViQ zwar einen Film in Einzelbilder übersetzen können, dies allein aber nur zu einer unbewältigbaren Menge an Bildern führt. Die entscheidende Frage, welche Sequenz einer Einzelbildanalyse unterzogen werden soll, kann MOViQ nicht beantworten.
292 Vgl. Strauss/Corbin 1999.

Das Schneiden der Clips erfolgte dabei unter Rückgriff auf die Memos der chronologischen Durchsicht und orientierte sich an der Frage, wann Rahmenwechsel zu beobachten waren. Durch dieses Vorgehen wurde der nächste Analyseschritt vorbereitet, in dem es galt, die als „strukturähnlich" identifizierten Rahmen weiter zu analysieren. Durch die Archivierung des Materials in dieser Form war es nun möglich, verschiedene Vorkommnisse eines Rahmens, also zum Beispiel Spiele, direkt miteinander zu vergleichen und in mehreren Fenstern auf demselben Bildschirm abzuspielen:

Abbildung 6: Screenshot eines Bildschirms, auf dem mehrere Sequenzen aus unterschiedlichen Projektterminen geöffnet sind

Dieser Analyseschritt wird von Dinkelaker und Herrle als „Segmentierungsanalyse" bezeichnet.[293] Das entstandene Archiv stellt – in Verbindung mit den Projektmemos – das „content log"[294] dar, das die weitere Feinanalyse möglich macht.

3.3 Angewendete Techniken der Datenanalyse

Nachdem das Videomaterial so vorbereitet ist, wird es möglich, bestimmte Sequenzen einer feineren Analyse zu unterziehen. Die Auswahl dieser Sequenzen orientiert sich dabei natürlich an den Forschungsfragen und den bisher formulierten Hypothesen. Im Folgenden werde ich darstellen, in welchen Formen ich Feinanalysen vorgenommen habe.

Um die Frage zu beantworten, welche Rahmen in einem Tanz- und Theaterprojekt mit Kindern wie aufgebaut werden, kann die Analyse von Ausschnitten aus denselben Rahmen die entscheidenden Hinweise liefern. Dies ist möglich, weil ich – wie mittlerweile schon mehrfach dargestellt – davon ausgehe, dass Rahmen nicht einfach „da" sind, sondern von den beteiligten AkteurInnen erzeugt, aufrechterhalten und beendet werden müssen. Die dafür notwendigen Handlungen sind wahrnehmbar, sie sind aufeinander bezogen und sie wiederholen sich. Zudem gilt, dass keine der beobachtbaren Handlungen als „sinnlos" aus der Analyse ausgeschlossen werden kann und dass ein besonderes Augenmerk auf „reparierende" Handlungen gelegt wird, die immer genau dann auftreten müssen, wenn sich die beteiligten AkteurInnen über den Rahmen im Unklaren sind.

Es hat sich zudem als sehr fruchtbar erwiesen, das Rahmendrehbuch der einzelnen Rahmen herauszuarbeiten – es lässt sich im Material sehen und damit auch zeigen, dass die fünf beschriebenen Phasen des Rahmendrehbuchs in den unterschiedlichen Rahmen unterschiedlich gestaltet werden. In Spielen zum Beispiel ist die Phase 2 (die Klärung, welche Interaktion begonnen werden soll) oft sehr lang, da Spielregeln erklärt und spielspezifische Vorbereitungen getroffen werden müssen, bei Proben reicht in vielen Fällen das Aussprechen von „das ist jetzt eine Probe".

Nach der Auswahl der zu analysierenden Sequenzen wendete ich verschiedene Methoden an, um eine Feinanalyse durchzuführen.

Verlangsamung und Beschleunigung

Zunächst bieten selbst einfache Videoschnittprogramme die Möglichkeit, das Material sehr langsam, aber auch sehr schnell anzusehen. Beide Verfremdungen helfen dabei, die immer wirksame DMI „auszuschalten". Die DMI führt nämlich dazu, dass ich das, was ich sehe, „sofort" verstehe. Durch die verlangsamte bzw. beschleunigte Durchsicht fällt die Aufmerksamkeit auf bis dahin unerkannte Phänomene.

---

293 Vgl. Dinkelaker/Herrle 2009, S. 54-63.
294 Mit diesem Begriff wird in der Tradition der „Interaction Analysis" eine Übersicht über das Material bezeichnet, vgl. Jordan/Henderson 1995, S. 43. In der Gesprächsanalyse wird so etwas als „Gesprächsinventar" bezeichnet, vgl. Deppermann 1999, S. 44.

Die verlangsamte Durchsicht zeigt vor allem die Bedeutung der Blicke, die in fast allen Interaktionen eine große Rolle spielen. Gerade die Aufnahme von Interaktionen und der Wechsel der Interaktionspartner werden über sehr schnelle Blickbewegungen organisiert, die erst in Zeitlupe analysierbar werden.

Die Durchsicht in einem Zeitraffer hingegen macht ein anderes Phänomen sichtbar: Die Körper der beteiligten AkteurInnen formen sich zu immer neuen „Raumchoreographien", keiner der Anwesenden positioniert sich „zufällig" im Raum, es gibt immer eine Ausrichtung der Körper, die den Interaktionsfokus der betreffenden Personen deutlich macht. Der Wechsel dieser Positionierungen vollzieht sich aber nie chaotisch, sondern immer in einer choreographierten Form (selbst wenn alle scheinbar wild durcheinander laufen). Eine Skizze aus der Vogelperspektive zeigt diese choreographierte Form:

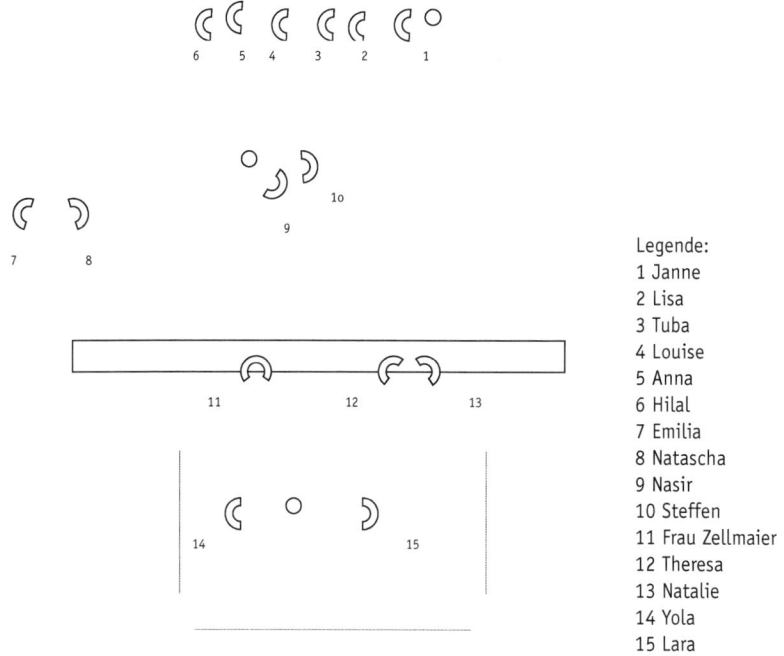

Legende:
1 Janne
2 Lisa
3 Tuba
4 Louise
5 Anna
6 Hilal
7 Emilia
8 Natascha
9 Nasir
10 Steffen
11 Frau Zellmaier
12 Theresa
13 Natalie
14 Yola
15 Lara

Diese Skizze zeigt eine Momentaufnahme aus einer Pause (siehe *Seq_76: Fünf Rahmen und ein Solo*). Die Zugehörigkeit der AkteurInnen zeigt sich in ihrer Körperausrichtung: Die Interaktionspartner, die in einen gemeinsamen Rahmen verstrickt sind, sehen sich an oder haben ihren Blick in dieselbe Richtung gerichtet.

Kombination von Bild und Text

Eine weitere Möglichkeit, das Material so umzugestalten, dass es analysierbar wird, liegt darin, das audiovisuelle Material mit einem Transkript anzureichern.

Diese Fokussierung, die ein Text möglich macht, ist ein wichtiger Schritt in der notwendigen Komplexitätsreduktion des Materials. Als Forscher kann ich entscheiden, welche der sichtbaren Handlungen ich in einen Text übernehmen möchte und welche ich beiseite lasse, weil sie – für die gerade bearbeitete Frage – keine Bedeutsamkeit haben.

Ein Beispiel: Nasir und Thomas bearbeiten eine ihnen übertragene Aufgabe. Auf dem Videoband hört man eine andere Gruppe immer wieder laut lachen. Sie singen, brechen ab, fangen wieder an zu singen. Wenn ich mir nun dieses Band unter der Fragestellung ansehe, wie Nasir und Thomas die Bearbeitung der Aufgabe organisieren, kann ich in einer Beschreibung die vielfältigen Hintergrundgeräusche ausblenden und nur die Interaktionen von Nasir und Thomas beschreiben. Erst an den Stellen, in denen auch Nasir und Thomas auf diese Hintergrundgeräusche reagieren – indem sie etwa ihr Gespräch unterbrechen und ihren Blick zur anderen Gruppe wenden – werden diese Handlungen auch wieder in die Beschreibung aufgenommen. Um diese Übertragung des Bildmaterials in einen Text zu gestalten, bieten sich verschiedene Computerprogramme an. Mit „annotation transcriber" ist es zum Beispiel möglich, Videomarken zu setzen (im Textfeld blau hinterlegt), die beim Anklicken die zugehörige Stelle im Monitorfenster (links) sichtbar machen. Zudem lassen sich durch drag&drop Stills in den Text einbauen.

Abbildung 7: Screenshot des Programms „annotation transcriber"

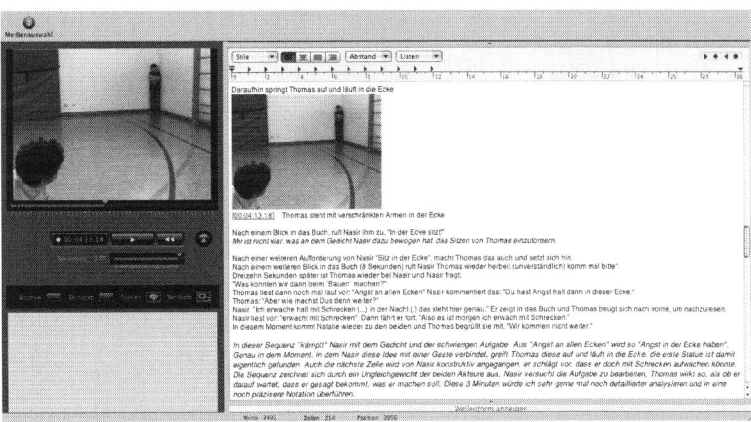

Diese Möglichkeiten sind zwar sehr reizvoll, verleiten aber auch dazu, sich doch wieder von der Fülle des Materials ablenken zu lassen. Ich orientierte mich daher bald wieder an der Idee des Bleistifts und begann, ausgewählte Sequenzen in einen Text zu übertragen, den ich in einem einfachen Textverarbeitungsprogramm erzeugte. Dabei ist es von entscheidender Bedeutung, welche Form von Text man in diesem Schritt produzieren will.

Sequenztranskripte – Ein Plädoyer für die Übersetzung von Videomaterial in Text

Es gibt in der Literatur zur Forschung mit audiovisuellem Material einen lange geführten Streit darüber, ob und wenn ja wie das Videomaterial in einen Text überführt werden sollte. Im Kontext dieser Arbeit hat sich die Übersetzung in einen Text als sehr fruchtbar erwiesen. Text hat dabei drei entscheidene Vorteile: Er ermöglicht die *Fokussierung* auf bestimmte Handlungen, die auf dem Videomaterial zu sehen sind, er erlaubt einen schnellen *Überblick* und er macht die *sequentielle Struktur* von Handlungen analysierbar. Wie ich gerade schon gezeigt habe, ist die Fokussierung auf bestimmte Ausschnitte des Materials sehr hilfreich, um die Komplexität des Materials zu reduzieren. Die Form eines Textes erlaubt es dann, einen Überblick über den Ausschnitt zu haben und es lässt sich die sequentielle Struktur analysieren. Die entscheidende Frage ist aber, welche Form diese Texte annehmen sollen.

Für diese Arbeit wurde eine Mischung aus einer Beschreibung der Handlungen und konversationsanalytisch orientierten Transkripten gewählt. Dadurch gewinnen die „Sequenztranskripte" die folgende Gestalt:

Sequenz 65: Hallo? – Du magst mich!

Ereignis: Probe_Räuber+Schüler   **Quelle:** AG_26.03.07   **Timeline:** 0:42-0:55

```
1    Louise, Elkie, Lisa und Magnus und Theresa stehen auf einem Teil der
2    Turnhalle, der durch Bandenelemente an drei Seiten vom Rest der Turn-
3    halle abgegrenzt ist. An der offenen Seite, etwa 3 Meter entfernt,
4    steht eine Turnhallenbank, auf dieser sitzen Emilia, Lara und Natascha.
5    Lisa, Elkie und Louise stehen mit ihren Gesichtern zur offenen Seite
6    der Bühne. Theresa steht links vor ihnen, halb zum Publikum und halb zu
7    ihnen gerichtet. Ihr gegenüber, ebenfalls halb zum Publikum und halb zu
8    Louise, Elkie und Lisa gerichtet, steht Magnus.
9       Theresa:   <<den Blick zu Magnus gerichtet> du bist der
10                 CHEF (.) du sagst (.) HEY (.) DU holst jetzt un-
11                 sere SCHÜLER
12      Magnus:    <<guckt mit verschränkten Armen Elkie an> DU
13                 HOLST SIE <<schlägt ihr auf die Brust>
14      Elkie:     <<weicht vom Schlag getroffen einen Schritt zu-
15                 rück> <<p> aua <<legt ihre beiden Hände auf die
16                 von Magnus getroffene Stelle und wendet ihren
17                 Blick zu Theresa>
18      Theresa:   nich ganz so grob (.) OKAY? <<legt ihren Arm auf
19                 Magnus Schulter>
20      Elkie:     <<blickt Magnus an> HALlo↑ du magst mich
21      Theresa:   SAGS ihr (.) du musst sie nicht anfassen (--)
22                 okay
```

Jedes Sequenztranskript bekommt zunächst einen Namen – in diesem Fall den Namen „Hallo? – Du magst mich!". In der darunterliegenden Zeile wird unter „Ereignis" der Name der geschnittenen Szene, aus der die Sequenz stammt, vermerkt. Zudem wird die Filmdatei genannt (AG_26.03.07) und die dazugehörige „Timeline". Durch diese Angaben ist es möglich, die zugehörige Filmsequenz jederzeit wieder aufzusuchen, um das Transkript bei Bedarf zu überprüfen oder noch genauer zu machen.

Der eigentliche Transkripttext besteht dann aus zwei verschiedenen Textformen. Zum einen habe ich sehr genaue Beschreibungen verfasst, die sich an CLIFFORD GEERTZS „Dichten Beschreibungen"[295] orientieren (im Beispiel hier die Zeilen 1-8) und zum anderen Transkriptteile verfasst (hier: Zeilen 9-17), die sich an den Transkriptionssystemen orientieren, die im Kontext der Konversationsanalyse entstanden sind.[296] Diese Kombination von Beschreibungstext und Transkript ist für das hier zu analysierende Material sehr sinnvoll, da die im Kontext der Konversationsanalyse entwickelten Transkriptionssysteme zwar sehr hilfreich sind, um gesprochene Sprache in einen Text zu übersetzen, die Möglichkeiten aber, auch nicht-sprachliche Handlungen aufzunehmen, sehr begrenzt sind. Da nicht-sprachliche Handlungen in einem Tanz- und Theaterprojekt aber große Bedeutung haben, kann nicht „einfach" auf die Beschreibungen dieser Handlungen verzichtet werden. Ein „Feinnotation", die auch möglich wäre – es gibt zum Beispiel eigene Notationssysteme für Gesten[297] – kann hier aber auch nicht zum Einsatz kommen, da eine so feine Notation wiederum den entscheidenden Nachteil hat, selbst so komplex zu werden, dass eine Übersicht über das Geschehen kaum mehr möglich ist. Ich habe mich daher entschieden, Beschreibungen in Anlehnung an die „Dichten Beschreibungen" in die Sequenztranskripte mit einzufügen.

Die Form dieser Beschreibungen muss allerdings gründlich überlegt werden: Am schon öfter zitierten Beispiel des „Meldens" lässt sich das Problem gut sichtbar machen. Angenommen man sieht auf dem Videomaterial, dass eine der anwesenden AkteurInnen während eines Gesprächskreises den Finger in die Höhe streckt – kann dies im Beschreibungstext einfach als „Melden" beschrieben werden? Da es mir in dieser Arbeit ja auch um die Frage geht, wie Rahmen aufgebaut werden, muss eine Beschreibung nicht nur die Bedeutung, sondern auch den Vollzug einer Handlung darstellen. „Melden" allein reicht also nicht aus, ich muss beschreiben, dass eine der AkteurInnen den Finger hebt. Diese Form der Beschreibung kann aber zu einem großen Problem werden, da eine bloße und sehr ausführliche Beschreibung der Handlungen, die bewusst deren Sinn „ausblendet", zu sehr merkwürdigen Texten führt:

„Carlos schaut zur Kamera, überblickt den Raum, wendet seinen Blick zur Tafel. Emin verfolgt das Geschehen ihm gegenüber an der Fensterfront und beginnt mit dem Stuhl zu schaukeln.

Ömer geht zum mittleren Tisch an der Fensterseite und ruft: ;Andy', greift einen Stift von dessen Platz, schaut darauf, dreht ihn in den Händen, Nasir kommt hinzu, blättert kurz mit schneller Bewegung in einem Heft, das auf dem Tischplatz von

---

295 GEERTZ 1995.
296 Die Transkripte orientieren sich an den Konventionen des „Gesprächsanalytischen Transkriptionssystems (GAT)", die auch im Anhang zu finden sind. Eine ausführliche Darstellung und Begründung von GAT findet sich zum Beispiel in: SELTING 1998.
297 Vgl. DINKELAKER/HERRLE 2009, S. 36.

Andy liegt. Ömer legt den Stift zurück, setzt sich auf den vorderen Tisch an der Fensterseite mit Blickrichtung zum mittleren Tisch, Nasir setzt sich daneben.
Hamid geht an der Kamera Richtung Garderobe vorbei, die Jacke in der Hand haltend."[298]

MONIKA WAGNER-WILLI nennt diese Texte „vorikonographische Texte", mit denen sie versucht, das Wissen um die Bedeutung der Handlungen auszublenden und die „bloße" Handlung zu beschreiben. Sie unternimmt diesen Versuch, um dem „wie" auf die Spur zu kommen und die eigene DMI bewusst auszuschalten. Dadurch entstehen aber Beschreibungen, die für die LeserIn „dünn" sind – man versteht nicht mehr, was da eigentlich passiert. CLIFFORD GEERTZ hat sich mit diesem Problem in seinem berühmt gewordenen Buch „Dichte Beschreibung: Beiträge zum Verstehen kultureller Systeme"[299] auseinandergesetzt und dafür argumentiert, dass Beschreibungen in genau diesem Sinne „dicht" sein müssen, dass sie die Bedeutung des Geschehen miterklären, sonst sind sie unverständlich oder langweilig. Die Beschreibungen, die ich in meine Sequenzen einbaue, versuchen nun einen Mittelweg zu gehen: Ich beschreibe nicht „einfach" alles, was ich verstehe, sondern ich orientiere mich an der Idee der vorikonographischen Beschreibung, versuche aber nicht alle Details unterschiedslos aufzulisten, sondern nur die, die mir die entscheidenden Hinweise geben, wie diese Handlungen zu verstehen sind. Ich nehme daher sehr oft die Körperausrichtungen und die Blicke in diese Beschreibungen auf – erwähne aber zum Beispiel meist nicht, welche Pullover die Handelnden tragen.

Mit Hilfe dieser Sequenztranskripte können die gestellten Forschungsfragen bearbeitet werden: Durch Sequenzvergleiche ist es möglich, die Zahl der Rahmen und die Art der Etablierung, Aufrechterhaltung und Beendigung zu bestimmen und der Frage nachzugehen, welche differenz- bzw. egalitäterzeugende Praktiken als rahmentypisch anzusehen sind. Auch hier orientierte ich mich an einer Idee der Grounded Theory und arbeitete mit Fällen minimalen und maximalen Kontrasts.

---

[298] WAGNER-WILLI 2005, S. 276.
[299] GEERTZ 1995.

4 Datendarstellung als spezifisches Problem der Videographie

Bedauerlicherweise wird der Frage nach der Darstellung der Forschungsergebnisse videographischer Analysen oft wenig Bedeutung beigemessen. Dinkelaker und Herrle zum Beispiel widmen dieser Frage im schon erwähnten Einführungsband zur erziehungswissenschaftlichen Videographie nur eine knappe Seite.[300] Hier geht es dann, wie in vielen anderen Texten auch, um technische und rechtliche Fragen der Veröffentlichung von Bildern bzw. Filmausschnitten. Es wird dabei nicht die Frage gestellt, ob eine Veröffentlichung von Bildmaterial überhaupt sinnvoll ist. Ich werde im Folgenden zeigen, dass nicht nur technische und rechtliche, sondern auch funktionale Gründe gegen die Veröffentlichung von Bildern bzw. Filmausschnitten sprechen.

Das Problem der technischen Umsetzung
Die meisten Forschungsergebnisse werden nach wie vor in Papierform veröffentlicht: Zeitschriftenartikel, Monographien, Qualifikationsarbeiten. Filme lassen sich in diese Publikationen kaum einbauen (außer als DVD-Beigaben, was Bücher aber sehr teuer werden lässt), daher wird oft mit „Stills", also mit aus dem Film erzeugten Bildfolgen gearbeitet. Das Problem an diesen Stills ist nun meist, dass sie sehr schlecht aufgelöst, nicht selten nur in schwarz-weiß und sehr klein veröffentlicht werden.[301] Auf den Bildern ist nicht viel zu sehen und sie sind zudem ästhetisch abschreckend. Sie dienen so in fast allen Fällen nur zur Illustration – die aber aufgrund der schlechten Qualität nicht überzeugt. Ein weiteres Problem ist, dass Stills nur den vierundzwanzigsten Teil einer Sekunde repräsentieren und erst in der Darstellung einer längeren Folge Aussagekraft gewinnen. Dies führt dann aber dazu, dass die Darstellung der Stills sehr viel Raum erfordert und nur wenige Sekunden abgebildet werden können.

In einigen Fällen wählen die ForscherInnen daher den Weg, Bilder und Filme online zur Verfügung zu stellen.[302] Dies ist nun aber wiederum mit einigen forschungsethischen Fragezeichen versehen.

Das forschungsethische Problem
Die Anonymisierung von Namen in Transkripten stellt kein Problem dar, man tauscht einfach die Namen aus und die Anonymisierung ist gegeben. Bei der Veröffentlichung von Bildmaterial ist dieses Problem sehr viel schwieriger zu lösen. In manchen Fällen wird eine Unkenntlichmachung der Gesichter eingesetzt. Dies erhöht allerdings die ästhetische Unattraktivität und stellt die Sinnhaftigkeit der Veröffentlichung erneut in Frage, da ja ein sehr wichtiger Kommunikationskanal auf dem Bild nicht mehr zu sehen

---

300 Dinkelaker/Herrle 2009, S. 123f.
301 Ein rühmliche Ausnahme stellt hier Bohnsack 2009 dar.
302 Michael Hecht wählt diesen Weg, unter www.selbsttaetigkeit-im-unterricht.de sind Filmsequenzen zu finden.

ist.[303] Daher wird normalerweise auf eine Unkenntlichmachung der Gesichter verzichtet und die Filmausschnitte werden nicht anonymisiert veröffentlicht. Dieses Vorgehen macht natürlich eine gesonderte Einverständniserklärung der betreffenden Personen notwendig. Doch selbst wenn diese gegeben wird, halte ich das Veröffentlichen von Bildern oder Filmen für sehr problematisch. Durch die technische Entwicklung der Kopier- und Veröffentlichungsmöglichkeiten ist Material, das einmal als Bild- oder Filmmaterial veröffentlicht wurde, nicht mehr zu kontrollieren. Da mittlerweile auch die Möglichkeiten der automatischen Gesichtserkennung genutzt werden, kann nicht einmal mehr darauf vertraut werden, dass diese Aufnahmen „in den Tiefen des Netzes" versinken – wer nach Aufnahmen einer Person fahndet, wird durch diese neuen Softwareprogramme das Bildmaterial finden – auch noch viele Jahre nach Veröffentlichung. Allein diese Probleme lassen es mir unmöglich erscheinen, Bildmaterial in dieser Arbeit mitzuveröffentlichen oder im Internet zugänglich zu machen.

Das funktionale Problem
Doch selbst wenn sich diese technischen und forschungsethischen Probleme lösen ließen, erschiene mir eine Veröffentlichung von Bildmaterial im Kontext dieser Arbeit immer noch als problematisch. Die Veröffentlichung von Bildern – und dies gilt noch mehr für Filme – ist nämlich noch mit anderen, bisher nicht diskutierten Schwierigkeiten verbunden. Ein Text erlaubt es mir, die Aufmerksamkeit meiner LeserIn auf das zu lenken, was ich für sinnvoll und wichtig erachte. Bilder und insbesondere Filmmaterial erlauben es mir nicht, den Blick der BetrachterIn zu lenken. Dies führt dazu, dass eine BetrachterIn sehr viele Dinge im Film wahrnimmt, die nichts mit der von mir „geplanten" Perspektive zu tun haben müssen. Eine BetrachterIn achtet auf die Farbe des Pullis eines Teilnehmers (weil sie an den Pulli ihres Sohnes erinnert wird), eine andere ist an der Farbe der Turnhallenwände interessiert (weil sie die Farbe an ihre eigene Schulzeit erinnert) und eine dritte stellt sich die Frage, wie viele der beteiligten AkteurInnen wohl einen Migrationshintergrund haben (weil sie gerade an einem Text über die Bildungsbenachteiligung von MigrantInnen arbeitet). Schon ein kurzer Ausschnitt von wenigen Minuten lässt Dutzende von Perspektiven zu, die die BetrachterInnen auch kaum „ausschalten" können. Eine Lösung für dieses Problem stellen geschnittene Filme dar, in denen – wie es ja in allen produzierten Filmen geschieht – die Aufmerksamkeit der ZuschauerInnen ebenfalls gelenkt wird. Ein sehr interessanter Versuch, solche geschnittenen Filme zu produzieren findet sich in der DVD „Handwerk des Lernens" von Elisabeth Mohn.[304] Hier versucht Mohn durch geschnittene Filme bestimmte Phänomene für die ZuschauerInnen visuell sichtbar zu machen. Dennoch bleibt auch hier ein Überreichtum an Bildern, eine wirkliche Analyse des Sichtbaren findet nicht statt, da Mohn zwar Analysetexte in die DVD mit eingebaut hat, diese allerdings sehr kurz sind und mehr „Sichtanregungen" als Analysen darstellen.

Die von Mehan zu Recht geforderte „Retrievability of data" kann so paradoxerweise gerade nicht durch die Beigabe von Bildmaterial gewährleistet werden. Ich wähle daher für diese Arbeit einen anderen Weg und veröffentliche die wichtigsten der

---

303 Ein abschreckendes Beispiel stellt Dinkelaker/Herrle 2009 dar.
304 Mohn/Wiesemann 2007.

vom mir zur Analyse genutzten Sequenztranskripte. So wird es möglich, die erzielten Ergebnisse nicht einfach nur zu behaupten, sondern ihre Gültigkeit am Material zu zeigen. Die Sequenztranskripte sind dabei bewusst so reichhaltig, dass auch andere Interpretationen möglich bleiben.

Teil III:
Rahmenanalysen der Lernkultur

"Not, then, men and their moments. Rather moments and their men."[305]

Die nun folgenden Rahmenanalysen haben das Ziel, die Rahmen, die in den Videoaufnahmen einer Projektgruppe beobachtbar waren, darzustellen und zu zeigen, welche differenz- bzw. egalitäterzeugenden Praktiken mit diesen Rahmen verbunden waren. Die einzelnen Rahmenanalysen sind dabei als Fallstudien zu verstehen. Die „Fälle" sind aber nicht einzelne AkteurInnen, sondern die „Situationen", bzw. genauer gesagt, die einzelnen Rahmen. Ich konzentriere mich dabei auf die Analyse der Videoaufnahmen einer Projektgruppe, um so eine umfassende Analyse aller Rahmen möglich zu machen und im zusammenfassenden Kapitel dieser Rahmenanalysen (III/11) eine Übersicht über die Lernkultur dieser einen Projektgruppe geben zu können.

Es handelt sich bei den analysierten Videoaufnahmen um Material, das im Kontext des „Praxisforschungsprojekt: Leben lernen" (siehe hierzu I/3) entstanden ist. Die Aufnahmen umfassen 27 reguläre Projekttermine zu je 90 Minuten. Zusätzlich gab es drei Probenvormittage, die Generalprobe und zwei Abschlussaufführungen. Das Videomaterial umfasst einen Korpus von knapp 80 Zeitstunden.

Das Projekt begann im November 2006 (sechs Wochen nach Beginn des neuen Schuljahres) und endete im Juli 2007 kurz vor den Sommerferien. Es fand nachmittags an einer Grundschule unter dem Namen „Tanz- und Theater-AG" statt und konnte von allen Dritt- und Viertklässlern als zusätzliches, kostenfreies Angebot genutzt werden. Es nahmen zunächst zwölf Mädchen und drei Jungen am Projekt teil, mit dem vierten Projekttermin kam noch ein Junge und Mädchen dazu und nach neun bzw. zehn Projektterminen meldeten sich ein Junge und ein Mädchen wieder ab. Die Gruppe wurde von der Theaterpädagogin Theresa[306] und der Tanzpädagogin Natalie sowie einer Lehrerin der Schule (Frau Zellmaier) begleitet. Zur besseren Orientierung in den einzelnen Rahmenanalysen folgen hier die Namen der TeilnehmerInnen mit den Namen, mit denen sie als Figuren im Stück auftraten:

	TeilnehmerInnen	Spielname
1	Anna	Lissy
2	Elkie	Mogy
3	Emilia	Jacqueline
4	Hilal	Lale
5	Janina	---
6	Janne	Mira
7	Lara	Mandy
8	Lisa	Mauren
9	Louise	Mary

---

305 Goffman 1967, S. 3.
306 Alle Namen sind geändert. Ich verwende für diese veränderten Namen aber Vornamen für die Anleiterinnen und die TeilnehmerInnen und einen Nachnamen für die Lehrerin, da die beiden Anleiterinnen und die TeilnehmerInnen sich mit den Vornamen ansprachen, die Lehrerin aber mit dem Nachnamen: Da auch das eine Differenz markiert, habe ich dies bei der Verwendung der anonymisierten Namen beibehalten.

Rahmenanalysen der Lernkultur

10	Maria	Christin
11	Magnus	Checko
12	Natascha	Jessy
13	Nasir	Kevin
14	Steffen	---
15	Thomas	Nico
16	Tuba	Luna
17	Yola	Sally

Die Rahmenanalyse der Lernkultur gliedert sich in neun Fallstudien und einen Exkurs:

Zunächst wende ich mich dem *Anfangs- und Abschlussritual* zu (III/1). Diese Rituale stellen die Anfangs- und Schlussklammer der Projektarbeit dar und lassen sich als eine besondere Form der „Aufführung" analysieren, bei der es keine ZuschauerInnen gibt. Der Aufführungscharakter besteht darin, dass es einen choreographierten Ablauf der Handlungen gibt, an dem sich alle beteiligen müssen, damit die Durchführung gelingen kann. Die Koordination der Handlungen liegt während der Durchführung nicht mehr bei den AnleiterInnen, sondern muss von allen beteiligten AkteurInnen geleistet werden.

In der zweiten Fallstudie analysiere ich die verschiedenen *Spiele*, die im Projektverlauf gespielt wurden (III/2). Dabei werde ich zunächst deutlich machen, welche besonderen Merkmale den Rahmen von Spielen auszeichnen und weshalb sie von anderen Rahmen, wie Übungen, unterschieden werden können. Wichtigstes Merkmal von Spielen ist, dass vor dem eigentlichen Spiel die Regeln des Spiels vereinbart werden. Durch diese explizite Formulierung der Regeln ist es möglich, in Spielen die unterschiedlichsten Interaktionen – auch solche, die sehr weit von alltäglichen Interaktionen entfernt sind – zwischen den SpielerInnen möglich zu machen. Um die Vielzahl der gespielten Spiele, die alle als eigener Rahmen zu verstehen sind, besser analysieren zu können, unterscheide ich die Spiele nach dem Spielprinzip, das sie auszeichnet. So wird es möglich, Gruppen von Spielen zusammenzufassen und die spezifischen differenz- bzw. egalitätserzeugenden Praktiken zu beschreiben. Zunächst werde ich auf die „Communitas-Spiele" eingehen, dann auf die „Illinx-Spiele" und schließlich auf die Gruppe der „Mimicry-Spiele". Es wird sich zeigen, dass die Spiele der jeweiligen Gruppen mit sehr unterschiedlichen differenz- bzw. egalitätserzeugenden Praktiken verbunden sind und somit vielfältige nicht-alltägliche Interaktionen ermöglichen.

Im Anschluss an diese Fallstudie wird in einem *Exkurs* auf die *Bedeutung der natioethnokulturellen Mitgliedschaft* der AkteurInnen eingegangen (III/3). Dieser Exkurs ist notwendig, um die wenigen Sequenzen, in denen diese Mitgliedschaft bedeutsam wurde, gemeinsam analysieren zu können. Es wird sich zeigen, dass eine kritische Reflexion der Unterscheidung von natioethnokultureller Mitgliedschaft in diesem Projekt nicht stattfindet und auch die Inszenierung dieser Mitgliedschaften auf der Bühne traditionellen Ordnungsmustern von „Wir" und „nicht-Wir" verhaftet bleibt.

Die nächste Fallstudie wendet sich *Übungen* zu (III/4), die sich von Spielen vor allem dadurch unterscheiden, dass die geltenden Regeln beständig von den AnleiterInnen modifiziert werden können. Die AnleiterInnen verfügen in Übungen – im Unterschied zu Spielen – über Handlungsrechte, die es ihnen ermöglichen, Regeln zu verändern, abweichendes Verhalten zu sanktionieren und regelkonformes Verhalten zu loben. Mit diesen Handlungsrechten ausgestattet haben die AnleiterInnen auch in Übungen die Möglichkeit, nicht-alltägliche Formen der Interaktion zu initiieren. Da auch die Anzahl der durchgeführten Übungen hoch ist, können auch in dieser Fallstudie nicht alle Übungen als einzelne Rahmen analysiert werden (was möglich und interessant wäre). Zur Analyse unterscheide ich verschiedene Phasen von Übungen, je nachdem, wieviele AkteurInnen einen gemeinsamen Interaktionsfokus aufbauen. So lassen sich Solo-Phasen von Phasen unterscheiden, die in Paaren oder Kleingruppen durchgeführt werden. Die vierte Organisationsform stellen Phasen der Zentralen Fokussierung dar. Genauere Analysen unternehme ich für die Solo-Phasen und die Phasen der Zentralen Fokussierung, da sich hier sehr ungewöhnliche differenz- bzw. egalitäterzeugende Praktiken beobachten lassen. In den Solo-Phasen versuchen die AnleiterInnen, die Aufmerksamkeit der TeilnehmerInnen nur auf die Handlungen der je eigenen Person zu lenken. Dazu müssen sie die alltäglichen differenzerzeugenden Praktiken des Blickens und Sprechens sanktionieren. In Phasen der Zentralen Fokussierung hingegen gewinnt die Unterscheidung von Präsentierenden und Zuschauenden die entscheidende Bedeutung.

Im fünften Kapitel gehe ich auf *Gestaltungsaufgaben* ein (III/5), in denen die TeilnehmerInnen in Kleingruppen Aufgaben bearbeiten sollten. Diese Situationen sind deshalb von besonderem Interesse, da die TeilnehmerInnen die für die Aufgabenbearbeitung notwendigen Rahmen selbst aufbauen müssen. Es lassen sich vier verschiedene Handlungsstrategien unterscheiden: Kommandieren, Regie führen, Planen, Spielen. Als besonders ertragreich erweist sich die Strategie des Spielens, bei der die AkteurInnen die Gestaltung ihrer Szene nicht planen, sondern im Spiel gemeinsam entwickeln. Hier scheint eine Differenz zwischen „SpielerInnen" und den von ihnen gespielten „Figuren" auf, die in Proben und Aufführungen zur zentralen Differenz wird.

In der Fallstudie *Tanzrahmen* (III/6) vergleiche ich zwei verschiedene Formen des Tanzens: den „Chace-Kreis" und „HipHop-Choreographien". Es zeigt sich, dass der Chace-Kreis eine egalitäterzeugende Wirkung hat, in den Hiphop-Choreographien aber die Differenz von „Können/Nicht-Können" eine so große Rolle spielt, dass einige der TeilnehmerInnen, insbesondere zwei Jungen, nicht mehr oder nur noch parodierend am Tanz teilnehmen, da sie fürchten, für ihr vermeintlich dilettantisches Können ausgelacht zu werden.

Die Fallstudie *Gesprächsrahmen* wendet sich den Gesprächssituationen zu, in denen das Gespräch im Zentrum der Interaktionen steht (III/7). Da auch hier eine große Zahl an verschiedenen Gesprächssituationen zu beobachten war, beschränkt sich die Fallstudie auf die Analyse von zwei Gesprächsrahmen, „Geschichtenentwicklungsgespräche" und „Feedbackgespräche." Die Geschichtentwicklungsgespräche wurden zur Analyse ausgewählt, da sie eine zentrale Funktion im Projektverlauf haben: Sie dienen dazu, die vorhandenen Ideen zu einer schlüssigen Geschichte zusammenzufügen.[307] Die Feedbackgespräche hingegen wurden in die Analyse miteinbezogen, weil diese Gesprächsform darauf abzielt, einen Dialog unter Gleichberechtigten zu ermöglichen.

---

307 Da in diesem Projekt mit dem Grundsatz des „Devising Theatres" gearbeitet wurde, gab es kein fertiges Stück, das inszeniert werden sollte. Es galt vielmehr, das Stück gemeinsam zu entwickeln.

Die Fallstudie wird zeigen, dass es den AnleiterInnen in den Geschichtenentwicklungsgesprächen durch den Einsatz spezifischer egalitäterzeugender Praktiken gelungen ist, die Beteiligung aller TeilnehmerInnen am Gespräch möglich zu machen. In den Feedbackgesprächen hingegen entstehen in fast allen Fällen Vorwurfs- und Rechtfertigungsdialoge. Es gelingt den AnleiterInnen nicht, ihre AnleiterInnenrechte so einzusetzen, dass ein partnerschaftlicher Dialog entsteht.

In der siebten Rahmenanalyse, die mit *Proben* den quantitativ bedeutsamsten Rahmen analysiert, werden drei verschiedene Formen von Proben dargestellt (III/8). Die Unterscheidung von „Entwicklungsproben", „Arbeit-an-der-Form-Proben" und „Durchläufen" ist notwendig, um die spezifischen Handlungsrechte von AnleiterInnen bzw. TeilnehmerInnen, die mit den drei Formen verbunden sind, beschreiben zu können. Die gemeinsame Probenarbeit zielt darauf, dass die TeilnehmerInnen, die als SpielerInnen auf der Bühne agieren, ihre Interaktionen so koordinieren, dass sie nicht mehr auf eine AnleiterIn angewiesen sind. Auf dem Weg zu diesem Ziel haben die AnleiterInnen aber in den „Arbeit-an-der-Form"-Proben sehr große Handlungsrechte. Mit diesen Handlungsrechten ist es den AnleiterInnen möglich, die für die theatrale Inszenierung entscheidende Differenz von SpielerInnen und ihren Figuren einzuführen und die TeilnehmerInnen damit vertraut zu machen.

Das Verhältnis von AnleiterInnen und TeilnehmerInnen ist das zentrale Thema der sich daran anschließenden Fallstudie *Rahmenwechsel, Pausen, Atelierphasen"* (III/9). Zunächst werde ich zeigen, dass den AnleiterInnen zu Beginn der Projektarbeit das Recht zukommt, Rahmenwechsel zu organisieren. Im Verlauf der gemeinsamen Arbeit wird dieses Recht aber mehr und mehr auch auf die TeilnehmerInnen übertragen. Eine Analyse der Pausensequenzen zeigt, dass die TeilnehmerInnen zu Beginn des Projekts mit Aktivitäten beschäftigt sind, die auch in anderen ethnographischen Arbeiten beschrieben wurden: „Flanieren", „Spielen" und „territoriale Überschreitungen". Im Verlauf des Projekts ließ sich beobachten, dass zunehmend auch Projektaktivitäten in der Pausenzeit durchgeführt wurden und die einzelnen Gruppen nicht mehr zur gleichen Zeit Pause machten, sondern jeweils dann, wenn es die Arbeit am Stück möglich machte. Es entstanden multi-zentrierte Rahmen, in denen von den Gruppen verschiedene Aufgaben bearbeiteten wurden, ohne dass in allen Gruppen eine AnleiterIn anwesend war. Diese Phasen bezeichne ich als „Atelierphasen".

In der neunten Fallstudie werden die *Präsentationsrahmen* des Projekts untersucht (III/10). Auch hier ist eine weitere Differenzierung notwendig: Es lassen sich Präsentationssituationen in verschiedenen Rahmen von Aufführungen unterscheiden. Das kennzeichnende Merkmal von Präsentationssituationen ist die Differenzierung in Präsentierende und ZuschauerInnen. Diese kann kurz und schnell wechselnd erfolgen (daher ist es grundsätzlich in vielen Rahmen möglich, Präsentationssituationen zu gestalten) oder durch Artefakte verstegigt werden: Bei Aufführungen gibt es in der Regel klar abgegrenzte Räume für Präsentierende und ZuschauerInnen, eine räumliche Positionierung der AkteurInnen, die die Differenz unterstützt und (Licht-)Technik, die den Aufmerksamkeitsfokus auf das Bühnengeschehen lenkt. Auf der Bühne sind die AkteurInnen „doppelt" anwesend: als SpielerInnen und als die von ihnen gespielten Figuren. Um die angestrebte Illusion für die ZuschauerInnen, einem Stück Wirklichkeit beizuwohnen, möglich zu machen, müssen die AkteurInnen so handeln, dass sie nur als Figuren und nicht als SpielerInnen sichtbar werden. Die Koordinationsleistungen, die notwendig sind, um den vereinbarten Ablauf des Stücks durchzuführen, müssen von den SpielerInnen geleistet werden, allerdings so, dass sie nicht sichtbar sind. Dies bedeutet, dass die AkteurInnen ihre Figuren und die unterschiedlichen Beziehungen zwischen diesen Figuren zur Darstellung bringen müssen und zugleich als SpielerInnen gemeinsam die Verantwortung für das Gelingen des Stücks, d. h. für die Aufrechterhaltung der angestrebten Illusion, tragen.

Im abschließenden elften Kapitel fasse ich die *Ergebnisse* der vorangegangenen Rahmenanalysen zusammen (III/11).

„Das heißt, Riten sind bereits soziale Handlungen und zugleich (re)konstituiert sich in ihnen das Soziale, indem ‚bestimmte Geisteszustände' aktualisiert werden."[308]

1   Das Anfangs- und Abschlussritual

Zu Beginn der nun folgenden Rahmenanalysen ist es sinnvoll, sich den „Anfangs- und Schlussklammern" des Projektes zuzuwenden. GOFFMAN verwendet diese Begriffe, um deutlich zu machen, dass einzelne Rahmen oft von einer sie umgebenden sozialen Welt abgegrenzt werden – gerade dann, wenn es sich um „kollektiv organisierte soziale Aktivitäten"[309] handelt. Im Falle der hier untersuchten Lernkultur wurden „Anfangsrituale" und „Abschlussrituale" als Anfangs- und Schlussklammern des Projektes eingesetzt. Diese Bezeichnungen sind dabei ein native code, d. h. dass die Formen des gemeinsamen Handelns zum Beginn und zum Schluss der gemeinsamen Arbeit als „Anfangsritual" (auch als „Begrüßungsritual") bzw. als „Abschlussritual" bezeichnet wurden. Jeder der Projekttermine wurde mit der Durchführung des Anfangsrituals begonnen und die allermeisten (außer die Abschlussaufführungen) mit der Durchführung des Abschlussrituals beendet. Bevor ich im Folgenden auf die Beschreibung und Analyse dieser Rituale zu sprechen komme, lohnt sich, zuerst noch einmal auf die Bedeutung von Anfangs- und Schlussklammern einzugehen. GOFFMAN macht nämlich deutlich, dass diese als Grenzzeichen zu deuten sind, die den beteiligten AkteurInnen klar machen sollen, dass ein bestimmter Rahmen beginnt bzw. endet. Dabei ist es eine Frage der Perspektive, ob etwas als „innere" oder „äußere Klammer" angesehen wird.[310] GOFFMAN gibt hier das Beispiel der Begrüßung bzw. Verabschiedung am Anfang bzw. am Ende eines Tages im Büro. Aus der Perspektive eines Tages heraus sind das die äußeren Klammern, nimmt man eine Perspektive ein, die sich dem Verlauf eines Projektes zuwendet, das zum Beispiel ein Jahr dauert, dann sind das innere Klammern, die innerhalb einer größeren Rahmung stattfinden. Gleiches gilt nun auch für die hier zu untersuchenden Anfangs- und Abschlussrituale: Aus der Perspektive eines Projekttermins stellen sie die äußeren Klammern dar, aus der Perspektive des gesamten einjährigen Projektes innere Klammern, die die einzelnen Episoden der Gesamtrahmung voneinander abgrenzen.

Von besonderem Interesse ist hier die spezifische Form der Anfangs- und Abschlussrituale. Grundsätzlich gilt nämlich, dass „jedes" Zeichen zur Markierung von Anfang und Schluss eingesetzt werden könnte: In der Schule etwa der Gong, beim Fußballspiel der Pfiff oder auch in Gesprächen ein „Okay". Im Fall des hier untersuchten Projektes nahmen das Anfangs- und Abschlussritual komplexe Formen an, die als „Aufführungen ohne ZuschauerInnen" beschrieben werden können. Oder um noch genauer zu sein, als „Aufführungen, bei denen AkteurInnen und ZuschauerInnen dieselben Personen sind".

Die folgende Sequenz stammt aus dem zweiten Projekttermin und macht deutlich, welche Form von Anfangsritual von den Anleiterinnen gewählt wurde:

---
308 WAGNER-WILLI 2005, S. 26.
309 GOFFMAN 1977a, S. 278.
310 Vgl. hier und zum Folgenden: GOFFMAN 1977a, S. 288 f.

Sequenz 1: Das Anfangsritual geht so

Ereignis: Anfangsritual **Quelle:** AG_13.11.06 **Timeline:** 1:48-3:41

```
1   Alle anwesenden AkteurInnen stehen gemeinsam im Kreis, den Blick einan-
2   der zugewendet und sich an den Händen haltend
3       Theresa: das äh anfangsritual funktioniert so <<acc> ich
4                erklärs euch noch einmal (.) <<p> HILAL ich er-
5                klärs der maria dann musst dus ihr nicht erklä-
6                ren (.) okay↑ (.) ähm (-) wir stampfen also ich
7                fang jetzt an in dem fall (.) so (.) eins (--)
8                zwei <<stampft dabei erst mit dem rechten, dann
9                mit dem linken Fuss auf> auf den boden zu stamp-
10               fen
11      Anna:    [<<stampft ebenfalls mit jedem Bein einmal>]
12      Theresa: [da machen wir heute=]
13
14      Lara:    [<<stampft ebenfalls mit jedem Bein einmal>]
15      Theresa:      [= links herum=]
16
17      Yola:    [<<stampft ebenfalls mit jedem Bein einmal>]
18      Theresa: [=also erst die anna] und dann und so weiter und
19               so fort (.) jeder macht das dann mal
20      ?:       <<lachen>
21      Theresa: ABER (.) wir machen schon ne schwierigkeit (.)
22               vom letzten Mal (.) ne steigerung (.) wenn
23               ich=ich geb euch nen rhythmus vor (.) es ist ja
24               ein unterschied ob ich so mach <<stampft mit ih-
25               ren beiden Füssen sehr schnell hintereinander
26               auf> oder so <<sie stampft wieder, diesmal aber
27               mit einer deutlich längeren Pause zwischen den
28               beiden Stampfern>
29      Janina:  [<<stampft mit sehr kurzem Abstand>]
30      Theresa: [das ist ja unterschiedlich schnell] ihr müssts
31               genauso machen wies ich mach (.) vom tempo her
32               genau in dem gleichen rhythmus
33  Emila, Janina, Yola, Steffen (die nicht nebeneinander, sondern verteilt
34  im Kreis stehen) stampfen im Folgenden während Theresa spricht mit sehr
35  kurzem Abstand, Emila und Steffen machen das dabei öfter und es gibt
36  keine Koordination dieses Stampfens.
37      Theresa: versteht ihr was ich mein↑ (.) also nicht das
38               einer schneller und einer langsamer sondern ge-
39               nau in dem rhythmus (--) okay↑ (-) gut also ich
40               fang an (.) also des was wir jetzt machen zählt
41               (.) das vorher war nur ein beispiel (-) also
42               dann geht das rum und wenns dreimal rum ist dann
43               machen wir ein gemeinsames HALLO (-) okay?
44      (2)
45      Theresa: <<stampft zweimal>
46      Anna:    <<stampft zweimal>
47  Alle anderen stampfen ebenfalls in der Reihenfolge wie sie stehen zwei-
48  mal im selben Rhythmus wie Theresa auf, das machen sie drei Runden
49  lang, während dieser Zeit ist nichts anderes zu hören als dieses durch-
50  laufende Stampfen - ausser in der dritten Runde, in der von Theresa ein
51  sehr schneller Rhythmus vorgegeben wird, hier ist an zwei Stellen ein
52  kurzen Auflachen zu hören. Als es nach der dritten Runde wieder bei
53  Theresa ankommt, gehen alle in die Knie und werfen dann mit einem ge-
54  meinsamen "Hallo" die Arme in die Höhe.
55      Theresa:  SEHR SCHÖN (.) super gemacht;
56  Nach und nach lassen die AkteurInnen die Hände ihrer Nachbarn los.
```

Theresa, die Theaterpädagogin, nimmt hier zunächst eine exponierte Stellung ein. Sie ist es, die den anderen AkteurInnen den Ablauf des Anfangsrituals erklärt, das Zeichen für die Durchführung gibt und nach dem Ende die AkteurInnen für ihre Handlungen lobt. Sie macht damit sehr deutlich, dass sie in der Vorbereitung des Anfangsrituals die Anleiterin ist, die den anderen sagen kann, was sie zu tun haben. Sichtbar wird das in den Zeilen 4-6, in denen sie Hilal erklärt, dass nicht Hilal, sondern Theresa selbst den Ablauf des Rituals erklären will. Diese Ablauferklärung stellt dabei den ersten Teil dieser Sequenz dar, der noch nicht zum eigentlichen Anfangsritual zählt, sondern die Funktion hat, koordiniertes Verhalten aller AkteurInnen vorzubereiten. Das erste Stampfen von Theresa (Z. 8-9) wird von den drei AkteurInnen, die neben Theresa stehen aufgegriffen, das zweite Stampfen und dritte Stampfen (Z. 25-28) von verschiedenen AkteurInnen im Kreis verteilt. Theresa weist dann noch einmal ganz explizit darauf hin, dass das bisherige Stampfen und auch dessen Nachahmung noch nicht das eigentliche Ritual dargestellt hat (Z. 41-43). Sie vergewissert sich durch ein „okay?" und eine zweisekündige Pause, dass alle bereit sind und beginnt das eigentliche Ritual durch das Stampfen in Z. 46. Hier zeigt sich, dass dieses Anfangsritual einen Aufführungscharakter hat: die genaue Bewegungsabfolge wird vor dem eigentlichen Beginn erklärt, die AkteurInnen „proben", indem sie Theresas Beispielstampfen schon mal nachahmen und Theresa setzt ein klares Zeichen dafür, dass es „jetzt" losgeht. Das gemeinsame „HALLO" beendet das Anfangsritual, Theresa lobt die Beteiligten für ihre Handlung und sie lassen die Hände ihrer Nachbarn los. Während der Durchführung des Rituals ist es – abgesehen vom durchlaufenden Stampfen – völlig still, bis auf die Auflacher in der dritten Runde, die man mit GOFFMAN als „Aushaken" interpretieren kann.[311] Für GOFFMAN stellt das Aushaken einen Ausbruch aus dem gesetzten Rahmen dar, der unwillkürlich, meist durch ein Auflachen, stattfindet. Die AkteurInnen versuchen dabei normalerweise, dieses Aushaken sofort wieder unter Kontrolle zu bringen und sich wieder zu disziplinieren. Als mögliche Gründe für das Aushaken nennt GOFFMAN Situationen, in denen Personen ihnen sehr unvertraute Rollen spielen müssen oder starke Verhaltensbeschränkungen auferlegt bekommen haben.[312] Genau in diesem Sinne interpretiere ich dieses Auflachen als ein Aushaken aus dem Rahmen des Anfangsrituals, das allerdings in diesem Fall von den Beteiligten soweit kontrolliert wurde, dass es nicht zu einem Zusammenbruch des Rahmens geführt hat. Der Grund für das Aushaken könnte in der starken Verhaltensbeschränkung der Einzelnen liegen, die ihre ganze Konzentration darauf richten müssen, an der richtigen Stelle ein rhythmisiertes Stampfen durchzuführen – es gibt dabei so gut wie keine irrelevante Handlung, die man – sozusagen privat – ausführen könnte, da die Hände mit den Händen der Nachbarn verbunden sind und Bewegungen mit den Füßen zu Geräuschen führen könnten, die ebenfalls den Ablauf stören würden. Das so durchgeführte Anfangsritual erfordert also von den Beteiligten ein hohes Maß an Konzentration und die Bereitschaft, sich auf die gemeinschaftliche Aufführung einzulassen. Wie sich gleich zeigen wird, kann ein „Fehler" die gesamte Aufführung des Rituals zerstören und eine Neudurchführung erzwingen. Die folgende Sequenz stammt aus der Mitte des Jahres, in der es zu so

---

311 Zum Phänomen des Aushakens vgl. GOFFMAN 1977a, S. 381-389.
312 Vgl. GOFFMAN 1977a, S. 383f.

einem Fehler kommt. Der Ablauf des Rituals hat sich dabei verändert. Nun läuft nicht mehr ein rhythmisiertes Stampfen durch den Kreis, sondern ein Klatschimpuls:

Sequenz 2: Hab ICH jetzt einen Fehler gemacht?

Ereignis: Anfangsritual   Quelle: AG_12.02.07   Timeline: 5:34-6:28

```
1    Alle anwesenden AkteurInnen stehen gemeinsam im Kreis, den Blick einander
2    zugewendet, sie halten sich nicht an den Händen und stehen in etwa 50 cm
3    Entfernung voneinander.
4        Theresa:   hast dus verstanden <<blickt zu Lisa>
5        Lisa:      <<nickt>
6        Theresa:   GUT (-) dann mach mas jetzt offiziell zu beginn (-)
7                   alle bereit?
8    Man hört verschiedene "Jas" und sieht einige nicken.
9    (2)
10   Theresa wendet sich nach rechts, klatscht einmal und ruft: "Hey". Die
11   rechts neben ihr stehende Elkie wendet sich daraufhin ebenfalls nach rechts
12   zu Yola, klatscht einmal und ruft: "Hey". Yola setzt diese Reihe fort, die-
13   ser Klatsch- und Rufimpuls läuft so dreimal durch den ganzen Kreis, dann
14   ist er wieder bei Theresa, die eine vierte Runde einleitet:
15       Theresa:   <<wendet sich zu Elkie und klatscht> HEY;
16       Elkie:     <<wendet sich zu Yola, dann dreht sie ihren Kopf
17                  aber zurück und blickt Theresa an>
18       Theresa:   ah (-) hab ICH jetzt einen fehler gemacht?
19   Einige der AkteurInnen brechen in Lachen aus.
20       Theresa:   ah (.) des is ja PEINLICH <<schlägt sich eine Hand
21                  vor den Kopf>
22   Einige der AkteurInnen lachen weiter, Theresa bedeckt ihr Gesicht mit bei-
23   den Händen und schüttelt den Kopf.
24       Theresa:   ah (.) des is ja SAUPEINLICH (-) dann fang ma noch
25                  mal von vorn an
26       ?:         <<p> SAUPEINLICH
27       Theresa:   okay
```

Erneut fällt hier auf, dass das Anfangsritual eine Aufführung darstellt. Nach einer Erklärung für Lisa und einer kurzen Proberunde soll eine „offizielle" Runde starten. Theresa ist hier mit besonderen Handlungsrechten ausgestattet: Sie stellt an die TeilnehmerInnen die Frage, ob alle bereit sind (Z. 6-7) und setzt nach bestätigenden „Jas" und einer Pause das Startzeichen (Z. 10). Der Aufführungscharakter und die hoch konventionalisierte Form dieses Anfangsrituals werden dann deutlich, als Theresa eine vierte Runde des „Hey-Kreises" einleitet (Z. 15), anstatt, wie vorher vereinbart, eine Begrüßungsrunde zu beginnen. Auch Theresa, wie wohl die Anleiterin dieses Projekts, hat hier offensichtlich nicht das Recht, die vorher vereinbarte Form des Anfangsrituals während der Durchführung zu verändern. Elkie blickt irritiert zu Theresa als sie die vierte Runde einleitet (Z. 17) und Theresa versteht diesen Blick als Hinweis auf ihren Fehler (Z. 18) und versucht gar nicht, ihr Verhalten als Regeländerung durch eine Anleiterin zu legitimieren, sondern gibt unumwunden ihren Fehler zu. Die TeilnehmerInnen kommentieren das mit Lachen und Theresa selbst mit dem Kommentar, dass ihr das sehr peinlich sei – wahrscheinlich deshalb, weil sie in ihrer Funktion als Anleiterin der Gruppe doch eigentlich keine solchen Fehler machen sollte?! Dann übernimmt sie allerdings wieder ihre Anleitungsfunktion und bestimmt, dass das Anfangsritual noch mal von vorne durchgeführt werden soll, hier kommen ihr wieder besondere Handlungsrechte zu: Sie darf bestimmen, wie mit diesem Fehler umgegangen wird – sie entscheidet sich dafür, ihn offensiv zu kommentieren – „saupeinlich" – und eine erneute Durchführung des gesamten Ablaufs anzuordnen (Z. 24-25). Das „okay" in Z. 27 ist dann das Startsignal für einen weiteren Durchlauf des Rituals, die folgende Sequenz setzt ein, als die Begrüßungsrunde – diesmal ohne ein Versehen von Theresa – beginnt:

Sequenz 3: Hallo

Ereignis: Anfangsritual   Quelle: AG_12.2.07   Timeline: 7:02-7:34

```
1     Theresa:   hallo ELKIE <<klatscht dabei>
2     Elkie:     haLLO yola <<klatscht dabei>
3     Yola:      hallo lara <<klatscht dabei>
4     Lara:      haLLO louISE <<klatscht dabei>
5     Louise:    <<p> hallo janina <<klatscht dabei>
6     Janina:    hallo anna <<klatscht dabei>
7     Anna:      hallo sophia <<klatscht dabei>
8     Sophia:    hallo li:sa <<klatscht dabei>
9     Lisa:      hallo frau zellmaier <<klatscht dabei>
10    Frau Z.:   HAllo emilia <<klatscht dabei>
11    Emilia:    hallo natascha <<klatscht dabei>
12    Natascha:  hallo natalie <<klatscht dabei>
13    Natalie:   HAllo nasir <<klatscht dabei>
14    Nasir:     hallo thomas <<klatscht dabei>
15    Thomas:    hallo hilal <<klatscht dabei>
16    Hilal:     ha=hallo t=theresa <<klatscht dabei>
17    Einige:    <<lachen>
18    ?:         theresa
19    (1)
20    Alle sehen sich an und breiten ihre Arme aus, dann klatschen alle
21    gleichzeitig in die Hände und rufen: „Achtung, fertig, los!"
22    (1)
23    Theresa:   SEHR schö:N (-) SUper (.) gefällt euch des?
24    Frau Z.:   <<p> ja
25    Einige:    <<p> ja
26    Theresa:   ja?
27    Einige:    ja;
```

Deutlich wird hier, dass die drei im theoretischen Teil dieser Arbeit ausführlich diskutierten Differenzlinien als Unterscheidungsressourcen aufscheinen. Durch das Ansprechen mit Namen wird deutlich gemacht, welchem Geschlecht die jeweilige Person angehört. Zudem wird deutlich, dass einige der Namen im Deutschen gebräuchliche Namen und andere im Türkischen gebräuchliche Namen sind. Zudem wird eine Ausnahme gemacht und eine der anwesenden Personen wird nicht – wie alle anderen – mit dem Vornamen angesprochen, sondern mit ihrem Nachnamen und dem Hinzufügen von „Frau" – es handelt sich dabei um die das Projekt begleitende Lehrerin, die auch die Klassenlehrerin einiger der TeilnehmerInnen ist. Diese kurze Sequenz reicht aus, um die anwesenden AkteurInnen hinsichtlich ihres Geschlechts, einer vermuteten natioethnokulturellen Mitgliedschaft und ihres Status hinsichtlich der Differenz von LehrerIn/SchülerIn zuordnen zu können.

Mit diesen Unterscheidungen werden allerdings keine unterschiedlichen Handlungsrechte innerhalb dieses Anfangsrituals verbunden, alle haben dieselbe Aufgabe, nämlich ihre jeweilige NachbarIn zu begrüßen. Diese Regel gilt für alle anwesenden AkteurInnen in gleichem Maße, die Unterschiede werden durch die Anrede und die geschlechtsunterscheidenden und natioethnokulturell typischen Namen und nicht durch unterschiedliche Handlungsrechte markiert. Sehr schön deutlich wird das daran, dass die zweite Anleiterin, Natalie, bisher noch nicht als die zweite Anleiterin in Erscheinung getreten ist. Aus dem bisher vorgestellten Material könnte nicht darauf geschlossen werden, dass sie ebenfalls eine Anleiterin ist, da sie keine besonderen Handlungsrechte ausübt und sie – wie die TeilnehmerInnen – mit ihrem Vornamen begrüßt wird. Im Falle der das Projekt begleitenden Lehrerin wird hingegen deutlich, dass die Rahmenordnung der Schule, in der SchülerInnen ihre LehrerInnen mit dem Nachnamen ansprechen, auch innerhalb des Projekts nicht völlig außer Kraft ist. Auch innerhalb des Anfangsrituals wird der unterschiedliche Status durch die Nutzung des Nachnamens in der Begrüßungsrunde angezeigt. Besonders interessant ist daran, dass dies nie explizit gefordert wurde, sondern von Lisa (Z. 9) so praktiziert wird – sie spricht die Lehrerin nicht mit dem Vornamen an, sondern mit der Anrede „Frau" und ihrem Nachnamen. Darüber hinaus aber werden der Lehrerin und auch den beiden Anleiterinnen innerhalb des Rahmens des Anfangsrituals keine besonderen Handlungsrechte zugewiesen. Wie oben schon beim Fehler der Anleiterin Theresa gesehen, führt auch ein Fehler einer AnleiterIn dazu, dass die Ordnung des Rahmens zerbricht. Auch die AnleiterIn ist, sobald das Anfangsritual aufgeführt wird, Gleiche unter Gleichen mit denselben Handlungspflichten. Die Differenzen von „Geschlecht", „NationEthnieKultur", „AnleiterIn, LehrerIn/TeilnehmerIn, SchülerIn" entlang derer oft verschiedene Handlungsrechte vergeben werden, haben hier keine rahmenstrukturierende Funktion. Das Ende der *Seq_4: Hallo* zeigt dann, dass nach dem Ende der Durchführung allerdings wieder besondere Handlungsrechte an die AnleiterIn zurückfallen – Theresa ist es, die nach einer Pause (Z. 22) die AkteurInnen für ihre Handlungen lobt (Z. 23) und eine Frage stellt, die darauf abzielt, die Zustimmung oder Ablehnung der von ihr vorgeschlagenen Form des Anfangsrituals abzufragen (Z. 22). Die Reaktionen machen dann deutlich, dass diese Handlungen Theresas auch von den anderen AkteurInnen als legitim betrachtet werden – einige, unter ihnen auch die Lehrerin, die sich offenbar auch von Theresas Frage angesprochen fühlte, antworten auf die Frage mit einer passenden Antwort (Z. 24-27) und zeigen damit an, dass sie mit den Handlungen Theresas einverstanden sind – Theresa hat das Recht (vielleicht sogar die Pflicht?!) nach der entstandenen Pause das Wort zu ergreifen und sie darf die AkteurInnen loben und eine Frage nach ihrer Zustimmung richten. Wie *Seq_3: Hab ich jetzt einen Fehler gemacht?* gezeigt hat, hat Theresa als Anleiterin auch vor der Durchführung des Anfangsrituals besondere Handlungsrechte. Sie ist es, die die TeilnehmerInnen befragt, ob sie bereit sind und die das Zeichen für den Beginn setzt.

Die genaue Markierung des Anfangs und des Endes des Anfangsrituals ermöglicht, dass innerhalb des Anfangsrituals andere Handlungsrechte und -pflichten gelten als vor und nach dem Anfangsritual.

Weshalb aber führen die Anleiterinnen ein Anfangsritual durch, in dem sie die besonderen Handlungsrechte, die sonst mit ihrer AnleiterInnenfunktion verbunden sind, verlieren (zumal ja auch viele andere Rituale denkbar wären, um so einen Projekttermin beginnen zu lassen)?

Die folgende Sequenz kann dabei helfen, hierauf eine Antwort zu finden. Sie stammt aus einem der letzten Projekttermine in der Woche vor der Aufführung. Es handelt sich um einen Sondertermin, bei dem ein ganzer Vormittag zum Proben eingeplant war. Einige der TeilnehmerInnen aber sind, für die beiden Anleiterinnen überraschend, nicht anwesend, da sie mit ihrer Klasse an diesem Vormittag einen Ausflug unternehmen, die Lehrerin dieser Klasse hat diesen Sonderprobentermin anscheinend nicht berücksichtigt, obwohl es im Vorfeld Informationen für alle LehrerInnen gegeben hatte.

Sequenz 4: Dann machen wir erst mal das Begrüßungsritual

Ereignis: Anfangsritual   Quelle: AG_9.7.07   Timeline: 0:00-0:45

```
1   Die Anwesenden sitzen im Kreis, den Blick einander zugewendet, Theresa
2   und Natalie diskutieren, wie sie ihren Probenplan verändern müssen, da
3   einige der TeilnehmerInnen nicht anwesend sind. Anna und Lara kommen
4   dazu und setzen sich ebenfalls in den Kreis.
5      Natalie: dann machen wir erst mal unser begrüßungsritual
6               (.) oder?
7      Theresa: JA (.) dann mach ma unser anfangsritual;
8   Alle AkteurInnen stehen auf und stellen sich in den Kreis. Im Aufstehen
9   fragt Anna Natalie etwas (unverständlich), Magnus legt seine Kappe zur
10  Seite und Janne bringt ihre Krawatte, an der sie bis jetzt herumge-
11  spielt hat, auf eine Bank am Rand. Dies alles geschieht, ohne dass die
12  Anleiterinnen sprechen.
13     Natalie: <<reibt sich die Hände>
14     Elkie:   <<reibt sich die Hände>
15     Anna:    <<reibt sich die Hände>
16     Mehrere: <<lachen>
17     Theresa: <<wendet den Blick zu Natalie> leitest dus ein?
18     Natalie: <<pp> mhm
19     Theresa: <<pp> ja;
20     (1)
21     Natalie: <<wendet sich nach rechts zu Magnus, klatscht> HEY
22     Magnus:  <<wendet sich nach rechts zu Thomas, klatscht> HEY
23  Dann läuft dieses Hey von einem Klatschen begleitet von einer AkteurIn
24  zur nächsten, dann folgt eine Begrüßungsrunde und schließlich springen
25  alle gemeinsam in die Höhe und rufen: „Achtung, fertig, los!"
```

Hier wird deutlich, welche Funktion das Anfangsritual hat: Es setzt ein klares Zeichen dafür, dass die „eigentliche" Projektzeit mit bzw. nach dem Ritual beginnen soll. Es beendet damit auch die Übergangszeit, derer es bedarf, bis alle TeilnehmerInnen auch wirklich eingetroffen sind und die gemeinsame Arbeit beginnen kann. Dieses Phänomen, dass eine bestimmte Rahmung noch einmal ein weiteres Signal braucht, um dann wirklich beginnen zu können, wird dabei auch von GOFFMAN in seiner Rahmenanalyse beschrieben. Er macht dort klar, dass es sinnvoll ist, das „Spectakulum" vom eigentlichen „Spiel" zu unterscheiden. Er weist damit darauf hin, dass bestimmte Ereignisse, zum Beispiel Footballspiele schon vor dem eigentlichen Beginn des Spiels beginnen, nämlich ab dem Moment, in dem die Pforten des Stadions geöffnet werden. Diese Zeit ist als eine Art Vorbereitungszeit zu verstehen, die ZuschauerInnen nehmen ihre Plätze ein, die Spieler oder Spielerinnen kommen auf das Feld und auch die Schiedsrichter.

Wenn all dies abgeschlossen ist, kann das eigentliche Spiel beginnen – zum Beispiel durch einen Pfiff. GOFFMAN gibt allerdings noch viele weitere Beispiel, in denen das „umhüllende" vom „umhüllten" Ereignis unterschieden werden kann: Bei Konzerten, Theateraufführungen oder einem Essen im Restaurant.[313] GOFFMAN geht dabei davon aus, dass diese doppelte Klammerung einen tieferen Sinn besitzt:
„Das Verhältnis zwischen Spectakulum und Spiel, zwischen sozialer Veranstaltung und den inneren Vorgängen selbst, bedarf weiterer Untersuchung. Es liegt auf der Hand, daß dieses Doppelarrangement als Puffer dient, der zeitliche Flexibilität ermöglicht; hat das Spectakulum erst einmal begonnen, so scheinen die Anwesenden besser auf die ‚wirklichen' Ereignisse warten zu können. (...) Dies alles zwingt zu mühsamen begrifflichen Unterscheidungen. Bei äußeren Anfangs- und Endklammern müssen wir wiederum zwei Arten unterscheiden: die zum Spektakulum gehörenden und die zu den inneren offiziellen Vorgängen gehörenden."[314]

Die beiden Anleiterinnen gewinnen also durch ihr Anfangs- und Abschlussritual zunächst einmal eine gewisse Flexibilität – dies wird in Sequenz 6 sehr anschaulich: Fast alle TeilnehmerInnen sitzen bereits im Kreis bereit, die Anleiterinnen diskutieren mögliche Planänderungen und beschließen dann – als all die, die an diesem Termin anwesend sind, auch tatsächlich da sind – „erstmal anzufangen". Sie markieren so den Abschluss vorbereitender Diskussion und des Wartens auf verspätete TeilnehmerInnen und setzen den Projektbeginn. Dabei müssen sie nichts mehr erklären – das Stichwort „Anfangsritual" reicht aus, dass alle AkteurInnen ganz bestimmte Ausgangspositionen einnehmen (Z. 8-12) – alle wissen, was nun folgen wird und Natalie kann das Anfangsritual – nach einer Verständigung zwischen den AnleiterInnen, die wieder deutlich macht, dass das Recht, das Ritual zu beginnen, bei ihnen liegt (Z. 17-19) mit einem „Hey" beginnen (Z. 22). Magnus (Z. 23) und auch alle anderen TeilnehmerInnen wissen was zu tun ist und das Ritual läuft fehlerfrei ab. Wie oben schon deutlich wurde, gelten dabei innerhalb des Rituals keine unterschiedlichen Handlungsrechte, die an die Differenz von AnleiterIn/TeilnehmerIn oder die Geschlechterdifferenz oder die natioethnokulturelle Differenz geknüpft wären. Die besondere Form des Rituals aber vergibt sehr wohl unterschiedliche Handlungsrechte bzw. -pflichten, die allerdings nach einer bestimmten Choreographie abwechseln. In allen hier vorgestellten Sequenzen läuft ein Impuls durch die im Kreis stehenden AkteurInnen (zunächst ein Stampfen, dann ein Ruf mit Klatschen), die Handlungsrechte und -pflichten sind hier ebenfalls sehr unterschiedlich – je nachdem, ob eine AkteurIn gerade an der Reihe ist oder eben nicht. Ist eine AkteurIn nicht an der Reihe, darf sie *auf keinen Fall* die Impulsbewegung durchführen, ist sie an der Reihe, *muss* sie die Impulsbewegung durchführen – eine Missachtung dieser Regel führt dazu, dass entweder zu viele Impulse entstehen oder dass der Impuls stecken bleibt. In beiden Fällen ist der Fortgang der Handlungen problematisch, da die anderen AkteurInnen nun nicht mehr wissen, welche Handlungsregeln nun für sie gelten. Sehr deutlich wurde das in *Seq_3: Hab ich jetzt einen Fehler gemacht?* als Elkie ihre Handlung unterbricht und sich an Theresa zurückwendet, da diese plötzlich von der vorher vereinbarten Zahl der Durchläufe

---

313 Vgl. GOFFMAN 1977a, S. 383f.
314 Goffman 1977a, S. 293f.

abgewichen war. Diese durchlaufenden Impulse erfordern also die Konzentration der AkteurInnen auf die durchzuführende Abfolge. Ist eine AkteurIn unaufmerksam und verfehlt einen Einsatz, gerät die gesamte Durchführung in Gefahr. Der abschließende Teil des Rituals, in dem die AkteurInnen einen gemeinsamen Sprung und einen Ruf koordinieren müssen, erfordert dann die eigene Handlung mit den Handlungen der anderen abzustimmen. Dabei gilt, dass es keine im Vorfeld bestimmte Person gibt, die ein klares Startsignal für den gemeinsamen Sprung gibt.[315] Auffällig ist hier, dass sich die Koordination der Gruppe über den Projektzeitraum deutlich verbessert und es bei den letzten Projektterminen, wie zum Beispiel an dem Termin der Sequenz 6, zu einem nahezu synchronen Sprung kommt. Diese Form des Anfangsrituals wird so auch zu einer wichtigen Koordinationsübung für das Spielen auf der Bühne, in der die gemeinsame Koordination von Handlungen ohne dass es _eine_ Person gibt, die die Handlungen koordiniert, eine Grundvoraussetzung für überzeugende Darstellungsleistungen ist.[316] Diese Koordination ist aber nur möglich, wenn alle Beteiligten ihre Aufmerksamkeit in vollem Maße auf die gemeinsame Interaktion richten gelingt dies einigen AkteurInnen nicht, ist der gesamte Handlungsablauf unterbrochen. Diese Notwendigkeit hoher Konzentration zwingt die AkteurInnen, ihre Aufmerksamkeit auf die gemeinsame Durchführung zu richten. Es geht also nicht nur darum, dass die AkteurInnen sehr aufmerksam sind, sondern auch darum, dass sie diese Aufmerksamkeit auf die gemeinsame Durchführung richten. Und umgekehrt gilt auch, dass es nicht ausreicht, die Aufmerksamkeit nur ein bisschen auf die gemeinsame Durchführung zu richten.

Dieser Unterschied zwischen der Intensität und der Richtung von Aufmerksamkeit spielt in der Motivationspsychologie eine große Rolle. DANIEL KAHNEMAN, einer der Pioniere dieser Forschungsrichtung, fasst das in folgendes schöne Bild des schläfrigen Schuljungen:

„Lulled into a pleasant state of drowsiness by his teacher´s voice, the schoolboy does not merely fail to pay attention to what the teacher sasy; he has less attention to pay. A schoolboy who reads a detective story while his teacher speaks is guilty of improper selection. On the other hand, the drowsy schoolboy suffers from, or perhaps enjoys, a generally low level of attention."[317]

Das Anfangsritual, das nur durch genau aufeinander abgestimmte Handlungen der Einzelnen erfolgreich durchgeführt werden kann, erfordert von den AkteurInnen, hohe Aufmerksamkeit auf die gemeinsame Sache zu richten. Die Form des Rituals erlaubt keinen „wohligen Zustand des Dahindämmerns" und auch nicht, sich nebenher noch mit etwas anderem zu beschäftigen – so wie es der von KAHNEMAN beschriebene Schüler tut. Diese besondere Form des Anfangsrituals, das eine Aufführung darstellt, die nur durch einen genau choreographierten Beitrag jedes Einzelnen gelingen kann, führt dazu, dass dieses Anfangsritual auch als eine Aufmerksamkeitsübung verstanden werden kann. Die besondere Form des Anfangsrituals stellt also eine hohes Maß an gerichteter Aufmerksamkeit her und ist so gut geeignet, einen Projekttermin eines

---
315 Die sehr genau Analyse dieses Moments zeigt, dass sich die TeilnehmerInnen zu Beginn der Projektarbeit mit ihren Blicken stark an Theresa oder Natalie orientierten, um den Sprung zu koordinieren, gegen Ende des Projekts wanderten die Blicke dann auch zu den anderen AkteurInnen.
316 Vgl. hierzu III/6, in denen es um Aufführungen gehen wird. Diese Koordinationsfähigkeit wird hier eine zentrale Rolle spielen.
317 KAHNEMAN 1973, S. 4.

Tanz- und Theaterprojekts zu eröffnen – einige der anderen Rahmen der Projektarbeit setzen nämlich ebenfalls ein hohes Maß an gerichteter Aufmerksamkeit voraus.

Auch das Abschlussritual, das im Folgenden vorgestellt wird, ist als eine Aufführung zu verstehen – wenngleich hier deutlich weniger starke Regeln des Engagements gelten:

Sequenz 5: Dann schreien wir alle Tschüss

Ereignis: Abschlussritual **Quelle:** AG_11.12.06 **Timeline:** 0:05-1:28

```
1   Alle Anwesenden stehen gemeinsam in etwa 50 cm Entfernung voneinander
2   im Kreis, den Blick einander zugewendet.
3      Natalie:   ja genau (.) des wollen wir noch machen (.) wir
4                 wollen uns noch verabschieden
5   Viele Stimmen durcheinander, unverständlich.
6      Natalie:   der tim (.) der will auch noch mitmachen
7      Tim:       ja sofort <<stellt die Kamera auf den Boden und
8                 läuft ohne Kamera zum Kreis>
9      Lisa:      hierein=hierein=hierein <<rutscht ein wenig von
10                ihrer Nachbarin ab>
11     Tim:       <<stellt sich in die entstandene Lücke>
12     Natalie:   okay; (-) denkt dran;
13     (2)
14  Einige Stimmen sind sehr leise murmelnd zu hören.
15     Natalie:   der mund ist zu
16     Janina:    <<geht allein einen Schritt in die Mitte>
17     ?:         <<lachen>
18     ?2:        HALLO?
19     Janina:    <<geht wieder zurück>
20  Nun machen alle gleichzeitig zwei Schritte in die Mitte, berühren sich
21  dort mit den Fingerspitzen, gehen dann wieder zwei Schritte zurück,
22  dann wieder in die Mitte und wieder zurück. Anna, Yola und Lara gehen
23  nur je einen Schritt in die Mitte und beteiligen sich nicht daran, sich
24  mit den anderen an den Fingerspitzen zu berühren. Hin und wieder ist
25  ein einzelnes leises Auflachen zu hören.
26     Natalie:   okay (.) und=
27     ?:         =NOCH EINMAL (.) NOCH mal
28  Es sind viele Stimmen zu hören, manche rufen „Ja", manche „Noch mal".
29     Hilal:     <<packt Natalie am Arm> und dann= und dann
30                schreien wir alle TSCHÜSS
31     Natalie:   und dann schreien wir alle tschüss
32     (1)
33  In völliger Ruhe gehen alle AkteurInnen wieder zwei Schritte in die
34  Mitte, dann rufen sie – allerdings leise und durcheinander: „Tschüss".
35  Im Anschluss daran laufen fast alle der TeilnehmerInnen schnell zum
36  Turnhallenausgang. Natalie, Theresa, Tom und Frau Zellmaier bleiben in
37  der einen Hälfte der Turnhalle zurück, nur noch Magnus, Thomas und Ma-
38  ria befinden sich ebenfalls dort.
39     Theresa:   <<ff> STOP (.) ihr sollt die plakate heute mit-
40                nehmen
41     Natalie:   <<f> die PLAkate mitnehmen (.) bitte
```

Zunächst fallen einige Parallelen zum Anfangsritual auf: Das Abschlussritual findet im Kreis statt und der Aufmerksamkeitsfokus ist auf das Kreisinnere gerichtet. Bevor das Ritual beginnt, werden „Vorbereitungen" erledigt, d. h. alle nehmen ihre Position ein, in diesem Fall auch Tim, der Kameramann. Dann gibt es wiederum einen Moment der Stille und dann beginnt das Abschlussritual.

Diesmal ist es dann nicht Theresa, sondern Janina, die einen Fehler macht und zu früh losgeht (Z. 17). Dieses unkoordinierte Verhalten wird von einem Lachen begleitet und durch den empörten Ausruf „HALLO?" sanktioniert.[318] Janina erkennt diese Sanktion offensichtlich als legitim an – sie tritt zurück. Die in den Z. 22-24 beschriebenen Abweichungen vom vereinbarten Verhalten – Anna, Yola und Lara treten nur einen Schritt in die Mitte und heben nicht ihre Fingerspitzen – werden hingegen nicht sanktioniert. Die Regeln des Engagements sind hier deutlich weniger streng als in einem Impulskreis wie im Anfangsritual – hier verhindern die Handlungen von Anna, Yola und Lara nicht die weitere Durchführung des Abschlussrituals.

Natalie will schließlich den Projekttermin beenden (Z. 27) wird aber durch die Rufe „noch mal noch mal" abgehalten (Z. 27-28) und Hilal macht den Vorschlag, doch gemeinsam „Tschüss" zu rufen (Z. 31). Natalie greift diesen Vorschlag auf und das Ritual wird noch einmal in einer verkürzten Version durchgeführt. Alle treten noch einmal in die Mitte und rufen dann gemeinsam „Tschüss" (Z. 33-34). Der Vorschlag von Hilal, das Ritual mit einem gemeinsamen „Tschüss" zu beenden, schließt dabei eine Lücke, die sich aus der bisherigen Form des Rituals ergeben hatte. Bis zu diesem Projekttermin endete das Ritual mit dem Heraustreten aus der Kreismitte, es entstand dann jedes Mal eine kurze Pause bis die Anleiterinnen die Situation verbal auflösten, etwa mit: „Okay" oder „Tschüss, dann sehen wir uns nächsten Montag". Hilals Vorschlag führte nun dazu, dass es ab diesem Projekttermin ein klares, gemeinsam produziertes Abschlusssignal gab: das „Tschüss" beendet die gemeinsame Arbeit. Dabei ist zu beobachten, dass das hier noch unkoordiniert hervorgebrachte „Tschüss" im Laufe der nächsten Termine immer mehr die Form eines koordinierten, gemeinsamen Rufens annimmt.

Wie gut dieses Abschlussritual mit dem Tschüss funktioniert, zeigt sich in den Zeilen 36 ff., fast alle TeilnehmerInnen stürmen auseinander und Natalie und Theresa haben große Mühe, ihnen doch noch etwas Projektbezogenes mitzuteilen (Z. 35-41). Die performative Wirkung des Abschlussrituals als Beendigung der gesamten Projektrahmung wird hier deutlich: nach dem Rufen des „Tschüss" ist der Projekttermin zu Ende, der Rahmen ist beendet und die AkteurInnen sind wieder „frei", d. h. sie müssen ihr Verhalten nicht mehr am bisher gültigen Rahmen koordinieren und auch Theresa und Natalie verlieren Rechte, die ihnen als Anleiterinnen während der Projektzeit zukommen. Die sehr lauten Rufe von Theresa und Natalie in Z. 40-42 machen genau das deutlich, die beiden versuchen, den TeilnehmerInnen doch noch etwas das Projekt Betreffendes mitzuteilen, da der Projektrahmen aber schon beendet ist, ist ihnen das kaum mehr möglich und sie versuchen durch gesteigerte Lautstärke ihre Botschaft zu übermitteln; ob diese Botschaft allerdings noch bei allen ankam, ist sehr fraglich, da keine Reaktionen der TeilnehmerInnen mehr zu beobachten sind (allerdings endet das Videoband wenige Sekunden nach diesen Rufen, nachträgliche

---

318 Es ist nicht genau zu hören, wer das „HALLO?" sagt, aber es ist keiner der Erwachsenen, sondern eine der TeilnehmerInnen.

Reaktionen sind also nicht ausgeschlossen). Deutlich wird hier, dass die performative Wirkung des Anfangs- bzw. des Abschlussrituals darin besteht, dass sie für die beteiligten AkteurInnen ein klares Zeichen darstellen, dass ein Rahmenwechsel stattfindet bzw. der Rahmen des Projekts beginnt oder abgeschlossen wird. Die gemeinsame Projektarbeit beginnt und endet durch die Durchführung des Anfangs- bzw. Schlussrituals, nach der Durchführung des Schlussrituals ist der Projekttermin beendet und auch die Anleiterinnen haben kaum die Möglichkeit, dieses Ende noch einmal aufzuheben.

Was wurde nun durch die Analyse des Anfangs- und Abschlussrituals im Hinblick auf die beiden Forschungsfragen dieser Arbeit deutlich?

Auf die erste Forschungsfrage nach den im Projekt verwirklichten Rahmen lässt sich als erste Antwort formulieren, dass sich im Laufe des Projektes ein ganz spezifisches Anfangs- und ein ganz spezifisches Abschlussritual entwickelten, die als klare Grenzzeichen für den Anfang bzw. das Ende der gemeinsamen Arbeit von allen handelnden AkteurInnen anerkannt wurden. Die besondere Form dieser Rituale ist dabei von Interesse, im Prinzip könnte nämlich vieles zu einem Zeichen für den Anfang oder das Ende der gemeinsamen Arbeit gemacht werden, ganz schlicht zum Beispiel ein Gong oder ein Pfiff. Die spezifische Form der Rituale erfordert aber von den beteiligten AkteurInnen die Koordination von Handlungen, zunächst in einer spezifischen, schnellen Abfolge (im Hey-Kreis), dann als synchronisiert durchgeführte Bewegungen. Die choreographierte Bewegungsfolge führt dabei dazu, dass die Rituale als Aufführungen zu verstehen sind, die nur dann gelingen, wenn sich alle Beteiligten auf die gemeinsame Durchführung konzentrieren. Dabei führt die stark konventionalisierte Form der Rituale dazu, dass sie, nachdem sie einmal eingeführt wurden, schnell und ohne weitere sprachliche Verständigung durchgeführt werden können.[319] Festzuhalten bleibt ebenfalls, dass sich die Form der Rituale im Projektverlauf verändert hat und auch Vorschläge von TeilnehmerInnen (vgl. in Sequenz 6 der Vorschlag von Hilal, ein gemeinsames Tschüss einzuführen) in die Form mit eingebaut wurden.

Bezüglich der zweiten Frage nach den zu beobachtenden differenz- bzw. egalitätserzeugenden Praktiken lässt sich festhalten, dass die spezifische Form des Anfangs- und Abschlussrituals als eine egalitätserzeugende Praxis anzusehen ist. Den Beteiligten werden keine unterschiedlichen Handlungsrechte aufgrund ihres Geschlechts, ihrer natioethnokulturellen Mitgliedschaft oder ihres Statuses als AnleiterIn oder TeilnehmerIn des Projekts eingeräumt. Besonders interessant ist dabei das Anfangsritual, in dem durch die Begrüßung der Einzelnen sehr wohl Unterschiede benannt werden (besonders auffällig durch die Begrüßung der Lehrerin mit ihrem Nachnamen), die spezifische Handlungsform des Hey-Kreises aber und das gemeinsame Rufen von „Achtung, fertig, los" eine Koordination von Gleichen unter Gleichen notwendig macht. Die Handlungsrechte und -pflichten wechseln dabei der Reihe nach ab, es wird niemand ausgelassen oder mit besonderen Handlungsrechten ausgestattet. Ein „Fehler", d. h. eine Abweichung vom vorher festgelegten Ablauf führt zu einer „misslungenen" Aufführung. In diesen Fällen fällt allerdings ein spezifisches Handlungsrecht an die Anleiterinnen, die darüber entscheiden dürfen, ob das Ritual aufgrund dieses Fehlers wiederholt werden muss oder nicht.

---

319 Siehe hierzu als Beispiel Sequenz 5, Natalie und Theresa müssen hier nur sagen, dass sie nun das Anfangsritual machen wollen und alle begeben sich in Position und führen das Ritual durch.

„They work for us because they immerse us in something quite outside our typical preconceptions of who we are and why we are here."[320]

2. Spiele

In dieser Fallstudie werde ich die im Projekt gespielten Spiele zum Gegenstand meiner Analyse machen. Wie sich zeigen wird, laufen alle Spiele nach einem ähnlichen Rahmendrehbuch ab und lassen sich daher nach eingehender Analyse von Übungen, Proben und Präsentationen unterscheiden. Zunächst werde ich zeigen, wie Spielrahmen im Projekt aufgebaut, aufrechterhalten und wieder beendet wurden (2.1). Im Anschluss daran werde ich mich der Frage zuwenden, welche besonderen differenz- bzw. egalitäterzeugenden Praktiken in den verschiedenen Spielen durchgeführt werden und vorschlagen, zur weiteren Analyse die Spielklassifikation von ROGER CAILLOIS zu nutzen (2.2). Diese Klassifikation erweiternd werde ich die als erstes die *Communitas-Spiele* vorstellen, deren Spielprinzip auf die Lösung einer gemeinsamen Aufgabe gerichtet ist (2.3). Im nächsten Kapitel analysiere ich die gespielten *Illinx-Spiele*, die sich durch einen schnellen Wechsel sehr unterschiedlicher Spielphasen charakterisien lassen (2.4) und wende mich schließlich den *Mimicry-Spiele* zu, in denen unterschiedliche Handlungsrechte an die einzelnen SpielerInnen vergeben werden (2.5).

Zum Abschluss dieser Rahmenanalyse werde ich die differenz- bzw. egalitäterzeugenden Praktiken, die mit den Spielen verbunden sind, zusammenfassend darstellen (2.6).

2.1 Das Rahmendrehbuch von Spielen

Die fünf Phasen, die zur Etablierung, Aufrechterhaltung und Beendigung eines Rahmens durchlaufen werden müssen, nehmen eine spieltypische Form an, die im Folgenden beschrieben wird.

Zunächst fällt auf, dass die Ankündigung eines Spiels an vielen Stellen im Material mit begeistertem Jubel aufgenommen wird – selbst dann, wenn noch gar nicht klar ist, um was für ein Spiel es sich handeln soll.[321] Noch viel häufiger ist allerdings zu beobachten, dass die TeilnehmerInnen bei der Ankündigung eines Spieles lautstark bestimmte Spiele einfordern und in regelrechten Sprechchören für „ihr" Spiel werben.

---

320 SUTTON-SMITH 1992. S. 106.
321 Diese Stellen finden sich zum Beispiel in AG_06.11.06, AG_11.12.06, AG_8.1.07.

Sequenz 6: Stopptanz, Stopptanz!

Ereignis: Stopptanz **Quelle:** AG_06.11.06 **Timeline:** 0:00-0:13

```
1    Alle anwesenden AkteurInnen sitzen gemeinsam im Kreis, den Blick einan-
2    der zugewendet. Nach einer Besprechung folgt die folgende Sequenz:
3       Theresa:   dann können wir jetzt eigentlich (.) noch [ein
4                  kurzes spiel]
5       Natalie:   [können wir noch mal]
6       Magnus:    STOPPtanz (.) STOPPtanz
7       Viele:     <<durcheinander> STOPPtanz
8       Viele:     <<diesmal im Chor und mit Klatschen unterstützt>
9                  STOPPtanz (.) STOPPtanz (.) STOPPtanz
10      Theresa:   OKAY;
```

Interessanterweise findet diese lautstarke Forderung nur statt, wenn als nächstes ein Spiel angekündigt wurde – nicht aber bei der Ankündigung von Übungen, Proben, Tänzen oder Präsentationen. Deutlich wird hier auch, dass die AnleiterInnen von den TeilnehmerInnen als Entscheidungsinstanzen angesprochen werden. Das gemeinsame lautstarke Einfordern eines bestimmten Spiels muss als Versuch gedeutet werden, die Entscheidung der AnleiterInnen, welches Spiel gespielt wird, zu beeinflussen. Dabei bekräftigen die TeilnehmerInnen durch ihr Verhalten die Gültigkeit der Regel, dass die AnleiterInnen über den jeweils neu zu etablierenden Rahmen bestimmen – gerade dadurch, dass sie die AnleiterInnen in ihrer Entscheidung beeinflussen wollen (siehe dazu ausführlicher in der Fallstudie *Rahmenwechsel, Pausen und Atelierphasen*).

Die erste Phase von Spielen, nämlich die Verständigung darüber, welches Spiel gespielt werden soll, ist dadurch geprägt, dass die TeilnehmerInnen deutlich machen, dass sie gerne spielen möchten und dass sie mitentscheiden wollen, welches Spiel gespielt werden soll. Darauf lassen sich die Anleiterinnen auch in fast allen Fällen ein und respektieren die Spielwünsche der TeilnehmerInnen.

Nach dieser Einigung muss in manchen Fällen eine relativ lange Phase der Regelerklärung folgen, immer dann, wenn einigen AkteurInnen die spezifischen Regeln des vereinbarten Spiels nicht bekannt sind. Wenn dies der Fall ist, beginnt eine ausführliche Erklärung der Spielregeln, die oft durch Nachfragen gekennzeichnet ist und erst endet, wenn wirklich allen die Spielregeln klar geworden sind. Dies kann unter Umständen viel Zeit in Anspruch nehmen:

Sequenz 7: Wie das normale Memory

Ereignis: Memory **Quelle:** AG_11.12.06 **Timeline:** 1:20-2:00
2:50-3:16
4:18-4:50

```
1    Alle anwesenden AkteurInnen stehen gemeinsam im Kreis, den Blick einan-
2    der zugewendet.
3         Natalie:   also: wie des geht=wie (.) des funktioniert wie
4                    des normale memory NU:R dass ihr ALLE karten
5                    zieht wir ham da vorbereitete kärtchen (-) da
6                    steht entweder ein TIER drauf oder es
7                    spielt=steht Spieler drauf (.) es gibt zwei
8                    spielerkarten und des sind die dann halt die ge-
9                    geneinander spielen also die dann immer die kar-
10                   ten (.) euch sozusagen aufdecken (.) die ANDEren
11                   werden zu diesem tier des draufsteht und es gibt
12                   ein paar also es gibt zwei hunde zwei=
13        ?:         =schlangen
14        Lara:      katzen
15        Nasir:     mäuse
16        Natalie:   von allem zwei (.) okay?
17   (...)
18        Natalie:   und wenn eine person umgedreht wird dann muss er
19                   eben dieses tier darstellen (.) mit einer bewe-
20                   gung und nem laut und dann wird er wieder zu-
21                   rückgedreht und wenn dann der spieler eben ein
22                   PAAR findet dann werden sie rausgeholt=
23        Janina:    =aber WIE gedreht?
24        Natalie:   also die stehen alle mit dem rücken zu den spie-
25                   lern die spieler sind da vorne=
26        Janina:    =ach so=
27        Natalie:   verstanden↑ und alle stehen mit dem rücken zu
28                   den spielern
29   (...)
30        Natalie:   GEräusch plus GESte also nicht nur stehen blei-
31                   ben und grunzen zum beispiel sondern es muss
32                   auch eine bewegung von nem schwein dann dabei sein
33        ?2:        <<lacht>
34        ?3:        <<grunzt>
35        Elkie:     und wenn ich [ (         )]
36        ?5         [oink=oink=oink]
37        Viele:     [<<lachen>]
38        Natalie:   <<f> da war noch ne wichtige frage (.) habt ihr
39                   die gehört?
40        ?6:        Nö;
41        Natalie:   wie auch (.) elkie
42        Elkie:     wenn man spieler ist (.) wo soll man dann hin?
43        Natalie:   man spielt von dem blauen feld und geht dann di-
44                   rekt zu der person hin und dreht sie um
45        Elkie:     <<nickt> okay;
46        Natalie:   okay?
```

Im ersten Teil dieser Sequenz erläutert Natalie die spezifischen Regeln des Tiermemorys. Sie verweist dabei auf das normale Memoryspiel und erklärt die Regeln, die beinhalten, dass die TeilnehmerInnen selbst die „Karten" bzw. die Tiere, die es „aufzudecken" gilt, spielen. Der erste Teil der Sequenz endet mit einem nachfragenden „okay?" (Z. 17) durch Natalie, sie versucht sich dadurch zu vergewissern, dass auch wirklich alle die gerade erklärten Regeln verstanden haben. Im zweiten Teil dieser Sequenz fragt eine der Teilnehmerinnen, Janina, dann auch nach und lässt sich noch mal erklären, was das „gedreht" bedeuten soll (Z. 23). Erst als sie es verstanden hat, fährt Natalie mit ihrer Erklärung fort (Z. 18-28).

In der dritten Sequenz kommt es ebenfalls zu einer Nachfrage einer Teilnehmerin. Hier ist es Elkie, die noch etwas wissen will (Z. 36). Da die anderen TeilnehmerInnen sich aber schon im Geräuschemachen üben, ist ihre Frage kaum zu verstehen. Natalie hat die Frage aber offensichtlich verstanden und bittet Elkie, die Frage noch mal zu wiederholen (Z. 39-43), sie unterstreicht dabei erneut, dass es wichtig ist, dass alle solche Nachfragen mitbekommen und über die geltenden Regeln informiert sind. Als Elkie signalisiert, dass sie es nun verstanden hat (Z. 46), richtet Natalie ein erneutes fragendes „okay" an alle, um dann erst mit der Regelerklärung fortzufahren. Deutlich wird hier, dass die Anleiterin Natalie viel Zeit auf die Regelerklärung verwendet und sich wiederholt versichert, dass auch alle TeilnehmerInnen die Regeln verstanden haben.

Erst wenn nämlich die Regeln bekannt sind, kann mit einem Spieldurchlauf des betreffenden Spiels begonnen werden. Die Spielerklärungsphase kann dabei sehr lange dauern. Vor dem Tiermemory dauert sie über sieben Minuten und es kommt gegen Ende auch noch zu folgender Sequenz:

Sequenz 8: You know the game memory?

Ereignis: Memory   Quelle: AG_11.12.06   Timeline: 5:21-6:43

```
1    Natalie:   <<wendet den Blick zu Louise, die neben ihr
2               steht> did you understand?
3    Louise:    <<schüttelt den Kopf>
4    Theresa:   <<lachend> des glaub ich
5    Natalie:   little?
6    Louise:    <<schüttelt den Kopf>
7    Natalie:   do you know the game memory?
8    Louise:    <<schüttelt den Kopf>
9    Natalie:   <<wendet den Blick wieder nach vorne> whats=
10   Theresa:   =soll ich schon mal die karten verteilen?
11   Natalie:   ja (-) <<p> was ist memory (-) auf englisch?
12   Theresa:   <<beginnt damit, Karten an alle TeilnehmerInnen
13              zu verteilen, auf denen steht, welches Tier sie
14              im späteren Spiel darstellen sollen>
15   Natalie:   <<wendet sich wieder Louise zu> a pair (-) you
16              have cards on a field and then you just turn the
17              cards
18   Theresa verteilt die Karten an die TeilnehmerInnen, diese gucken ihre
19   Karten an und einige quittieren ihr „Tier" mit Gelächter, dadurch ist
20   es nicht mehr möglich der Spielerklärung auf Englisch zu folgen.
21   Theresa:   <<f> NICHT MITEINANDER REDEN;
22   Lara:      JA (.) ich weiß aber nicht wie das geht
23   Theresa:   <<unverständlich>
```

```
24      Hilal:     wie soll ich dieses tier machen?
25      Theresa:   <<f> JEDER sucht sich schon mal einen PLATZ;
26   Nach einer knappen Minute findet das Gespräch zwischen Natalie und
27   Louise schließlich einen Abschluss:
28      Natalie:   okay?
29      Louise:    <<nickt>
30   Alle, auch Lousie, suchen sich einen Platz in der Halle und machen sich
31   so für das Spiel bereit.
```

Nach der Regelerklärung und mehreren Nachfragen fällt der Blick von Natalie auf Louise und sie stellt ihr auf Englisch die Frage, ob sie die Spielerklärung verstanden habe (Z. 7f). Louise antwortet darauf mit einem Kopfschütteln und zeigt so an, dass sie zwar sehr wohl die englische Frage, aber nicht die vorhergehende deutsche Erklärung verstanden hat. Auch die Nachfrage von Natalie „little?" wird von ihr mit einem Kopfschütteln beantwortet und Natalie macht sich daran, ihr das Spiel auf Englisch zu erklären, wobei sie gleich mit der ersten Schwierigkeit zu kämpfen hat, da sie nicht weiß, wie „Memory" auf Englisch genannt wird (Z. 17 f.). Nach einer längeren Erklärung auf Englisch, die Natalie Louise gibt, während Theresa weitere Spielvorbereitungen durchführt (Z. 24 ff.), antwortet Louise auf eine letzte Nachfrage von Natalie, ob sie es nun verstanden habe („okay?") mit einem Kopfnicken und zeigt so ihr Verstehen an.

Was passiert nun hier? Offensichtlich hat Louise Schwierigkeiten, Erklärungen auf Deutsch, die für die anderen TeilnehmerInnen gut verständlich sind, zu verstehen. Da die Anleiterinnen wissen, dass Louise erst seit einigen Wochen in Deutschland wohnt, wundern sie sich nicht darüber, dass sie die Spielerklärung auf Deutsch nicht verstanden hat (Z. 10). Natalie beginnt nun damit, ihr das Spiel auf Englisch zu erklären, einer Sprache, die von Louise verstanden wird. Erst als auch Louise das Spiel verstanden hat – wie sie durch ihr Nicken anzeigt, kann das Spiel beginnen.[322]

Im Anschluss an die Phase der Regelerklärung finden weitere spieltypische Vorbereitungen statt. In der nun folgenden Sequenz nehmen die TeilnehmerInnen eine ganz spezifische Haltung ein, um für das Spiel „markiert" zu werden. Erst nach Abschluss dieser Vorbereitungen kann das eigentliche Spiel beginnen. Dabei gilt, dass einige der Vorbereitungen auch vor einem erneuten Spieldurchgang durchgeführt werden müssen. Im zweiten Durchgang des Memory-Spiels etwa müssen alle TeilnehmerInnen erneut Karten ziehen, die ihnen ihre Spielpositionen zuweisen (als SpielerInnen oder als ganz bestimmtes Tier). Die Regeln des Spiels müssen aber nicht noch einmal erklärt werden.

Wenn alle Vorbereitungen abgeschlossen sind, gibt es in allen hier gespielten Spielen ein klares Startsignal, das den Beginn des eigentlichen Spiels markiert. Dabei gilt für die in diesem Projekt gespielten Spiele, dass es die Anleiterinnen sind, die den Beginn eines Spiels anzeigen, meist durch das Stichwort: „Los".[323] Die SpielerInnen müssen sich dabei nach den vorher vereinbarten Regeln verhalten, sonst ist das Spiel gefährdet: Die Regeln müssen nicht nur formuliert sein, sondern auch durch die

---

[322] Diese Übersetzungspraxis wird als ein „doing Nation/Ethnie/Kultur" gedeutet, das aber die Funktion hat, Louise in die Lage zu versetzen, als Gleiche unter Gleichen – ohne eine sprachliche Behinderung – am Spiel teilzunehmen. Siehe dazu ausführlicher im Kapitel Exkurs: Natioethnokulturelle Mitgliedschaft.

[323] Die Anleiterinnen verwenden auch Sätze, die auf das bestimmte Spiel Bezug nehmen, das Memoryspiel eröffnet Natalie zum Beispiel mit dem Satz: „UND (-) der erste spieler darf zwei karten umdecken".

Handlungen der SpielerInnen bestätigt werden, sonst können sie keine Gültigkeit beanspruchen.

Gerade Spiele fordern ganz bestimmte Handlungen ein bzw. schließen andere kategorisch aus. Eine Verletzung zentraler Regeln führt dazu, dass das Spiel nicht in der vereinbarten Weise stattfinden kann:

Sequenz 9: Nicht weglaufen, hallo?!

Ereignis: Vampirspiel   **Quelle:** AG_20.11.06   **Timeline:** 4:40-5:15

```
1   Alle AkteurInnen bis auf Natalie und Theresa liegen mit dem Gesicht zum
2   Boden auf dem Bauch, die Augen geschlossen. Natalie und Theresa strei-
3   chen allen SpielteilnehmerInnen mit dem Finger Zeichen auf den Rücken.
4   Als sie das beendet haben, spricht Natalie:
5      Natalie:    E:s (.) wi::rd (--)
6      ?:          <<f> SPANNEND=
7      Natalie:    =spannend
8   Die am Boden Liegenden erheben sich und beginnen einander die Hände zu
9   schütteln.
10     Natalie:    man MUSS die hand geben (.) nicht weglaufen hier
11  Man hört ein einzelnes Auflachen und ein leises Stimmengemurmel.
12     Theresa:    und man darf nicht reden
13  Lisa kommt auf Maria zu und streckt ihr die Hand entgegen, Maria gibt
14  ihr aber nicht die Hand, sondern läuft beschleunigt an Lisa vorbei.
15  Lisa läuft ihr mit ausgestreckter Hand hinterher.
16     Natalie:    <<f> nicht WEGLAUfen (-) HALLO;
17  Maria verlangsamt ihren Schritt wieder und schüttelt Steffen, dem sie
18  nun gegenüber steht, die Hand. Lisa, die immer noch hinter ihr läuft,
19  schüttelt dann ebenfalls Steffen die Hand. Dann beschleunigt sie ihre
20  Schritte, überholt Maria und packt Marias Hand, die diesmal nicht da-
21  vonläuft. Nach dem Schütteln stürzt Maria zu Boden.
```

Zunächst wird hier deutlich, dass Spiele ohne die Kenntnis der spezifischen Regeln des Spiels für eine BeobachterIn schwer verständlich sind. Welche Bedeutung haben die Zeichen, die Natalie und Theresa den SpielteilnehmerInnen auf den Rücken „malen"? Und wieso beginnen alle sich die Hände zu schütteln, Maria aber läuft vor Lisa davon (Z. 12-14)? Und wieso fällt sie nach dem Schütteln von Lisas Hand zu Boden (Z. 19-20), aber nicht nach dem Schütteln von Steffens Hand (Z. 16-18)? Die Regeln, die diese merkwürdigen Verhaltensweisen auslösten, sind sehr schnell erklärt: In der Vorbereitung der jeweiligen Spielrunde werden die SpielerInnen als „Mensch" oder als „Vampir" gekennzeichnet. Dies geschieht indem ihnen ein Strich (für Mensch) bzw. ein Kreis (für Vampir) auf den Rücken gestrichen wird – dies geschieht nur mit dem Finger und hinterlässt keine sichtbaren Spuren. Die so zu Vampiren oder Menschen „gemachten" SpielerInnen müssen nun durch den Raum laufen und sich die Hände schütteln. Die Vampire haben dabei das Recht, die anderen SpielerInnen beim Händeschütteln leicht in der Handinnenfläche zu kitzeln. Dieses Kitzeln „tötet" die Menschen, die nach diesem Händeschütteln zusammenbrechen müssen: Wenn nur noch die Vampire übrig bleiben – zwei SpielerInnen werden als Vampire markiert – dann ist die Spielrunde zu Ende. Nach dieser Erklärung versteht man nun den Sinn der Handlungen der AkteurInnen in *Seq_10: Nicht weglaufen, hallo?!* – und es wird zudem verständlich, weshalb Theresa und Natalie Maria ermahnen, sich an die Spielregeln zu halten. Durch ihr Verhalten würde das Spiel nämlich zu einem Weglaufspiel moduliert werden – Lisa verfolgt Maria (Z. 14-15) – das andere Fokussierungen vornehmen würde als die Variante, die hier gespielt wurde und das auch nicht „wirklich" gespielt werden könnte, da die weiteren Regeln für das Fangen und Gefangenwerden nicht besprochen sind.[324] Die Nichtbefolgung von zentralen Spielregeln führt zu einer Gefährdung des Spielrahmens, daher müssen massive Regelverletzungen auch sanktioniert werden. Hier sind es Theresa und Natalie, die als eine Art Schiedsrichter fungieren und das nonkonforme Verhalten Marias sanktionieren, indem sie wiederholt auf die Regel des Nichtweglaufens hinweisen (Z. 10, Z. 16). Sie sind dazu in der Lage, weil es klar formulierte Regeln gibt, deren Einhaltung sie einfordern können. Diese explizite Formulierung von Regeln gilt keineswegs für alle Rahmen,[325] sondern ist eine der wichtigsten Besonderheiten von Spielrahmen.

Neben den Regeln, die als „Spielregeln" formuliert werden, gibt es aber auch Regeln des Engagements, die nicht explizit formuliert sind. Abweichendes Verhalten von diesen Regeln ist daher deutlich schwerer zu sanktionieren als bei offensichtlichen Regelverstößen. Die folgende Sequenz stammt aus einer Spielrunde des Spiels „Kotzendes Känguru":

Sequenz 10: Ich schlaf gleich ein!

Ereignis: Kotzendes Känguru   Quelle: AG_14.5.07   Timeline: 6:34-7:12

```
1    Maria steht in der Mitte eines Kreises, den ihre MitspielerInnen ste-
2    hend um sie bilden.
3        Maria:    <<wendet den Blick zu Tuba, die in der Hocke
4                  sitzt> MIXER
5        Tuba:     <<erhebt sich> was↑ (-) mixer?
6        ?:        <<lacht>
7    Mehrere Stimmen durcheinander, unverständlich.
8        Maria:    <<geht auf Tubas Platz zu>
9        Tuba:     <<geht an Maria vorbei und in die Mitte>
10       Hilal:    [<<in die Richtung von Tuba, die an ihr vorbei-
11                 geht> <<p> mix=mix=mix
12       Maria:    <<stellt sich an Tubas Platz>
13       (2)
14       Tuba:     <<wendet den Blick Natalie zu> <<p> toaster
15       Natalie:  [<<springt auf und ab> toast=toast=toast]
16       Theresa:  [hält die Arme um Natalie]
17       Lisa:     [hält die Arme um Natalie]
18
19       Tuba:     <<wendet den Blick zu Hilal> <<p> mixer
20       Hilal:    [<<hält je eine Hand über die Köpfe ihrer Nach-
21                 barn Yola und Maria]
22       Yola:     [<<dreht sich im Kreis> mixmixmix]
23       Maria:    [<<dreht sich im Kreis>]
24       Tuba:     [<<dreht sich zu Lara> <<pp> hase]
25
```

---

324 Ich werde im zweiten Teil dieser Fallstudie noch einmal ausführlich auf das Vampirspiel eingehen.
325 Bei GOFFMAN findet sich eine schöne Stelle, die verdeutlicht, dass in vielen Situationen solche Regeln eben gerade nicht zur Verfügung stehen:
„Eine Einladung unterscheidet sich ja von anderen organisierten sozialen Veranstaltungen mit einem formalisierten Kern dadurch, daß der innere Vorgang keineswegs mit Sicherheit in Gang zu bekommen ist. Ein Lehrer in einer Klasse, ein Gerichtsdiener, ein Vorsitzender bei einer Klubversammlung kann mehr oder weniger den Übergang von informellen Einzelgesprächen zur Behandlung der Sache anordnen, doch ein Gastgeber kann eine Party nicht zur Ordnung rufen." GOFFMAN 1977a, S. 291.

```
26      Maria:      [<<macht Hasenohren bei Lara>]
27      Louise:     [<<macht Hasenohren bei Lara>]
28      Tuba:       [<<wendet sich zu Anna> <<lachend>> <<p>> kotzen-
29                  des känguru]
30
31      Anna:       [<<breitet ihre Arme vor sich aus als ob sie ein
31                  Fass umfassen würde>]
32      Louise:     [<<beugt sich über die Arme von Anna, den Blick
33                  nach unten und gibt Würggeräusche von sich>]
34      Elkie:      [<<beugt sich über die Arme von Anna, den Blick
35                  nach unten und gibt Würggeräusche von sich>]
36      Tuba fährt fort ihre Anweisungen sehr leise zu geben und ihre Aufmerk-
37      samkeit immer schon zu Beginn der auf ihre Anweisung hin folgenden
38      Handlungen auf eine nächste Person zu richten.
39      Theresa:    ich schlaf gleich ein
40      ?2:         ICH SCHLAF EIN
```

Auch hier wieder ist das Verhalten der SpielerInnen ohne die Kenntnis der Regeln nur schwer verständlich. Was machen die AkteurInnen da? Offensichtlich ist die SpielerIn in der Mitte mit besonderen Handlungsrechten ausgestattet, sie gibt den Umstehenden bestimmte Kommandos, auf welche diese reagieren (Z. 4-5, Z. 14-17, Z. 19-23, Z. 24-27, Z. 28-36). Die Reaktion von Tuba (Z. 5) auf die Anrede durch Maria wird von einem Plätzetausch gefolgt, in den anderen Fällen kommt es nicht zu einem Platzwechsel. Die explizit formulierten Spielregeln sind auch hier wieder der Schlüssel zum Verständnis der Situation. Das Spiel „Kotzendes Känguru" hat folgende Regeln: Eine SpielteilnehmerIn steht in der Mitte und kann den um sie Herumstehenden vier verschiedene Anweisungen geben: „Hase", „Mixer", „Toaster" und „Kotzendes Känguru". Dabei richtet sie diese Anweisung an eine bestimmte Person, indem sie diese Person ansieht. Die angeschaute SpielerIn und ihre NachbarInnen haben dann die Aufgabe, bestimme Handlungen auszuführen: Bei „Hase" müssen die NachbarInnen der angesprochenen Person Hasenohren machen und die Angesprochene Mümmelgeräusche, bei „Mixer" hält die Angesprochene ihre Hände über ihre NachbarInnen, die „Mix, Mix, Mix" rufen. Bei „Toaster" müssen die NachbarInnen die Angesprochene umfassen, die auf und ab springt und „Toast, Toast, Toast" ruft. Bei „Kotzendes Känguru" schließlich muss die Angesprochene mit den Armen einen Kreis beschreiben, die NachbarInnen beugen sich darüber und geben Kotzgeräusche von sich. Die Person in der Mitte des Kreises darf dann entscheiden, wann sie einen der MitspielerInnen als zu langsam empfunden hat oder jemand etwas in ihren Augen falsch gemacht hat, diese MitspielerIn muss dann in den Kreis kommen.

Tuba wird also von Maria (Z. 2-12) in den Kreis geschickt, weil Tuba nicht wie von den Spielregeln vorgesehen, die Mixerbewegung gemacht, sondern eine nicht erlaubte Nachfrage gestellt hat. Als Tuba an die Reihe kommt, führt sie die von ihr erwarteten Handlungen aus: Sie steht in der Mitte und gibt den Umstehenden Anweisungen und nutzt dabei die vier zur Verfügung stehenden Befehle (Z. 14ff). Ihre Regelverletzung ist viel subtiler, da sie die geltenden Regeln des Engagements unterläuft: Sie gibt ihre Spielanweisungen sehr leise und wendet sich sofort uninteressiert ab, um einer nächsten Person eine Anweisung zu geben (ab Z. 19). Durch das Leisesprechen verliert das Spiel an Geschwindigkeit und Energie und durch das schnelle Abwenden hat Tuba gar keine Möglichkeit mehr, die korrekte Durchführung der Handlungen zu beurteilen. Maria zum Beispiel versäumt es „mix=mix=mix" zu rufen (Z. 23), aber Tuba bemerkt das gar nicht, weil sie schon die nächste Anweisung gibt (Z. 24).

Tuba verletzt so zwar nicht die formulierten Regeln des Spiels, hält sich aber nicht an die vorgegebenen Engagementregeln. Dies scheint ihr auch bewusst zu sein, wie ihr Lachen (Z. 28) anzeigt. Ihre Langsamkeit, in Kombination mit ihrer Interesselosigkeit an den Handlungen der MitspielerInnen, gefährden das Spiel, da sie ihrer Aufgabe, auf die Einhaltung der richtigen Durchführung – die in diesem Fall eben der SpielerIn in der Mitte obliegt – so nicht nachkommt. Durch diese fehlende Aufmerksamkeit wird das Spielprinzip untergraben. Es ist für die SpielerInnen im Kreis nicht mehr notwendig, gespannt auf ihren Einsatz zu warten – Fehler werden ja von Tuba nicht bemerkt – und so droht das Spiel „einzuschlafen". Folgerichtig bemerkt Theresa genau dies und weist darauf hin, dass sie gleich einschlafe (Z. 40). Sie formuliert so einen ironischen Hinweis an Tuba, doch mal ein bisschen engagierter zu spielen. Dieser Impuls wird von einer der SpielerInnen ebenfalls aufgegriffen und ohne das auf die Zukunft verweisende „gleich" in die Gegenwart geholt: „ich schlaf ein" (Z. 41). Beide Kommentare stellen einen Versuch dar, Tuba an die geltenden Engagementregeln zu erinnern. Eine „echte" Regelverletzung ist ihr nämlich nicht vorzuwerfen – da sie in der Mitte darüber entscheidet, welches Verhalten der MitspielerInnen sie als nicht ausreichend (zu langsam oder falsch) wertet, kann sie natürlich auch mit der Durchführung „immer" zufrieden sein. Dennoch gefährdet sie den Spielrahmen, weil sie durch ihr Verhalten die Fokussierung des Spiels auf den Unterschied zwischen den SpielteilnehmerInnen, die schnell und richtig auf die Befehle reagieren und denen, denen das nicht gelingt, nicht aufrecht erhält. Das Spiel verliert so sein Spielprinzip und wird langweilig.

Eine weitere gute Illustration für die Bedeutung des Engagements in Spielrahmen findet sich in folgender Sequenz:

Sequenz 11: Ich weiß nicht, wie ichs machen soll

Ereignis: Tiermemory   Quelle: AG_11.12.06   Timeline: 10:02-

```
1    Thomas läuft auf Maria zu und beginnt sie umzudrehen.
2       Maria:    <<lachend> nein=nein=nein (-) ich weiß nich wie
3                 ichs machen soll;
4       Natalie:  komm mach
5       Janina:   [wie ichs dir gesagt hab]
6       Natalie:  [des kannst du]
7       Maria:    WIE?
8       Natalie:  <<f> WIE DUS IHR GESAGT HAST↑ (-) JANina habt
9                 ihr GEREDET (.) oder wie?
10   Man hört mehrere Personen lachen.
11      Natalie:  ALSO mach
12      Maria:    ich kanns nich
13      ?:        KOMM (.) maria
14      Janina:   JETZT (.) MAria (.) MACH
15      Maria:    ich weiß eigentlich gar nich was das kleine tier
16                da macht
17   Man hört mehrere Personen laut lachen. Theresa kommt zu Maria und Maria
18   flüstert ihr etwas ins Ohr und Theresa flüstert etwas zurück. Die ande-
19   ren warten still, bis wieder einzelne Auflacher zu hören sind. Theresa
20   geht wieder von Maria weg.
21      Natalie:  thomas (.) du musst zugucken
22      Maria:    <<streckt beide Hände nach vorne und macht Kit-
23                zelbewegungen nach oben>
24      (1)
25      Theresa:  machs mal auf dem boden
```

```
26    Maria:    ich kann nich
27    ?2:       <<f> ACH KOMM
28    Maria:    <<begibt sich in eine Liegestützposition und
29              macht eine Schritt mit dem Arm nach vorne> wie
30              soll denn des gehen?
31    Maria:    <<richtet sich wieder auf> ich kanns nicht
32    Maria:    <<streckt beide Hände nach vorne und macht Kit-
33              zelbewegungen nach oben>
34    Natalie:  okay (.) zurückdrehn
```

Maria wird „umgedreht" (Z. 1) und liefert sofort eine Begründung dafür, warum sie sich nicht regelkonform verhält und kein Tier darstellt – nämlich weil sie nicht weiß, wie sie das machen soll. Deutlich wird hier, dass ihr bewusst ist, dass sie gerade nicht das tut, was die Spielregeln von ihr verlangen. Zudem zeigt sie durch ihre Rechtfertigung an, dass sie die Gültigkeit der Spielregeln durchaus anerkennt, sie weiß aber eben nicht, wie sie ihr Tier darstellen soll. Zunächst versucht Natalie sie durch ein „komm" zu einer Handlung zu bewegen (Z. 4). Dann ist es Janina, die Marias Begründung zurückweist, da sie ihr schließlich gesagt habe, wie sie es machen könne (Z. 5). Dies überschneidet sich mit einer weiteren Aufforderung von Natalie, die sie mit ihrem „des kannst du" ermutigen will (Z. 6). Maria antwortet darauf aber mit einem betonten „WIE?" in Frageform. Sie hält also die Kommunikation über die Frage des „Wie" aufrecht und beginnt nicht damit, ihr Tier darzustellen (Z. 7). Natalie ahndet dann zunächst den Regelverstoß von Janina und Maria, die offensichtlich über das Tier von Maria gesprochen hatten – dies hatten die beiden Anleiterinnen in der Spielvorbereitung aber zu verbieten versucht (Z. 8-9). Die Form ihrer Ahndung löst Gelächter aus und Natalie wendet sich wieder dem Spiel zu, diesmal aber im Form eines Befehls: „also mach" (Z. 11). Auch das wird wieder von Maria zurückgewiesen und zwei Teilnehmerinnen schalten sich ein und versuchen Maria – zusehends ungehaltener – zum Machen zu motivieren (Z. 13 f.). Maria beginnt aber immer noch nicht, sondern weist daraufhin, dass sie gar nicht wisse, „was das kleine tier mache" (Z. 16). Theresa schaltet sich daraufhin ein und begibt sich zu Maria und flüstert mit ihr (Z.17-18). Diese Intervention führt nun dazu, dass Maria ein Tier darstellt: Sie streckt die Hände aus und führt Kitzelbewegungen durch (Z. 22-23). Auch damit ist Theresa aber nicht zufrieden und fordert Maria auf, dies auf dem Boden durchzuführen. Wieder weist Maria das zurück und erst nach einer weiteren Aufforderung begibt sie sich in eine Liegestützposition, die sie allerdings wieder kommentiert: „wie soll denn des gehen" (Z. 28-30). Schließlich richtet sie sich auf, wiederholt ihre Kitzelbewegung und Natalie beendet ihren Auftritt mit: „okay, zurückdrehen" (Z. 34). Deutlich wird hier, dass Marias Verhalten den Rahmen des Spiels zerstört, sie verhält sich nicht spielkonform, sondern gibt Gründe dafür an, weshalb sie es nicht tut. Dadurch können auch die anderen nicht mehr weiterspielen und die beiden Anleiterinnen und auch einige der TeilnehmerInnen versuchen nun auf verschiede Weisen, Maria zum Mitspielen zu bewegen. Sie ermutigen, machen Vorschläge, befehlen und bitten sie. Sie sind dabei in Teilen erfolgreich: Immerhin versucht Maria zwei Gesten, allerdings ohne Geräusch und so unspezifisch ausgeführt, dass es sehr schwer ist, darin ein Tier zu erkennen. Das größte Problem an Marias Verhalten ist dabei weniger, dass ihre Darstellung unspezifisch ist – auch bei anderen Darstellungen wird nicht immer deutlich, welches Tier gemeint ist – als dass sie durch ihr Verhalten den Fortgang des Spiels blockiert. So entsteht eine lange Sequenz, in der nicht gespielt wird, sondern versucht wird, Maria zum Mitspielen zu bewegen.

Spiele stehen also – wie die letzten drei Sequenzen gezeigt haben – immer in Gefahr durch die Verletzung der geltenden Regeln gestört zu werden. Die Gültigkeit der Regeln hängt nicht nur von der Formulierung der Regeln, sondern vor allem von der Befolgung dieser Regeln durch die MitspielerInnen ab. Ein abweichendes Verhalten wird dabei zum großen Problem, da es die grundsätzliche Gültigkeit der Regeln in Frage stellt. Johan Huizinga, der Nestor der wissenschaftlichen Beschäftigung mit Spielen, formuliert dieses Problem als das Problem des „Spielverderbers":

> „Der Spieler, der sich den Regeln widersetzt oder sich ihnen entzieht, ist Spielverderber. Der Spielverderber ist etwas ganz anderes als der Falschspieler. Dieser stellt sich so, als spiele er das Spiel, und erkennt dem Scheine nach den Zauberkreis des Spiels immer noch an. Ihm vergibt die Spielgemeinschaft seine Sünde leichter als dem Spielverderber, denn dieser zertrümmert ihre Welt selbst. Dadurch, daß er sich dem Spiel entzieht, enthüllt er die Relativität und die Sprödigkeit der Spielwelt, in der er sich mit den anderen für einige Zeit eingeschlossen hatte. Er nimmt dem Spiel die Illusion, die *inlusio*, buchstäblich: die Einspielung – ein bedeutungsschweres Wort!"[326]

Das Ende eines Spiels ist schließlich genauso deutlich markiert wie der Anfang. In den meisten Fällen bestimmen die Spielregeln ein Ende.[327] Das Vampirspiel endet beispielsweise, wenn alle Menschen „getötet" sind und nur noch die beiden „Vampire" stehen. In den anderen Fällen wird das Spiel durch die AnleiterInnen beendet.[328] Nach dem Ende einer Spielrunde gibt es dann, in den Spielen, deren Ende durch das Spiel selbst bestimmt ist, grundsätzlich immer die Möglichkeit, eine weitere Spielrunde zu spielen oder den gesamten Spielrahmen zu beenden. Diese Entscheidung wird in den hier untersuchten Fällen von den Anleiterinnen getroffen (meist kündigen die Anleiterinnen schon vor dem letzten Durchgang an, dass nun die letzte Spielrunde gespielt wird). Im Unterschied zu Übungen oder Proben enden Spiele mit der Durchführung einer letzten Spielrunde. Es findet keine Nachbesprechung oder Präsentation statt.

Das spezifische Rahmendrehbuch von Spielen lässt sich somit folgendermaßen zusammenfassen:
1. *Verständigung, dass eine zentrierte Interaktion vorgenommen werden soll:* Die hier gespielten Spiele zeichnen sich dadurch aus, dass die TeilnehmerInnen die Ankündigung eines Spieles mit Begeisterung kommentieren und versuchen, die beiden Anleiterinnen von ihren Spielvorschlägen zu überzeugen. Da alle Spiele Namen haben, kann dies allein durch das Rufen dieses Namens geschehen.
2. *Verständigung über den Rahmen:* Charakteristisch für Spiele ist es, dass eine Phase der Spielerklärung und Spielvorbereitung erfolgen muss. Die Spielerklärung ist dabei nur notwendig, wenn das Spiel noch nicht allen anwesenden Personen bekannt ist. Die Spielvorbereitung, die in den hier gespielten Spielen meist beinhaltet, dass bestimmte Ausgangspositionen eingenommen werden, muss hingegen immer und auch vor jeder neuen Spielrunde durchgeführt werden.

---

326 Huizinga 1956, S. 20.
327 In acht der hier untersuchten Spiele: *Memory, Stopptanz, Zeitungsspiel, Vampirspiel, Gordischer Knoten, Anschleichen, Hey-Kreis, Versteinern.*
328 In vier der hier untersuchten Spiele: *Drei ist einer zuviel, Namensrufspiel, People to People, Kotzendes Känguru.*

3. *Handlungen innerhalb des Rahmens:* Wenn alle Regeln erklärt und alle Spielvorbereitungen getroffen sind, kann das Spiel beginnen. Dies geschieht immer durch ein klares Startzeichen. Im Anschluss an dieses Startzeichen gelten die spezifischen Regeln des Spiels. Die MitspielerInnen handeln dabei in einer Art und Weise, die sehr stark von anderen Handlungen abweicht und die ohne die Kenntnis des Rahmens völlig unverständlich wären. Eindrückliche Beispiele sind hier die vorgestellten Sequenzen, die ohne die Kenntnis der Spielregeln bzw. die Einigung, dass sie gelten sollen, unverständlich blieben. Darüber hinaus gelten auch hohe Regeln des Engagements: Wer die Regeln eines Spiels nur dem Wortlaut, aber nicht ihrem Geiste nach befolgt, bedroht den Spielrahmen. Genau diese Personen werden üblicherweise als „Spielverderber" bezeichnet, die durch ihr „Nicht-richtig-Spielen" den gesamten Rahmen und somit das Spiel für alle gefährden.
4. *Anzeigen des Abschlusses oder Wechsel des Rahmens:* In vielen Spielen ist das Spielende durch den Spielverlauf vorgegeben. Im Vampirspiel etwa endet eine Spielrunde, wenn alle Menschen „getötet" sind. In einigen Spielen ist das Ende nicht durch den Spielverlauf vorgeben. Hier sind es die Anleiterinnen, die das Spiel für beendet erklären. In diesen Fällen kündigen die Anleiterinnen ein Ende an – indem sie ansagen, wie lange das Spiel noch dauern soll. In beiden Fällen gilt, dass es ein klares Zeichen gibt, das ganz deutlich zwischen „noch Spiel" und „nicht mehr Spiel" unterscheidet.
5. *Beendigung oder Wechsel des Rahmens:* Spiele haben ein klares und erst einmal unwiderrufliches Ende. Bei den Spielen, deren Ende im Spielverlauf angelegt ist, ist es immer möglich, sofort eine weitere Spielrunde zu spielen. Darüber hinaus findet keine weitere Nachbereitung statt. Es gibt keine Aufführungen von Spielen und auch keine Reflexionsrunden über Spiele.

2.2 Spielklassifikationen

Im ersten Teil dieser Fallstudie zu den im Projekt gespielten Spielen konnte gezeigt werden, dass sich Spiele vor allem durch sechs Charakteristika von anderen Rahmen abgrenzen lassen:
>> Spiele haben Namen
>> Es gibt klar formulierte Regeln
>> Es gibt klare Grenzzeichen
>> Die Regeln des Engagements sind sehr hoch
>> Jeder Regelverstoß gefährdet den gesamten Rahmen des Spiels
>> Spiele können unbegrenzt wiederholt werden

Aus diesen Charakteristika ergibt sich, wie sich gleich zeigen wird, dass es in Spielen möglich ist, ganz verschiedene – und auch ganz unübliche – Unterschiede zwischen den TeilnehmerInnen zu erzeugen. Es ist aber auch möglich, Gleichheit bezüglich der Merkmale, die für das Spiel bedeutsam sind, herzustellen. Ich werde im Folgenden zeigen, dass sich die im Projekt gespielten Spiele in verschiedene Gruppen einteilen lassen: je nachdem, welche differenz- oder egalitäterzeugenden Praktiken zu beobachten sind. Dabei orientiere ich mich an den Arbeiten von Roger Caillois, der in den 1960er Jahren eine berühmte gewordene Klassifikation von Spielen entwickelt hat.[329] Caillois war auf der Suche nach einer möglichst einfachen und doch alle Spiele umfassenden Systematik. Sein Kategorisierungsvorschlag bezieht sich daher nicht auf den Ort, das Material oder die Zahl der SpielerInnen eines Spiels, sondern auf die Beschreibung des zugrundeliegenden „Spielprinzips".[330] Caillois unterscheidet die folgenden Spielprinzipien:[331]

Die *Agon-Spiele* (griechisch für Wettkampf) umfassen all die Spiele, in denen ein Wettkampf ausgetragen wird, den die SpielteilnehmerInnen durch ihre aktive Teilnahme zu gewinnen versuchen. Dabei gilt, dass normalerweise genau eine Eigenschaft zum entscheidenden Vergleichskriterium erhoben wird. Es findet eine Fokussierung auf genau dieses eine Merkmal statt: Im Weitsprung etwa geht es nur darum, wie weit man springt, nicht wie hoch und auch nicht, mit welcher Geschwindigkeit man anläuft. Im Hochsprung hingegen geht es nur darum, wie hoch man springt, nicht darum, wie weit. Agon-Spiele „erzeugen" somit Gewinner und Verlierer.

Die *Alea-Spiele* (lateinisch für Würfelspiel) kennzeichnet ein ganz anderes Spielprinzip. Auch bei diesen Spielen geht es zwar darum, zu gewinnen, aber der Gewinn lässt sich nicht durch eine besondere Leistung erzielen, sondern nur durch Glück. In allen Glücksspielen wirkt diese Moment des Alea. Für Caillois liegt dabei die Faszination an Glücksspielen genau darin, dass alle anderen Unterschiede zwischen den Menschen – also etwa Kraft, Intelligenz oder Schönheit in diesen Spielen unbedeutend werden, da sie keinerlei Einfluss auf den Spielausgang haben. Ein klassisches Würfelspiel bezieht seinen Reiz eben daraus, dass alle SpielteilnehmerInnen die gleichen Chancen haben zu gewinnen – egal wie stark, schlau oder schön sie sind. Auch hier werden Gewinner und Verlierer „erzeugt", die Gewinner können sich den Gewinn aber nicht als ihren persönlichen Verdienst anrechnen.

Die *Mimicry-Spiele* (englisch für die Wandel- und Anpassungsfähigkeit von Insekten) zeichnen sich nun dadurch aus, dass es in ihnen nicht darum geht zu gewinnen – sei es durch Glück oder die eigene Leistung. Es geht vielmehr darum, jemand anderes zu sein, als der, der man „eigentlich" ist. Der Reiz dieser Spiele besteht für Caillois darin, genau das den SpielteilnehmerInnen zu ermöglichen. Hier wird die „eigentliche" Person, die die SpielteilnehmerInnen in ihrem „normalen" Leben sind, zurückgestellt und es besteht die Möglichkeit „jemand anderer" zu werden.

Die letzte Gruppe der Spiele stellen die *Illinx-Spiele* (griechisch für Wasserstrudel) dar, die von Caillois auch als „Rauschspiele" bezeichnet werden. Ziel ist es, ein Rauscherlebnis zu haben, zum Beispiel durch schnelle Drehungen hervorgerufen. Illinx-Spiele fokussieren so auf das individuelle Erleben der einzelnen SpielteilnehmerInnen und auf die Körpererfahrungen, die mit dem Spiel verbunden sind.

Von diesen Unterscheidungen der Spielprinzipien ausgehend, werde ich im Folgenden drei der zwölf im Projekt gespielten Spiele ausführlicher analysieren und so zeigen, welche differenz- bzw. egalitäterzeugenden Praktiken mit ihnen verbunden sind. Ich schlage dabei vor, die Aufteilung von Caillois um eine Gruppe von Spielen zu erweitern,

---

329 Caillois 1960.
330 Caillois 1960, S. 19.
331 Ich beziehe mich hier auf Caillois 1960, S. 7-46.

die einem fünften Spielprinzip folgen. Diese Spiele möchte ich als *Communitas-Spiele* (lateinisch für Gemeinschaft) bezeichnen, da das zugrundeliegende Spielprinzip darin besteht, dass alle SpielteilnehmerInnen eine gemeinsame Spielaufgabe lösen.

Diese fünfte Kategorie wird nötig, da sich drei der gespielten Spiele einer Zuordnung zu CAILLOIS Kategorien entziehen, nämlich die Spiele *Gordischer Knoten*, *Zeitungsspiel* und *Hey-Kreis*. Die im Projekt gespielten Spiele lassen sich dann folgendermaßen ordnen:[332]

Communitas	Gordischer Knoten (2), Zeitungsspiel (1), Hey-Kreis (1)
Illinx	Stopptanz (6), People to People (2), Kotzendes Känguru (2), Namensrufspiel (1)
Mimicry	Vampirspiel (4), Tiermemory (1) Anschleichen (1)
Agon	-
Alea	-

2.3 Der Gordische Knoten – ein Communitas-Spiel

Communitas-Spiele folgen einem eigenen Spielprinzip. Die SpielerInnen haben gemeinsam eine Aufgabe zu lösen, die sie nur dann bewältigen können, wenn alle SpielerInnen ihre Kräfte zur Erreichung dieses Ziels einsetzen. Ich werde die damit verbundenen egalitäterzeugenden Praktiken am Spiel *Gordischer Knoten* zeigen. Im Anschluss daran werde ich noch – allerdings deutlich kürzer – auf das *Zeitungsspiel* und den *Hey-Kreis* eingehen, um zu zeigen, dass auch diese Spiele als Communitas-Spiele zu verstehen sind.

Sequenz 12: Doch nicht du, ach doch!

Ereignis: Gordischer Knoten **Quelle:** AG_18.12.06 **Timeline:** 9:42-9:59

```
1   Das Kamerabild zeigt Anna, neben ihr steht Theresa und direkt daneben
2   Elkie, vor Elkie steht Louise, die ihr Gesicht gerade Elkie zuwendet.
3   Hinter Louise steht Magnus, hinter ihm Frau Zellmaier, die auf das Ge-
4   schehen direkt vor ihr guckt, zudem sind noch die Köpfe von Janina und
5   Emilia zu sehen, deren eine Hand mitten durch die gerade Beschriebenen
6   hindurch, mit der Hand von Frau Zellmaier verbunden ist. Direkt neben
7   Frau Zellmaier, das Gesicht der Kamera zugewandt, sieht man noch Na-
8   tascha. Alle stehen sehr eng beisammen und haben ihre Hände mit Händen
9   anderer MitspielerInnen verbunden.
10  ?:      [<<h> emilia=emilia]
11  ?2:     [was denn?]
12  ?3:     [schon wieder mit dir?]
13  Anna:   HA↓llo↑ ich muss doch da oben drüber und da un-
14          ten durch
15  ?:      jetzt muss die emilia=
16  ?2:     [=emilia]
17  ?3:     [=steigst du jetzt da oben drüber]
18
```

---

[332] Die Zahl in Klammern hintern den Spielnamen gibt an, wie oft das Spiel im Projekt gespielt wurde.

```
19      Magnus:     [<<der Anna an der Hand hält, kommt unter einem
20                  Arm hindurch ihr näher>]
21      Anna:       [=SCheiß Idee; (-) <<h> ich muss da oben DRÜBER;]
22      Louise:     [<<hebt ihren Arm>]
23      Elkie:      [<<bewegt sich unter Louises Arm hindurch und
24                  kommt so neben Anna zu stehen>]
25      ?:          <<schreit>
26      Elkie:      [<<f> NEIN (.)]
27      Frau Z.:    [ und jetzt da]
28      Elkie:      doch nicht du (.) ach doch
29      Anna:       [<<f> DOCH <<steigt über zwei Arme>]
30      Emilia:     [dreht sich, die Hände nach oben über den Kopf
31                  gestreckt>]
32      Fr. Z.:     [vorsichtig (.) TUBA]
33      Janina:     [<<all> ihr müsst da unten]
```

Zunächst muss hier bemerkt werden, dass es so gut wie unmöglich ist, auch nur von wenigen Sekunden Videomaterial des *Gordischen Knotens* eine dichte Beschreibung zu liefern, die tatsächlich alle Handlungen der SpielerInnen anschaulich macht. Es passiert extrem viel gleichzeitig und es wird sehr viel durcheinander gesprochen. Das Verständnis der eben beschriebenen Situation ist wieder ohne die Kenntnis der Spielregeln kaum möglich. Werden sie bekannt gemacht – wie ich es gleich unternehmen werde – gewinnt das Verhalten der SpielerInnen Sinn:

Zu Beginn des *Gordischen Knoten* stehen alle SpielerInnen zunächst in einem Kreis und schließen die Augen. Dann treten sie langsam in die Mitte und greifen blind die Hände von MitspielerInnen. Wenn alle SpielerInnen zwei andere Hände gefunden haben, öffnen alle die Augen und versuchen, den entstandenen „Körperknoten" zu entwirren. Dieser entsteht, weil die MitspielerInnen durch das blinde Die-Hand-Geben kreuz und quer miteinander verbunden sind. Der Knoten soll sich nun entwirren, indem die MitspielerInnen über andere Arme hinwegsteigen oder hindurchkriechen, ohne die Hände loszulassen. Auch dürfen sie den Anderen durch ihre Bewegungen nicht weh tun. Eine Spielrunde dauert je nach Anzahl der SpielerInnen 5-10 Minuten, dabei lassen sich die Knoten nicht immer lösen und es können ein, zwei oder mehrere Kreise entstehen. Das Spiel ist beendet, wenn die Knoten gelöst sind oder die Gruppe beschließt, aufzugeben, da der Knoten sich offensichtlich nicht lösen lässt.

Die SpielerInnen versuchen also, ihren Knoten zu entwirren. Es gibt, wie die Sequenz zeigt, einen vielfältigen Chor der Stimmen, die Bewegungsvorschläge machen und verwerfen. Zugleich bewegen sich andere SpielteilnehmerInnen und steigen über Arme hinweg oder tauchen unter ihnen hindurch. Da alle immer mit zwei anderen Personen fest verbunden sind, ist der Handlungsspielraum aller AkteurInnen deutlich eingeschränkt. Die einzige Möglichkeit, auf die Handlungen der Anderen einzuwirken ist, Bewegungsvorschläge zu machen. Diese richten sich dabei meist an bestimme Personen (in der vorgestellten Sequenz an Emilia und Anna, Z. 15-16, Z. 19 und unspezifisch von Janina Z. 33), die das aber auch zurückweisen können (Z. 21). So entspannen sich Diskussionen über das richtige weitere Vorgehen. Zudem wird deutlich, dass es im Spiel verschiedene Aufmerksamkeitsfoki gibt. Elkie, Anna und Magnus sind der Frage zugewandt, ob Anna über einen Arm steigen muss (Z. 19-24), Frau Zellmaier, Tuba und Emilia versuchen eine Drehbewegung Emilias zu koordinieren (Z. 10-17, Z. 26-31). Frau Zellmaier hat dabei keine anderen Möglichkeiten zur Einflussnahme auf die Situation als die anderen SpielerInnen, sie macht einen Bewegungsvorschlag (Z. 27).

Durch das Miteinander-verknotet-sein entsteht eine ganz besondere Situation, in der jede eigene Körperhandlung mit mindestens den zwei Personen koordiniert werden muss, deren Hand man hält. Doch damit ist es noch nicht getan, da ja die sich anschließenden Bewegungen der Nachbarn ebenfalls wieder direkte Auswirkungen auf deren Nachbarn haben. Der Gordische Knoten zeichnet sich so dadurch aus, dass nicht nur die gleichen Handlungsrechte und -pflichten das Spiel zu einem Spiel von Gleichen unter Gleichen machen, sondern auch dadurch, dass durch die körperliche Verbindung aller eine Art gemeinsamer Körper entsteht, allerdings ein Körper, der nicht von einem Zentrum aus koordiniert wird, sondern von jedem Einzelglied in Bewegung gebracht werden kann. Dies führt dazu, dass der „persönliche Raum"[333] sich auflöst und ein gemeinsamer Gruppenraum entsteht. Trotz der extremen körperlichen Nähe und der stark eingeschränkten Handlungsmöglichkeiten scheint das Spiel den TeilnehmerInnen großen Spaß zu machen, wie die nächste Sequenz verdeutlicht:

Sequenz 13: Wir habens!

Ereignis: Gordischer Knoten **Quelle:** AG_18.12.06 **Timeline:** 4:20-4:48

```
1   In der Halle stehen die SpielteilnehmerInnen in zwei Kreisen, in einem
2   Kreis dreht sich Thomas unter seinen Händen hindurch, so dass beide Krei-
3   se jetzt „entwirrt" sind, d. h. alle Spielteilnehmerin ihre direk-
4   ten Kreisnachbarn an den Händen halten.
5       Yola:     <<f> wir hams;
6   Yolas Ruf wird von vielen AkteurInnen aufgegriffen und man hört ein
7   vielstimmiges: „JA::::;" und „wir HA::bens::;".
8       Janina:   <<löst sich aus ihrem Kreis, indem sie die Hände
9                 ihrer NachbarInnen loslässt, dann macht sie ei-
10                nen Schritt auf Natalie zu und blickt sie an>
11                können wirs noch mal machen↑ (.) weil wir waren
12                zwei=
13      Natalie:  =zwei kreise=
14      Janina:   =und des war doof
15      ?:        (    ) zwei kreise?
16      Natalie:  Also: (.) noch mal aufstellen
17      Viele:    <<f> JA::::;
18  Innerhalb weniger Sekunden stellen sich alle AkteurInnen in einen
19  Kreis, den Blick in die Mitte, einen Meter voneinander entfernt.
20      Tuba:     eins (.)<<all> zwei=drei
21      Natalie:  =HEY↑ TUBA?=
22      Tuba:     [<<springt einen Schritt nach vorne>]
23      Magnus:   [<<springt einen Schritt nach vorne>]
24      Janne:    [<<springt einen Schritt nach vorne>]
25      Emilia:   [<<springt einen Schritt nach vorne>]
26      Janina:   [<<springt einen Schritt nach vorne>]
27
28      Anna:     <<geht einen Schritt nach vorne>
29      ?:        <<p> was?
30  Man hört einige AkteurInnen auflachen. Die, die in die Mitte gesprungen
31  waren, nehmen wieder ihren Platz in der Kreislinie ein.
32      Natalie:  <<den Blick zu Tuba gewendet> die sind noch gar
33                nicht gescheit gestanden alle (-) GUT (.) einen
34                großen SCHRItt nach vorne;
```

---

333 GOFFMAN verwendet diesen Begriff um den Raum zu bezeichnen, der eine Person umgibt, wie groß dieser Raum ist, hängt entscheidend von den jeweiligen Rahmenbedingungen ab. Vgl. hierzu: GOFFMAN 1974b, S. 56 ff.

Yola vermeldet als erste, dass sie die Aufgabe erfüllt haben (Z. 5), darauf brechen viele Jubelschreie los (Z. 6-7). Dann bittet Janina um eine weitere Spielrunde (Z. 8-12). Natalies bejahende Antwort führt wieder zu Jubel der TeilnehmerInnen (Z. 17) und alle stellen sich in Sekundenschnelle zur nächsten Spielrunde auf (Z. 18-19). Hier zeigt sich, dass die konventionalisierte Form des Ablaufs von Spielen – in diesem Fall die Spielvorbereitungen, die getroffen werden müssen, damit die Hände verknotet werden können – dazu führen, dass sehr schnell eine weitere Spielrunde gespielt werden kann. Alle wissen, wo und wie sie sich zur Vorbereitung einer weiteren Runde aufstellen müssen. Ganz deutlich zeigt diese Sequenz, dass der *Gordische Knoten* ein Spiel darstellt, dass von den SpielerInnen ausnahmslos sehr gerne gespielt wurde. Es ist nicht nur so, dass viele in Jubel ausbrechen, als eine weitere Spielrunde angekündigt wird, sondern auch so, dass <u>alle</u> SpielerInnen in Sekundenschnelle die Ausgangsposition einnehmen, um eine neue Runde des Spiels zu spielen.

Tuba ist es dann, die ihren MitspielerInnen ein Signal zu geben versucht, indem sie beginnt zu zählen und einen Schritt nach vorne zu springen (Z. 20). Dies wird jedoch von Natalie durch ein „HEY↑TUBA?" sanktioniert (Z. 21), das allerdings nicht mehr verhindern kann, dass einige aus der Gruppe Tubas Impuls folgen und mit ihr in die Mitte springen (Z. 22-26). Als diese bemerken, dass nicht alle mit in die Mitte gekommen sind, stellen sie sich – von Lachen begleitet – wieder in den äußeren Kreis und Natalie kommentiert ihre Sanktion an Tuba damit, dass ja noch gar nicht alle gescheit gestanden hätten (Z. 32-34). Tuba hatte hier versucht, die Spielvorbereitung selbst in die Hand zu nehmen und die Handlungen ihrer MitspielerInnen zu koordinieren. Natalie sanktioniert diesen Versuch und übernimmt selbst die Rolle der Spielleiterin, die das Spiel vorbereitet. Deutlich wird hier, dass die beiden Anleiterinnen in der Spielvorbereitung bestimmte Handlungsrechte für sich einfordern und das abweichende Verhalten von Tuba, die „einfach" die Spielvorbereitung übernimmt, sanktioniert wird. Vor dem Beginn der Spielrunde verteidigt Natalie hier ihre besonderen Rechte als Anleiterin – wie die *Seq_12: Doch nicht Du – Ach doch!* gezeigt hat, gelten aber für die SpielerInnen des Knotens keine besonderen Handlungsrechte mehr. Frau Zellmaier kann auch nur Bewegungsvorschläge machen, die hier auch nicht mehr Beachtung finden als die Vorschläge der anderen. Bei manchen der Spielrunden des Knotens spielen auch Theresa und Natalie mit, dann haben auch sie keine besonderen Handlungsrechte mehr. In anderen Fällen spielen sie nicht mit und begründen dies damit, dass sie von außen zusehen und helfen wollen.

Das Spiel *Gordischer Knoten* zeichnet sich dadurch aus, dass ein gemeinsamer Körperraum geschaffen wird, in dem die einzelnen SpielteilnehmerInnen zu Teilen dieses Körpers werden, die alle mit den gleichen Handlungsrechten und -pflichten ausgestattet sind. Die gemeinsame Aufgabe, den Körperknoten zu entwirren, verlangt dabei von allen SpielteilnehmerInnen alle Handlungen mit den anderen SpielerInnen, vor allem den eigenen Nachbarn, zu koordinieren. „Private Handlungen" sind kaum noch möglich, da alle Bewegungen direkten Einfluss auf die Nachbarn haben. Keine der SpielteilnehmerInnen hat dabei durch die Spielregeln formulierte besondere Handlungsrechte, alle sind auf dieselbe Weise miteinander verbunden – durch die Hände – und haben dieselbe Aufgabe. Zudem entsteht ein gemeinsamer Körperraum. Der Gordische Knoten wird daher als egalitätserzeugende Praxis begriffen, da es auch im Verlauf des Spiels nicht zu einer Differenzierung zwischen den SpielerInnen kommt – im Unterschied zu Wettkampfspielen, die mit den gleichen Ausgangsbedingungen zwar zunächst egalisierend wirken, dann aber zwischen Gewinnern und Verlierern unterscheiden. Im Falle der *Communitas-Spiel* gibt es keine Differenzierung von Gewinnern und Verlierern, es geht um eine nur gemeinsam zu lösende Aufgabe.

Genau dies trifft auch auf die anderen hier als Communitas-Spiel klassifizierten Spiele, das Zeitungsspiel und den *Hey-Kreis*, zu:

Zeitungsspiel: Zu Beginn sind auf der Spielfläche (einem großen Raum) Zeitungen ausgelegt (etwas weniger als MitspielerInnen). Dann ertönt Musik und die MitspielerInnen haben die Aufgabe, sich tanzend durch den Raum zu bewegen. Stoppt die Musik, müssen sie sich eine Zeitung suchen und sich darauf stellen. Dabei gilt in der hier gespielten Variante, dass auf einer Zeitung auch mehrere SpielerInnen stehen dürfen. Es geht nicht darum, wer noch – wie etwa bei der klassischen Variante der „Reise nach Jerusalem" – einen Platz abbekommen hat. Es ist vielmehr so, dass sich nach jedem Musikstopp in der darauffolgenden Bewegungsrunde die Zahl der Zeitungen reduziert. Die SpielerInnen sind somit gezwungen, im Verlauf des Spiels immer weiter auf den verbliebenen Zeitungen zusammenzurutschen. In der letzten Runde schließlich werden so viele der verbliebenen Zeitungen zu einem Stück zusammengelegt, dass gerade noch alle MitspielerInnen darauf Platz finden. Stehen schließlich alle auf diesen letzten Zeitungen, ist das Spiel zu Ende.

Auch das *Zeitungsspiel* ist – wenn es nach den gerade beschriebenen Regeln gespielt wird – ein Communitas-Spiel, das alle mit den gleichen Handlungsrechten ausstattet und die SpielerInnen zwingt, gewohnte Unterscheidungspraktiken aufzugeben. Wie eine genaue Analyse der Unterschiede der gespielten Spielrunden zeigt, wählen die Jungen und die Mädchen, solange noch genügend Zeitungen ausliegen, gemeinsame Zeitungen und vermeiden gemischtgeschlechtliche „Zeitungsräume". Diese Unterscheidungspraxis verliert sich – und muss sich verlieren – je weniger Zeitungen ausliegen.

Deutlich wird an der hier gespielten Variante des Zeitungsspiels auch, wie schon ganz geringe Regelmodifikationen das Spielprinzip von Spielen grundsätzlich verändern können. Spielt man das Zeitungsspiel als Variante der Reise nach Jerusalem, dann macht man aus diesem Spiel ein Agon-Spiel, das auf die Schnelligkeit der SpielerInnen fokussiert und Gewinner und Verlierer erzeugt. In der hier gespielten Art gewinnen alle – oder es verlieren alle (daher achten die Anleiterinnen auch darauf, dass die zum Schluss zusammengelegten Zeitungen es ermöglichen, dass alle SpielerInnen darauf Platz finden).

Hey-Kreis[334]: Für den Hey-Kreis müssen sich alle MitspielerInnen in einen Kreis stellen, den Blick in die Mitte gerichtet und etwa 50 cm voneinander entfernt. Die AnleiterIn schickt dann einen Klatschimpuls durch den Kreis, indem sie den Blick und den Körper zu einer ihrer NachbarInnen wendet und klatscht, die NachbarIn dreht sich direkt im Anschluss an das Klatschen zu ihrer NachbarIn und gibt den Klatschimpuls weiter. Ziel ist es dabei, mehrere Klatschimpulse hintereinander loszuschicken, die

---

334 Ein Teil des Hey-Kreises ist ein Element des Anfangsrituals, siehe hierzu die Fallstudie „Das Anfangs- und Abschlussritual".

dann auch wieder bei der Ausgangsperson ankommen sollen; je mehr Klatschimpulse losgeschickt werden, umso schneller und präziser muss das Klatschen weitergegeben werden, sonst holt ein Klatschimpuls seinen Vorgänger ein und kommt nicht mehr bei der Ausgangsperson an. Ziel des Spieles ist es, möglichst viele Klatschimpulse durch den Kreis zu schicken, die alle wieder bei der ersten ImpulsgeberIn ankommen. Auch für den Hey-Kreis gilt, dass das Ziel des Spiels nur gemeinsam erreicht werden kann und dass alle am Spiel beteiligt sein müssen, um es zu erreichen.[335] Auch hier haben alle SpielerInnen die gleichen Handlungsrechte (die Impulsgeberin hat eine zusätzliche Option, da sie nach einigen Runden entscheidet, nun die wieder eingehenden Klatschimpulse nicht mehr weiterzugeben, sondern zu zählen, um festzustellen, ob noch die ursprüngliche Zahl vorhanden ist) und es wird auf die Gleichheit aller anwesenden SpielerInnen fokussiert – alle haben zwei Hände und können klatschen.

Aus der Beschreibung dieser drei Communitas-Spiele lassen sich nun die folgenden Charateristika von Communitas-Spielen zusammentragen:

Communitas-Spiele zeichnen sich dadurch aus, dass an alle SpielerInnen die gleichen Handlungsrechte vergeben werden. Dies allein ist für Spiele nun nicht ungewöhnlich, auch in Alea und Agon-Spielen werden die SpielerInnen mit gleichen Handlungsrechten ausgestattet. Im Unterschied zu diesen Spielen gibt es aber in Communitas-Spielen ein nur gemeinsam zu erreichendes Spielziel: es werden keine Gewinner und Verlierer „erzeugt", vielmehr kann und muss jede einzelne SpielerIn zum Gelingen des Spiels beitragen, was zu einem starken Gefühl der Zusammengehörigkeit führt. Dies ist m.E. auch der Grund für die Beliebtheit dieser Spiele. Die zu lösende Aufgabe ist dabei in den hier gespielten Spielen so schwer, dass die Erreichung des Ziels tatsächlich herausfordert. Sie ist aber nicht so schwer, dass sie von Einzelnen nicht geleistet werden kann. Communitas-Spiele, die eine zu schwere Aufgabe stellen, würden wohl zu Differenzen führen zwischen den SpielerInnen, die den notwendigen Teil zur Aufgabenlösung beitragen können und den SpielerInnen, die das nicht schaffen. Hier wird deutlich, welche große Verantwortung in der Gestaltung von Spielen bei den AnleiterInnen liegt, deren Aufgabe in Communitas-Spielen es ist, eine Spielaufgabe so zu gestalten, dass sie herausfordernd schwer, aber doch von allen zu bewältigen ist.

2.4 Der Stopptanz und seine Variationen

Der Gruppe der *Illinx-Spiele* wurden vier Spiele zugeordnet: *Stopptanz, People to People, Kotzendes Känguru* und das *Namensrufspiel*.

Zunächst gilt es, zu erklären, weshalb ich diese Spiele als Spiele des Rauschs klassifiziere.

Das Prinzip des agon spielt in diesen Spielen kaum eine Rolle (im Stopptanz gibt es zwar einen Gewinner, aber das ist nicht entscheidend), alea überhaupt nicht. Es geht auch nicht darum, sich als Gleicher und Gleichen zu fühlen und eine gemeinsa-

---

335 Auch hier ließe sich leicht eine Agon-Variante des *Hey-Kreises* entwickeln: Wer einen Fehler macht, scheidet aus.

me Aufgabe zu lösen (kein communitas-Spiele) und es gibt kaum Spielfiguren, die in diesen Spielen übernommen werden (einzig das Kotzende Känguru hat einen starken Anteil von mimicry).

Es bleibt als bestimmendes Spielprinzip einzig der Rausch übrig und bei genauerer Analyse können die Momente des Rausches in diesen Spielen auch gefunden werden. Ich werde dies für das mit Abstand beliebteste Spiel des Projekts, den *Stopptanz*, der an 6 Projektterminen gespielt wurde und auch Teil des Abschlussstücks wurde, zeigen.

Sequenz 14: Stopptanz – Boxtanz

Ereignis: Stopptanz   Quelle: AG_08.01.07   Timeline: 1:50-2:20

```
1    In der einen Hälfte der Turnhalle bewegen sich die SpielteilnehmerInnen
2    zu einem schnellen Musikstück. In der Mitte der Halle befinden sich
3    Anna, Yola und Lara. Anna und Yola sehen beide zu Lara, die mit ihrem
4    rechten Bein eine Bewegung nach oben durchführt, dann dreht sie sich
5    und Anna und Yola kommen näher zu ihr.
6    Zur gleichen Zeit sieht man Magnus in das Bild laufen, er bewegt sich
7    mit ruckartigen Bewegungen auf eine an der Wand befestigte Matte zu, er
8    stoppt seine Bewegungen erst als er mit der Nase dort anstößt.
9    Ebenfalls zur gleichen Zeit sieht man Maria und Hilal, die sich über
10   Kreuz an den Händen gefasst haben und im Kreis drehen. Janne, Louise
11   und Elkie, die ebenfalls zu sehen sind, tanzen nur für sich auf einem
12   relativ kleinen Gebiet. Dann kommt Nasir durch das Bild getanzt und
13   bewegt sich mit großen, im Takte der Musik federnden Schritten. Dann
14   stoppt die Musik und alle beenden aprupt ihre Bewegungen. Anna, die
15   gerade einen Schritt gemacht hatte, macht mit einem Arm noch eine klei-
16   ne Ausgleichsbewegung, um das Gleichgewicht zu halten.
17   (2)
18   Lisa:      ANNA
19   Anna:      <<schüttelt kurz den Kopf, dann bewegt sie sich
20              in Richtung von Lisa auf die Musikanlage zu>
21   (2)
22   ?:         und?
23   ?2:        nasir
24   Nasir:     <<kommt ebenfalls in Richtung der Musikanlage gelaufen>
25   Die Musik beginnt wieder, Maria und Hilal lassen sich los und wenden
26   sich in unterschiedliche Richtungen, Magnus und Thomas bewegen sich
27   aufeinander zu, Thomas hebt dabei die Fäuste, Magnus hebt ebenfalls
28   seine Fäuste und als sie etwa einen Meter voneinander entfernt sind,
29   beginnen sie einen Boxkampf zu simulieren. Sie deuten dazu Schläge an,
30   die der „Getroffene" aufnimmt, in dem er seinen Körper wie „getroffen"
31   bewegt. Wärend dieses Boxkampfes wendet sich Yola kurz Maria zu und
32   Hilal guckt, sich mit kleinen Bewegungen weiterbewegend, Lara zu. Dann
33   stoppt die Musik wieder. Nur Thomas muss noch einen kleinen Schritt
34   machen, um sein Gleichgewicht zu halten.
35   Nasir:     thomas
36   ?2:        ja thomas
37   Thomas:    <<bleibt im Freeze stehen>
38   (2)
39   Nasir:     THO::mas
40   ?2: komm;
41
42   (1)
43   Thomas:    <<bewegt sich zuerst langsam, dann sprintend in
44              Richtung der Musikanlage.
```

Der Stopptanz hat sehr einfache Regeln. Wenn Musik ertönt, müssen sich alle SpielerInnen tanzend durch den Raum bewegen. Stoppt die Musik, müssen alle in den „Freeze" gehen, d. h. in der letzten Bewegung abrupt innehalten und in der momentanen Haltung „einfrieren". Wenn die Musik wieder beginnt, kann und muss sich wieder bewegt werden. Neben dieser Grundregel gibt es dann zwei Varianten. In Variante 1 scheiden SpielerInnen, die sich in der „Freezephase" noch bewegt haben, aus. Die, die ausscheiden, übernehmen dann ebenfalls die Position der BeobachterInnen und rufen in der nächsten Freezephase ebenfalls die SpielerInnen heraus, die sich noch bewegen. In Variante 2 hingegen werden die Handlungsrechte verändert: Wenn eine SpielerIn sich in der Freezephase noch bewegt hat, wird sie nicht herausgerufen. Sie muss in der Musikphase ihre Position weiter halten und hat dann in der Musikstoppphase die Möglichkeit, sich in eine andere Haltung zu begeben, die sie dann wiederum während der Musikphase halten muss.

Diese *Seq_14: Stopptanz – Boxtanz* zeigt, wie einige der SpielteilnehmerInnen die Phasen der freien Bewegung nutzen, um mit den anderen SpielerInnen in Kontakt zu treten. Anna, Yola und Lara bereiten gerade eine kleine gemeinsame Choreographie vor (Z. 2-5), als sie vom Stoppen der Musik unterbrochen werden. Hilal und Maria befinden sich in einem Drehspiel (Z. 9-10). Andere AkteurInnen hingegen bewegen sich für sich alleine, manche auf einem Raum tanzend, andere, wie Magnus, gehen auf einer geraden Linie durch den Raum (Z. 6-8). Das Stoppen der Musik zwingt alle, ihre Handlungen sofort zu unterbrechen. Zwei der SpielerInnen, Anna und Nasir, werden dann namentlich aufgerufen (Z. 18, Z. 23). Dies stellt das Zeichen dafür dar, dass die, die schon ausgeschieden waren, nach dem Stoppen der Musik noch Bewegungen von Anna und Nasir gesehen haben. Als die Musik wieder beginnt, verändern die Tanzenden ihre Handlungen: Maria und Hilal beenden ihr Drehspiel und orientieren sich an Yola und Lara (Z. 26-27). Magnus und Thomas nehmen ein ausgiebiges Boxspiel auf, das sie mit großen Bewegungen in Szene setzen (Z. 27-31). Als die Musik wieder stoppt, frieren wieder alle in ihren Bewegungen ein.

Der Stopptanz erlaubt, wie diese Sequenz zeigt, den SpielteilnehmerInnen in den Phasen der freien Bewegung, eigene Rahmen mit anderen SpielteilnehmerInnen aufzubauen. Alle diese Rahmen, die man als „Rahmen im Rahmen" bezeichnen könnte, durchlaufen ebenfalls die fünf Phasen des Rahmendrehbuchs. Der Boxkampf von Magnus und Thomas wird durch Blicke und das wechselseitige Hochnehmen der Fäuste vorbereitet. Die beiden verständigen sich hier allein durch Blicke und Gesten über den gültigen Rahmen und beginnen ihren gespielten Boxkampf, der durch das Stoppen der Musik und das Herausrufen von Thomas ein jähes Ende findet. Je expansiver die Bewegungen der Tanzenden werden, desto größer die Gefahr, bei einem Musikstopp nicht sofort einfrieren zu können. Zuerst sind es Anna und Nasir, dann ist es Thomas, dem das nicht gelingt. Der Stopptanz lebt von genau dieser Spannung. Der Spaß, den die TeilnehmerInnen haben, lässt sich also durch das Engagement der Spielteilnahme steigern, je wilder und ausgelassener getanzt wird, desto schwieriger ist die notwendige Kontrolle bei einem Musikstopp. In den Tanzphasen ist also „kontrollierte Ausgelassenheit" von den SpielerInnen gefordert. Dieses Spiel erfordert somit, trotz einfacher Regeln, höchste Aufmerksamkeit der SpielerInnen sowie die Erfüllung einer eigentlich unmöglichen Aufgabe, nämlich kontrolliert ausgelassen zu sein. Dabei gilt, dass die

TeilnehmerInnen nicht wissen können, wann die Kontrolle von ihnen gefordert wird. Genau dieses Spannungsmoment ist es auch, weshalb ich vorschlage, den Stopptanz als ein „Rauschspiel" zu klassifizieren. Das Prinzip des Agon, das in der Variante des Stopptanzes, in der die, die sich noch bewegt haben, herausgerufen werden, ist nicht das entscheidende. Die SpielteilnehmerInnen, die versuchen, den Stopptanz als Agon-Spiel zu spielen, werden sehr rasch den Spaß an diesem Spiel verlieren, da sie sich während der Freitanzphasen natürlich möglichst wenig bewegen werden, um so bei einem Musikstopp sofort „einfrieren" zu können. In keiner der Spielrunden des Stopptanzes spielt eine der SpielerInnen den Stopptanz nach diesem Prinzip – und zwar, so meine These – weil dann das Spiel keinen Spaß mehr machen würde. Die Spannung, die jede einzelne SpielteilnehmerIn durch exzessive Bewegungen steigern kann, ist das zugrundeliegende Spielprinzip des Stopptanzes.

Auch für die anderen, hier als „Rauschspiele" gekennzeichneten Spiele lässt sich zeigen, dass in all diesen Spielen ein plötzlicher, nicht vorherzusehender Impuls erfolgt, der ein ganz bestimmtes, sehr hoch konventionalisiertes Verhalten der SpielerInnen erforderlich macht:

People to People: Auch dieses Spiel stellt eine weitere Variante des Stopp-Tanzes dar, die aber mit einem eigenen Namen benannt wird. Auch hier bewegen sich die SpielerInnen frei zu Musik tanzend durch den Raum. Wenn die Musik stoppt, ruft eine AnleiterIn eine Aufgabe in den Raum, die von den SpielerInnen erfüllt werden muss. Ruft die Anleiterin zum Beispiel „Nase zu Nase", dann müssen die SpielerInnen sich eine oder mehrere MitspielerInnen suchen und deren Nase mit ihrer Nase berühren. Der besondere Reiz an People to People ist dabei, dass die Spielregeln erlauben bzw. es erzwingen, anderen SpielerInnen körperlich sehr nahe zu kommen. Dabei kann man sich, da es darum geht, möglichst schnell PartnerInnen zu finden, die SpielerInnen, denen man sehr nahe kommt, nicht aussuchen. Auch dieses Spiel bereitet den SpielerInnen großes Vergnügen.

Kotzendes Känguru: Auch das Kotzende Känguru (zu den Spielregeln siehe im ersten Teil dieser Fallstudie) lebt von der Spannung, ob man im nächsten Moment aufgerufen wird, eine ganz bestimmte Handlung auszuführen. Wichtig ist dabei, dass es drei verschiedene Anweisungen gibt und zudem nicht nur die angesprochene SpielerIn, sondern auch deren Nachbarn handeln müssen. Auch hier müssen alle SpielerInnen hoch konzentriert sein, um jederzeit richtig reagieren zu können. Eine Besonderheit des *Kotzenden Kängurus* ist dabei, dass die Person, die in der Mitte die Anweisungen gibt, selbst entscheiden darf, welche Reaktionen sie als zu langsam oder falsch bewertet. Es gibt hier keine SpielleiterIn, die das entscheidet.

Namensrufspiel: Bei diesem Spiel handelt es sich um ein Kennenlernspiel, bei dem die SpielerInnen alle im Kreis stehen, immer zwei SpielerInnen nah beisammen. Die SpielerIn, die beginnt, steht allein im Kreis und ruft den Namen einer anderen SpielerIn. Diese versucht ihren Platz zu verlassen und zu der Person zu laufen, die sie gerufen hat. Ihre NachbarIn versucht dies zu verhindern, indem sie sie festhält; schafft sie das, ruft die erste SpielerIn einen anderen Namen; schafft sie es nicht und die Gerufene läuft ihr davon, dann steht die verlassene SpielerIn allein und muss nun ihrerseits einen Namen rufen. In einer Variante des Spiels wechseln die jeweiligen Nachbarn dann ihre Namen, d. h. SpielerIn A muss laufen, wenn der Name der PartnerIn gerufen wird und festhalten, wenn der eigene Name gerufen wird.

Auch dieses Spiel lebt von der Spannung, ob und wann man von der Person in der Mitte zum Handeln aufgefordert wird, es erfordert eine durchgängig hohe Konzentration.

Die hier als Rausch- bzw. Aufmerksamkeitsspiele analysierten Spiele vergeben wie die Communitas-Spiele keine unterschiedlichen Handlungsrechte an die SpielerInnen (bzw. wechseln unterschiedliche Handlungsrechte sehr schnell, wie im Kotzenden Känguru und dem Namensrufspiel). Im Unterschied zu den Communitas-Spielen geht es aber nicht darum, eine gemeinsame Spielaufgabe zu meistern. Und es geht auch nicht, wie in Agon oder Alea-Spielen, darum, Gewinner oder Verlierer zu ermitteln. Der Reiz dieser Spiele liegt vielmehr darin, dass Phasen, in denen es keine Handlungsbeschränkungen (Stopptanz, People to People) oder keine Handlungsaufgaben (Namensrufspiel, Kotzendes Känguru) gibt, mit Phasen abwechseln, in denen es sehr klare Handlungsanweisungen gibt (im Stopptanz muss man bewegungslos sein, bei People to People Körperteile verbinden, beim Namensrufspiel weglaufen oder festhalten und beim Kotzenden Känguru bestimmte Bewegungen und Geräusche machen). In allen Spielen gibt es dabei klare Signale, die die „Handlungsphasen" einleiten (Musik aus beim Stopptanz, das Rufen von Körperteilen bei People to People, das Rufen eines Namens beim Namensrufspiel und das Nennen bestimmter Figuren beim Kotzenden Känguru). Wie die *Seq_10: Ich schlaf gleich ein!* deutlich gemacht hat, machen diese Spiele aber nur Spaß, wenn die SpielerInnen ein hohes Engagement zeigen. Wenn diese Spiele nur der Form nach gespielt werden, sind sie langweilig. Dies liegt, so meine Erklärung für dieses Phänomen, daran, dass der Spaß an diesen Spielen dadurch entsteht, dass die SpielerInnen sich in den jeweiligen Phasen voll auf das einlassen, was es zu tun gilt: Sich frei zu bewegen bzw. zu warten und dann nach den jeweiligen Signalen die geforderten Handlungen möglichst schnell und präzise durchzuführen. Die spielleitende Differenz liegt somit nicht darin, dass zwischen den SpielerInnen unterschieden wird, sondern darin, dass die Kontraste zwischen den einzelnen Spielphasen so groß sind, dass der ständige, unvorhersehbare Wechsel die SpielerInnen herausfordert und damit Spaß macht. In allen hier untersuchten Spielen gilt dabei, dass SpielerInnen, die nicht schnell genug sind, nicht aus dem Spiel ausscheiden: Im Stopptanz übernehmen sie die Funktion der „Rausrufenden", bei „People to People" wird weitergespielt, wenn alle ihre Körperteile mit anderen Körperteilen verbunden haben, im Kotzenden Känguru übernimmt man die Funktion des Impulsgebers in der Mitte und beim Namensrufspiel wird man zu der Spielperson, die den nächsten Namen ruft. Aus diesem Grund haben drei der hier untersuchten Spiele auch <u>kein</u> ihnen innewohnendes Ende (People to People, Kotzendes Känguru, Namensrufspiel), sondern müssen „irgenwann" beendet werden. Dieses Recht, Spiele für beendet zu erklären, fällt in der hier untersuchten Lernkultur den beiden Anleiterinnen zu.

2.5 Mimicry-Spiele

Ich werde im Folgenden am Beispiel des Vampirspiels zeigen, welche besonderen differenzerzeugenden Praktiken mit Mimicry-Spielen verbunden sein können. Die erste Sequenz, die ich hier analysieren möchte, stellt einen Ausschnitt aus der Spielerklärung des Spieles vor dem ersten Spiel dar. Hier wird über das dem Spiel zugrundliegende Spielprinzip gesprochen:

Sequenz 15: Sondern es geht einfach um die Spannung

Ereignis: Vampirspiel **Quelle:** AG_06.11.06 **Timeline:** 4:32-4:56

```
1    Elkie:     und darf man nicht=darf man nich sagen (.) zu
2               zweit (.) wenn man weiss wer der vampir=
3    ?2:        =NEIN;
4    Theresa:   ne (.) des darf man nich (.) weil es geht da ja
5               nicht ums gewinnen (.) es geht ja nicht darum
6               (.) da als letzter zu sterben (.) sondern es
7               geht einfach um die SPANNung <<acc> is der jetz
8               vampir oder nich (.) drum is des SPANNend den
9               anderen die Hände zu schütteln (.) darum geht's
10              (-) drum darf nicht verraten werden (.) wer vam-
11              pir ist
```

Elkie fragt hier Theresa, ob man den anderen sagen darf, wer der Vampir ist (Z. 1-3). Theresa verneint dies und macht ganz deutlich, dass das Vampirspiel kein Agon-Spiel darstellt, es geht nicht darum, zu gewinnen (Z. 4-5). Sie formuliert ein anderes Spielprinzip und ordnet das Spiel durch ihre Erklärung den Rauschspielen zu (Z. 4-11). Die Spannung des Spiels liege darin, dass man nicht weiß, ob die Person, der man die Hand gibt, ein Vampir oder ein Mensch ist.

Die nun folgende Sequenz lässt diese Interpretation des Spielprinzips des Vampirspiels aber sehr fraglich erscheinen:

Sequenz 16: Machst Du mich Vampir?

Ereignis: Vampirspiel **Quelle:** AG_06.11.06 **Timeline:** 7:50-8:14

```
1    Alle SpielerInnen, außer den beiden Vampiren, liegen am Boden.
2    Theresa:   okay (.) des ging ja zackig (.) mach mas noch
3               einmal
4    Viele:     JA:::;
5    Innerhalb von sechs Sekunden haben sich alle SpielerInnen in einen
6    Kreis gelegt, nur Steffen steht bei Theresa und spricht leise mit ihr.
7    Theresa:   <<p> <<in die Richtung von Steffen, der gerade
8               davon geht, um sich ebenfalls in den Kreis zu
9               legen> (     ) ich guck mal=
10   ?:         =machst du mich vampir?
11   ?2:        bitte?
12   ?3:        machst du mich vampir?
13   Theresa:   des kann ich ja jetz doch nich sagen (-) aber es
14              waren ziemlich alle hier noch nicht vampir
15   ?4:        [ich war noch nie vampir]
16   Theresa:   [wir machen das spiel ja wieder mal]
```

```
17    Viele der TeilnehmerInnen durcheinander, daher unverständlich. Zu hören
18    ist aber:
19    ?5:         ich war auch noch nie
20    Theresa:    ja (-) des hat mir jetzt ungefähr schon [jeder
21                von euch gesagt]
22    ?6:         [ich war auch nur mensch]
```

Nach dem Ende einer Spielrunde kündigt Theresa eine weitere Runde an (Z. 2-3), sie wird daraufhin von Steffen etwas gefragt, dass sie mit „ich guck mal" beantwortet (Z. 9). Eine der MitspielerInnen versteht diese Antwort offensichtlich so, dass Steffen Theresa gefragt hatte, ob sie ihn zum Vampir machen könne, und sie bittet nun ihrerseits darum, „Vampir" zu werden (Z. 10). Dieser Bitte schließen sich nun viele der MitspielerInnen an (Z. 11-12) und Theresa macht deutlich, dass sie das natürlich jetzt nicht ankündigen kann, da es ja dann schon verraten wäre, wer „Vampir" und wer „Mensch" ist, sie sich bei ihrer Auswahl aber daran orientiere, wer in den vorangegangenen Spielrunden noch kein „Vampir" gewesen war (Z. 13-14). Dies führt dazu, dass drei der SpielerInnen Theresa daran erinnern, dass sie bisher noch kein „Vampir" gewesen seien (Z. 15-22).

Diese Sequenz legt nahe, dass es den SpielerInnen vor allem darum geht, dass sie auch einmal „Vampir" werden wollen, um die Spielfigur zu spielen, die das Recht hat, alle anderen MitspielerInnen durch ein einfaches Händekitzeln zu „töten". Das Spielprinzip des Vampirspiels wäre nach dieser Lesart vor allem darin begründet, dass die TeilnehmerInnen in eine extrem machtvolle Position schlüpfen können, die sie zu den uneingeschränkten HerrscherInnen der Spielsituation macht. Sie entscheiden, wann sie wen dazu zwingen, sich „tot" auf den Boden werfen zu müssen. Damit das aber auch passiert, müssen sich die „Menschen" aber auch auf das Spiel einlassen und sich nicht, wie Maria es in *Seq_9: Nicht weglaufen, hallo?* unternimmt, dem „Getötwerden" entziehen.

Die Handlungsrechte, die mit der Aufteilung der SpielerInnen in „Vampire" und „Menschen", vergeben werden, könnten kaum kontrastreicher sein. Die einen, die „Vampire", haben das Recht, die anderen durch eine kleine Kitzelbewegung zu Fall zu bringen, die „Menschen" haben keinerlei Möglichkeit diesem Schicksal zu entgehen, sie müssen sich „töten" lassen. Die Faszination und Begeisterung für dieses Spiel erklärt sich, so meine Interpretation, aus der Tatsache, dass alle SpielerInnen einmal in der Vampirfigur spielen wollen und diese uneingeschränkte Macht über die anderen auskosten wollen. Dabei gilt, dass andere Unterschiede, die zwischen den TeilnehmerInnen bestehen, keine Wirksamkeit innerhalb des Spieles haben – die rahmenstrukturierende, die relationale Differenz ist die zwischen „Vampir" und „Mensch". Und es ist die Spielfigur des „Vampirs", die die SpielerInnen übernehmen wollen. Daher achten die AnleiterInnen auch sehr genau darauf, dass sie das „Vampirsein" gerecht verteilen und alle mindestens einmal Vampir gewesen sind.

Tiermemory: Ganz ähnlich verhält es sich mit dem Spiel Tiermemory, auch hier müssen sich die SpielteilnehmerInnen als MemoryspielerInnen bzw. als Tierkarten verhalten, damit das Spiel stattfinden kann – welche Probleme dabei entstehen können, hat *Seq_11: Ich weiß nicht wie ichs machen soll* gezeigt. Hier wurde auch deutlich, dass es nicht „einfach" nur darum geht, eine Figur zu spielen, Maria ist hier offensichtlich etwas unangenehm, sie lässt sich kaum auf ihre Tierfigur ein und bleibt sehr zurückhaltend. Sie spielt nicht einfach „los", sondern erklärt, dass sie gar nicht wisse, wie sie ihr Tier darstellen könne. Dabei ist eine Besonderheit des Tiermemorys, dass die Spielanlage dazu führt, dass die anderen SpielerInnen der Darstellung des jeweiligen Tieres zusehen. Dadurch entsteht eine Präsentationssituation, in der ein besonderer Fokus auf die Handlungen der Präsentierenden gerichtet ist (siehe zur Besonderheit von Präsentationssituationen ausführlich die Fallstudie *Übungen* und *Präsentationen*). Diese Aufmerksamkeitsfokussierung birgt die Sorge, sich mit der eigenen Darstellung zu blamieren. Janina ist es, die genau das im Anschluss an das Tiermemory formuliert:

Sequenz 17: Dann sieht das immer so doof aus

Ereignis: Vom Tier zum Satz I   Quelle: AG_11.12.06   Timeline: 5:15-5:30

```
1     Theresa:   Wenn des jemand nicht will (.) dann muss er des
2                begründen
3     (1)
4     Janina:    <<streckt einen Finger in die Luft>
5     Theresa:   janina
6     Janina:    <<all> ich möcht des schon aber des is immer so
7                komisch weil ich kann die tiere dann nich so gut
8                (.) dann sieht das immer so doof aus
```

Janina formuliert – auch stellvertretend für Maria – ihre Begründung, warum es ihr schwer fällt, sich auf bestimmte Spiele oder Übungen, in denen es darum geht, Spielfiguren darzustellen, einzulassen. Sie fürchtet, dass ihre Darstellung in den Augen der Anderen nicht reüssiert (Z. 8) und sie sich bloßstellt. Dies macht deutlich, dass Janina sich für die Darstellung der Spielfigur in der Verantwortung sieht – es fällt ihr schwer, sich auf die Darstellung einzulassen, weil sie sich nicht sicher ist, wie „gut" ihre Darstellung ausfallen wird. Interessant daran ist vor allem, dass Maria und Janina hier offensichtlich nicht vollständig zwischen sich als Personen und den von ihnen gespielten Figuren unterscheiden. Es ist nicht so, dass das Verhalten der Spielfiguren nicht auch das Verhalten von Maria und Janina ist. Wenn man diese Einsicht wieder auf die Überlegungen, die im Anschluss an das Vampirspiel angeführt wurden, anwendet, gewinnt der Verzicht der Erwachsenen, am Vampirspiel teilzunehmen, noch einmal eine andere Akzentuierung: Es ist zwar so, dass die Erwachsenen, wenn sie als „Mensch" markiert sind, die von den „Vampiren" zu Fall gebracht werden „nur" spielen, aber es gilt genauso, dass damit die Erwachsenen nicht nicht von den Kinder zu Fall gebracht werden. Diese Unterscheidung zwischen einem „Nicht-Ich", dass aber eben auch als „nicht Nicht-Ich" verstanden werden muss, formuliert der Theateranthropologe RICHARD SCHECHNER als Kennzeichen des Theaterspielens.[336] Dieses Prinzip gilt nun auch für Spiele und wird in der Auseinandersetzung der TeilnehmerInnen mit dem Darstellen bestimmter Spielfiguren deutlich. Bevor ich zum Abschluss dieses Kapitels eine Zusammenfassung zu den

---

336 Schechner 1990, S. 12 ff.

Besonderheiten der Mimicry-Spiele geben werde, will ich noch kurz das letzte in dieser Lernkultur gespielte Spiel vorstellen:

Anschleichen: Die Mehrzahl der MitspielerInnen setzt sich, das Gesicht zum Kreisinneren gerichtet, in einen Kreis mit etwa einem Meter Abstand zueinander. Zwei oder drei der MitspielerInnen hingegen stehen etwa zehn Meter entfernt und beginnen, wenn die im Kreis Sitzenden die Augen geschlossen haben, damit, sich anzuschleichen. D. h. sie bewegen sich möglichst geräuschlos auf die Sitzenden zu und versuchen sich so hinter eine Person zu stellen, dass diese das nicht merkt. Wenn die Anschleicher stehen, werden die Sitzenden aufgefordert, die Hand zu heben, wenn sie glauben, dass hinter ihnen jemand steht. Dann können sie nachgucken, ob sie Recht gehabt haben.

Zunächst fällt bei der Durchsicht der Aufnahmen des *Anschleichens* auf, dass die Sitzenden tatsächlich in allen Spielrunden (die etwa zwei Minuten dauern) so gut wie regungslos und still sitzen, die Augen geschlossen. So ein Verhalten konnte in keinem anderen Rahmen beobachtet werden. Ganz im Gegenteil, in vielen Situationen versuchen die Anleiterinnen, Interaktionen zwischen den TeilnehmerInnen zu unterbinden (siehe hierzu zum Beispiel Kapitel 4.3 der Rahmenanalyse der *Übungen*), doch die TeilnehmerInnen interagieren weiter. Beim „Anschleichen" ist das nicht so, hier sind die Sitzenden absolut still und konzentrieren sich darauf, zu hören oder zu spüren, ob einer der Anschleichenden hinter ihnen zum Stehen kommt.

Im Anschleichen sind es also nicht die Anleiterinnen, sondern die Spielanlage, die dazu führen, dass die SpielerInnen völlig ruhig und konzentriert sind: Der Versuch, zu hören bzw. zu spüren, ob eine Person hinter einem steht, erfordert von den Sitzenden nicht nur Konzentration, sondern auch die Beschränkung der eigenen Handlungen auf ein Minimum. Jede eigene Bewegung, die ein Geräsuch verursacht, erschwert das Hören der Anschleichenden.

Auch für das Anschleichen gilt also, dass unterschiedliche Handlungsrechte bzw. -pflichten vergeben werden. Zudem gibt es hier auch eine Komponente des Agon, die Spannung rührt auch daher, ob es den Anschleichenden gelingt, sich unbemerkt hinter eine SpielerIn zu stellen, oder ob die SpielerIn das merkt. Da es aber unterschiedliche Handlungsrechte gibt, messen sich die SpielerInnen <u>nicht</u> in einer Fähigkeit, die Anschleichenden müssen sich ja möglichst lautlos bewegen, die Sitzenden möglichst gut hören/spüren. Im Anschleichen werden also nicht, wie im Vampirspiel, ungleiche, sondern verschiedene Handlungsrechte vergeben. Auch dieses Spiel macht den TeilnehmerInnen großen Spaß.

Ich fasse zusammen: In Mimicry-Spielen werden Handlungsrechte und -pflichten an einzelne Spielfiguren geknüpft. Im Vampirspiel gibt es „Vampire" und „Menschen", im Tiermemory „SpielerInnen" und „Karten, die Tiere darstellen", im Anschleichen „Anschleichende" und „Sitzende". Die ganz unterschiedlichen Handlungsrechte bzw. -pflichten, die mit diesen Spielfiguren verknüpft sind, strukturieren sehr unterschiedliche Erfahrungsräume: Im Vampirspiel scheint es vor allem um das Erleben und Auskosten der einflußreichen Figur des „Vampirs" zu gehen, im „Tiermemory" entsteht durch die Fokussierung der Aufmerksamkeit aller auf die Darstellung eine

Art „Bühne", auf der die „Karten" ihre Auftritte gestalten. Und im Anschleichen müssen sich die Anschleichenden auf die Art ihrer Bewegung konzentrieren und die Sitzenden auf ihren Hörsinn und ihr Vermögen, die Anwesenheit anderer Personen zu spüren. Das Einlassen auf diese Spielfiguren beinhaltet dabei auch, dass andere Unterscheidungsressourcen innerhalb des Rahmens des Vampirspiels keine relationale Funktion haben. Interessanterweise sind die Mimicry-Spiele die drei Spiele, an denen die Erwachsenen nicht teilnahmen. Eine mögliche Erklärung dafür könnte sein, dass die Teilnahme am Spiel auch ein „Aussetzen" der pädagogischen Differenz zwischen AnleiterIn/TeilnehmerIn bzw. LehrerIn/SchülerIn erfordern würde. Auch die Anleiterinnen und auch die Lehrerin müssten sich schließlich von den Vampiren „umbringen" lassen und natürlich auch umgekehrt, sollten sie als Vampire markiert sein, müssten sie die anderen SpielerInnen zu Fall bringen. Natürlich gilt hier, dass es sich „nur" um ein Spiel handelt und es ist durchaus vorstellbar, dass auch die Lehrerin und die beiden Anleiterinnen das Vampirspiel mitspielen, sie müssten dann aber – angenommen sie werden als Menschen markiert – für die Dauer des Spiels auf alle besonderen Handlungsrechte verzichten. Dieser Verzicht würde dabei auch deutlich machen, dass ihre besonderen Handlungsrechte, die sie „außerhalb" dieses Rahmens genießen, keineswegs „selbstverständlich" sind, sondern „nur" von den jeweiligen Rahmen abhängen.

2.6 Differenz- und egalitäterzeugende Praktiken in Spielen

Wie ich in diesem Kapitel zeigen konnte, sind die verschiedenen Spiele, die hier als Rahmen der untersuchten Lernkultur analysiert wurden, mit ganz spezifischen differenz- bzw. egalitäterzeugenden Praktiken verbunden. Möglich wird dies, weil alle Spiele als eigene Rahmen zu verstehen sind, die sich zunächst dadurch auszeichnen, dass sie *Namen* haben, *klar formulierte Regeln* und *klare Grenzzeichen*. Damit werden Spiele zu Rahmen, die beständig, auch direkt im Anschluss an das gerade gespielte Spiel, *wiederholt* werden können. Wie die Analysen gezeigt haben, ist aber nicht nur die Regelformulierung wichtig, sondern auch, dass sich die SpielerInnen an die *geltenden Regeln halten* und ein *hohes Engagement* aufbringen müssen. Schon eine SpielerIn, die sich nicht an die geltenden Regeln hält, gefährdet den Spielrahmen auch für alle anderen. Handeln die SpielerInnen aber den Regeln entsprechend, lassen sich ungewöhnliche Interaktionen beobachten:

Die Unterscheidung zwischen AnleiterInnen und TeilnehmerInnen, die vor den Spielen eine relationale Differenz darstellte, da unterschiedliche Handlungsrechte und -pflichten an diese Unterscheidung geknüpft sind (etwa die, ein Spiel beginnen zu lassen), ist innerhalb der Spiele nicht mehr von Bedeutung. Spielen die AnleiterInnen mit, dann haben sie die Handlungsrechte und -pflichten, die ihnen von den Spielregeln zugewiesen werden. Spielen sie nicht mit, dann können sie – sozusagen von außen – in das Spiel eingreifen, um zum Beispiel Regelverletzungen zu ahnden. Wichtig ist dabei aber, dass sie das *nicht* in einer Spielfunktion unternehmen, sondern wie schon gesagt, „von außen".

Die drei in dieser Lernkultur gespielten *Communitas-Spiele*, der Gordische Knoten, das Zeitungsspiel und der Hey-Kreis, zeichnen sich dadurch aus, dass mit ihnen egalitäterzeugende Praktiken verbunden sind. Allen SpielerInnen werden gleiche Handlungsrechte und -pflichten zugeteilt. Dabei geht es aber nicht, wie in Agon oder Alea-Spielen darum, das Spiel in Konkurrenz zu den anderen SpielerInnen zu gewinnen, sondern darum, ein gemeinsames Spielziel zu erreichen. In allen drei Fällen gilt dabei, dass dies nur dann erreicht werden kann, wenn alle SpielerInnen auch tatsächlich konzentriert mitspielen. Das Ende des Spiels führt daher ebenfalls nicht zu einer Differenz zwischen den SpielerInnen, alle erreichen gemeinsam das Spielziel oder sie erreichen es alle gemeinsam nicht.

Der Stopptanz, People to People, das Kotzende Känguru und das Namensrufspiel wurden in diesem Kapitel als *Illinx-Spiele* analysiert. Für diese Spiele gilt, dass es zwar in drei Spielen unterschiedliche Spielrollen gibt, diese aber nicht fest vor Spielbeginn zugewiesen werden, sondern die SpielerInnen ihre Rollen wechseln müssen. Die Illinx-Spiele zeichnet aus, dass in ihnen unterschiedliche Spielphasen schnell wechseln. Daher wurden sie auch als „Rauschspiele" klassifiziert. Es gibt im schnellen Wechsel Phasen ohne Handlungspflichten und Phasen mit sehr klar definierten Handlungspflichten. Bei People to People ist es eine der Anleiterinnen, die als Spielleiterin den Wechsel der Spielphasen bestimmt, in den drei anderen Spielen ist dieses Recht mit bestimmten Spielrollen verbunden, die aber eben wechselnd besetzt werden. Die Spiele enden nicht mit Gewinnern und Verlierern, sie leben davon, dass sich die SpielerInnen den unterschiedlichen Spielphasen „hingeben" und die Spannung der ständigen, unvorhergesehen Wechsel genießen. Illinx-Spiele leben dabei in besonderem Maße von dieser Hingabe. Wer Illinx-Spiele nur „mitspielt" ohne großes Engagement, hat keinen Spaß an dieser Art von Spielen und gefährdet dadurch auch den Spaß der anderen. Zu vermuten ist – auch wenn das in den hier untersuchten Spielen nicht zu beobachten war – dass Illinx-Spiel in anderen Spielgruppen auch die Wirkung haben könnten, die AkteurInnen in die, die Spaß an solchen Spielen haben und in die, die keinen Spaß an solchen Spielen haben, zu unterscheiden.

In den *Mimicry-Spielen* schließlich werden unveränderliche Handlungsrechte an bestimmte Spielfiguren geknüpft. Die dadurch eingeführten Differenzen haben dabei relationalen Charakter. Nur durch und mit diesen Differenzen können diese Spiele gespielt werden. Im Vampirspiel gibt es „Vampire" und „Menschen", im Tiermemory gibt es „SpielerInnen" und „Karten, die Tiere spielen" und im Anschleichen gibt es „Anschleichende" und „Sitzende". In allen Fällen sind mit diesen Spielfiguren unterschiedliche Handlungsrechte und -pflichten verbunden und vor Spielbeginn wird festgelegt, wer welche Figuren spielt. Dadurch entstehen je nach Spiel sehr unterschiedliche Interaktionen: Im Vampirspiel haben die einen Spielfiguren die Macht, die anderen buchstäblich zu Fall zu bringen, im Tiermemory enstehen kurze Bühnenpräsentationen, in denen die Unterscheidung von Präsentierenden und Zu-schauerInnen zur entscheidenen Differenz wird und im Anschleichen versuchen die Anschleichenden jede Interaktion zu vermeiden. Für die Mimicry-Spiele gilt dabei in besonderem Maße, dass es für die SpielerInnen schwirig sein kann, sich auf das Spielen der jeweiligen Figuren einzulassen: das kann, wie im Vampirspiel, daran liegen, sich nicht in die ohnmächtige Figur der „Menschen" begeben zu wollen oder, wie im Tiermemory, daran, dass die SpielerInnen fürchten, sich mit ihren Auftritten zu blamieren. Die Erklärung für dieses Phänomen liegt meiner Ansicht nach darin, dass Spiele als ganz eigen strukturierte Rahmen bestimmte Verhaltensweisen möglich machen, allerdings nur dann, wenn sich die SpielerInnen auch an die vereinbarten Regeln halten. Tun sie das, gilt das Zitat, das dieser Rahmenanalyse vorangestellt war:

„They work for us because they immerse us in something quite outside our typical preconceptions of who we are and why we are here."[337]

---

337 SUTTON-SMITH 1992. S. 106.

„,Othering' ist ein kritischer Begriff, der Praxen bezeichnet, die Andere als positive, einheitliche und kommunizierbare Phänomene konstituieren und darin den und die Andere(n) als Andere festschreiben."[338]

3 Exkurs: Natioethnokulturelle Mitgliedschaft

Die natioethnokulturelle Mitgliedschaft gewinnt in keinem Rahmen eine relationale, rahmenstrukturierende Bedeutung: Es werden keine spezifischen Handlungsrechte entlang natioethnokultureller Zugehörigkeiten explizit vergeben. Nur im Falle von Louise, die zu Beginn des Projekts kein Deutsch sprach, führte ihre nicht-deutsche natioethnokulturelle Mitgliedschaft zu spezifischen Interaktionen. Es ließ sich eine (meist) beständige Übersetzungspraxis beobachten, die es ermöglichte, dass Louise am Projekt teilnehmen konnte. Wie sich gleich zeigen wird, wurde Louises „Andersprachigkeit" aber nicht als „natioethnokulturelle" Andersheit behandelt und auch weniger als ein Sprachdefizit als vielmehr als eine Sprachfähigkeit, mit der sie oft im Mittelpunkt des Interesses stand.

Neben diesen Übersetzungssituationen, die sehr zahlreich sind, finden sich nur einige wenige andere Sequenzen, in denen auch die natioethnokulturelle Herkunft der anderen AkteurInnen bedeutsam wird. Da diese sich in verschiedenen Rahmen ereignen erscheint es mir am sinnvollsten, die betreffenden Sequenzen in einer eigenen Fallstudie zusammenzufassen und in diesem Exkurs auf die Bedeutung der natioethnokulturellen Mitgliedschaft einzugehen.

Zunächst werde ich noch einmal auf Louise eingehen (3.1) und an weiteren Sequenzen zeigen, dass und wie eine ständige Übersetzungspraxis gewährleistet wurde, um – durch diese Fokussierung auf die andere natioethnokulturelle Mitgliedschaft von Louise – ihre fehlende Sprachkompetenz zu überwinden und so ihre Teilnahme am Projekt möglich zu machen.

Im Anschluss daran werde ich die drei einzigen Sequenzen vorstellen, in denen die natioethnokulturelle Mitgliedschaft explizit thematisiert wird (3.2). In der ersten wird deutlich, dass „Ausland", ganz egal wer es sagt, die Assoziation zu „anders", „gefährlich" und „wild" birgt. In der zweiten Sequenz vollzieht Maria eine Form des „Re-othering" und nimmt sich selbst aus der Gruppe der „Deutschen" heraus. In der dritten Sequenz schließlich wird die Zugehörigkeit über die Sprachkompetenzen zugewiesen. Dies führt dazu, dass auch einem „Deutschen" die fraglose Zugehörigkeit als natioethnokultureller Deutscher abgesprochen wird. In allen Fällen wird die natioethnokulturelle Herkunft eingesetzt, um Personen zu exkludieren.

In den letzten beiden Sequenzen schließlich geht es um die Analyse von zwei Szenen im Stück, in denen zum einen Louise und zum anderen Hilal einen nicht-deutschen Satz sagen (3.3). Eine genaue Analyse dieser beiden Sequenzen zeigt dabei, dass Hilal (und auch Tuba, die als Übersetzerin fungiert) zu natioethnokulturell „Fremden" gemacht werden, Louise hingegen nicht. Die Form der Inszenierung zeigt, dass die AnleiterInnen in Gefahr sind, stereotype Darstellungen von vermeintlich „Nicht-Deutschen" in ihre Stücke einzubauen. Der wahrscheinlich gut gemeinte, d. h. integrierenwollende Ansatz, vorhandene sprachliche Ressourcen zu nutzen, schlägt hier fehl.

---
338 MECHERIL 2005, S. 317.

3.1 Nur Englisch können? Sprachdefizit und Sprachfähigkeit

In diesem ersten Kapitel geht es darum, wie mit der Anderssprachigkeit von Louise umgegangen wurde. In *Seq_8: You know the game memory?* (siehe Fallstudie *Spiele*) ereignete sich eines der vielen Übersetzungsgespräche zwischen Natalie und Louise, das damit endete, dass Louise die Frage, ob ihr die Regeln nun klar geworden seien, bejahte. Wie sich gleich zeigen wird, wurde Louise hier tatsächlich in die Lage versetzt, an dem folgenden Spiel, dem Tiermemory, ohne Einschränkung teilzunehmen.

Sequenz 18: Katze ... Vogel

Ereignis: Tiermemory   Quelle: AG_11.12.06   Timeline: 13:20-13:35, 20:50-21:05

```
1     Natascha: <<geht auf Emilia zu und dreht sie um>
2     Emilia:   <<miaut>
3     Natascha: <<geht auf Louise zu und dreht sie um>
4     Louise:   <<miaut>
5   Viele AkteurInnen klatschen und Louise und Emilia folgen Natascha an
6   den Rand der Turnhalle.
7   (...)
8     Emilia:   <<läuft auf Janne zu und dreht sie um>
9     Janne:    <<führt einen Arm zur Nase, den anderen streckt
10              sie unter dem Arm nach vorne> torö::
11    Emilia:   <<läut zu Louise und dreht sie um>
12    Louise:   <<bewegt die Arme schnell auf und an> pieppiep-
13              piep.
```

Die Sequenz zeigt, dass Louise sich hier den Regeln des Spiels entsprechend verhalten kann. Sie ist dabei – innerhalb des Spieles, in dem Sprache keine Rolle spielt – keine „natioethnokulturell Andere" oder eine Nichtdeutschsprachige, sondern in der ersten Runde eine Katze und in der zweiten ein Vogel. Zwischen ihr und den anderen besteht kein Unterschied, sie sind alle SpielerInnen einer besonderen Form von Memory, die dadurch ausgezeichnet ist, dass es zwei „SpielerInnen" gibt und mehrere „Tierpaare". Da in allen Spielen dieser Lernkultur gesprochene Sprache nur eine untergeordnete Rolle spielt (siehe Fallstudie *Spiele*), stellen diese Spiele eine Möglichkeit zur Integration von Louise dar. Die jeweiligen Spielregeln erlauben es ihr – sind sie einmal geklärt – als völlig gleichberechtigte Spielerin teilzunehmen. Dabei gilt auch für Louise, genau wie für die anderen TeilnehmerInnen, dass die Regeln nur einmal erklärt werden müssen – hat sie sie einmal verstanden, kann sie an den Spielen partizipieren, ohne dass weitere Erklärungen notwendig sind. Im Material finden sich nun sehr viele Übersetzungssequenzen; in der folgenden weist eine Teilnehmerin auf die noch fehlende Übersetzung hin:

Sequenz 19: Das müssen Sie auf Englisch der Louise erklären

Ereignis: Einer geht   Quelle: AG_20.11.06   Timeline: 5:38-5:50

```
1   Die TeilnehmerInnen stehen an ihren Plätzen in der Turnhalle. Theresa
2   hat gerade die erste Erklärung zur folgenden Übung beendet.
3       Theresa:    okay↓ wir probieren des jetz ma aus (.) ihr
4                   stellt euch jetzt wieder ganz normal hin und
5                   guckt denjenigen an (.) der geht (-) ich geh
6                   jetzt schon mal durch (.) das heißt ihr guckt
7                   mich an
8       Tuba:       des müssen sie auf englisch der louise erklären
9   Man hört ein leises Gemurmel, unklar von wem das stammt. Nach zwei Se-
10  kunden spricht wieder Tuba:
11      Tuba:       die hat nichts verstanden
12      Mehrere:    <<lachen leise>
13      Theresa:    die louise kriegt das schon hin und die natalie
14                  erklärts ihr noch mal okay?
```

In dieser Sequenz ist es Tuba, die die AnleiterInnen darauf hinweist, dass sie verpflichtet sind, dafür Sorge zu tragen, dass Louise auch eine Übersetzung für das gerade Gesagte bekommt. Tubas Formulierung ist dabei sehr forsch, sie fragt nicht nach, ob Louise wohl alles verstanden habe oder bittet die AnleiterInnen, noch mal nachzufragen. Zunächst gibt sie den beiden AnleiterInnen den Befehl, das gerade Gesagte auch auf Englisch zu erklären, da Louise „nichts verstanden habe". Wie das Lachen in Z. 13 und auch Theresas Antwort zeigt, scheint Tuba hier ihre Handlungsrechte als Teilnehmerin zu überschreiten. Theresa weist ihre Begründung, dass Louise nichts verstanden habe, zurück, betont dann aber, dass Natalie es ihr noch einmal erklären werde. Neben dieser Überschreitung stellt die Intervention Tubas aber auch einen berechtigten Hinweis dar, die sehr komplexe Erklärung Theresas könne von Louise sicherlich nicht verstanden werden. Theresa vertraut aber darauf, dass Louise durch die Beobachtung der Übung, ein Nachfragen bei den AnleiterInnen oder eine erneute Erklärung durch Natalie, in die Lage versetzt wird, zu verstehen, was passiert, um so an der Übung teilnehmen zu können. Und genauso ist es dann auch: Louise nimmt an den Übungen grundsätzlich so teil, dass eine BeobachterIn nicht merken würde, dass sie kaum Deutsch versteht. Bei komplexen Handlungsaufforderungen, die auch nicht durch Beobachtung zu erschließen sind, achten die beiden AnleiterInnen und die Lehrerin – und in einigen Fällen auch die TeilnehmerInnen – darauf, Louise die entsprechenden Erklärungen zu geben. Louise tritt so im Projekt zwar als „natioethnokulturell Andere" in Erscheinung, kann aber in fast allen Fällen durch Übersetzungen integriert werden. Eine Ausnahme bilden hier die Gesprächssituationen, in denen es dann doch immer wieder geschieht, dass Louise nicht alles übersetzt bekommt und sie nicht mehr weiß, worüber gesprochen wird (vgl. die Fallstudie zu Gesprächsrahmen, *Seq_53: Ja?*). Die beobachtete Übersetzungspraxis ist aber nicht die einzige „Verbesonderung", die in den Interaktionen mit Louise zu beobachten ist: Zu beobachten ist auch, dass die englische Sprache eine besondere Anziehungskraft für die anderen TeilnehmerInnen hat. Sie sind begierig, ihre englischen Sätze ebenfalls übersetzt zu bekommen. In der Übung „Vom Tier zum Satz" etwa – die in der Fallstudie *Übungen* ausführlich vorgestellt wird – wollen die TeilnehmerInnen unbedingt den englischen Satz, den Louise gesagt hatte, übersetzt bekommen. Und an einer anderen Stelle bittet Maria Louise halb im Spaß und halb im Ernst, dass sie ihr doch „bitte, bitte" Englisch beibringen solle. Die TeilnehmerInnen zeigen an vielen Stellen ein großes Interesse für die englische Sprache. Dadurch entstehen wiederholt Situationen, in denen Louise im Mittelpunkt des Interesses steht – hier wird ihre andere natioethnokulturelle Mitgliedschaft nicht problematisch, sondern zur Quelle der Aufmerksamkeit. Sie erfährt hier ebenfalls eine „Verbesonderung", aber eine, die damit zu tun hat, dass Louise Englisch spricht – und nicht irgendeine andere Sprache. In den folgenden Sequenzen wird es auch noch um andere Sprachfähigkeiten gehen, es wird sich dort zeigen, dass diese keineswegs dieselbe Aufmerksamkeit erfahren wie das Englische.

3.2 Exklusion durch natioethnokulturelle Mitgliedschaft

Die natioethnokulturelle Herkunft der anderen ProjektteilnehmerInnen, die alle sehr gut Deutsch sprachen und verstanden, wird nur an sehr wenigen Stellen bedeutsam. Dabei ist es keineswegs so, dass alle über dieselbe natioethnokulturelle Herkunft verfügen – fast die Hälfte der TeilnehmerInnen hat auch nicht-deutsche Wurzeln. Wie sich zeigt, wird über das Aufrufen der natioethnokulturellen Mitgliedschaft immer ein Exklusionsverhältnis hergestellt. In der nun folgenden Sequenz sitzt die Tanzpädaogin Natalie mit einer Gruppe von TeilnehmerInnen im Kreis, um zu besprechen, welche Bewegungen denn „räubertypisch" seien:

Sequenz 20: Haben wir so böse Räuber?

    Ereignis: Übung_Echtzeit_Zeitlupe   Quelle: AG_26.2.07   Timeline: 9:05-9:52

```
1   Natalie sitzt mit einer Kleingruppe im Kreis und hatte eine Frage nach
2   typischen „Räuberbewegungen" gestellt.
3      Natalie:   ja↑ (.) lisa?
4      Lisa:      schlägerlich;
5      (1)
6      Tuba:      was (.) schlägerlich?
7      Natalie:   schlägern?=
8      Nasir:     =töten
9      Natalie:   schlägern (.) also jemand schlägert
10     Nasir:     <<hebt einen Finger in die Luft>
11     Janne:     a: (.) ich weiß noch was viel besseres
12     Natalie:   <<guckt kurz zu Janne, dann zu Nasir> nasir,
13     Nasir:     töten
14     Lisa:      <<lacht>
15     Natalie:   töten↑ das sind aber schon mörder=
16     Tuba:      =töten ist aber eine bewegung und räuber sind a
17                uch mörder
18     Natalie:   haben wir so böse Räuber?
19     Mehrere:   JA::
20     Tuba:      also in ausländern
21     Tuba:      <<pp> (        )
22     Natalie:   janne?
23     Janne:     <<ff> laut=
24     Tuba:      =sein
25     Natalie:   laut sein ist keine bewegung
```

```
26   Tuba:      DOCH [<<beginnt zu schreien>]
27   Janne:     [doch ne MUNDbewegung]
28   Natalie:   ne mundbewegung ja aber (.) ich mag jetzt (.)
29              okay (.) was noch?
```

Natalie hatte die Frage gestellt, welche Bewegungen denn für Räuber typisch seien, die TeilnehmerInnen bringen nun Antworten, die von Natalie allesamt skeptisch betrachtet werden, Lisas „schlägerlich" wird in „schlägern" umformuliert, Nasir schlägt „töten" vor, das von Natalie aber (Z. 9) erst einmal gar nicht beachtet wird. Nasir bleibt aber hartnäckig, meldet sich und wiederholt seinen Vorschlag „töten" (Z. 10-13). Lisa kommentiert diesen Vorschlag mit einem Lachen (Z. 14) und Natalie versucht, das „töten" durch den Hinweis darauf, dass das ja dann schon Mörder seien, aus der Diskussion herauszubringen (Z. 15). Tuba hakt aber nach und verweist darauf, dass „töten" durchaus eine Bewegung sei und Räuber auch Mörder sein können (Z. 16-17). Durch diese geschickte Argumentation zwingt sie Natalie zu einer weiteren Strategie, sie versucht nun (Z.18), die TeilnehmerInnen durch eine Frage dazu zu bringen, Natalie zuzustimmen, dass sie doch gar keine „so bösen Räuber" haben wollen. Hier verwendet Natalie ein vereinnahmendes „wir", sie kaschiert dadurch, dass sie es ist, die keine so bösen Räuber im Stück haben will, die TeilnehmerInnen haben ja gerade deutlich gemacht, dass sie durchaus Interesse an tötenden Räubern haben. Natalies Frage zielt also darauf ab, den TeilnehmerInnen deutlich zu machen, dass sie als Anleiterin keine so bösen Räuber haben will und dass das doch auch die TeilnehmerInnen einsehen sollten. Die reagieren aber ganz anders und verstehen die Frage „wörtlich", antworten mit einem mehrstimmigen und lauten „JA:" und machen so deutlich, dass sie so böse Räuber haben wollen. (Z. 19). Tuba ist es dann, die noch eine andere Antwort auf die Frage formuliert und sie so versteht, dass Natalie nachfragt, wo es denn so böse Räuber gebe. Ihre Antwort ist klar: natürlich „in Ausländern" (Z. 20). Tuba bildet hier einen Plural von „Ausland", sie macht deutlich, dass es so böse Räuber, die andere Menschen töten, durchaus gebe, aber eben nicht im Inland, sondern eben in „Ausländern". Besonderen Witz bekommt diese Sequenz dadurch, dass gar nicht klar wird, von welchen In- oder Ausländern Tuba hier spricht, die Assoziation ist hier aber entscheidend: Richtige böse Räuber gibt es nicht dort, wo wir sind, sondern richtig weit weg, dort wo alles fremd und gefährlich ist und das ist in „Ausländern". Die Anleiterin nutzt hier ihre Machtposition, die darin besteht, Rederechte zu vergeben, erneut: Sie geht nicht auf das von Tuba Gesagte ein, sondern erteilt Janne das Rederecht, die einen anderen Vorschlag für eine Räuberbewegung macht.

In der nächsten Sequenz „Ihr Deutschen!" wird die Exklusion, die mit der Zuweisung bestimmter natioethnokultureller Zugehörigkeiten verbunden ist, auf konkrete anwesende Personen bezogen:

Sequenz 21: Ihr Deutschen!

Ereignis: Probe_Jazz Girls+Natalie_1 **Quelle:** AG_07.05.07 **Timeline:** 5:40-7:42

```
1   Die „Jazz Girls" Tuba, Maria, Anna, Yola und Janne proben mit Natalie
2   den Beginn der Szene, in der die Jazz Girls im Stück das erste Mal auf
3   der Bühne zu sehen sind.
4       Natalie:  zurück auf die blaue Linie
5   Alle Mädchen stellen sich nebeneinander an einer Linie in der Turnhalle
6   auf.
7       Tuba:     <<tritt einen Schritt nach vorne> WIR
8       Natalie:  SIND
9       Maria:    <<tritt einen Schritt nach vorne> die JAZZgirls
10      Anna:     <<tritt einen Schritt nach vorne> MUTI=ä: (.)
11                SIND
12      Yola:     <<tritt einen Schritt nach vorne> (.) MUTIG
13      Janne:    <<springt nach vorne> COOL
14      Natalie:  COOL (-) noch mal (.) das muss
15      Anna:     COOL=
16      Maria:    =COOL
17      Natalie:  viel weniger (.) wenn ihr sprecht (.) sprecht
18                ihn mal so (.) erstens dass es ein fließender
19                Satz wird und zweitens dass es verständlich ist=
20      Maria:    =MUTIG (.) COOL das ist auch nicht gerade das
21                reinste deutsch
22      Natalie:  <<p> sind MUtig (.) COOL
23      Maria:    bei der janne und bei der yola hört sich das so
24                an als ob es zwei getrennte Sätze sind
25      Natalie:  also ich möcht es nur verstehen(.) ja (.) ich
26                mach jetzt mal die augen zu (-) und ich mag des
27                dann als zuschauer=ich habs noch nie gesehen (.)
28                verstehen
29      Maria:    <<all> okay=okay
30      Maria:    MAch
31      Tuba:     <<tritt einen Schritt nach vorne> WIR
32      Natalie:  SIND
33      Maria:    <<tritt einen Schritt nach vorne> die JAZZgirls
34      Anna:     <<tritt einen Schritt nach vorne> SIND
35      Yola:     <<tritt einen Schritt nach vorne> MUTIG
36      Janne:    <<springt nach vorne> COOL
37      Natalie:  das muss schneller kommen (.) sind mutig cool"
38      Yola:     okay (.) ich hab verschlafen
39      Anna:     aber das find ich scheiße (.) weil das sind zwei
40                wörter und davor kommt sind und danach kommt
41                wieder sind
42      Natalie:  (   ) das nur eins kommt
43      Anna:     wir sind die jazzgirls sind mutig cool"
44      Natalie:  NEI:n(.) da ist doch dann die hilal
45      Anna:     [ja (.) WIR (.) SIND (.) die JAZZgirls (.) SIND
46                (.) MUTIG=COOL]
47      Yola:     [ja (.) WIR (.) SIND (.) die JAZZgirls (.) SIND
48                (.) MUTIG=COOL]
49      Maria:    und sind
50      Natalie:  ja deswegen haben wir es ja so gemacht
51      Tuba:     sagen wir einfach
52      Yola:     aber sie findet ja nicht doof dass es (.) also
53                SIND und dann Jazz-Girls und dann wieder SIND
54      Natalie:  ja da=
55      Maria:    =guck dir diesen finger an <<sie zeigt dabei ih-
56                ren Zeigefinger, der mit dunkler Farbe bedeckt
57                ist, in Natalies Richtung>
58      (2)
59      Natalie:  was ist besser?
```

```
60    Anna:      keine ahnung
61    Tuba:      wir sind
62    Anna:      <<p> mutig und cool
63    Maria:     [jetz ko:mmt]
64    Tuba:      [GEnau]
65    Tuba:      wir sind=
66    Yola:      =wir sind die jazzgirls und mutig=cool (.) das
67               ist aber wieder kein deutsch"
68    Tuba:      SIND
69    Yola:      <<f> lassen wirs halt so=
70    Maria:     =ich muss in zehn minuten gehn
71    Tuba:      <<<f> UND sind cool ohne ( )=
72    Natalie:   =ne: (.) lassen wirs mal so (.) lassen wirs so
73    Maria:     JA:: (.) IHR DEUtschen
74    Anna:      [<<p> ach ne ich bin amerikanerin <<guckt zu Ma-
75               ria und lacht>]
76    Natalie:   [okay (.) okay noch einmal (.) tuba] (.) noch
77               einmal danach geht ihr in der mitte zusammen mit
78               den Händen in der Mitte und macht <<beginnt mit
79               den Händen vor ihrem Körper Flatterbewegungen zu
80               machen>
```

Die „Jazz Girls" proben mit Natalie eine Szene des Stückes. Natalie fordert die TeilnehmerInnen auf, ihre Auftritte besser zu koordinieren, damit sie als Zuhörerin einen fließenden Satz zu hören bekommt, der für sie verständlich ist (Z. 17-19). Maria nimmt diese Aufforderung zum Anlass, ihre Bedenken gegenüber dem gesprochenen Satz auszudrücken, sie macht deutlich, dass doch „MUTIG (.) COOL" nicht „gerade das reinste Deutsch" darstelle (Z. 20-21). Sie weist sich so in doppelter Weise als kompetente Sprachverwenderin des Deutschen aus. Zum einen bemerkt sie die elliptische Form der Formulierung „sind mutig (.) cool", die normalerweise ein „und" erforderlich macht. Zugleich formuliert sie diese Bedenken in der idiomatischen Formulierung „nicht gerade das reinste Deutsch". Sie kennt und nutzt die Verbindung des Adjektivs „rein" mit einer Sprache und zeigt so ein hohes Sprachkompetenzniveau. Natalie geht aber nicht auf diese Anfrage von Maria ein, sondern verweist darauf, dass „sie es nur verstehen möchte" (Z. 25-28) und Maria erklärt sich mit einer neuerlichen Durchführung einverstanden (Z. 29). Nach dieser erneuten Durchführung ist es dann Anna, die in den Zeilen 39-41 ebenfalls Zweifel an dem zu sprechenden Satz äußert. Sie wendet sich allerdings gegen ein anderes Element des Satzes und bemängelt die Doppelung des Verbs „sind". Im Anschluss daran gehen nun diese beiden Probleme durcheinander und Maria macht den Vorschlag ein „und" zwischen „mutig" und „cool" einzusetzen (Z. 49), was freilich das Problem des doppelten Verbs nicht lösen kann. Yola greift diesen Vorschlag aber auf und ersetzt das zweite „sind" durch ein „und" und kommt so zu folgender Formulierung (Z. 66-67): „wir sind die jazzgirls und mutig=cool". Hier stellt sie allerdings fest, dass auch das kein Deutsch darstellt und verwirft so diesen alternativen Satz. Tuba ist es dann, die noch einen anderen Vorschlag macht, sie schlägt vor, vor dem zweiten „sind" ein „und" einzuführen (Z. 68), dies wird aber von Natalie mit einem klaren „ne:" zurückgewiesen und sie verkündet, dass sie es so lassen möchte (Z. 72). Dies wiederum wird nun von Maria kommentiert: „JA:: IHR DEUtschen" (Z. 73). Maria macht durch diese Formulierung deutlich, dass sie selbst sich offensichtlich nicht zur Gruppe der Deutschen zählt (ihr Deutschen) und ihr langgezogenes lautes „JA::" wirkt wie ein bekümmertes Kopfschütteln über die Unfähigkeit der Deutschen, ihre

Sprachprobleme zu lösen. Dass mit dieser Formulierung eine Abwertung einhergeht, zeigt die Reaktion von Anna, die die Mitgliedschaftskategorie „deutsch" zurückweist und zu Maria gewendet bemerkt, dass sie Amerikanerin sei (Z. 74-75). Die anderen Akteurinnen reagieren überhaupt nicht auf Marias Kommentar.

Marias Bemerkung kann dabei als ein „re-othering" verstanden werden, sie schließt sich selbst aus der Gruppe der Mehrheitsangehörigen aus, dies allerdings verbunden mit einem abschätzigen Kommentar über die Deutschen. Besonders interessant erscheint das, weil sie es ja war, die die Diskussion über die Richtigkeit der Formulierung zu Recht angestoßen hat. Ihre Äußerung könnte daher vielleicht als eine Reaktion auf die mehrfach gezeigte Unwilligkeit der Anleiterin zurückzuführen sein, diese Diskussion über einen korrekten deutschen Satz auch wirklich zu führen. Das Transkript bietet aber auch Stellen an, die nahe legen, diesen Ausspruch Marias als eine letzte in einer Folge von Provokationen zu lesen. In Z. 55-57 hält sie drohend ihren Finger in die Kamera, in Z. 70 verweist sie darauf, dass sie bald gehen muss und gelangt schließlich zu ihrer abwertenden Kommentierung der Deutschen in Z. 73.

Auch in der folgenden Sequenz entzündet sich die Frage nach natioethnokultureller Zugehörigkeit an der Frage des „richtigen" Deutsch. In einer kurzen Umbauphase zwischen zwei Proben sitzen die „Guten Schüler" (eine der Gruppen des Stücks) Emila, Natascha, Lara, Thomas und Nasir auf der Bühne, als die Kamera sich ihnen zuwendet. Die Aufnahme setzt ein mit:

Sequenz 22: Ich kann Arabisch

Ereignis: Zwischenphase I   **Quelle:** AG_09.07.07   **Timeline:** 6:38-7:12

```
1    In einer Zwischenphase bei den Abschlussproben in der Woche vor der
2    Abschlussaufführung sitzen die "SchülerInnen" (eine der Gruppen des
3    Stücks) Emilia, Natascha, Lara, Thomas und Nasir schon auf der Bühne an
4    einen Baumstamm angebunden. Sie warten auf den Beginn der Probe, als
5    sich die Kamera ihnen zuwendet, hört man folgendes Gespräch:
6    Lara:      lern erst mal deutsch
7    Nasir:     ( ) ich glaub des deppENS
8    Thomas:    ja:: du bist mö( ) der DEPP
9    Nasir:     ich glaub des DEPPENS
10   (2.0)
11   ?:         gut gedEUtscht
12   (6.0)
13   Nasir:     <<zu Thomas gewendet> ich kann auch arabisch (.)
14              weißt du,
15   (3.0)
16   Nasir:     Ich kann ARAbisch
17   Thomas:    <<f> JA:↑ sag arabisch;
18   Nasir:     ich kann echt arabisch
19   Thomas:    ich bin afrikaner
20   Nasir:     leck mich (.) ich kann arabisch
```

Hier ist es Lara, die einer Person (es bleibt unklar wem, zu vermuten ist aber, dass es sich um Thomas handelt) durch ihren Kommentar „lern erst mal deutsch" die fraglose Mitgliedschaft aberkennt (Z. 6). Nasir ist es, der auf den korrekten Genitiv des Wortes „Depp", nämlich „des Deppens" hinweist (Z. 7). Thomas greift das aber nicht auf und formuliert einen Satz, in dem „Depp" im Nominativ verwendet wird (leider ist die Tonqualität des Bandes nicht ausreichend, um genau zu verstehen, was er sagt). Nasir aber wiederholt seinen Genitiv (Z. 9) und es entsteht eine lange zweisekündige Pause (Z. 10), die schließlich durch ein „gut gedeutscht" beendet wird (Z. 11). Darauf folgt eine extrem lange Pause von 6 Sekunden (Z. 12), die dann von Nasir beendet wird, der darauf hinweist, dass er nicht nur ein kompetenter Sprachverwender des Deutschen ist, wie er ja mit der Kenntnis des Genitivis von Depp bewiesen hat, sondern auch noch eine weitere Sprache beherrscht, nämlich die arabische (Z. 13). Darauf reagiert wieder keiner der Anwesenden und Nasir wiederholt seine Bemerkung (Z. 16). Nun reagiert Thomas und fordert Nasir auf, etwas auf Arabisch zu sagen (Z. 17). Nasir verweigert aber diesen Nachweis seiner Sprachkompetenz und bekräftigt nur, dass er diese Sprache sprechen kann (Z. 18). Thomas nimmt daraufhin eine andere natioethnokulturelle Mitgliedschaft in Anspruch, nämlich die Afrikanische. Durch diese offensichtlich unwahre Übernahme verweist er auf die Unglaubwürdigkeit der Aussage von Nasir (Z. 19). Dies wird dann auch von Nasir folgerichtig kommentiert, der durch sein „leck mich" und eine weitere Wiederholung seines Könnens deutlich macht, dass er nicht weiter mit Thomas sprechen will, der ihm nicht glaubt, dass er auch Arabisch kann (Z. 20).

Was passierte nun hier? Zunächst wird Thomas von Lara die fraglose natioethnokulturelle Mitgliedschaft abgesprochen, indem sie ihn darauf hinweist, dass er erst einmal Deutsch lernen soll. Nasir hingegen verweist mit seiner Formulierung des richtigen Genitivs darauf, dass er zur Gruppe der korrekt Deutsch Sprechenden zu zählen ist und fügt dem eine weitere Mitgliedschaft hinzu, nämlich die des Arabisch-Könnenden. Dadurch zeigt er eine Doppelmitgliedschaft an, die er – obgleich Thomas und auch alle anderen beharrlich schweigen – dann auch noch wiederholt und so Thomas zu einer Reaktion herausfordert. Dabei ist vor allem interessant, dass die Zugehörigkeit in dieser Sequenz vom ersten Satz an über die Sprachfähigkeit verhandelt wird. Lara sagt nicht: „Werd erst mal Deutscher" und auch Nasir sagt nicht „Ich bin Araber". Thomas ist es, der diesen Unterschied mit seinem Kommentar einebnet, er sagt nämlich nicht: „Und ich kann Afrikanisch (oder eben irgendeine „exotische" Sprache, die es gibt), sondern „und ich bin Afrikaner". Die performative Funktion dadurch deutlich zu machen, dass Thomas Nasir nicht glaubt, hat diese Aussage aber natürlich trotzdem, wie Nasirs Kommentar dann zeigt. Interessant bleibt aber, dass Inklusion bzw. Exklusion hier über die sprachlichen Fähigkeiten definiert wird: Lara kann den „Deutschen" Thomas nicht mit „Du bist kein Deutscher" exkludieren, wohl aber mit dem Kommentar „lern erst mal Deutsch", Nasir hingegen würde sich mit einem Satz wie: „ich bin Araber" ja aus der Gruppe der Deutschen exkludieren, das will er aber ja gar nicht, sondern er will seine Doppelmitgliedschaft deutlich machen und verweist deshalb auf seine Sprachfähigkeiten. Gerade diese Doppelmitgliedschaft schafft aber für Thomas ein Problem: Er, dem gerade die Zugehörigkeit zu den Deutschkönnern von Lara abgesprochen wurde, soll nun die doppelte Mitgliedschaft Nasirs anerkennen? Interessant ist diese Sequenz, weil sie sich an Überlegungen von Paul Mecheril zur Bedeutung einer

"Mehrfachmitgliedschaft" anschließen lässt. Mecheril fordert in seinem Text wiederholt, die statischen und sich wechselseitig ausschließenden Natioethnokulturellen Mitgliedschaften "aufzuweichen" und sich für die Möglichkeit von Mehrfachmitgliedschaften einzusetzen.[339] An dieser kurzen Sequenz zwischen Nasir und Thomas zeigt sich meines Erachtens das zentrale Problem an dieser Forderung: Die Mehrheitsangehörigen können im Kontext eindeutiger und sich wechselseitig ausschließender Zugehörigkeiten immer auf die Andersartigkeit der "Anderen" verweisen und die Zugehörigkeit zur eigenen Gruppe unter die Bedingung stellen, dass die alte Zugehörigkeit aufgegeben werden muss (wenn denn ein Wechsel überhaupt möglich ist). Die Möglichkeit von Mehrfachmitgliedschaften hingegen würde aus den "Anderen" "Dazugehörende" und "noch-wo-anders-Dazugehörende" machen. Die Mehrheitsangehörigen, die nicht über Mehrfachmitgliedschaften verfügen, verfügten dann "plötzlich" über weniger Mitgliedschaften als die "Anderen". Mit dem Bild des "Zwischen den Stühlen sitzen", das im ersten Teil dieser Arbeit als das Bild vorgestellt wurde, mit dem MigrantInnen in der Bundesrepublik oft beschrieben wurden und werden, lässt sich noch einmal gut veranschaulichen, wie radikal die Idee der Mehrfachzugehörigkeit die Diskussion um Migration verändern würde: Im alten Bild verlieren MigrantInnen ihre Herkunftszugehörigkeit und bekommen auch keine neue, sie sitzen zwischen den Stühlen und damit deutlich unkomfortabler als die Personen, die eine klare Zugehörigkeit besitzen. Mit der Mehrfachzugehörigkeit würde sich das nun ändern, MigrantInnen hätten – ganz schlicht – zwei Stühle, auf denen sie sitzen können. Dadurch wären sie aber nun die Priveligierten, da sie ja nicht nur über einen "Stuhl" verfügten, sondern über zwei. Die Möglichkeit von Mehrfachmitgliedschaften würde also die Mehrheitsangehörigen, die nur über eine Mitgliedschaft verfügen, mit ihrer Nicht-Mitgliedschaft zu anderen Nation/Ethnien/Kulturen konfrontieren. Aus diesem Grund gibt es meines Erachtens eine so vehemente Ablehnung von Mehrfachmitgliedschaften.[340]

3.3 Die Darstellung natioethnokultureller Mitgliedschaften auf der Bühne

Auch in den nächsten beiden Sequenzen, die Szenen des Stücks entstammen, spielen unterschiedliche Sprachen die entscheidende Rolle, um Zugehörigkeiten zu markieren. Die beiden Sequenzen gehören aber zu besonderen Rahmen, da sie als Teil des Stücks auf der Bühne stattfanden. Im Unterschied zur *Seq_22: Ich kann Arabisch* handelt es sich dabei nicht um Interaktionen, die die TeilnehmerInnen in einer Pausensituation sozusagen privat durchgeführt haben, sondern um Ausschnitte aus dem gespielten Stück. Die erste nun folgende Sequenz stammt aus einer Probe, die Szene wird aber auch in den Abschlussaufführungen mit dem türkischen Satz und seiner Übersetzung gespielt:

---
339 Zum Beispiel in Mecheril 2005.
340 Die sehr emotional geführte Diskussion über die Doppelte Staatsbürgerschaft, die 1998 zu einer Unterschriftenkampagne der CDU/CSU unter dem Titel "Ja zur Integration, Nein zur doppelten Staatsbürgerschaft" führte, zeigt die Brisanz des Themas. Die Initiatoren der Kampagne sammelten damals fünf (!) Millionen Unterschriften gegen die von der rot-grünen Regierung geplante Möglichkeit einer doppelten Staatsbürgerschaft. Vgl. hierzu http://de.wikipedia.org/wiki/CDU/CSU-Unterschriftenaktion_gegen_die_Reform _des_deutschen_Staatsbürgerschaftsrechts, letzte Verifizierung: 22.02.2011.

Sequenz 23: Der türkische Satz

Ereignis: Probe Offstimme Jazz Girls   **Quelle:** AG_25.06.07   **Timeline:** 0:49-3:00

```
1    Tuba, Hilal, Yola und Janne proben mit Theresa eine Szene des Stückes.
2    Es geht dabei darum, dass die vier vor der Bühne stehen und berichten,
3    was passiert ist, nachdem eine ihrer Freundinnen von den Räubern ent-
4    führt wurde.
5         Janne:    damals als sie uns die hanna geklaut haben (.)
6                   das war für uns nicht sehr schön
7         (2)
8         Janne:    DU hast doch schuld <<zeigt mit einem Arm auf
9                   Yola>
10        Yola:     <<f> ICH?
11        Janne:    du hast nicht aufgepasst
12        Yola:     du warst schuld <<zeigt auf Hilal>
13        Hilal:    ich hab aufgepasst <<sie guckt dabei Yola an und
14                  deutet mit einem Arm auf sich> (-) sie hat nicht
15                  aufgepasst <<wendet den Blick zu Tuba und deutet
16                  mit dem Arm in ihre Richtung>
17        Tuba:     <<grinst und zeig mit beiden Händen mit ausge-
18                  streckten Fingern auf Janne ohne dabei etwas zu
19                  sagen>
20        Yola:     <<versucht ihr Lachen zu unterdrücken, indem sie
21                  ihren Oberkörper nach vorne klappt und sich zu-
22                  sätzlich die Hand vor den Mund legt>
23        Tuba:     <<lachend> sie hat nicht auf <<lacht sodass sie
24                  ihren Satz nicht zu Ende sprechen kann, dreht
25                  sich dann einmal im Kreis, hält sich den Bauch>
26        Theresa:  weitermachen (.) DRINNbleiben nicht aussteigen
27                  JETzt
28        Janne:    <<ff> DU hast doch nicht aufgepasst=
29        Yola:     =[DU hast nicht aufgepasst]
30        Tuba:     <<f> =[ICH?]
31        Janne:    abe:r DU:::
32        Yola:     aber sie; <<zeigt dabei zu Hilal>
33        Hilal:    <<f> aber ihr alle > <<beschreibt mit ihrer
34                  rechten Hand eine Kreisbewegung mit der sie alle
35                  Mädchen einbezieht> (.) wir alle besser gesagt
36        Tuba:     warum lachen wir eigentlich?
37        Theresa:  okay (.) das ist ein guter übergang für dich
38        Janne:    <<dreht sich von der Gruppe weg, hin zum Zu-
39                  schauerraum, sie hat die Arme verschränkt, dann
40                  tritt sie zwei Schritte vor> als uns die hanna
41                  geklaut worden war da war das für uns nicht
42                  schön weil wir waren ja zu sechst und jetzt sind
43                  wir nur mehr zu viert
44        Theresa:  wir waren zu fünft
45        Janne:    äh wir waren zu fünft und jetzt sind wir nur
46                  mehr zu viert (1) ja und das war auch sehr sehr
47                  schade für uns (-) aber das haben wir uns nicht
48                  gefallen lassen=
49        Theresa:  =ne (.) des sagst du da noch nicht (.) leider
50        Janne:    warum?
51        Hilal:    am ganz ende [ganz am ende]
52        Theresa:  [(unverständlich)] erst ganz am ende (.) du be-
53                  schreibst eher wie das halt da so war (.) okay
54                  (.)gut
55        Hilal:    mach ich?
56        Theresa:  dann du
57        Hilal:    << guckt starr auf einen Punkt am Boden, die
58                  beiden Hände leicht zu Fäusten geballt> <<pp>
59                  benim öǐretmenim vardı 3. sınıfta (.) ismi frau
```

```
60              alberz di (.) ve şimdi gitti ben de çok
61              üzüldüm³⁴¹ <<öffnet ihre beiden Hände, dreht die
62              linke Hand nach oben und zeigt ihre Handfläche,
63              dabei wendet sie den Blick zu Janne>
64      Tuba:   <<steht mit dem Gewicht auf ihrem rechten Bein,
65              das linke ruht ein Stück weiter vorne auf dem
66              Boden, sie hat ihre Hände in etwa 10 cm Abstand
67              vor ihrem Bauch verschränkt> also: (.) sie hatte
68              eine lehrerin (.) frau albertz (.) und sie ist
69              gegangen und da war sie sehr traurig
70      (2)
71      Yola:   << steht mit dem Gewicht auf beiden Beinen, ihr
72              linker Arm umfasst ihren rechten in der Mitte
73              des Unterarms, so verbleibt sie, während sie ih-
74              re Geschichte erzählt>(.) das war für mich sehr
75              traurig und ich habe noch so ne ähnliche Ge-
76              schichte (--)
77      Theresa: erlebt=
78      Yola:   =gehabt (.) als ich in die erste Klasse gekommen
79              bin habe ich eine Freundin gekriegt und die hat-
80              te ich leider nur drei Jahre und sie ist dann
81              leider weggezogen und ich war dann sehr traurig.
82      (3)
83      Janne:  aber das mit hanna haben wir uns natürlich nicht
84              gefallen lassen (.) weil sie war ja eine von un-
85              seren besten freundinnen <<dabei hebt sie die
86              beiden Arme bis in die Höhe der Schultern und
87              lässt sie dann fallen> das können die nicht mit
88              uns anstellen
```

Für die Analyse dieser langen Sequenz werde ich mich auf die Zeilen 28-35 und 57-69 konzentrieren. In der hier gespielten Szene berichten die Jazz-Girls von der gerade stattgefundenen Entführung einer ihrer Freundinnen. In den Zeilen 28-35 kommt es dabei zu einem Streit, in dessen Verlauf sich die Mädchen lautstark und gestenreich die Verantwortung für diese Entführung zuspielen. Dabei gelingt es den Mädchen, diesen Streit überzeugend zu inszenieren. Ihre Gesten und Worte sind direkt an die anderen Mitspielerinnen gerichtet, der Vorwurf wandert von einer zur anderen bis er schließlich bei Hilal landet, die ihn mit einem sehr lauten „aber ihr alle" wieder in den Kreis zurückgibt, um dann ihre Mitverantwortung einzugestehen. Dabei verwendet sie die idiomatische Wendung „besser gesagt". An diesem Streit sind die vier anwesenden Mädchen, Tuba, Yola, Janne und Hilal zu gleichen Teilen beteiligt, sie alle weisen sich mit ihren Gesten und Worten als kompetente Deutschverwenderinnen aus, die gerade einen Streit austragen.

Im Kontrast dazu steht nun der Abschnitt aus den Zeilen 57-69. Hilal beginnt dort eine kurze Geschichte auf Türkisch zu erzählen, ihre Körperhaltung und ihre Sprechweise ist dabei eine ganz andere als nur wenige Zeilen weiter oben: War sie im dargestellten Streit noch laut und sehr impulsiv in ihren Gesten, ist sie nun sehr still und steht mit zusammengeballten Fäusten da. Sie wirkt, als ob sie etwas tun muss, das ihr sehr unangenehm ist. Sie sagt ihren Satz schnell und sehr leise auf. Im Anschluss daran ist es Tuba, die durch ihre Haltung und die sprachliche Form deutlich

---

341 Die wörtliche deutsche Übersetzung lautet: „Ich hatte eine Lehrerin in der 3. Klasse. Sie hieß Frau Alberz und nun ist sie gegangen und ich wurde sehr traurig".

macht, dass sie nun als Übersetzerin für Hilal fungiert. Sie beginnt mit einem „also" und übersetzt dann in der dritten Person „sie...", wodurch sie deutlich macht, dass sie das gerade Gesagte übersetzt.

Die ZuschauerIn bleibt verwirrt zurück: warum spricht Hilal, die doch gerade noch völlig kompetent und ohne jedes Problem Deutsch gesprochen hat, nun plötzlich Türkisch? Und warum wird dieser Satz dann von Tuba übersetzt? Hilal wendet sich dabei mit ihrem Satz nicht etwa einer Person im Stück zu, die kein Deutsch versteht – dann wäre der Einsatz einer anderen Sprachen ja verständlich – sondern sie wendet sich an das Publikum. Hier wäre es nun verständlich, dass sie Türkisch spricht, wenn sie sich so an die Teile des Publikums richten würde, die nur Türkisch verstehen. Doch auch darum geht es nicht, wie die sich anschließende Übersetzung durch Tuba deutlich macht – die ja nicht notwendig wäre, wenn sich Hilal an die Türkischsprachigen im Publikum wenden würde. INGRID GOGOLIN hat in ihrem 1994 erschienenen Buch *Der monolinguale Habitus der multilingualen Schule*[342] die Bedeutung von nicht-deutschen Sprachen in deutschen Schulen untersucht. In ihren Interviews mit den LehrerInnen einer Schule mit einen hohen Anteil türkischsprachiger Schüler finden sich interessante Interviewausschnitte, die die gerade beschrieben Sequenz zu verstehen helfen:

„Ich denke mal, wenn es Sachen gibt, die sie auf deutsch nicht erfassen oder ausdrücken können, daß sie denn auch Hilfe suchen bei dem anderen Kind, und fragen denn auf türkisch ‚Kannst Du mir helfen?' oder ‚Das möchte ich auch haben', ‚Gehen wir mal zusammen hin' – die kommen dann auch zu mir, und dann muß die andere sozusagen als Dolmetscher für das eine Kind fungieren, das wird dann auch gemacht, also sie suchen dann nach Hilfsmöglichkeiten, ihre Wünsche auszudrücken, und wenn´s denn über ein anderes Kind [geht], finde ich es auch in Ordnung."[343]

Der hier interviewte Lehrer berichtet vom multilingualen Alltag in seiner Schulklasse und weist darauf hin, dass er es „in Ordnung" findet, wenn die SchülerInnen, die bestimmte Sachen nicht auf Deutsch „erfassen oder ausdrücken können", sich andere SchülerInnen zum Übersetzen dazuholen. Genauso wirkt dieser türkische Satz von Hilal, sie wird zu jemand, der etwas auf Deutsch nicht erfassen oder ausdrücken kann und daher – aus Not – auf eine andere Sprache, in diesem Fall die türkische, zurückgreifen muss. Andere mögliche Interpretationen dieses Satzes – wie etwa eine besondere emotionale Reaktion, die die Figur Lale dazu bringt, in ihrer Muttersprache zu sprechen – werden durch die Übersetzungspraxis Tubas/Lunas kaum gedeckt: Wieso sollte Tuba/Luna den Satz Hilals/Lales sofort ins Deutsche übersetzen, sie hat ihn ja schließlich verstanden und Hilal/Lale hätte ja die Möglichkeit, wenn sie das denn will, ihn selbst ins Deutsche zu übersetzen. Durch diese Übersetzung wird nun auch Tuba zu einer „Anderen" gemacht, die als Sprachmittlerin zwischen Hilal und dem Publikum auftreten muss, obwohl gar kein Verständigungsproblem vorliegt. Dass ihr diese Rolle zufällt ist ebenfalls aus dem bisherigen Stück völlig unverständlich. Diese Art der Fokussierung auf die Fähigkeit Hilals und Tubas, Türkisch zu sprechen, führt dazu, dass die natioethnokulturelle Mitgliedschaft von Hilal und Tuba plötzlich und durch den

---

342 GOGOLIN 1994.
343 GOGOLIN 1994, S. 237.

Verlauf des Stückes in keinster Weise verständlich, zum Thema gemacht wird. Hilal und Tuba werden dadurch zu Fremden gemacht, die sie bis dahin im Stück nicht gewesen waren. Das größte Problem liegt dabei darin, dass Hilal und Tuba hier nicht als Lale und Luna, d. h. als die Figuren, die sie im Stück spielen, als „anders" herausgestellt werden, sondern als Hilal und Tuba. Dieser türkische Satz und seine Übersetzung sind als Handlungen der Figuren von Hilal und Tuba überhaupt nicht verständlich, daher fallen diese Handlungen auf Hilal und Tuba zurück und diese beiden – und nicht ihre Figuren im Stück – werden als fremd und anders markiert. Sie werden zu Personen, die nicht alles „auf deutsch erfassen und ausdrücken" können und auf Hilfe angewiesen sind – obwohl sie das faktisch, wie die 80 Stunden Videomaterial belegen, nicht sind: Es finden sich keine Stellen im Videomaterial, in denen sie etwas auf Deutsch nicht erfassen und sie können sich auch sehr gut auf Deutsch verständlich machen. Ob es nicht vielleicht doch Grenzen der Ausdrucksfähigkeit gibt, oder, um präziser zu sein, Dinge, die Tuba und Hilal und auch die anderen Nicht-Deutsch-MuttersprachlerInnen besser in ihren Muttersprachen ausdrücken können, ist über das videographische Material nicht einholbar. Es gibt aber keine offensichtlichen Ausdrucksschwierigkeiten von Tuba und Hilal und sie verwenden auch in den Pausen <u>nicht</u> die türkische Sprache, um miteinander zu sprechen.

Leider fehlen die Videoaufnahmen, die zeigen, wie dieser türkische Satz in das Stück gekommen ist (da gegen Ende der Projektarbeit häufig in mehreren Kleingruppen gearbeitet wurde, aber nur eine Kamera zur Verfügung stand, sind nicht alle Probensituationen auf Band erhalten), zu vermuten ist aber, dass ein enger Zusammenhang zu einer anderen Szene besteht, in der es Louise ist, die einen Satz auf Englisch sagt.

Sequenz 24: Der englische Satz

Ereignis: Szene 2   Quelle: AG_13.07.07   Timeline: 0:30-0:50

```
1  Die „Räuber" Lisa, Elkie, Louise und Magnus stehen auf der Bühne. Sie
2  tanzen eine kurze Choreographie zu einer langsamen, bedrohlichen Musik,
3  dann stellen sie sich wieder in der Bühnenmitte auf. Louise tritt zwei
4  Schritte nach vorne, die Musik verklingt.
5      Louise:    <<f> we are the kidnappers we´re so cool
6                 but you better watch out `cause we´re co-
7                 ming for you <<geht zwei Schritte zurück>
8      Lisa:      [<<tritt einen Schritt nach vorne> <<f> wir
9                 sind räuber wir sind SO: cool passt besser
10                 auf sonst schnappen wir euch <<tritt wieder
11                 einen Schritt zurück>]
12     Elkie:     [<<tritt einen Schritt nach vorne> <<f> wir
13                 sind räuber wir sind SO: cool passt besser
14                 auf sonst schnappen wir euch <<tritt wieder
15                 einen Schritt zurück>]
16     Magnus:    [<<tritt einen Schritt nach vorne> <<f> wir
17                 sind räuber wir sind SO: cool passt besser
18                 auf sonst schnappen wir euch <<tritt wieder
19                 einen Schritt zurück>]
20     (3)
21     Magnus:    <<wendet seinen Blick zu den anderen Räu-
22                 bern> AN die ARBeit
23 Es beginnt eine neue, diesmal schwungvollere Musik und Magnus und Loui-
24 se üben sich im Lassowerfen, Lisa und Elkie schreiben etwas auf Papier.
```

Hier findet sich nun eine ganz andere Form der Inszenierung als beim „Türkischen Satz". Es handelt sich um den ersten Auftritt der Gruppe der Räuber im gesamten Stück. Nach einer kurzen gemeinsam getanzten Choreographie (Z. 1-4), in der keiner der Räuber einen besonderen Aufmerksamkeitsfokus bekam, ist es Louise, die als erste nach vorne tritt und laut und deutlich auf Englisch verkündet, wer sie sind und was das Publikum von ihnen zu erwarten hat (Z. 5-7). Im Anschluss daran treten die anderen drei nach vorne und stellen sich ebenfalls vor, diesmal auf Deutsch (Z. 8-19). Diese deutsche Vorstellung stellt allerdings – und das ist der erste fundamentale Unterschied zur Sequenz des türkischen Satzes – keine Übersetzung dar, die Räuber sagen nicht: „Sie hat gesagt, dass wir Räuber sind und cool und dass ihr besser aufpassen sollt, weil wir Euch sonst schnappen". Die Übersetzung zeigt, wie sehr sich der Auftritt der Räuber verändern würde, wenn Lisa, Elkie und Magnus so übersetzen würden, sie würden so auch Louise zu einer Person machen, die etwas „auf Deutsch nicht erfassen oder ausdrücken kann". Dies geschieht aber nicht, sondern die Drei sprechen ebenfalls in der ersten Person und bringen eine ans Deutsche angepasste Adaption des Satzes von Louise. Zudem ist es hier Louise, die den ersten Auftritt hat und diesen sehr laut und expressiv gestaltet. Auch hier wird durch die Art der Darstellung auf einen Unterschied zwischen Louise und den anderen drei Räubern fokussiert, die Wirkung auf die ZuschauerIn ist aber eher, dass Louise wie die Chefin der Räuber wirkt, die völlig selbstverständlich auftritt und in der Weltsprache Englisch spricht. Das Englischsprechen ist ein Teil der Figur, hier spricht nicht Louise zu uns, sondern Mary. Die anderen folgen ihr nach und stellen sich nun ebenfalls vor, diesmal auf Deutsch und dadurch nur halb so „cool" wie Mary. Diese unterschiedliche Wirkung der Inszenierung hat sicherlich viel damit zu tun, dass auch Deutsche in bestimmen Zusammenhängen auf das Englische zurückzugreifen, gerade dann, wenn sie versuchen „cool" zu sein. Besonders deutlich wird das, wenn Deutsche englische Lieder schreiben und singen, aber auch in alltäglichen Sprachgebrauch sind Anglizismen ein deutliches Signal für die Aktualität der SprecherIn. Louise stellt so mit ihrem Auftritt eine coole Mary dar, die natioethnokulturelle Zugehörigkeit Louises wird nicht fokussiert.

Zu vermuten ist nun, dass die beiden Anleiterinnen sich durch diesen englischen Satz (im weiteren Verlauf des Stückes spricht Louise auch auf Deutsch) angeregt fühlten, auch auf andere sprachliche Ressourcen der TeilnehmerInnen zurückzugreifen und so auch einen türkischen Satz in das Stück einzubauen, der allerdings durch die Form seiner Inszenierung, wie gezeigt wurde, nicht zu einer Differenzierung der Figuren im Stück führt, sondern zu einer Fokussierung auf die natioethnokulturelle Mitgliedschaft von Hilal und Tuba.

3.4 Fazit: Rigorose Reflexivität tut Not!

Was lässt sich nun aus diesem Exkurs zur Bedeutung der natioethnokulturellen Mitgliedschaft gewinnen? Zunächst ist festzustellen, dass die Integration von Louise in den meisten Fällen kein großes Problem darstellte. Dafür konnten drei Gründe herausgearbeitet werden: zunächst haben die beiden Anleiterinnen und die Lehrerin die notwendigen Englischkenntnisse, um für Louise zu übersetzen. Zudem ist in vielen der im Projekt verwirklichten Rahmen eine nicht-sprachliche Verständigung möglich und schließlich war zu beobachten, dass Louise durch ihre Englischsprachigkeit große Attraktivität für die anderen TeilnehmerInnen besaß. Wenn Louise Englisch sprach, wurde sie dadurch nicht (nur) zu einer, die Dinge „auf Deutsch nicht erfassen oder ausdrücken kann", sondern die TeilnehmerInnen wurden (auch) zu Personen, die Dinge „auf Englisch nicht erfassen oder ausdrücken" können. Interessant ist dieser Befund, weil sich die Frage stellt, welche Bedeutung diese drei Gründe haben: Der Grund, dass in Tanz- und Theaterprojekten viele Rahmen nicht-verbalsprachliche Verständigung ermöglichen, gilt natürlich auch für alle anderen Sprachen. Allerdings würde die Erklärung der jeweiligen Regeln und auch das Übersetzen sehr viel schwieriger, wenn die Anleiterinnen bzw. die Lehrerin die betreffende Sprache nicht gesprochen hätten. Am interessantesten erscheint die Frage, ob der dritte Grund, das Interesse der anderen TeilnehmerInnen am Englischen, eng mit der englischen Sprache verknüpft ist. Wären die TeilnehmerInnen auch an Spanisch, Chinesisch oder Thai genauso interessiert?

Die natioethnokulturelle Mitgliedschaft der anderen AkteurInnen wird darüber hinaus nur an sehr wenigen Stellen fokussiert. Dies liegt dabei aber nicht daran – wie die vorhandenen Stellen zeigen – dass alle über die gleichen Mitgliedschaften verfügen (wollen). In der *Seq_20: Haben wir so böse Räuber?* ist es Tuba, die ein „othering" praktiziert und Böses in „Ausländer" verlegt. In den beiden dann analysierten Sequenzen *Seq_21: Ihr Deutschen!* und *Seq_22: Ich kann Arabisch* wurde deutlich, dass natioethnokulturelle Mehrfachzugehörigkeiten hochproblematisch sind. Maria und dann auch Anna nehmen sich selbst aus der Gruppe der natioethnokulturellen Deutschen heraus, obwohl sie gerade selbst eine Diskussion über richtiges Deutsch angeregt und geführt hatten und Nasirs Versuch, Bewunderung für seine Doppelmitgliedschaft als Deutsch- und Arabischkönner einzuwerben, scheitert, da er die Bewunderung gerade von Thomas einfordert, dem gerade die Mitgliedschaft zur Gruppe der kompetenten Deutschverwender abgesprochen wurde.

In den abschließenden beiden Sequenzen wurden zwei Szenen des Stückes, in die jeweils ein englischer bzw. türkischer Satz eingebaut war, analysiert. Der genaue Vergleich hat dabei gezeigt, dass die Form der Inszenierung darüber entscheidet, ob ein nicht-deutscher Satz zur Differenzierung der Figuren des Stückes beiträgt oder auf die SpielerInnen zurückfällt und auf ihre natioethnokulturelle Mitgliedschaft fokussiert. Im Falle der im Stück Englisch und Deutsch sprechenden Louise/Mary ist dabei nicht nur zu beobachten, dass ihre Zweisprachigkeit als eine Zweisprachigkeit der Figur der Mary inszeniert wird, sondern auch, dass dadurch gar nicht auf ihre natioethnokulturelle Herkunft fokussiert wird. Louise/Mary spricht im Stück Englisch und Deutsch zum Publikum, ohne dass Übersetzungssequenzen eingebaut werden. Mary tritt als Figur auf, die über eine Doppelmitgliedschaft verfügt. Im Fall des türkischen Satzes findet sich eine ganz andere Inszenierung. Hilals/Lales türkischer Satz wird von Tuba/Luna für das Publikum ins Deutsche übersetzt. Es wird so markiert, dass gerade eine Sprache genutzt wurde, die unverständlich ist und daher für das Publium übersetzt werden muss. Dies zeigt, dass das Publikum als deutsches Publikum angesprochen wird: wer türkisch spricht, hat das zu übersetzen. Die Inszenierung erweist sich hier als besonders problematisch, weil dem Publikum unklar bleibt, weshalb die Figuren Lale und Luna, die bisher im Stück deutsch gesprochen hatten, nun plötzlich einen türkischen Satz sagen. Aus diesem Grund fällt der türkische Satz und auch seine Übersetzung auf die SpielerInnen Hila und Tuba zurück, die durch die Inszenierung als natioethnokulturell Andere markiert werden. Sie können keine Doppelmitgliedschaft beanspruchen, sondern müssen ihre anderen Sprachfähigkeiten verbergen oder – wenn sie sie nutzen – den Deutschen übersetzen. Hilal/Lale und Tuba/Luna können nicht, wie es Louise/Mary möglich ist, „einfach" in zwei unterschiedlichen Sprachen sprechen. Besonders bedenkenswert an diesen Sequenzen ist, dass die Anleiterinnen vermutlich mit den vermeintlich besten Absichten handelten und durch den Einbau des türkischen Satzes ihre multikulturelle Sensibilität zeigen wollten. Die Art der Inszenierung reproduziert hier aber gesellschaftliche Ausschließungsverhältnisse und stellt Hilal und Tuba als natioethnokulturell Andere heraus. Es gilt daher, PAUL MECHERIL mit seiner Forderung nach einem „rigoros reflexiven" Umgang mit „Kultureller Differenz" zu unterstützen. [344] Diesen reflexiven Umgang charakterisiert er folgendermaßen:

„(...) dass die kritische Reflexion der grundlegenden Unterscheidungsschemata, in denen diejenigen, die anerkannt und in ihrer positiven Identität benannt und angesprochen werden, und damit die Unterscheidung zwischen ‚Wir' und ‚Nicht-Wir' von zentraler Bedeutung für einen migrationspädagogischen Ansatz ist. Ziel und Anspruch dieser Reflexion ist eine Verschiebung, eine Vervielfältigung und Aufweichung der den vorherrschenden Zugehörigkeitsordnungen zugrunde liegenden Schemata."[345]

Von dieser „rigorosen Reflexivität", die auf Verschiebung, Vervielfältigung und Aufweichung der vorherrschenden Zugehörigkeitsordnungen zielt, waren TeilnehmerInnen und Anleiterinnen in diesem Projekt noch weit entfernt.

---

344 Vgl. MECHERIL 2005, S. 325.
345 MECHERIL 2005, S. 325.

„Im Rahmen der Übung konnte demnach etwas für den Menschen sehr Grundlegendes erfahren werden, nämlich sowohl Aufmerksamkeit zu bekommen, als auch sie anderen entgegenzubringen. Die dazu notwendigen Fähigkeiten – auf jemanden (sprichwörtlich) zuzugehen, sich einfühlen und auch zurücknehmen zu können, dem anderen Respekt gegenüber zu bringen sowie in bestimmten Momenten die Initiative zu ergreifen, sich selbst wichtig zu nehmen und sich zu zeigen – konnten hier geübt werden." [346]

4 Übungen

Die Rahmenanalyse der Übungen gestaltete sich sehr schwierig. Jede einzelne Übung muss, da sie nach ganz spezifischen Regeln abläuft, als eigener Rahmen begriffen werden. Im Unterschied zu Spielen dauern Übungen aber deutlich länger (im Schnitt 25 Minuten) und werden normalerweise nicht wiederholt. Insgesamt wurden 16 verschiedene Übungen in dieser Lernkultur durchgeführt. Zur Analyse dieser Übungen kann nicht mehr auf die Spielklassifikation von Caillois zurückgegriffen werden, da Übungen sich nicht nach diesen Spielprinzipien ausrichten. Eine ausführliche Darstellung und Analyse der 16 Übungen kann im Kontext dieser Arbeit, die ja das Ziel verfolgt, auch all die anderen Rahmen, die es in der untersuchten Lernkultur, gab, zu analysieren, nicht geleistet werden.[347] Daher wähle ich für diese Fallstudie eine andere Klassifikation, die es mir erlaubt, die Zahl der zu untersuchenden Übungen zu reduzieren. Ich werde verschiedene Phasen von Übungen unterscheiden, je nachdem wie viele Aufmerksamkeitszentren in diesen Phasen von den Übungsregeln gefordert werden. Diese Unterscheidung orientiert sich dabei an der Fragestellung der Arbeit, da die unterschiedlichen Phasen mit unterschiedlichen differenz- bzw. egalitäterzeugenden Praktiken verbunden sind. In den „Solo-Phasen" versuchen die Anleiterinnen durch das Verbot von Interaktionen, die Aufmerksamkeit der TeilnehmerInnen nur auf die eigene Person zu lenken (daher „Solo-Phasen"). In den „Phasen der zentralen Fokussierung" gewinnt hingegen eine neue Differenz relationale Bedeutung, die schon beim Tiermemory (siehe Fallstudie *Spiele*) als bedeutsam identifiziert wurde: Die Unterscheidung von Präsentierenden und ZuschauerInnen. Auf die beiden anderen Phasen, in denen in Paaren und in Kleingruppen interagiert werden soll, werde ich in dieser Fallstudie nicht weiter eingehen, verweise aber auf die Fallstudie *Gestaltungsaufgaben*, in der Kleingruppeninteraktionen genauer analysiert werden.

Zunächst (4.1) Übungen von Spielen abgrenzen. Hier wird deutlich werden, dass die AnleiterInnen nicht, wie das in Spielen zu beobachten war, die mit ihrer Anleitungsposition verbundenen Handlungsrechte verlieren, die Unterscheidung zwischen AnleiterInnen und TeilnehmerInnen hat in Übungen relationale Bedeutung. Daran anschließend werde ich exemplarisch auf die Übung „Vom Tier zum Satz" eingehen (4.2), um so die Analysen der Solo-Phasen (4.3) und der Phasen der Zentralen Fokussierung (4.4) vorzubereiten. Zum Abschluss dieser Fallstudie werde ich wieder die besonderen egalität- bzw. differenzerzeugenden Praktiken, die mit den jeweiligen Phasen von Übungen verbunden sind, zusammenfassend darstellen (4.5).

---
346 Schelle 2008, S. 153.
347 Die noch intensivere Analyse und vor allem Darstellung der 16 hier durchgeführten Übungen würde sich aber in jedem Fall lohnen, da – wie gerade schon erwähnt – auch Übungen alle als eigene Rahmen zu verstehen und zu analysieren sind.

4.1 Übungen: „Was wir jetzt machen, ist nicht nur Spiel!"[348]

In diesem ersten Kapitel der Fallstudie *Übungen* werde ich zeigen, wie sich Übungen von anderen Rahmen – der ähnlichste sind Spiele – abgrenzen lassen. Dazu werde ich zunächst auf die Zusammenstellung des Korpuses für diese Fallstudie eingehen. Im Anschluss daran werde ich durch die Analyse ausgewählter Sequenzen zeigen, welches Rahmendrehbuch Übungen zugrundeliegt, um so die Abgrenzung von Spielen vornehmen zu können.

„Übungen" stellen in den ersten drei Monaten des Projekts einen sehr wichtigen Rahmen dar. In fast allen dieser ersten Projekttermine wird eine „Übung" durchgeführt. Diese Übungen dauern relativ lang (zwischen 11-54 Minuten) und nehmen so einen großen Teil der Projektzeit ein. Der Name „Übungen" stellt einen „native code" dar. Die AnleiterInnen nennen das, was sie mit den TeilnehmerInnen machen wollen „Übung". Nur das „Kaufhausspiel" und die „Walnuss-Massage" bilden hier eine Ausnahme. Ich rechne sie aber trotzdem in den Korpus der Übungen, da sie aufgrund ihrer Gestaltung als Übungen und nicht als Spiele verstanden werden müssen. Der Korpus besteht aus den folgenden 16 Übungen:

>> Gemeinsam im Raum (6.11.06, Dauer: 23:45)
>> Vogelflug (6.11.06, Dauer: 12:02)
>> Antriebsübung (13.11.06, Dauer: 13:11)
>> Einer geht (20.11.06, Dauer: 31:54)
>> Blind führen (27.11.06, Dauer: 45:24)
>> Marionettenübung (4.12.06, Dauer: 14:21)
>> Vom Tier zum Satz (11.12.06, Dauer: 35:00)
>> Kaufhausspiel (18.12.06, Dauer: 42:03)
>> Walnuss-Massage (22.01.07, Dauer: 8:15)
>> Improstatuen (29.1.07, Dauer: 54:00)
>> Rautentanz (12.2.07, Dauer: 30:00)
>> a::-Stimmübung (26.02.07, Dauer: 21:07)
>> Übung Echtzeit/Zeitlupe (26.02.07, Dauer: 20:59)
>> Rollenübung (23.4.07, Dauer: 22:27)
>> ...einander-Übung (30.4.07, Dauer: 10:51)
>> Vorsager-Nachsager-Stimmübung (18.06.07, Dauer: 15:23)

Aus diesem Korpus lässt sich die spezifische Rahmenstruktur, die Übungen auszeichnet, herausarbeiten.

---

348 Zitat aus: *Seq_25: Was wir jetzt machen, ist nicht nur Spiel.*

Die nun folgende Sequenz stellt einen typischen Beginn einer Übung dar. Es handelt sich um die Übung „Echtzeit Zeitlupe". Natalie leitet die Gruppe, die nur aus einem Teil der TeilnehmerInnen besteht, an:

Sequenz 25: Zeitlupe

Ereignis: Übung Echtzeit Zeitlupe   **Quelle:** AG_26.02.07   **Timeline:** 0:10-1:09

```
1    Natalie:   <<steht in der Mitte des Raums> was wir jetzt
2               machen↑ wir machen jetzt eine andere übung
3    Anna:      <<steht neben ihr> a::↓ a::↑ aa:↓
4    Natalie:   okay-
5    Lisa:      was?
6    Anna:      ich hab grad a::↓ a::↑ aa:↓ gemacht
7    Natalie:   kommt ihr bitte (.) in die mitte
8    Die anderen TeilnehmerInnen waren auf Bänken am Fenster gesessen, jetzt
9    stehen sie auf und kommen in die Raummitte.
10   Natalie:   ALLE (.) genau (.) WEIL ich will jetzt mit euch
11              (--)
12   ?:         mmh
13   Natalie:   <<p> eine übung machen> (.) und ZWAR (--)werdet
14              ihr <<len> jetzt furchtbar langsam (--)
15   Janne:     <<all> [zeitlupe]
16   Natalie:   <<len> [furchtbar langsam] (--) <<pp> zeitlupe
17   Tuba:      <<all> wie ne schnecke
18   ?:         spiel ma zeitlupe?=
19   Natalie:   =wir machen (.) wir überlegen uns einfach bewe-
20              gungen mal in der normalen zeit und versuchen
21              die dann auch in zeitlupe zu machen
22   ?:         und wie [( )]
23   Natalie:   [ihr könnt euch] einfach hinstellen wir ihr wollt
24              und zwar würd ich von euch jetzt gerne mal sehen
25              wie ihr in ECHT (.) in ECHTER zeit (--) mal
26              jetzt hier
27   Hilal:     laufen sehn
28   Natalie:   fußballer sehn
29   Tuba:      <<streckt ihren Finger nach oben, guckt Natalie
30              an> m`=m`=m
31   Natalie:   machts einfach alle nicht eine (--) lauter fuß-
32              baller in echter zeit
33   Die TeilnehmerInnen beginnen zu schießen, sich auf den Boden fallen zu
34   lassen und zu laufen.
```

Die Sequenz beginnt damit, dass Natalie erklärt, dass sie als nächstes eine Übung machen werden (Z. 1-2), dazu bittet sie die TeilnehmerInnen zu ihr in die Mitte des Kreises zu kommen. Die TeilnehmerInnen machen das auch, ohne dass eine besondere emotionale Reaktion auf diese Ankündigung zu beobachten ist (Z. 8-9). Als alle in der Mitte angekommen sind, beginnt Natalie damit, die Übung zu erläutern (Z. 10-14). Die TeilnehmerInnen übersetzen die Erklärung Natalies mit dem Stichwort „Zeitlupe" (Z. 15-18) und es kommt zu einer „Wie-Frage" (Z. 22), deren Ende aufgrund der Tonqualität nicht zu verstehen ist. Natalies Antwort zeigt, dass es wohl um die Frage ging, wie diese Zeitlupe ausgeführt werden soll und sie gibt Hinweise auf das gewünschte Arrangement der Körper, in diesem Fall können sich die TeilnehmerInnen hinstellen, wie sie wollen (Z. 23-26). Dann folgt – nach einem längeren Zögern durch Natalie, das darauf hinweist, dass sie die erste Aufgabe noch nicht im Kopf hatte und das zu

Bewegungsvorschlägen durch zwei Teilnehmerinnen führt (durch Hilal Z. 27 und Tuba, die allerdings kein Rederecht bekommt, Z. 29-30) – die erste Handlungsaufforderung: Die TeilnehmerInnen sollen sich als „Fußballer" durch den Raum bewegen (Z. 31-32) und tun das dann auch (Z. 33-34).

Diese Sequenz ist eine typische Eröffnungssequenz einer Übung. Die Anleiterin sagt an, dass es eine Übung geben wird, ruft die TeilnehmerInnen zusammen und gibt eine kurze Erklärung über die geltenden Regeln der Übung. Dann verkündet sie eine erste Handlungsaufforderung und die TeilnehmerInnen beginnen – in den Fällen, in denen sie „mitmachen" – sich der Aufforderung entsprechend zu bewegen. Ganz typisch ist hier auch, dass die Regelerklärung sehr kurz ist und es sich um sehr einfache Regeln handelt – hier einfach nur darum, dass sie Bewegungen zuerst in Echtzeit und dann in Zeitlupe ausführen sollen. Die Nachfrage nach dem „wie" deutet ebenfalls auf ein typisches Phänomen in Übungen hin, sehr oft gibt es bestimmte körperliche Arrangements, in denen die Übung duchgeführt wird. Diese werden ebenfalls vor der Übung angekündigt und die TeilnehmerInnen nehmen die entsprechenden Positionen ein – hier können sie sich hinstellen, wie sie wollen. Nach der Handlungsaufforderung durch die AnleiterIn geht die Übung dann „los" und die eigentliche Übungsphase beginnt.

Die folgende Sequenz stammt aus der Übung „Vom Tier zum Satz" und zeigt sehr gut, welche Handlungsrechte und -pflichten in Übungen vergeben sind:

Sequenz 26: In der Figur

Ereignis: Vom Tier zum Satz I   Quelle: AG_11.12.06   Timeline: 18:25-20:10

```
1    Die TeilnehmerInnen laufen kreuz und quer durch die Halle, dabei machen
2    sie jeweils ganz unterschiedliche Bewegungen.
3       Theresa:    <<f> und dann geht mal zurück an euren eigenen
4                   platz (.) in der figur immer noch
5    Man sieht Magnus durch das Kamerabild laufen, er hat den Kopf nach un-
6    ten gesenkt, schaut grimmig und bewegt die Finger seiner rechten Hand
7    in Bauchhöhe hin und her als ob er auf einer Gitarre spielen würde.
8    Elkie geht in mäandrierenden Schritten, deren Fluss sie mit beiden Ar-
9    men aufnimmt und verstärkt, durch die Halle.
10      Theresa:    in der FIGUR geht ihr zurück an euren eigenen
11                  platz
12   Janne und Magnus sind zu sehen, sie stehen schon, im Bildhintergrund
13   sieht man Steffen, der sich taumelnd auf eine blaue Matte, die an der
14   Wand verzurrt ist, zubewegt, er lässt sich dagegenfallen, dreht sich
15   noch einmal und findet dann ebenfalls einen Platz im Stehen.
16      Theresa:    und jetz=bleibt mal in der figur (.) nich jetzt
17                  so:=arme verschränken und schon wieder ganz wo-
18                  anders (.) überlegt euch mal oder spürt mal (.)
19                  wie ihr euch dabei fühlt wenn ihr [(    )]
20      ?:                                           [<<hustet<]
21      Theresa:    [ist des jetzt irgendwie: ist das jetzt irgend-
22                  wie ein ängstliches gefühl oder=ihr müssts gar
23                  nichts sagen (.)]
24      Steffen:    [<<spielt mit dem Befestigungsband der blauen
25                  Matte, das er nutzt, um seinen ganzen Körper von
26                  der einen Seite der Matte zur anderen zu schwin-
27                  gen>]
28      Theresa:    oder fühlt ihr euch besonders frei oder mutig
29                  oder ganz egal aber spürt richtig (.) überlegt
30                  euch kein gefühl sondern SPÜRT mal wie WAR diese
```

```
31                     bewegung↑ WIE hab ich mich dabei GEFühlt
32   Man sieht Natascha, die damit beginnt, so zu tun als würde sie ihren
33   Arm ablecken, Janina wedelt heftig mit den Armen und Tuba dreht sich im
34   Kreis, dann verschränkt sie die Arme und setzt sich auf den Boden.
35   Theresa:   na probiers gleich noch mal aus magnus
36   (2)
37   Theresa:   und wenn ihr dann ein gefühl gefunden habt (.)
38              dann geht ihr wieder los mit diesem GE:fühl und
39              der bewegung
40   Tuba:      a: (.) ich hab eins gefunden <<beginnt die Arme
41              wie Flügel auf und ab zu bewegen>
42   Theresa:   okay;
43   Tuba:      <<wendet sich nach rechts, streckt einen Finger
44              aus und sagt sehr leise etwas in diese Richtung>
45   Theresa:   [ihr seid immer noch menschen ihr habt die bewe-
46              gung und aber des GeFü:hl (.) ja↑ ihr fühlt
47              euch FREI oder ängstlich oder MUTIG oder=]
48   Tuba:      [<<"fliegt" durch den Raum>]
49   Lisa:      [<<"fliegt" durch den Raum>]
50   Janina:    [<<steht noch an ihrem Platz>]
51   Anna:      [<<bewegt sich so durch den Raum, dass ihr Kopf
52              eine Wellenbewegung nach unten beginnt, die sich
53              dann durch ihren Oberkörper fortsetzt>]
54   ?:         =öde=
55   Theresa:   =öde was weiß ich was halt mit dem ge=der bewe-
56              gung zusammen passt für euch
57   Man sieht die TeilnehmerInnen mit den unterschiedlichsten Bewegungen
58   durch den Raum laufen, zwischen Anna und Lara kommt es zu einer kurzen
59   Begegnung, sie bleiben voreinander stehen, gucken sich an und wenden
60   sich dann wieder voneinander ab.
61   Theresa:   immer noch jeder alleine
```

Wie diese Sequenz aus der Übung „Vom Tier zum Satz" deutlich macht, gibt es in Übungen ein außergewöhnliches Wechselspiel zwischen TeilnehmerInnen und AnleiterIn. Die Anleiterin gibt zum einen direkte Handlungsanweisung, was die TeilnehmerInnen tun sollen, zunächst in Z. 3-4, dann in Z. 21-23 und 28-31, dann in Z. 35 und schließlich in Z. 37-39. Darüber hinaus reagiert sie aber auch sehr schnell auf die Handlungen der TeilnehmerInnen und kommentiert deren Verhalten, hier dadurch, dass die ihre Verhaltensaufforderung wiederholt oder präzisiert. Dies geschieht mit der Wiederholung der Aufforderung, in der Figur an den eigenen Platz zu gehen in Z. 10-11, in den Z. 16-19 präzisiert sie, welches Verhalten für sie kein In-der-Figur-bleiben darstellt und in Z. 46-48 weist sie auf eine schon länger formulierte Regel hin, dass die TeilnehmerInnen nämlich im Moment – nicht wie ganz zu Beginn der Übung – als Tiere, sondern als Menschen durch den Raum gehen sollen. Und in Z. 62 schließlich weist sie auf die Regel hin, die sie ganz zu Anfang der Übung – und an vielen Stellen während der Übung – formuliert hatte, nämlich die, dass die TeilnehmerInnen die Übung für sich alleine machen sollen. In all diesen Fällen reagiert sie direkt auf Handlungen der TeilnehmerInnen, in den Z. 58-61 wird die Begegnung zwischen Anna und Lara beschrieben, auf die Theresa mit ihrem Kommentar in Z. 62 reagiert. Aber auch in Z. 10-11 und 16-19 reagiert Theresa, auch wenn das nicht im Kamerabild zu sehen ist, auf das Verhalten der TeilnehmerInnen. In Z. 10 betont sie „FIGUR" und markiert so, dass es ihr darum geht, dass die TeilnehmerInnen nicht einfach „nur" zu ihrem Platz zurückgehen, sondern eben in der „FIGUR". Diese Wiederholung mit dieser Betonung macht nur Sinn, wenn Theresa mindestens eine TeilnehmerIn beobachtet hatte, die sich nicht in ihrer Figur zum Platz bewegt hat. Ihre

Beschreibung „falschen" Verhaltens in den Z. 16-20 ist ebenfalls nur dann sinnvoll, wenn sie gerade so ein Verhalten beobachtet hatte.

Wie diese Sequenz eindrucksvoll belegt, ist Theresa hier mit sehr umfassenden Handlungsrechten ausgestattet, sie sagt den TeilnehmerInnen nicht nur an, was diese zu tun haben, sondern kommentiert auch beständig davon abweichende Handlungen. Die TeilnehmerInnen hingegen haben relativ eingeschränkte Handlungsrechte, sie führen aus, was Theresa ihnen sagt, tun sie das nicht, werden sie ermahnt – wenn gleich hier noch nicht persönlich (diese Fälle werden in den späteren Sequenzen noch auftauchen). Nur in einem einzigen Fall sagt auch eine TeilnehmerIn etwas, das von allen anderen gehört werden kann, in der Z. 55 verlängert eine TeilnehmerIn die Aufzählung möglicher Gefühle durch Theresa um „öde", dies wird von Theresa nicht sanktioniert, sondern aufgegriffen und in ihren Satz eingebaut.

Die hier vorgestellte Sequenz ist dabei keine, in der Theresa besonders häufig in das Geschehen eingreift, sondern eine, die sehr anschaulich macht, wie die Rahmenstruktur von Übungen gestaltet ist – es ist die Regel und nicht der Sonderfall, dass die AnleiterInnen beständig eingreifen, dabei sagen sie Regelmodulationen an und wiederholen und präzisieren beständig die geltenden Regeln. Dies ist nun der erste große und fundamentale Unterschied zu Spielen, in denen die AnleiterInnen nur in Ausnahmefällen eingreifen und dann so gut wie nie um Regelmodulationen anzusagen, sondern immer nur, um die Einhaltung der Spielregeln einzufordern. Jede Intervention einer AnleiterIn unterbricht dabei den Spielrahmen, das Spiel muss pausieren und wird erst dann wieder aufgenommen, wenn die Ermahnung zur Einhaltung oder die sehr seltenen Regelmodifikationen abgeschlossen sind. Hier sind die Regelmodifikationen Teil des Übungsrahmens, sie unterbrechen ihn nicht, sondern sind für den Fortgang konstitutiv. Die besonderen Handlungsrechte von AnleiterInnen in Übungen lassen sich auch bei der Gestaltung des Endes von Übungen beobachten:

Sequenz 27: Es ist erst lustig, wenn alle mitmachen

Ereignis: Einer geht   Quelle: AG_20.11.06   Timeline: 27:30-29:05

```
1    Die TeilnehmerInnen tanzen eng beisammen zu einem Elektropopstück durch
2    die Halle. Auch Frau Zellmaier und Natalie tanzen mit.
3       Theresa:   GUT (-) und ihr tanzt wieder alle zurück zu eu-
4                  rem eigenen platz
5    Die Tanzenden lösen sich und tanzen zu ihren Plätzen zurück. Einige,
6    die schon an ihren Plätzen angekommen sind, setzen sich hin.
7       Theresa:   nicht hinsetzen
8       Natalie:   stehen
9    Die Musik verstummt und eine TeilnehmerIn beginnt zu klatschen, die
10   anderen greifen das auf und alle klatschen.
11      Theresa:   habt ihr echt TOLL gemacht alle miteinander (.)
12                 wie wars denn für euch?
13      (1)
14      ?1:        schön
15      ?2:        gut
16   Viele Stimmen durcheinander, daher unverständlich.
17      Theresa:   kann mal einer nur reden?
18      ?3:        SCHÖN
19      Tuba:      <<streckt einen Finger in die Luft und hüpft auf
20                 und ab>
```

```
21    Theresa:    tuba;
22    Tuba:       GU::t
23    Theresa:    gebt auch mal dem den fokus (.) der jetzt was
24                sagt weil sonst kriegt mans nicht mit (.) TUBA
25                is dran
26    Tuba:       GU::t
27    ?1:         <<lacht>>
28    ?2:         <<lacht>>
29    Natalie:    hilal
30    Hilal:      am anfang wars peinlich;
31    Theresa:    warum?
32    ?3:         <<lacht>>
33    Theresa:    wieso wars peinlich?
34    Hilal:      <<h>> <<all>> weiß ich doch nich
35    Theresa:    einfach des alleinegehen war peinlich↑ okay↓ (.)
36                natascha
37    Natascha:   SEHR=schön
38    Theresa:    SEHR=schön (-) ä: (.) janne;
39    Janne:      se::hr=schön und ich fands auch ein bisschen
40                peinlich am anfang dass man sich biegt <<bewegt
41                die Schultern abwechselnd kreisend auf und nie-
42                der>> um sich halt zu bewegen und wenn=die ande-
43                ren dann lachen
44    (1)
45    Theresa:    okay;
46    Janne:      des wird dann erst lustig wenn dann alle mitma-
47                chen
```

Zunächst ist an dieser Sequenz die Beschreibung des gemeinsamen Tanzes interessant: Auch Frau Zellmaier, die Lehrerin und Natalie, die Tanzpädagogin, tanzen mit – Theresa aber nicht. Sie ist, wie die weitere Sequenz gleich zeigen wird, die Anleiterin in dieser Situation und es ist ebenfalls typisch für Übungen, dass die Anleiterin, die die Handlungsaufforderungen gibt, diese Handlungen nicht selbst ausführt.

Theresa macht von ihrem Recht als Anleiterin von Übungen Gebrauch und fordert die TeilnehmerInnen auf, den gemeinsamen Tanz zu beenden und sich wieder an „den eigenen Platz" zurückzubewegen (Z. 3-4). Dieser „eigene Platz" ist ein bestimmter Punkt im Raum, den sich die TeilnehmerInnen zu Beginn der Übung gesucht hatten (das ist eine häufig eingesetzte Variante des territiorialen Arrangements der Körper zu Beginn von Übungen). Als die ersten TeilnehmerInnen an ihren Plätzen ankommen, setzen sie sich hin (Z. 5-6), dies wird aber von Theresa und Natalie sofort mit der Aufforderung kommentiert, sich nicht hinzusetzen (Z. 7), sondern zu stehen (Z. 8). Das Hinsetzen der TeilnehmerInnen scheint für die beiden Anleiterinnen hier ein Ende der Übung zu markieren, das sie aber noch nicht setzen wollen – daher beharren sie darauf, dass die TeilnehmerInnen stehenbleiben. Als die Musik verstummt, beginnt eine der TeilnehmerInnen zu klatschen und viele greifen das auf und applaudieren (Z. 9-10). Dieses Phänomen ist nun bei einigen Übungen – insbesondere denen, die mit Tanz und Musik verbunden sind – zu beobachten: Eine der TeilnehmerInnen beginnt zu klatschen und die anderen fallen ein. Eine mögliche Erklärung dafür ist, dass diese tänzerischen Übungen einen gewissen Aufführungscharakter gewinnen – obgleich kein Publikum anwesend ist – der Applaus ist dann der „übliche" Abschluss einer Aufführung. Er zeigt dabei wahrscheinlich auch an, dass es den TeilnehmerInnen Spaß gemacht hat oder sie zufrieden mit ihren Tätigkeiten sind.

Dann folgt ein Lob von Theresa und sie fragt nach, „wie es denn für die TeilnehmerInnen war" (Z. 11-12). Diese Frage ist nun ebenfalls sehr typisch für Übungen. Es finden häufig „Nachbereitungen" statt. In diesem Fall beginnt Theresa eine „Reflexionsrunde" im Anschluss an die eigentliche Übung. In anderen Fällen werden die Übungen durch Präsentationen abgeschlossen (wie gleich in Kap. 5.2 in der Übung „Vom Tier zum Satz") oder dadurch, dass die AnleiterInnen den Sinn und die Bedeutung der gerade durchgeführten Übung erläutern. In diesem Fall kommt es also zu einer Reflexionsrunde, die zunächst keine Regel des Sprecherwechsels hat – alle reden durcheinander (Z. 14-16). Dies liegt – so meine Interpretation – daran, dass alle TeilnehmerInnen noch an ihren Plätzen verteilt in einer Hälfte der Turnhalle stehen und Regeln für ein Gespräch, das in diesem territorialen Arrangement geführt werden soll, nicht exisitieren – die AkteurInnen stehen „wild" verteilt in der Turnhalle. Theresa führt daher die Gesprächsregel ein, dass nur einer sprechen soll (Z. 17) und Tuba schlägt durch ihr Finger-in-die-Luft-strecken vor, die Rederechtvergabe über Melden und Aufrufen zu organisieren (Z. 19-20). Theresa ratifiziert diesen Vorschlag, indem sie Tubas Namen ruft und Tuba dann ihren Kommentar gibt („gu::t") (Z. 22). Hier zeigt sich sehr schön, wie Regeln vereinbart werden und auf bekannte Formen – zum Beispiel der Rederechtvergabe – zurückgegriffen wird. Theresa und Tuba müssen dabei gar nicht verbalisieren, dass sie die Rederechtvergabe jetzt über Melden und Aufrufen organisieren wollen – sie greifen „einfach" nur die Angebote der anderen auf und etablieren so die Regel des „Melden, Aufgerufen werden, Sprechen". Theresa ist aber offensichtlich noch nicht zufrieden und führt auch noch eine Regel für die ZuhörerInnen ein, sie will, dass diese ihre Aufmerksamkeit auch wirklich auf die SprecherInnen richten (Z. 23-25).

Aber auch inhaltlich ist diese Reflexionssequenz interessant: Hilal formuliert nämlich neben dem Spaß auch noch eine andere Erfahrung in dieser Übung, sie macht deutlich, dass es „am anfang peinlich war" (Z. 30), will aber die Nachfrage von Theresa, wieso es peinlich war, nicht beantworten und weist die Frage zurück: „weiß ich doch nicht" (Z. 31-34). Janne hingegen formuliert die Gründe, weshalb es ihr am Anfang peinlich war, nämlich deshalb, weil expressivere Bewegungen immer mit der Gefahr verbunden sind, dass die „anderen dann lachen" (Z. 39-43). Im Anschluss an diese Aussage Jannes ist es eine Sekunde lang still, Theresa äußert eine registriendes „okay;" und Janne formuliert die Bedingung unter der sich die Peinlichkeit in Spaß verwandeln kann, nämlich dann „wenn alle mitmachen". Diese Sequenz wird nur verständlich, wenn ich kurz auf die Übung „Einer geht" eingehe. Sie beginnt damit, dass alle TeilnehmerInnen an ihren Plätzen stehen. Eine von ihnen bekommt dann die Aufgabe als Der/Die Schönste durch den Raum zu gehen und sich irgendwann vor eine andere TeilnehmerIn zu stellen, die dann ihren Platz verlässt und nun ihrerseits als Der/Die Schönste durch den Raum geht. Durch die Anlage dieser Übung richtet sich natürlich die Aufmerksamkeit aller auf die eine Person, die geht und alle ihre Bewegungen werden genau registriert. Janne formuliert nun, dass es ihr am Anfang peinlich war, dieses „Als-die-Schönste-durch-den-Raum-gehen" auch wirklich mit großen, überheblich wirkenden Bewegungen darzustellen. Und zwar deshalb, so die Vermutung, weil sich die impliziten Verhaltensregeln, wie man sich bewegen darf und wie nicht, nicht „einfach" durch bestimmte Handlungsaufforderungen seitens der ÜbungsleiterIn aufgehoben werden können. Erst durch die aktive Teilnahme aller können sich diese verschieben und es entsteht eine Atmosphäre, in der es möglich ist, sich in und mit Bewegungen zu erproben – genau das formuliert Janne auch, wenn sie sagt: „Erst wenn alle mitmachen, ist es lustig".

Hier scheint eine interessante Parallele zu Spielen auf: In der Fallstudie zu Spielen wurde auch deutlich, dass Spiele von der Teilnahme aller abhängen und schon eine einzige SpielteilnehmerIn, die sich nicht an die Regeln hält – und dazu zählen auch die Engagementregeln – das Spiel zerstören kann. Ganz ähnlich ist es auch in Übungen, schon eine TeilnehmerIn, die sich nicht auf die gültigen Regeln einlässt und zum Beispiel beständig das Verhalten der anderen TeilnehmerInnen kommentiert, moduliert beständig den Übungsrahmen. Je mehr dabei die Aufmerksamkeit der Anderen auf die eigene Person gerichtet ist, umso schwieriger wird es, sich auszuprobieren (dies wird sich gleich in der Analyse der Übung „Vom Tier zum Satz" weiter zeigen).

Diese Hypothese der impliziten Konventionen über zulässige Handlungen findet sich auch in der sehr lesenswerten Diplomarbeit[349] von JULIA SCHELLE, die in dieser Arbeit die Übung „Einer geht" sehr genau analysiert hat:

„In diesem Zusammenhang ergab sich auch die Überlegung, dass es möglicherweise einen bestimmten Rahmen für angepasstes und normenkonformes Bewegungsverhalten der AG-Kinder gibt. Die Grenze wird dabei an den Reaktionen der Zuschauerkinder deutlich. Lachen oder Kichern kann zumeist dann beobachtet werden, wenn sich ein darstellendes Kind mutig über diese Grenze hinwegsetzt. Alles was an Bewegungen bzw. Ausdruck über diese stillschweigende Übereinkunft hinsichtlich der Bewegungsnormen hinausgeht, stößt erst einmal auf Hemmungen, die jedoch einige Kinder, wie beispielsweise Yvonne, aufgrund ihres Selbstbewusstseins überwinden können. Sie war dazu in der Lage, etwas Neues und Besonderes zu kreieren, trotz oder gerade wegen der Zuschauerreaktionen. Vermutlich spornten sie diese sogar noch an, während andere Kinder davor zurückschreckten. Ein außergewöhnlicher Auftritt bedingte zumeist eine höhere Aufmerksamkeit der Zuschauer, wobei davon ausgegangen werden kann, dass diese von den Darstellern dann auch erwünscht war."[350]

Für Übungen gelten besondere Regeln des Engagements, die TeilnehmerInnen müssen sich auf die Übung einlassen und sich in Bewegungen/Handlungen erproben, die ihnen unvertraut sind. Da das nicht immer Spaß macht, weisen die Anleiterinnen wiederholt auf die Notwendigkeit von Übungen hin. Zum Beispiel in der folgenden Sequenz:

---

349 Schelle 2008.
350 Schelle 2008, S. 132. SCHELLE verwendet den Namen „Yvonne" für das Mädchen, das in dieser Arbeit „Lara" genannt wird.

Sequenz 28: Was wir jetzt machen ist nicht nur Spiel

Ereignis: Vom Tier zum Satz 1   **Quelle:** AG_11.12.06   **Timeline:** 1:55-2:30

```
1    Alle AkteurInnen sitzen im Kreis auf dem Turnhallenboden.
2       Theresa:    und was wir JETZT machen (.) ist nicht nur SPIEL
3                   (.) im sinn von nur spaß haben und alles andere
4                   ist egal (.) SONDern wir wollen jetzt mit euch
5                   auf der schauspielerischen und auf der tänzeri-
6                   schen ebene GRUNDlagen schaffen (.) also wenn
7                   ich ne spinne spiel oder ne giraffe=
8       Steffen:    <<lacht>
9       Theresa:    =oder egal was
10      Steffen:    <<blickt Magnus neben ihm an, streckt einen Arm
11                  in die Höhe und macht ein „Streckgeräusch">
12      Theresa:    dann muss ich des einfach mit ernst begreifen
13                  und richtig machen weil alles andere ist so ein
14                  komisches <<h> ehähehe > kasperltheater (.) und
15                  deshalb YOLA (--) wollen wir da jetzt mit euch
16                  (.) [noch eine übung] dazu machen
```

Theresa macht hier deutlich, dass Übungen noch höhere Engagementregeln haben als Spiele. Ist in Spielen das oberste Gebot der Spaß der SpielerInnen, an dem sie auch ihr Verhalten ausrichten sollen, gilt dies für Übungen nicht mehr. Hier geht es darum, die gegebene Aufgabe „mit Ernst zu begreifen". In gewisser Weise formuliert Theresa hier ein „Arbeitsprogramm": Während in Spielen der Spaß im Vordergrund steht und stehen darf, soll es in Übungen darum gehen, Grundlagen für etwas zu schaffen – dies setzt allerdings voraus, dass die TeilnehmerInnen sich auch – und auch dann wenn es ihnen mal keinen „Spaß" machen sollte – auf die Übungsaufgabe einlassen. In diesen Formulierungen wird schon deutlich, weshalb die beiden Anleiterinnen während der Übungen deutlich mehr den Regeln entgegenstehendes Verhalten sanktionieren als sie das während der Spiele tun mussten – dies liegt zum einen daran, dass in den Übungen schwierigere Anforderungen an die TeilnehmerInnen gestellt wurden, aber auch daran, dass die TeilnehmerInnen angehalten waren, sich auch auf Übungen einzulassen, die ihnen nicht sofort „Spaß" machen.

Ich fasse zusammen: Zwischen Spielen und Übungen gibt es große Gemeinsamkeiten. Beide Rahmen werden durch klare Start- und Schlusssignale markiert. Diese klaren Signale sind notwendig, weil in beiden Rahmen ganz besondere Regeln gelten, die – und auch das gilt für beide Rahmen – auch verbalisiert werden. Die Regeln gelten dabei nur während der Spiel- bzw. Übungszeit, nicht davor und auch nicht danach. Neben diesen Gemeinsamkeiten gibt es aber auch Unterschiede, die verständlich machen, weshalb die AkteurInnen zwischen Spielen und Übungen differenzieren: Der wichtigste Unterschied ist, dass alle Regeln, die in Spielen gelten sollen, <u>vor</u> Spielbeginn formuliert bzw. vereinbart werden. Sind Spiele allen SpielteilnehmerInnen bekannt, muss die Regelformulierung nicht stattfinden: Ein Spiel kennen heißt in erster Linie: Die Regeln des Spieles kennen. Während eines Spiels sind die Regeln nicht veränderbar – kommt es zu einem Dissens über die geltenden Regeln, muss das Spiel unterbrochen werden und es kommt zu einer Regelaushandlung, die aber nicht Teil des Spiels ist.

Im Fall der Übungen, die im Projektverlauf durchgeführt wurden, ist das nun anders. Hier gibt es AkteurInnen, nämlich die Anleiterinnen, die mit zusätzlichen Handlungsrechten ausgestattet sind. Die Anleiterinnen verändern die gültigen Regeln während der Übung, dabei stellen diese Regelveränderungen keine Unterbrechung dar, sondern sind Bestandteil der Übungen. Sehr schön deutlich wird das daran, dass die TeilnehmerInnen ihre Handlungen keineswegs immer unterbrechen, wenn die Anleiterinnen Regelmodifikationen ansagen: Sie fahren in ihren Handlungen fort und verändern dann ihr Verhalten, wenn sie die neuen Regeln gehört haben. Diese Regeln gelten dabei nur für die TeilnehmerInnen und nicht für die AnleiterInnen. Wenn die AnleiterIn zum Beispiel ansagt, dass sich alle wieder in ihren Figuren an den eigenen Platz bewegen sollen, gilt diese Handlungsaufforderung nicht für sie selbst. Die AnleiterIn ist in einer Art „Regieposition", die es ihr ermöglicht, auf die Handlungen der TeilnehmerInnen direkt einzugehen – sowohl durch direkte Ansprache Einzelner als auch dadurch, die Regeln beständig zu modifizieren. In Spielen gibt es keine vergleichbare Position – entweder eine AnleiterIn spielt mit, dann hat sie die gleichen Handlungsrechte und -pflichten wie alle anderen AkteurInnen auch, oder sie übernimmt die Funktion der SchiedsrichterIn. Diese Position erlaubt aber – im Unterschied zur Regisseurin – nur die Einhaltung der geltenden Spielregeln einzufordern, aber nicht, diese Regeln auch während des Spiels zu verändern. Angesichts der umfassenden Handlungsrechte der AnleiterIn ist es nicht verwunderlich, dass die AnleiterIn auch die AkteurIn ist, die Übungen beginnen und enden lässt. Übungen haben nicht wie viele Spiele ein ihnen „innewohnendes" Ende. Dieses Ende muss gesetzt werden und das Recht für diese Setzung haben die AnleiterInnen (das wurde in *Seq_27: Es ist erst lustig, wenn alle mitmachen* sehr deutlich, als Theresa und Natalie verhindern, dass die TeilnehmerInnen durch ihr Hinsetzen die Übung beenden).

Die Regeln des Engagements unterscheiden sich in Spielen und Übungen ebenfalls. In Spielen ist ein sehr wichtiges Motiv zur Teilnahme der Spaß, der sich durch das Spiel gewinnen lässt. Dieses Motiv wird auch von den AnleiterInnen als legitim angesehen. In Übungen ist auch das anders, hier soll es – so sehen es die AnleiterInnen – nicht mehr nur um „Spaß" gehen, sondern darum, die Grundlagen für die späteren Aufführungen zu schaffen. Daher erwarten die AnleiterInnen die engagierte Teilnahme, auch wenn die Übung nicht immer und durchgängig „Spaß macht". Damit wird auch deutlich, dass Übungen auf Ziele ausgerichtet sind, die über den Spaß an der Betätigung hinausgehen – auch das ein fundamentaler Unterschied zu Spielen, mit denen normalerweise keine weiteren Zielsetzungen – außer dem Spaß – verbunden sind. Übungen haben diese weiteren Zielsetzungen und werden daher auch oft „nachbereitet": Durch Reflexionen, Aufführungen oder die Erläuterung des Sinns der Übung – auch das ein weiterer Unterschied zu Spielen, in denen es in keinem Fall eine Form der Nachbereitung gab.

AnleiterInnen haben in Übungen eine starke Position inne, sie sind nicht „Teil" der Übung, sondern haben eine Art von „Regiefunktion" inne. Wie sich in den nächsten drei Kapiteln zeigen wird, setzen die Anleiterinnen diese Position ein, um ganz bestimmte Interaktionen zwischen den ÜbungsteilnehmerInnen hervorzurufen bzw. zu verhindern.

4.2 Die Übung „Vom Tier zum Satz"

Ziel dieses zweiten Kapitels ist es, den Ablauf der Übung „Vom Tier zum Satz" vorzustellen, um so die Analyse der einzelnen Phasen, die in den Kapiteln 4.3 und 4.4 geleistet werden wird, vorzubereiten.

Die Übung „Vom Tier zum Satz" dauerte insgesamt knapp 35 Minuten.[351] Nach einer relativ langen Einleitung, in der die AkteurInnen in einem Kreis auf dem Boden saßen und über den Sinn von Übungen sprachen, bittet Theresa die TeilnehmerInnen zu „ihrem"[352] Platz in der Turnhalle zu gehen. Damit beginnt die „eigentliche" Übung.

1. Als alle an ihrem Platz angekommen sind, beginnt Theresa damit, die erste Regel anzusagen. Die TeilnehmerInnen sollen sich eins der Tiere, die sie im vorangegangenen Memory-Spiel gespielt hatten, aussuchen und sich als dieses Tier an ihrem Platz bewegen. Sie macht hier auch die sozialen Organisationsformen der Übung deutlich: Zuerst sollen alle TeilnehmerInnen die Übung alleine machen und am Schluss der Übung sollen sie den anderen etwas zeigen. Mit einem „Ihr dürft jetzt anfangen" lässt Theresa die Übung beginnen.
2. Die TeilnehmerInnen stellen nun ihre Tiere an ihrem Platz dar.
3. Theresa kommentiert die Bewegungen der TeilnehmerInnen, indem sie die TeilnehmerInnen auffordert, sich in weiteren Bewegungen auszuprobieren und erlaubt zudem, dass sie sich nun als Tier durch den Raum bewegen. Es wird Musik eingespielt.
4. In einem nächsten Schritt sollten die TeilnehmerInnen die als Tier gefühlte Bewegungsqualität auf Bewegungen übertragen, die sie als Mensch ausführen und als Menschen durch den Raum gehen, die aber die „Qualität" der Tierbewegungen auch in ihren Menschenbewegungen beibehalten. Sie sollen sich in verschiedenen Bewegungen ausprobieren.
5. Nun sollen sie sich für eine Bewegung entscheiden und nur noch mit dieser einen Bewegung durch den Raum gehen.
6. Dann sollen sie ein Gefühl „erspüren" (nicht überlegen), das zu der ausgewählten Bewegung passt und mit diesem Gefühl diese Bewegung ausführen.
7. Schließlich sollen sie sich einen dazu passenden Satz überlegen, diesen aber noch nicht sagen.
8. Nun sollen die TeilnehmerInnen an ihrem Platz ihren Satz leise vor sich hin sagen und im Anschluss daran durch den Raum gehend laut.
9. Nun müssen sich die TeilnehmerInnen in einer Linie aufstellen und immer eine tritt auf und präsentiert ihre Bewegungen und ihren Satz.
10. Zum Abschluss gibt es Applaus der TeilnehmerInnen und die Anleiterinnen loben die TeilnehmerInnen.

---

[351] Durch einen notwendigen Kassettenwechsel fehlt ein kurzes Zwischenstück, das Bandmaterial zeigt genau 32:17 Minuten.
[352] Damit ist der Punkt in der Turnhalle gemeint, den sich die TeilnehmerInnen in der ersten Projektstunde ausgewählt hatten. Dort sollten sie sich einfach einen Punkt im Raum suchen, auf den sie sich stellen und den sie sich als „ihren Punkt" merken sollten.

Die Übung lässt sich somit in zehn Phasen aufteilen (in Spalte 1 die Dauer der jeweiligen Phase, in Spalte 3 die Soziale Organisationsform):

Dauer	Aufgabe	Soziale Organisationsform
1 (2:18)	Erklärung	Anleiterin-TeilnehmerInnen
2 (0:45)	Als Tier am Platz	Solo
3 (2:21)	Als Tier mit Musik durch den Raum	Solo
4 (3:10)	Als Mensch mit Tiereigenschaften durch den Raum	Solo
5 (3:10)	Mit einer Bewegung durch den Raum	Solo
6 (4:40)	Gefühl zur Bewegung finden	Solo
7 (3:00)	Satz zu Bewegung und Gefühl finden	Solo
8 (2:30)	Satz vor sich hinsagen	Solo (Zentrale Fokussierung)
9 (5:50)	Präsentation von Satz und Bewegung	Zentrale Fokussierung
10 (1:10)	Abschluss	AnleiterIn-TeilnehmerInnen

4.3 „Solo" – eine soziale Organisationsform von Übungen

Die verschiedenen Phasen von Übungen lassen sich hinsichtlich ihrer „Sozialen Organisationsform" unterscheiden. Damit bezeichne ich die von den Anleiterinnen für die Übung bzw. die Phase der Übung vorgesehene Aufmerksamkeitsausrichtung. ADAM KENDON, der sich vor allem für die non-verbalen Aspekte von Interaktionen interessierte, hat die Formen, in denen Menschen sich gruppieren als „spatial formation"[353] bezeichnet und deutlich gemacht, dass die körperliche Ausrichtung große Auswirkungen auf die Ausrichtung der Aufmerksamkeit hat. Je nach körperlicher Positionierung entstehen eigene Aufmerksamkeitszentren:

„People often group themselves into clusters, lines, or circles, or into various kinds of patterns. These patterns may be highly fluid or they may be relatively sustained. When such a pattern is sustained it will reffered to as a *formation*. (...) It provides and it facilitates the maintenance of a common focus of attention."[354]

Ich werde mich in diesem Kapitel mit den Phasen beschäftigen, in denen die Anleiterinnen als soziale Organisationsform das „Solo" zu bestimmen versuchen. Was sie darunter verstehen, macht die Theaterpädagogin Theresa während der Erläuterung der Übung deutlich:

---

[353] Vgl. KENDON 1977, insbesondere S. 179-208.
[354] KENDON 1977, S. 179 (Hervorhebung im Original).

Sequenz 29: Erstmal macht ihrs ganz für euch alleine

Ereignis: Vom Tier zum Satz I   **Quelle:** AG_11.12.06   **Timeline:** 9:16-9:38

```
1    Die ÜbungsteilnehmerInnen stehen an ihren Ausgangsplätzen in der Halle
2    verteilt. Theresa geht während sie spricht von Steffen, der am Rand der
3    Halle steht, zur Turnhallenmitte.
4    Theresa:    okAY↓ (.) DA::n (--) wenn ihr jetzt gleich AN-
5                fangt dürft ihr euch JEDER FÜR SICH ALLEINE´ wir
6                machen die übung JETZ (.) jeder ganz für sich
7                alleine ohne mit den anderen irgendwie in kon-
8                takt zu sein und am SCHLUSS (.) das ergebnis der
9                übung könnt ihr dann den andern: ZEIGEN (.)
10               okay↑ aber erstmal macht ihrs jetzt ganz für
11               euch alleine und jeder´ wenn wir jetzt gleich
12               anfangen bewegt sich erstmal am platz (-) mit
13               diesen tieren (.) also ihr könnt jetzt auspro-
14               bieren was fällt euch zu dem tier ein
```

An diesem Ausschnitt ist die deutliche Betonung und die zweimalige Wiederholung von „Jeder für sich alleine" auffällig. Theresa scheint es für notwendig zu halten, diese Regel stark zu betonen und explizit zu wiederholen. Sie kontrastiert dann diese Form, das „Für-sich-alleine-Machen" dadurch, dass sie den TeilnehmerInnen ankündigt, dass sie am „SCHLUSS" das Ergebnis der Übung den anderen „ZEIGEN" dürfen. Sie macht so deutlich, dass es im ersten Teil der Übung, der Solophase, also genau darum nicht gehen soll, den anderen etwas zu zeigen. Und ihr explizite Betonung und Wiederholung kann als Hinweis verstanden werden, dass ihr diese Regel besonders wichtig ist. Wie die nächsten Sequenzen zeigen werden, gibt es noch einen weiteren Grund dafür, dass Theresa hier diese Regel hervorhebt: Den TeilnehmerInnen fällt es nämlich sehr schwer, sich an diese Regel zu halten:

Sequenz 30: Guck mal da!

Ereignis: Vom Tier zum Satz I   **Quelle:** AG_11.12.06   **Timeline:** 12:52-13:57

```
1    Theresa:   <<f> JA (.) probiert mal einfach aus (.) bewe-
2               gungen zu finden
3    Yola:      <<steht an ihrem Platz und knabbert an einem
4               Fingernagel>
5    Hilal:     <<kommt in das Kamerabild gelaufen, bewegt lang-
6               sam die Arme auf und ab, geht auf Yola zu>
7    Yola:      <<zeigt mit dem Zeigefinger in die Richtung aus
8               der Hilal kam>
9    Hilal:     <<wendet den Blick in die Richtung, die Yola ihr
10              mit dem Finger gewiesen hat>
11   Hilal:     [<<lacht und wendet dann den Blick zu Yola und
12              lässt sich halb in ihren Arm fallen>]
13   Yola:      [<<lacht>]
14   Tuba:      YOla (---) yolina <<kommt mit leichten Armbewe-
15              gungen auf Hilal und Yola zu, wendet sich dann
16              in die Richtung, in die die beiden Mädchen gu-
17              cken>
18   Yola:      [<<geht lachend los, mit leicht gebeugten Knien>]
19   Tuba:      [<<folgt Yola>]
20   Hilal:     [<<folgt Yola>]
21   Theresa:   noch OHNE geräusche (.) JEDER für sich AL-
22              LEI::ne;
```

Theresa hatte kurz vor dem Beginn dieser Sequenz eine neue Aufgabe gestellt: Die TeilnehmerInnen sollten sich als Menschen aber mit „Tierbewegungsqualitäten" durch den Raum bewegen. Nun gibt sie den Impuls, dass die TeilnehmerInnen es einfach mal „ausprobieren" sollen (Z. 1-2).

Yola steht auf ihrem Platz und scheint noch in Gedanken versunken zu sein, als Hilal auf sie zukommt (Z. 3-6). Yola wendet ihren Blick dorthin und sieht anscheinend etwas, was sie für bemerkenswert hält, sie zeigt mit dem Finger in diese Richtung und Hilal wendet ihren Blick in diese Richtung und beide Mädchen brechen in ein Lachen aus (Z. 7-13). Sie haben, so scheint es, Bewegungen anderer TeilnehmerInnen verfolgt, die sie mit diesem Lachen kommentieren. Auch Tuba schließt sich den Mädchen an und blickt in dieselbe Richtung wie die anderen beiden (Z. 14-17). Schließlich geht Yola los (Z. 19) und Tuba und Hilal folgen ihr.

Was passiert hier? Die drei Mädchen halten sich in einer Hinsicht nicht an die von Theresa vorgegebenen Regeln: Sie machen die Übung nicht „für sich alleine". Sie wenden stattdessen eine differenzerzeugende Praktik an, indem sie eine gemeinsame Blickrichtung einnehmen und über das dort Gesehene lachen. Dabei ist es Yola, die mit dieser Praxis beginnt, indem sie Hilal mit ihrem Zeigefinger (Z. 7-8) auffordert, in diese Richtung zu gucken. Hilal ratifiziert dies und wendet ihren Blick (Z. 9-10) und beginnt zu lachen. Tuba ruft Yola und kommt dann zu den beiden Mädchen dazu und verstärkt noch die ZuschauerInnen/Präsentierende-Differenz, die die beiden anderen Mädchen durch ihre Handlungen erzeugt haben. Schließlich wendet sich Yola ab und die beiden anderen Mädchen folgen ihr nach – auch hier machen sie die Übung „nicht für sich alleine".

Theresa registriert diese Regelverletzung und versucht den Regeln durch Wiederholung bzw. Spezifizierung („ohne Geräusche") wieder Gültigkeit zu verschaffen (Z. 22).

Diese Sequenz zeigt ein ganz typisches Phänomen in Übungen, die als Solo organisiert sind: Die drei Mädchen führen nur ansatzweise die gestellte Aufgabe durch: Tuba macht nur ganz leichte Flügelschlagbewegungen (Z. 14-15) und Yola geht mit gebeugten Knien (Z. 19). Sie etablieren vielmehr eine ZuschauerInnen/Prsäentierende-Situation, indem sie – körperlich eng beisammen – dieselbe Blickrichtung einnehmen und über das Gesehene gemeinsam lachen. Dieses gemeinsame Gucken und Lachen verhindert, dass die drei ihrerseits versuchen müssen, sich an der Aufgabe zu erproben, ihre eigenen Bewegungen sind Reaktionen auf Bewegungen anderer und nicht der Versuch, sich als Mensch mit Tierqualität zu bewegen.

Das Verhalten der drei Mädchen ist aber nicht nur ein Problem für sie selbst, sondern auch für die anderen ÜbungsteilnehmerInnen, die mitbekommen, dass Hilal, Tuba und Yola ihre Aufmerksamkeit auf die Handlungen der anderen gerichtet haben und deren Bewegungen mit Lachen kommentieren. Durch dieses Verhalten modulieren die drei Mädchen die Situation eines Rahmens, in dem die Regel gilt: „Probier einfach mal alle Bewegungen aus, es ist völlig egal, wie es aussieht", zu einem Präsentationsrahmen, in dem die einen AkteurInnen – die ZuschauerInnen – die Handlungen der anderen AkteurInnen – den hier unfreiwillig Präsentierenden – evaluieren.

Nun wird auch verständlich, weshalb Theresa zu Beginn der Übung so dezidiert auf das „Jeder für sich allein" verwiesen hat und es in Kontrast zu „Zeigen" und „Angucken" gestellt hat. Wie schwer es einigen der TeilnehmerInnen fällt, sich an die Regel des „Jeder für sich allein" zu halten, sieht man daran, dass Theresa in den ca. 17 Minuten, die die Phasen, die als Solo durchgeführt werden sollten, dauern, achtzehnmal die Regel des „Jeder für sich allein" wiederholen muss.

Wie voraussetzungsreich die Befolgung dieser Regel ist, da sie den alltäglich geltenden Regeln in starkem Maße widerspricht, zeigt die folgende Sequenz, in der Theresa ihr Verständnis von „Jeder für sich allein" expliziert:

Sequenz 31: Mucksmäuschenstill

Ereignis: Vom Tier zum Satz I   Quelle: AG_11.12.06   Timeline: 14:40-15:20

```
1    Theresa:   U:ND (.) ich will jetz mal dass es dabei MUCKS-
2               MÄUSCHENSTILL ist=
3    ?:         =okay
4    Theresa:   dass ihr euch wirklich EINzeln=ohne euch zu BE-
5               Rührn (.) irgendwie anzuschauen so ungefähr (-)
6               durch den raum geht und ganz still seid und im-
7               mer nur diese bewegung macht die ihr euch jetzt
8               eben ausgesucht habt
```

„Jeder für sich allein" heißt für Theresa, dass die TeilnehmerInnen nicht nur nicht sprechen dürfen, sondern überhaupt keine Geräusche von sich geben sollen. Zudem sollen sie sich nicht berühren und sie sollen, so weit das möglich ist, sich noch nicht einmal ansehen. Theresa versucht hier alle Impulse, die den Einzelnen von der Beschäftigung mit dem Spielen des eigenen Tiers bzw. der Durchführung der eigenen Bewegung abhalten könnten, auszuschalten. Genau deshalb soll es keine Geräusche, keine Berührungen und noch nicht einmal Blicke der anderen geben. Dieser Versuch, alle Impulse von außen auszuschalten, erinnert an Meditationsübungen, in denen ja auch versucht wird, eine möglichst reizarme Umgebung zu schaffen, um so die Konzentration der Einzelnen auf sich selbst zu ermöglichen. Im Unterschied zu Meditationspraktiken, die oft im Sitzen oder zumindest in Bewegungslosigkeit durchgeführt werden, sollen die TeilnehmerInnen sich in dieser Übung noch zusätzlich durch den Raum bewegen und „ungewöhnliche" Bewegungen durchführen. Hier wird deutlich, wie weit diese Regeln sich von der Alltagspraxis entfernen:

Menschen, die sich mit ungewöhnlichen Bewegungen durch einen Raum bewegen, ziehen normalerweise die Aufmerksamkeit der anderen auf sich: Man will wissen, was diese Menschen da tun. In der Übung vom „Tier zum Satz" bewegen sich nun alle mit ungewöhnlichen Bewegungen durch den Raum, dadurch ist zwar klar, warum die anderen das tun, aber es ist noch lange nicht klar, welche Bewegungen die anderen machen und welche Bewegungen „erlaubt" und welche „verboten" sind bzw. welche Bewertungsmaßstäbe für gelungene und weniger gelungene Bewegungen gelten. Einige der TeilnehmerInnen gucken also unentwegt, nehmen auch verbal Kontakt zu anderen auf und suchen die körperliche Nähe der anderen. In der folgenden Sequenz lässt sich eine dieser Regelverletzungen beobachten, die aber einen überraschenden Ausgang nimmt.

Sequenz 32: Schlange

Ereignis: Vom Tier zum Satz I **Quelle:** AG_11.12.06 **Timeline:** 14:40-15:20

```
1    Die ÜbungsteilnehmerInnen laufen durch den Raum. Der Auftrag ist, als
2    Mensch, aber mit Tiereigenschaften, durch den Raum zu gehen. Man sieht
3    Steffen, der als Blinder mit Taststock durch den Raum geht. Magnus ist
4    leicht nach vorne gebeugt und macht Bewegungen, die so wirken, als ob
5    er auf einer Gitarre spielen würde. Hilal bewegt sich mit leichten Be-
6    wegungen der Arme durch den Raum.
7        Theresa:     LISA (.) TUBA (-) ich will dass ihrs für euch
8                     alleine macht
9        (2)
10       Theresa:     und denkt aber dran ihr seid ein mensch (-) ja?
11       ?:           <<lacht>>
12       Hilal:       <<wendet sich zu der gerade vorbeigehenden Anna>>
13                    <<pp> ( )
14       Anna:        <<geht weiter, sie bewegt dabei den Körper so,
15                    als ob eine Welle durch ihren Kopf und ihren
16                    Oberkörper fließt>> <<lachend>> schlange
17       Theresa:     sehr SCHÖN (.) macht ihr des (.) TOLL↓ aber im-
18                    mer noch alleine des is ganz wichtig dass ihrs
19                    wirklich für euch alleine macht
20   Das gerade laufende Musikstück ist zu Ende, Magnus wendet sich an The-
21   resa und fragt sie etwas, man hört mehrere TeilnehmerInnen leise la-
22   chen, Hilal packt Lara am Rücken und flüstert ihr etwas zu.
23       Theresa:     geht mal zurück an den eigenen platz (.) bleibt
24                    mal in der bewegung
```

Zunnächst fällt hier wieder auf, dass die TeilnehmerInnen den Auftrag, sich als Mensch mit Tiereigenschaften durch den Raum zu bewegen, sehr unterschiedlich ausführen. Steffen und Magnus bewegen sich in sehr ausdrucksstarken Haltungen, Hilal bewegt sich mit sehr unspezifischen Armbewegungen durch den Raum (Z. 2-6) und Lisa und Tuba scheinen in eine Interaktion verstrickt, sie werden von Theresa aufgefordert, sich alleine durch den Raum zu bewegen (Z. 7-8).

Auch Anna hat eine expressive Bewegung gefunden, sie bewegt sich mit Schlangenbewegungen durch den Raum (Z. 14-16). Hilal verletzt zwei der geltenden Regeln der Übung (nicht sprechen und jeder für sich allein) und wendet sich Anna flüsternd zu (Z. 12-13). Anna reagiert auch darauf, indem sie Hilal eine Antwort gibt (Z. 16), sie behält aber ihre Schlangenbewegungen bei und bewegt sich von Hilal weg. Anna gibt Hilal so zwar eine Antwort auf ihr Flüstern, weist das Gesprächsangebot von Hilal so aber auch zurück und bewegt sich weiter im Sinne der angesagten Regeln (mit Tierbewegung, allein, ohne zu sprechen) durch den Raum. Hilal ist so gezwungen, sich eine neue InteraktionspartnerIn zu suchen, nämlich Lara (Z. 22).

Anna findet hier einen Weg, Hilals Frage zwar zu beantworten, aber dennoch im Sinne der Übung ihre Bewegungen weiter durchzuführen. Sie bewegt sich während dieses kurzen Dialogs beständig in ihrer Schlangenbewegung und zeigt Hilal nicht an, dass sie bereit ist, ihre Tätigkeit zu unterbrechen, um ein Gespräch mit ihr zu beginnen. Hilal ist auf sich selbst zurückgeworfen und wendet sich Lara zu.

Auffällig an dieser Sequenz ist auch, dass die Musik eine wichtige Funktion hat, die TeilnehmerInnen in ihren Bewegungen zu unterstützen. Deutlich wird das in den

Zeilen 20-22: Da das Musikstück zu Ende geht, brechen viele der TeilnehmerInnen auch ihre Bewegungen ab, wenden sich an Theresa oder anderen TeilnehmerInnen zu. Dies führt dazu, dass Theresa wieder interveniert und die TeilnehmerInnen zum wiederholten Mal auffordert, in ihren Bewegungen zu bleiben.

In den Zeilen 17-18 hingegen interveniert Theresa in ganz anderer Hinsicht, hier fordert sie die TeilnehmerInnen nicht auf, ihr Verhalten zu verändern, sondern lobt sie für ihr Tun. Auch dies findet sich an vielen Stellen – auch in anderen Übungen: Die AnleiterInnen ermahnen keineswegs nur die TeilnehmerInnen, sich regelkonform zu verhalten, sondern loben auch Handlungen, die sie als regelkonform wahrnehmen. Dieses Lob wird dabei auch an einigen Stellen personalisiert vergeben. Hier allerdings und an vielen anderen Stellen ebenfalls, als ein Lob, das an alle TeilnehmerInnen gerichtet wird.

Tadeln und Loben können als differenzerzeugende Praktiken verstanden werden, die die AnleiterInnen einsetzen, um die von ihnen gewünschten Handlungsregeln zur Durchsetzung zu bringen. Dabei erzeugen sie nicht nur eine Differenz zwischen denen, die sich „richtig" und denen, die sich „falsch" verhalten, sondern auch eine Differenz zwischen AnleiterInnen und TeilnehmerInnen. Sie als AnleiterInnen haben nämlich das Recht, die Handlungen der anderen, der TeilnehmerInnen, zu evaluieren und diese Evaluation auch noch öffentlich und an einigen Stellen auch personalisiert auszusprechen. Dennoch – und das zeigt diese Sequenz durch Annas Verhalten – hätten die AnleiterInnen keine Chance, die besonderen Handlungsregeln von Solos durchzusetzen, wenn nicht einige (die meisten) der TeilnehmerInnen sich auch an diese Regeln hielten. Anna macht Hilal hier deutlich, dass sie nicht bereit ist, ihre gefundene Bewegung abzubrechen und eine Kommunikation mit ihr zu beginnen. Sie hält sich – auch wenn sie eine kurze Antwort gibt – an den Sinn der Regel „Jeder für sich allein" und zwingt Hilal dazu, sich eine andere InteraktionspartnerIn zu suchen – je schwieriger das wird, weil immer mehr TeilnehmerInnen sich an den Sinn der Regel „Jeder für sich allein" halten, desto mehr wird auch Hilal auf sich zurückgeworfen sein. Falls tatsächlich gar keine TeilnehmerIn mehr auf ihre Interaktionsangebote reagieren sollte, dann ist auch sie „für sich allein".

Die Form der Solo-Organisation findet sich in vielen Übungen (in sieben der 16 untersuchten Übungen) und ist ein Spezifikum von Übungen, sie findet sich in keinem anderen Rahmen. Die Regel, dass keinerlei Interaktion zwischen den AkteurInnen erlaubt ist (weder durch Stimme, noch durch Berührung, noch durch Blicke), entfernt diese Form der Rahmenorganisation sehr weit von der Alltagsorganisation von Rahmen.

Das Ziel, das die AnleiterInnen damit verfolgen ist, den TeilnehmerInnen einen Raum – im wahrsten Sinne des Wortes – zu eröffnen, in dem sie sich mit Bewegungen ausprobieren können – ohne dass sie für diese Bewegungen von den anderen TeilnehmerInnen zur „Rechenschaft" gezogen werden können. Diese schauen ja – wenn sie sich an die Regeln halten – schlicht nicht zu und können daher auch keine Evaluation dieser Bewegungen vornehmen. Die Anlage der Solo-Organisation versucht also, alltägliche Praktiken der Differenzerzeugung zu verhindern, vor allem jene, die eine Differenz von Zuschauenden und Präsentierenden hervorrufen. Um das zu erreichen müssen die AnleiterInnen allerdings selbst auf massive differenzerzeugende Praktiken zurückgreifen, indem sie beständig das Verhalten der TeilnehmerInnen evaluieren und entweder tadeln oder loben. Das Bewertungskriterium der AnleiterInnen richtet sich dabei nach dem Maß, nach dem sich die TeilnehmerInnen an die Regel „Jeder für sich alleine" halten. Dadurch entsteht eine massive Differenz zwischen den AnleiterInnen und den Teilnehmerinnen – und gleichzeitig auch eine Egalität unter den TeilnehmerInnen, die alle „jeder für sich alleine" sein können.

4.4 Soziale Organisationsform: Zentrale Fokussierung

Wie schon in *Seq30_Guck mal da!* gezeigt, stehen die Soloorganisationsphasen in beständiger Gefahr, von den TeilnehmerInnen zu Aufführungssituationen moduliert zu werden. Die nun folgende Sequenz aus Phase 7 zeigt, dass dieses Problem vor allem in Anfangssituationen entsteht. Die TeilnehmerInnen hatten die Aufgabe gehabt, sich einen Satz zu ihrer Bewegung auszudenken. Nun sollen sie diesen Satz „einfach" vor sich hin sagen:

Sequenz 33: Is des zu schwierig?

Ereignis: Vom Tier zum Satz II **Quelle:** AG_11.12.06 **Timeline:** 0:00-1:01

```
1   Die TeilnehmerInnen stehen an ihren Plätzen in der Turnhalle.
2      Theresa:   sagt ihn vor euch hin
3      (3)
4      ?:         <<räuspert sich>
5      (2)
6      Theresa:   jetzt traut sich keiner=ich <<all> red mal wäh-
7                 renddessen jetzt könnt ihr anfangen=während ich
8                 rede dann hörts niemand> (.) ihr könnt jetz ein-
9                 fach euren satz anfangen zu sagen
10     (2)
11     Theresa:   <<geht auf Janne zu> <<p> du hast noch ne frage?
12     Janne:     <<schüttelt den kopf>
13     Theresa:   nein;
14     ?:         <<pp> (         )
15     Theresa:   dann sagt ihn leise vor euch hin (.) immer wie-
16                der (.) leise vor euch hin=is des zu schwierig?
17     (2)
18     Theresa:   a: (.) <<p> ich hörs schon es wird doch (    )
19                sehr gut
20  (11) Auf dem Band der Kamera ist nichts zu hören, die TeilnehmerInnen
21  die im Bild zu sehen sind, bewegen auch nicht die Lippen.
22     Theresa:   gu:t und jetzt dürft ihr euch noch durch den raum
23                bewegen und den satz LAUT vor euch hinsprechen
24     Hilal:     <<kommt gerade auf die Kamera zu, zieht die Au-
25                genbrauen nach oben und gibt ein leises Stöhnge-
26                räusch von sich>
27     ?2:        <<ff> will ich aber nicht
28  Dann sind viele Stimmen durcheinander zu hören, daher sind immer nur
29  Wortfetzen zu hören, die meisten Stimmen allerdings nicht sehr laut,
30  Lara bildet hier eine Ausnahme, ihre Stimme ist deutlich lauter als die
31  der anderen TeilnehmerInnen.
```

Die Handlungsaufforderung von Theresa, den gefundenen Satz leise vor sich hinzusagen, wird zu Beginn des Transkripts von keiner TeilnehmerIn umgesetzt. Alle schweigen, nur unterbrochen von einem gut hörbaren Räuspern (Z. 3-5). Theresa interpretiert dieses Schweigen so, dass die TeilnehmerInnen sich nicht trauen (Z. 6) und versucht durch das eigene Reden die Bedingungen zu schaffen, dass sich auch die TeilnehmerInnen zu sprechen trauen (Z. 7-9). Diese Strategie ist deshalb interessant, weil deutlich wird, dass Theresa diese Verweigerung der TeilnehmerInnen als ein Problem interpretiert, das dadurch entsteht, dass keine und keiner den Anfang machen will – dies würde schließlich bedeuten, die Stille zu brechen und von allen hörbar zu sein – in diesem Moment würde eine zentral fokussierte Situation entstehen, deren Mittelpunkt das eigene Sprechen ist. Das Sprechen in die Stille hinein ist hier als eine potentiell differenzerzeugende Praxis zu deuten, da die anderen „nur" weiter schweigen müssten, um die Differenz zwischen jemandem, der etwas vor sich hinspricht und denen, die das nicht tun, zu erhalten. Da sich die erste SprecherIn nicht sicher sein kann, ob die anderen dann auch beginnen, findet sich hier niemand, der einen Anfang macht. Theresa versucht nun auf sehr elegante Weise, den TeilnehmerInnen einen Anfang zu ermöglichen. Sie setzt die normalerweise geltende Regel, dass erst gesprochen werden darf, wenn sie als Anleiterin ihren Redezug beendet hat, außer Kraft und bietet den TeilnehmerInnen an, mit ihr gemeinsam zu sprechen. Sie versucht so, den Fokus auf die erste SprecherIn abzumildern, da ja auch sie noch spricht.

Auch diese Strategie hat aber, wie das Schweigen in Zeile 10 zeigt, keinen Erfolg. Erst in Z. 18 scheint das Schweigen nicht mehr allumfassend – wenn gleich auf dem Videoband nicht zu hören – da Theresa das Gehörte aufgreift und die TeilnehmerInnen in ihrem Tun bestärkt, sie lobt sie (Z. 19-20).

Schließlich gibt sie, nach einer Phase, in der auf der Kamera nichts zu hören ist, die Anweisung, dass sie nun laut ihren Satz sprechen sollen (Z. 23-24). Dies wird wiederum von Hilal mit dem Hochziehen einer Augenbraue und einem Stöhnen kommentiert (Z. 25-27). Die Stille wird dann von einem Satz unterbrochen, den eine der TeilnehmerInnen laut in den Raum ruft: „Will ich aber nicht!" (Z. 28). Dieser Satz ist dabei eher als Kommentar auf die Aufforderung Theresas zu deuten (in der späteren Präsentation der Sätze und Bewegungen sagt keine der TeilnehmerInnen diesen Satz), der aber performativ – dadurch dass er sehr laut gerufen wird – die gegenteilige Wirkung entfaltet. Er bricht das Eis und man hört im Folgenden sehr viele Stimme durcheinander sprechen. Dabei bleiben aber die meisten Stimmen relativ leise, nur Lara ist es, deren Stimme deutlich lauter ist und so aus den anderen hervorsticht (Z. 29-32).

Diese Sequenz zeigt, dass Theresa nicht „einfach" geltende Verhaltensregeln wie – überlege Dir genau, welche Sätze Du öffentlich wie sagen willst – außer Kraft setzen kann. Keine der TeilnehmerInnen findet sich bereit, damit zu beginnen, den eigenen Satz laut vor sich hin zu sagen. Nur über Umwege (alle zusammen anfangen, erst leise sagen) gelingt es Theresa, die TeilnehmerInnen zum Sprechen der eigenen Sätze zu bringen. Eine ganz wichtige Funktion hatte dabei der laut gerufene Satz „ich will aber nicht", in dessen Folge auch alle anderen ihre Sätze vor sich hin sagen (auch wenn alle bis auf Lara nach wie vor relativ leise sprachen). Die geltenden Regeln hängen also nicht nur von den Anweisungen der AnleiterInnen ab, das Verhalten der TeilnehmerInnen entscheidet darüber, welche Regeln „wirklich" gelten.

Im Unterschied zu diesen Situationen, in denen zentrale Fokussierungen gegen den Willen der AnleiterInnen entstehen, finden sich in Übungen auch Phasen (meist am Schluss der Übungen und in sechs der 16 Übungen), in denen die AnleiterInnen zentrale Fokussierungen herstellen wollen.

Sequenz 34: STOPP

Ereignis: Vom Tier zum Satz II **Quelle:** AG_11.12.06 **Timeline:** 2:24-3:42

```
1   Die TeilnehmerInnen stehen in einer Reihe, die Blicke zu Theresa gewen-
2   det, die vor ihnen steht.
3       Theresa:    und immer in der mitte (.) hier ungefähr (.) den
4                   satz zu den andern sagen=
5       Tuba:       =soll ich das hier auch machen? <<wedelt mit den
6                   Armen>
7       Theresa:    okay?
8       Natalie:    auch in der figur gehen (.) oder?
9       Theresa:    wie ihr wollt=jaja klar (.) ihr sollt in [eurer
10                  figur]
11      Janne:      [<<geht mit schweren, hörbaren Schritten in
12                  Richtung Theresa>]
13      Theresa:    <<streckt eine Hand in Richtung von Janne> warte
14                  ganz kurz janne;
15      Janne:      <<stoppt abrupt in ihren Schritten und geht lei-
16                  se rückwärts zurück auf ihren Platz>
17      Theresa:    ihr sollt in [eurer figur von da nach da gehen
18                  <<zeigt mit dem Finger von einer Seite der zur
19                  anderen> in der mitte stehen bleiben]
20      Steffen:    [<<springt auf und ab, dann wendet er sich zu
21                  Magnus>]
22      Magnus:     [<<sagt leise etwas zu Steffen]
23      Theresa:    einmal den satz sagen (.) dann=magnus (.) weißt
24                  dus schon↑ (-) was ihr machen sollt?
25      Magnus:     ja;
26      Theresa:    okay; (.) alles klar?
27      ?:          ja;
28      Theresa:    BLEIBT in der FIgur (.) BLEIBT in der haltung (-
29                  ) GUT (.) und gebt dann den fokus an die person
30                  die grad geht (.) und TUBA <<wendet den blick zu
31                  Tuba> du gehst los wenn die janne drüben ankommt
32      Tuba:       ja
33      Theresa:    okay; <<geht nach rechts zur Seite>
34      Janne:      [<<geht mit schweren, hörbaren Schritten los>]
35      Hilal:      [<<hat den Blick zu Anna und Lara gerichtet und
36                  unterhält sich leise mit diesen>]
37      Theresa:    STOPP↓ (.) tschuldigung janne
38      Janne:      <<stoppt in ihrer Bewegung>
39      Theresa:    ich will dass ihr ihr den fokus gebt
40      Natalie:    STEFFEN
41      Janne:      <<geht wieder an ihren Platz zurück>
42      Theresa:    <<f> ich finds absolut unhöflich des NICHT zu tun
43                  (1) wie ist es denn wenn ihr allein vor publikum
44                  steht und die ratschen alle?
45      (3)
46      Theresa:    okay;
47      Janne:      <<geht mit schweren, hörbaren Schritten los bis
48                  sie vor den anderen in der Mitte steht> <<ff>
49                  TÜ::T> ich find mich richtig öde in der position
50                  vor allem als mensch
51      Magnus:     <<lacht>
52      Janne:      <<lächelt, geht mit schweren, hörbaren Schritten
53                  ab>
```

Zunächst wird deutlich, dass für diese Präsentationssituation eine spezifische Ausrichtung der Körper geschaffen wird: Alle TeilnehmerInnen stehen in einer Reihe, sie sind nicht mehr kreuz und quer über die Turnhalle verteilt (Z. 1). Dieses Aufstellen in einer Reihe kann als egalitätzeugende Praxis[355] begriffen werden: die in der Reihe sind alle gleich, da sie alle ihren Blick zu Theresa wenden und ihr zuhören: nur Theresa steht nämlich nicht in dieser Reihe, sondern vor den TeilnehmerInnen (Z. 2). Sie erklärt, welche Handlungsregeln im Folgenden gelten sollen und beantwortet die Rückfragen der TeilnehmerInnen bzw. von Natalie (Z. 5-10). Deutlich wird im Folgenden, dass Theresa hier mit umfassenden Handlungsrechten ausgestattet ist, sie ist es, die die geltenden Regeln erklärt, die auf die gestellten Fragen antwortet, das Gespräch von Steffen und Magnus kommentiert (Z. 17-24) und Jannes Auftritt zurückstellt (Z. 13-14).

Schließlich klärt sich auch noch die Auftrittsreihenfolge (Z. 28-31) und macht so die Reihe zu einer Schlange, da Janne den ersten Auftritt zugewiesen bekommt, Tuba den zweiten usf. . Schließlich gibt sie ein Startsignal mit einem „okay" und dem Zurücktreten aus dem Bühnenraum (Z. 33), dadurch verliert sie – wie die dann folgenden Handlungen zeigen – „eigentlich" ihre Anleiterrechte. Janne beginnt ihren Auftritt (Z. 33) und Hilal unterhält sich leise mit Anna und Lara (Z. 35-36). Auf diese Unterhaltung reagiert Theresa und unterbricht den Auftritt von Janne – da sie aber „eigentlich" ihre besonderen Handlungsrechte für die Dauer des Auftritts abgegeben hatte, muss sie sich dafür bei Janne entschuldigen (Z. 37). Janne hält inne (Z. 38) und Theresa erklärt eine der Regeln für ZuschauerInnen von Präsentationen: sie sollen ihre Aufmerksamkeit auf die Präsentierende richten (Z. 39). Natalie übernimmt durch ihr scharf akzentuiertes „STEFFEN" hier ebenfalls eine AnleiterInnenposition, sie weist ihn darauf hin, dass er gerade etwas tut oder getan hat, was von den Anleiterinnen nicht toleriert wird (Z. 40).

Daran anschließend wirbt Theresa für die Einhaltung der von ihr aufgestellten Regel, indem sie einen Perspektivwechsel vornimmt und die Mädchen auffordert, sich vorzustellen, selbst in der Position der Präsentierenden zu sein, die keine Aufmerksamkeit von den ZuschauerInnen bekommt. Musste Theresa in der Phase der Solos wiederholt und beständig Praktiken, die zu zentralen Fokussierungen führen, entgegenwirken, muss sie hier dafür Sorge tragen, dass eine zentrale Fokussierung entsteht. Ihrer Frage folgt eine lange Pause (Z. 45) und Theresa wertet dieses Pause wohl als Einverständnis, den Fokus nun auf die Präsentation zu richten, da sie ein erneutes Startsignal an Janne gibt (Z. 46).

Diesmal kann der Auftritt von Janne stattfinden, den sie durch ihre lauten, gut hörbaren Schritte und ihren klar gesprochenen und inhaltlich unerwarteten Satz sehr expressiv gestaltet (Z. 47-50). Magnus reagiert auf diesen Auftritt mit einem Lachen, das von Janne wiederum mit einem Lächeln beantwortet wird (Z. 51-53). Dieses Lächeln von Janne deutet darauf hin, dass sie das Lachen von Magnus nicht als ein „Auslachen", sondern als ein amüsiertes Lachen verstanden hat – sie scheint sich über dieses Lachen zu freuen und lächelt selbst. Wie die nächste Sequenz zeigt, wird dieser Auftritt von den TeilnehmerInnen sehr unterschiedlich expressiv gestaltet:

---

355 Nicht alle Reihen sind egalitätzeugend, die Schlange vor einer Kasse oder einem Schalter ist als eine differenzerzeugende Praktik zu deuten: Dadurch gibt es die Person, die dran ist, dann die Person die als nächstes dran ist usf. .

Sequenz 35: Nimm Dich ernst – Blindgänger, der sich frei fühlt

Ereignis: Übung „Vom Tier zum Satz" II **Quelle:** AG_11.12.06
Timeline: 4:29-4:58, 6:02-6:35

```
1    Die TeilnehmerInnen stehen an einer Linie auf dem Turnhallenboden auf-
2    gereiht.
3        Hilal:     <<bewegt sich von der Linie weg, auf die Mitte
4                   zu, etwa zwei Meter von den Anderen entfernt.
5                   Sie bewegt dabei leicht ihre Arme, den Blick hat
6                   sie gesenkt und sie lächelt leicht>
7        Theresa:   MACHs' (.) nimm dich ernst HILAL (.) machs wirk-
8                   lich ernsthaft
9        Hilal:     <<guckt Theresa an, dann wendet sie sich ab und
10                  begibt sich an ihren Ausgangspunkt zurück>
11       ?:         hi:lal
12       ?2:        hi:::lal
13       Theresa:   Hi::lal (.) ich weiß schon
14       Hilal:     <<beginnt einen erneuten Auftritt, sie geht wie-
15                  der auf die Mitte zu, als sie dort angekommen
16                  ist, wendet sie den Blick nach rechts zur Seite,
17                  so dass sie die ZuschauerInnen nicht anblickt>
18                  <<p> ich fühl mich scheiße weil ich klein bin
19                  <<lacht kurz und leise auf, dann geht sie wieder
20                  ab, die Arme wieder leicht auf und ab bewegend>
21       Anna:      <<steht am Ende der Linie der TeilnehmerInnen.
22                  Als Hilal ihren Auftritt beendet hat, beginnt
23                  sie sich in die Mitte zu bewegen, sie lässt da-
24                  bei eine Welle durch ihren Körper gleiten, die
25                  ihren Ausgangspunkt am Kopf nimmt und in den
26                  Knien endet>
27       ?1:        <<p> <<lacht>
28       ?2:        <<p> <<lacht>
29       Anna:      <<als sie einen Platz in der Mitte erreicht hat,
30                  bleibt sie dort stehen, lässt aber weiterhin die
31                  Wellenbewegung durch ihren Körper laufen> ich
32                  fühl mich un::kig
33   Mehrere TeilnehmerInnen lachen kurz auf.
34       Anna:      <<geht mit ihrer Wellenbewegung ab, ihr Lächeln
35                  wird breiter>
36   (...)
37       Steffen:   <<steht am Ende der Reihe und beginnt seinen
38                  Auftritt als Magnus seinen beendet hat, er läuft
39                  in einem trippelnden, relativ schnellen Schritt,
40                  mit der Hand einen Blindenstock simulierend, die
41                  Augen fast ganz geschlossen, zur Mitte>
42       Steffen:   <<als er dort angekommen ist, hebt er die rechte
43                  Hand in Höhe seines Kopfes und führt während er
44                  spricht, Finger und Daumen schnell zusammen und
45                  wieder auseinander> ACHTung blindgänger (.) der
46                  sich frei FÜH1T
47   Sehr viele TeilnehmerInnen lachen auf.
48       Steffen:   <<trippelt zum anderen Ende der Reihe, als er
49                  das Lachen hört, grinst er>
```

Hilal beginnt ihren Auftritt und wird – so wie vorher Janne – von Theresa unterbrochen (Z. 2-5). Diesmal jedoch aus einem anderen Grund: Theresa kommentiert hier nicht die fehlende Aufmerksamkeit der ZuschauerInnen, sondern fordert Hilal auf, „sich ernst zu nehmen" (Z. 6-7). Die wenigen Schritte Hilals haben offensichtlich ausgereicht, Theresa zu dieser Intervention zu veranlassen. Hilal wirkte, so legt die Äußerung von Theresa nahe, auf Theresa so, als ob sie in zu großer Distanz zu ihrer Figur stünde, ihre nur halbherzig ausgeführten, sehr unspezifischen Armbewegungen und das Lächeln auf dem Gesicht Hilals scheinen hier der Auslöser gewesen zu sein. Hilal wehrt sich auch nicht gegen diese Interpretation ihres Auftritts und kehrt um, um ein zweites Mal zu beginnen (Z. 8-9). Diesmal kommt sie bis zur Mitte, wendet ihren Blick von den ZuschauerInnen ab und sagt leise und schnell ihren Satz, den sie schließlich selbst mit einem Lachen kommentiert (Z. 13-19).

Ganz anders hingegen der nun folgende Auftritt von Anna. Sie beginnt ihre Wellenbewegungen schon, als sie noch an der Linie bereitsteht und bewegt sich mit diesen Wellenbewegungen in die Mitte (Z. 28-30). Noch bevor sie dort ist, wird ihr Auftritt von leisem Auflachen begleitet, das aber nicht zu einer Irritation von Anna führt. Sie lächelt während ihres Auftritts und verliert dieses Lächeln auch nicht durch dieses mehrstimmige Lachen, das von ihr somit wohl nicht als ein Auslachen interpretiert wird. Die Auflacher (Z. 32) führen im Gegenteil dazu, dass sich Annas Lächeln noch verstärkt. Dies kann als Hinweis darauf verstanden werden, dass Anna auch dieses Lachen nicht als ein Auslachen, sondern als ein anerkennendes Lachen interpretiert hat. Ganz ähnlich findet sich das dann auch beim Auftritt Steffens (Z. 36-40), dessen Satz ebenfalls von Lachen gefolgt wird, auch hier ist es aber so, dass er dieses Lachen mit einem Grinsen kommentiert (Z. 47-48). Das Lachen der ZuschauerInnen scheint hier tatsächlich – so wie es Schelle in ihrer Analyse der Übung „Einer geht" beobachtet hat – ein Zeichen dafür zu sein, dass die ZuschauerInnen den Auftretenden dadurch ihre Anerkennung anzeigen. Die Reaktionen der Auftretenden legen diese Interpretation nahe.

Hilal hingegen gelingt es nicht, ihren Auftritt so zu gestalten, dass sie ein anerkennendes Lachen bekommt. Sie guckt ihr Publikum nicht an und sagt ihren – eigentlich auch eindrücklichen Satz – sehr leise und schnell. Dennoch gestaltet sie hier einen Auftritt: Sie tritt mit Bewegungen auf und spricht ihren Satz zu den anderen – auch sie stellt sich, obgleich ihr das offensichtlich sehr schwer fällt, dem Publikum. Zudem passt ihre Präsentationsform auch zu dem Satz, den sie sagt: Wer sich „Scheiße fühlt, weil er klein ist" kann sich nicht mit großen, ausladenden Bewegungen und erhobenen Hauptes präsentieren.

Im Unterschied zu den zentralen Fokussierungen, die im ersten Teil der Übung in den Solophasen von den TeilnehmerInnen hergestellt werden, ist es hier die Anleiterin, die eine zentrale Fokussierung herstellt. Sie achtet dabei aber auf die Einhaltung ganz bestimmter Regeln. Zunächst schafft sie dadurch, dass alle TeilnehmerInnen sich präsentieren müssen, eine Egalität, die der späteren Differenz von Präsentierenden und ZuschauerInnen nur eine temporäre Bedeutung zuweist: Alle müssen präsentieren und sind daher sowohl Zuschauende als auch Präsentierende. Zudem arrangiert sie ein bestimmtes körperliches Arrangement und formuliert nicht nur die Regeln für die Auftretenden, sondern auch die Regeln, die für die Zuschauenden gelten, und fordert deren Einhaltung ein. Der entstehende Bühnenraum schafft dabei noch eine weitere, sehr interessante Differenz, die sich gut am Auftritt Hilals beschreiben lässt: Wer tritt hier eigentlich auf? Ist es Hilal selbst oder ist es eine Figur, die Hilal spielt oder ist es Hilal, die eine Figur spielt, die sie selbst sein könnte? Diese Differenz zwischen SpielerIn und Rolle wird in zwei der weiteren Fallstudien, den *Gestaltungsaufgaben* und den *Proben*, eine entscheidende Rolle spielen.

4.5 Differenz- und egalitäterzeugende Praktiken in Übungen

Wie die Analyse der Übung „Vom Tier zum Satz" gezeigt hat, können Übungen sehr unterschiedlich organisierte Phasen beinhalten. Ausführlich habe ich in dieser Fallstudie die „Solo-Organisation" und die „zentrale Fokussierung" analysiert. Beide Organsiationsformen zeichnen sich dadurch aus, dass in ihnen ganz andere Handlungsregeln gelten als in vielen anderen Rahmen. Daher lassen sich ganz spezifische differenz- und egalitäterzeugende Praktiken beschreiben, die in diesen Rahmen eine Rolle spielen.

Das „Solo" zeichnet sich vor allem dadurch aus, dass die AnleiterInnen versuchen, die alltäglichen differenzerzeugenden Praktiken des Guckens, Sprechens und Berührens auszuschalten, um so die Konzentration jeder TeilnehmerIn auf sich selbst zu ermöglichen. Wie weit diese Praxis von alltäglichen Praktiken entfernt ist, zeigte sich an den zahlreichen Erinnerungen und Ermahnungen, die die AnleiterInnen während der Solo-Phasen auszusprechen gezwungen sind. Es fällt den TeilnehmerInnen sichtlich schwer, alle differenzerzeugenden Handlungen einzustellen und die Wahrnehmung nur noch auf die eigene Person zu richten. Die AnleiterInnen versuchen dies zu unterstützen, indem sie selbst beständig eine differenzerzeugende Praktik einsetzen: Sie tadeln und loben die Handlungen der TeilnehmerInnen. Dadurch verstärken sie noch einmal die in Übungen zu beobachtende Differenz zwischen den AnleiterInnen und den TeilnehmerInnen: Die AnleiterInnen sind mit umfassenen Handlungsrechten ausgestattet: Sie sagen den TeilnehmerInnen an, was diese wie zu tun haben und haben zudem das Recht, die Durchführung ihrer Anweisungen zu evaluieren – dies kann durch einen allgemeinen Tadel oder ein allgemeines Lob, aber auch durch einen personalisierten Tadel bzw. ein personalisiertes Lob geschehen. Die TeilnehmerInnen hingegen haben sehr eingeschränkte Handlungsrechte, sie müssen die Anweisungen der AnleiterInnen durchführen und sind einer beständigen Evaluation ausgesetzt. In den Solo-Phasen entsteht – vorausgesetzt alle TeilnehmerInnen halten sich an die geltende Regel des „Jeder für sich allein" – eine Egalität zwischen den TeilnehmerInnen, die sich alle nicht mehr zueinander verhalten, sondern ihre Wahrnehmung auf sich selbst richten. Viel interessanter ist aber noch, dass durch die Konzentration jeder TeilnehmerIn auf die eigenen Handlungen, eine Art „Verdoppelung" stattfindet. Es entsteht eine Differenz zwischen der TeilnehmerIn als Handelnde und der TeilnehmerIn als eine „Sich-selbst-beim-Handeln-Beobachtende". Genau diese Differenz ist es, die in den Proben und Aufführungen als Differenz von SpielerIn und Figur wieder große Bedeutsamkeit gewinnen wird. Die Solo-Phasen von Übungen schaffen so die Grundlage für die Fähigkeit der TeilnehmerInnen, sich zugleich als Handelnde und als „Sich-beim-Handeln-Beobachtende" zu verhalten.

In den Phasen, die ich als „Zentrale Fokussierung" bezeichne, geschieht etwas ganz anderes. Hier versuchen die AnleiterInnen nicht eine Egalität zwischen den TeilnehmerInnen und eine Fokussierung auf die je eigenen Handlungen herzustellen, indem sie alle differenzeugenden Praktiken des Alltags auszuschließen versuchen. Hier gestalten die AnleiterInnen ganz bewusst die Situation so, dass es eine starke Differenz zwischen den Zuschauenden und den Präsentierenden gibt, die sich in einem spezifischen Arrangement der Körper und unterschiedlichen Handlungsrechten bzw. -pflichten manifestiert. Durch diese Anlage geht es bei den Auftritten der Einzelnen nicht mehr darum, dass diese Personen sich selbst als Wahrnehmende und Wahrnehmbares erfahren, sondern vielmehr darum, einen Übungsraum zu gestalten, der es den TeilnehmerInnen ermöglichen soll, sich im Präsentieren zu üben. Erreicht wird dies dadurch, dass nicht nur die Regeln für die Auftretenden, sondern auch für die Zuschauenden benannt werden und deren Einhaltung von den AnleiterInnen eingefordert wird. Zudem wird auch wieder eine Egalität hergestellt, indem alle TeilnehmerInnen ihre gefundenen Bewegungen präsentieren. Auch im Falle der Zentralen Fokussierung ist die Differenz von AnleiterInnen und TeilnehmerInnen von großer Bedeutung – die AnleiterInnen tragen für die Aufrechterhaltung und Einhaltung der Rahmenregel Sorge und beteiligen sich selbst nicht an den Präsentationen. Auch hier sind die Phasen der „Zentralen Fokussierung" als eine Vorbereitung auf die späteren Aufführungen zu verstehen.

In beiden Fällen versuchen die AnleiterInnen also Rahmen zu schaffen, die ganz anders organisiert sind als alltägliche Rahmen, dadurch werden andere Verhaltensweisen der TeilnehmerInnen möglich, die sich ganz im Sinne MOLLENHAUERS anders zu sich (und den anderen!) verhalten, als sie es sonst tun. Die in diesem Projekt durchgeführten Übungen sind somit nicht nur als Rahmen zu verstehen, in denen den TeilnehmerInnen Techniken des Theaterspielens oder des Tanzens vermittelt wurden, sondern vielmehr als solche, in denen sich die TeilnehmerInnen anders verhalten können, aber auch anders verhalten müssen als sie es sonst gewohnt sind: In Solo-Phasen wird versucht, alle üblichen differenzerzeugenden Praktiken „auszuschalten" und in Phasen der Zentralen Fokussierung gewinnt die Unterscheidung von Präsentierenden und ZuschauerInnen relationale Bedeutung.

Zum Abschluss dieser Fallstudie will ich noch einmal darauf hinweisen, dass es noch zwei weitere soziale Formen gibt, in denen Übungen organisiert werden. Es gibt Phasen, die in Paaren durchgeführt werden und es gibt Phasen, die in Kleingruppen durchgeführt werden. Besonders interessant an diesen Organisationsformen ist, dass sie in hohem Maße von der Gestaltung durch die einzelnen TeilnehmerInnen abhängen, da die AnleiterInnen – anders als in Solos bzw. in Zentralen Fokussierungen – nicht mehr in so hohem Maße für die Aufrechterhaltung des Rahmens sorgen können, da sie nicht mehr alle Interaktionen, die zwischen den TeilnehmerInnen ablaufen, verfolgen können. Die interessante Frage ist daher, wie die TeilnehmerInnen mit diesen Situationen umgehen und mit welchen differenz- bzw. egalitäterzeugenden Praktiken sie in diesen Phasen operieren. In der nächsten Fallstudie „Gestaltungsaufgaben" wird es genau um diese Frage gehen: Wie gestalten die TeilnehmerInnen die Arbeitsphasen von Gestaltungsaufgaben, in denen keine AnleiterIn für die Organisation des Rahmens sorgt?

```
„Magnus:     ich glaub ich hab euch mario runtergeladen=
Thomas:     =und schuss=
Magnus:     <<f> =SCHUSS
Thomas:     DU bist SCHUSS <<blickt zu Magnus>
Magnus:     <<blickt zu Thomas> DU bist SCHUSS (.) ich lenke
Nasir:      ich bin SCHUSS" [356]
```

5 Gestaltungsaufgaben

In dieser Fallstudie *Gestaltungsaufgaben* stelle ich den komplexesten Rahmen vor, der mehrere Phasen durchläuft, die auch als eigene Rahmen verstanden werden können.

Ich werde daher zunächst darauf eingehen, was ich unter „Gestaltungsaufgaben" verstehe und welche Rahmen dort eine Rolle spielen (5.1). Im Anschluss daran werde ich mich auf die Analyse einer Phase der Gestaltungsaufgaben, die „Arbeitsphase", beschränken und zeigen, welche unterschiedlichen Strategien die TeilnehmerInnen angewendet haben, um diese Arbeitsphasen zu gestalten. Interessant sind sie, weil die AnleiterInnen in diesen Arbeitsphasen nicht direkt an den Interaktionen teilnehmen und die TeilnehmerInnen eigenständig Rahmen aufbauen müssen, in denen sie die ihnen gestellten Aufgaben bearbeiten.[357]

Zunächst gilt es, einen Anfang zu finden (5.2). Dann lassen sich verschiedene Handlungsstrategien unterscheiden, in denen differenz- bzw. egalitäterzeugende Praktiken zu beobachten sind: Kommandieren und Regie führen (5.3), Planen (5.4) und Spielen (5.5). Zum Abschluss der Fallstudie werde ich diese Strategien miteinander vergleichen (5.6).

5.1 Was sind „Gestaltungsaufgaben"?

Der Name „Gestaltungsaufgaben" stellt einen zusammengesetzten *native code* dar, die AnleiterInnen sprechen wiederholt von „Aufgaben" und davon, dass die TeilnehmerInnen etwas „gestalten" sollen. Es geht dabei immer darum, eine Aufgabe in Kleingruppen szenisch umzusetzen. Diese erarbeiteten Szenen werden nach Ablauf der Arbeitsphase den anderen Gruppen präsentiert. Gestaltungsaufgaben umfassen daher vier Phasen, die jeweils eine sehr unterschiedliche Rahmengestalt aufweisen: *Phase 1: Erklärung der Aufgabe, Phase 2: Arbeitsphase, Phase 3: Präsentation, Phase 4: Feedback.*

Der Korpus, der dieser Fallstudie zugrunde liegt, umfasst fünf verschiedene Gestaltungsaufgaben:

1. *Die Antriebschoreographie:* Nach einer Übung, in der es darum ging, sich immer von einem bestimmten Körperteil durch den Raum führen zu lassen (zum Beispiel dem rechten Arm oder dem Kopf), wurden die TeilnehmerInnen aufgeteilt und bekamen die Aufgabe, eine kleine tänzerische Improvisation zu gestalten, in der sich alle mit demselben Antrieb bewegen sollten.

---

356 Z. 53-59 in *Seq_40: Du bist Schuss!*
357 Da gilt, dass *alle* Interaktionen in Rahmen stattfinden (müssen), müssen auch die TeilnehmerInnen hier versuchen, einen Rahmen aufzubauen, der es ihnen erlaubt, die gestellte Aufgabe zu bearbeiten.

2. *Die Marionettenaufgabe:* Auch hier schloss sich die Gestaltungsaufgabe an eine Übung an, in der sich die TeilnehmerInnen immer zu zweit als PuppenspielerIn bzw. Puppe zusammengefunden hatten. Die PuppenspielerIn konnte „ihre" Puppe durch das Ziehen an imaginierten Fäden bewegen, die Puppe hatte die Aufgabe, diese Bewegungen dann auch auszuführen. In der Gestaltungsaufgabe ging es dann darum, in Kleingruppen eine kleine Szene zu erarbeiten, in der eine PuppenspielerIn mit ihren Puppen auftritt und ein kleines Stück spielt.
3. *Die 3-Wörter-Szene:* Die TeilnehmerInnen hatten die Aufgabe, sich aus zwei Plakaten mit vorher gesammelten möglichen Überschriften des Stücks und aus Eigenschaften, die „Räubern" und „Freunden" zugeschrieben werden können, drei Begriffe auszusuchen und von diesen ausgehend eine kleine Szene zu entwickeln.
4. *Szenische Umsetzung eines Gedichts:* Hier ging es darum, aus einem Gedicht (jede Kleingruppe hatte ein anderes Gedicht) ebenfalls eine kleine Szene zu gestalten. Diese sollte dann präsentiert werden.
5. *Stationenaufgabe Freunde – Räuber:* Diese Gestaltungsaufgabe war sehr komplex, da sie im Grunde sechs verschiedene Gestaltungsaufgaben umfasste. Die TeilnehmerInnen wechselten an sechs verschiedene Stationen und hatten dort jeweils eine bestimmte Aufgabe zu bearbeiten. Nach etwa fünf Minuten wurde durch einen Gong angezeigt, dass die Gruppen zur nächsten Station wechseln sollten. In allen Aufgaben ging es dabei darum, kleine Szenen zu erarbeiten, in denen es um „Räuber" oder „Freunde" ging. An einer Station zum Beispiel lautete die Aufgabe: „Wie ist dein Räuber?", an einer anderen „Was machen die Freunde gemeinsam?".

Ich werde mich in dieser Fallstudie auf die Analyse der zweiten Phase der Gestaltungsaufgaben, die *Arbeitsphase*, konzentrieren. Diese Phase ist deshalb von besonderem Interesse, weil die TeilnehmerInnen hier selbständig Lösungsstrategien entwickeln müssen: Die AnleiterInnen geben nur die Aufgabe vor, aber nicht, wie sie zu bearbeiten ist. Dies markiert einen großen Unterschied zu den bisher vorgestellten Rahmen, in denen die AnleiterInnen die gültigen Regeln entweder schon vorher (wie beim Anfangsritual und den Spielen) oder während des Verlaufs (wie bei Übungen) vorgaben. In den Arbeitsphasen der Gestaltungsaufgaben müssen die TeilnehmerInnen selbst Rahmen aufbauen, in denen sie die gestellten Aufgaben bearbeiten, da das Ziel ist, die Aufgabe selbständig und ohne Anleitung bearbeiten. Die AnleiterInnen stehen daher nur in „Notfällen" als AnsprechpartnerInnen zur Verfügung. Die interessante Frage ist nun, wie die TeilnehmerInnen diese Aufgabenbearbeitung gestalten. Mit welchen Strategien gehen sie zu Werk? Oder anders gefragt: Wie gestalten sie ihre „Arbeitsrahmen"? Der Vergleich zeigt, dass sehr unterschiedliche Strategien angewendet wurden. Ich werde zunächst auf einen Fall zu sprechen kommen, bei dem es sehr schwierig war, überhaupt einen Anfang zu finden. Im Anschluss daran zeige ich an zwei Sequenzen die Strategie des „Regieführens", die mit ganz bestimmten Schwierigkeiten verbunden ist. Das „Gemeinsame Planen" erweist sich ebenfalls als eine Strategie, die den beiden Teilnehmern nur bedingt weiterhilft. Das „Spielen" schließlich erweist sich als eine Strategie, die den TeilnehmerInnen erlaubt, „Neues" zu entdecken; die Szene entsteht dabei in der Improvisation.

5.2 Einen Anfang finden

Die folgende Sequenz stammt aus der „Marionettenaufgabe". Nach der Aufteilung der Gruppe in drei Kleingruppen gab es zunächst eine reine Jungengruppe und zwei reine Mädchengruppe. Da die Jungengruppe nur aus vier Teilnehmern bestand, die Mädchengruppen aber aus sieben bzw. fünf Teilnehmerinnen, gingen Anna und Hilal nach einer direkten Aufforderung durch die Lehrerin zu der Jungengruppe. Nachdem sich die Gruppen in der Turnhalle verteilt hatten, kam es in der gemischtgeschlechtlichen Gruppe zu folgender Sequenz:

Sequenz 36: Ladies first

Ereignis: Marionetten II   Quelle: AG_4.12.06   Timeline: 7:36-8:49

```
1   Nachdem Natalie die Aufgabe erklärt hat, haben sich die Gruppen einen
2   Platz in der Turnhalle gesucht. Nun stehen Thomas, Nasir, Magnus und
3   Steffen nebeneinander, ihnen gegenüber stehen Hilal und Anna in etwa 50
4   cm Entfernung.
5       Theresa:    ich bin dabei aber ich helf euch nur wenns wirk-
6                   lich notwendig ist
7   Der Raum füllt sich mit einem von einem Orchester gespielten französi-
8   schen Chanson.
9       Theresa:    zehn minuten habt ihr zeit (.) habt ihr gehört?
10                  magnus? ihr müsst euch kein thema überlegen das
11                  ist nicht SO: wichtig=
12      Nasir:      =einkaufen
13      Theresa:    probiers erst mal aus (.) habt ihr gehört↑ das
14                  thema ist nicht so wichtig (.) steffen↑ wichtig
15                  ist (.) dass ihr nur ZEHn minuten zeit habt
16      Hilal:      okay=
17      Magnus:     =ladies first <<zeigt dabei mit dem Finger auf
18                  Hilal>
19      Theresa:    probierts erst mal aus
20      (1)
21      Magnus:     ladies first <<zeigt dabei mit dem Finger auf
22                  Hilal>
23      Thomas:     ladies first <<zeigt dabei mit dem Finger auf
24                  Hilal>
25  Thomas verschwindet plötzlich von seiner Position ganz links in der
26  „Jungsreihe", Nasir, Magnus und Steffen verringern die Distanz zwischen
27  sich und Anna und Hilal. Die beiden weichen ganz langsam nach hinten
28  aus und wechseln dabei mehrere Blicke.
29      Nasir:      okay (.) hilal mach (.) KOMm
30      Hilal:      <<schüttelt den Kopf>
31      Anna:       komm
32      Hilal:      nein du <<blickt Anna an>
33  Hilal und Anna wenden sich einander zu und beginnen eine Runde „Stein,
34  Schere, Papier" zu spielen. Hilal guckt auf die Hände von sich und An-
35  na, dann wendet sie sich, nachdem sie verloren hat, schnell ab und
36  guckt wieder zu Nasir, Magnus, Thomas und Steffen.
37      ?:          was is?
38      (2)
39  Anna entfernt sich einige Zentimeter von Hilal, dreht dann ihren Körper
40  zu ihr. Hilal guckt sie kurz an, dann schüttelt sie den Kopf und hängt
41  sich wieder bei Anna ein und wendet ihrer beider Körper in Richtung der
42  ihnen Gegenüberstehenden.
43      Hilal:      (   ) IHR
44      ?:          THOmas
45  Nasir versucht Thomas, der zwischen ihm und Magnus etwas weiter hinten
```

```
46    stand, einzufangen, dieser versteckt sich aber hinter Magnus, den Nasir
47    nun an den Schultern packt.
48    Nasir:      <<Magnus an den Schultern haltend> okay <<all>
49                du=du=du
50    Magnus:     okay (.) ich bins <<dabei hebt er die Hände wie
51                ein Champion über den Kopf und führt sie in ei-
52                ner Siegespose auf und ab>
53    Dann stellen sich Nasir, Steffen und Thomas in etwa 20 cm Abstand von
54    einander auf, Hilal und Anna stehen etwas 1,5 m entfernt und haben sich
55    untergehakt. Magnus beginnt nun bei Nasir die Aufgabe zu bearbeiten,
56    indem er mit seinen Händen die „Schnüre" der „Marionette" Nasir bewegt.
```

Ich beginne mit meiner Analyse in Zeile 19, in der Magnus mit seinem Fingerzeig und „ladies first" einen ersten Versuch unternimmt, die Figur der MarionettenspielerIn den Mädchen zuzuweisen. Thomas und Nasir unterstützen darin (Z. 23) und die beiden Mädchen beginnen die Übernahme der MarionettenführerIn unter sich auszuhandeln (Z. 30-32). Sie ratifizieren damit zunächst diesen Versuch der Jungs, die Sache zu einem „Mädchenproblem" zu machen. Sie spielen schließlich eine Runde Stein, Schere, Papier. Als Hilal verliert, wendet sie sich zu den Jungen und Anna stellt sich bereit, um als Marionette bewegt zu werden (Z. 33-39). Dann entscheidet sich Hilal aber dagegen anzufangen, nimmt wieder körperliche Nähe zu Anna auf und spielt den „Ball" mit einem „IHR" (Z. 43) an die Jungen zurück. Auch diese Übergabe wird von den Jungen ratifiziert, die nun ihrerseits versuchen, die Figur der MarionettenführerIn zu besetzten. Zunächst wird Thomas vorgeschlagen (Z. 44) und Nasir versucht ihn auch körperlich in die Mitte des Geschehens zu bugsieren (Z. 45-47). Als dieser sich diesem Versuch entzieht, wendet sich Nasir an Magnus und fordert ihn auf, diese Figur zu spielen (Z. 48-49). Magnus lässt sich überzeugen und zelebriert seine Bereitschaft zur Übernahme dieser Rolle (Z.50-52).

Besonders auffällig an dieser Sequenz ist, dass die beteiligten AkteurInnen, wie der Verlauf der Interaktion zeigt, genau wissen, dass schon mit dem ersten „ladies first" die Frage ausgehandelt wird, wer die Figur der MarionettenführerIn übernimmt. Unklar bleibt allerdings, weshalb die Übernahme dieser Spielfigur so problematisch ist. Ist sie so problematisch, weil es sich um eine gemischtgeschlechtliche Gruppe handelt? Diese Vermutung liegt nahe, da nur durch die Anweisung der Anleiterinnen diese gemischtgeschlechtliche Gruppe entstanden war. Immer dann, wenn es den TeilnehmerInnen frei stand, die Gruppenaufteilung selbst vorzunehmen, entstanden geschlechtshomogene Gruppen, daher stellt die Marionettenaufgabe eine der wenigen Sequenzen dar, in der gemischtgeschlechtliche Gruppen eine Gestaltungsaufgabe gemeinsam bearbeiteten. Die beiden noch vorhandenen Sequenzen stammen aus der Antriebsaufgabe und eignen sich kaum als Vergleichssequenz, da in den beiden gemischtgeschlechtlichen Gruppen bei der Antriebsaufgabe die Tanzpädagogin Natalie und die Lehrerin Frau Zellmaier stark in das Geschehen involviert waren und die Gruppe daher nicht – so wie hier – die Aufgabe in Eigenregie bearbeitete.

An der hier untersuchten Sequenz fällt auf, dass die Delegation der Problemlösung von den Jungen an die Mädchen und dann von den Mädchen an die Jungen nicht diskutiert wird. In beiden Fällen versuchen die AkteurInnen die Besetzung der MarionettenführerIn in ihrer Geschlechtsgruppe zu lösen: die Mädchen durch das Spielen eines Entscheidungsspiels, die Jungen durch ein „in die Mitte schieben" und ein „Bitten". Die verschiedene Geschlechtszugehörigkeit ist hier also nicht nur ein Problem, sondern auch eine Ressource, um die ungeliebte Rolle der MarionettenführerIn zu besetzen: Entweder machen es die Mädchen oder die Jungen. Nach dieser Entscheidung muss dann die jeweilige Geschlechtsgruppe ein Mitglied auswählen, das diese Aufgabe übernimmt. Festzuhalten bleibt, dass hier – wider Erwarten – die Bestimmung der anderen Gruppe als verantwortliche Gruppe in beiden Fällen nicht zu Diskussionen führt. Zunächst weisen die Jungen den Mädchen die Aufgabe zu und diese beginnen einen Aushandlungsprozess und auch umgekehrt, nach der „Rückgabe" der Figurenbesetzung von den Mädchen an die Jungen, beginnen diese einen Aushandlungsprozess, ohne diese Rückgabe in Frage zu stellen. Die Aufgabendelegation an Geschlechtsgruppen erscheint hier als gängiges Instrument, das sich gut einsetzen lässt, um unangenehme Aufgaben an die „andere" Gruppe zu übergeben. Dies deckt sich auch mit den Ergebnissen bei KELLE und BREIDENSTEIN, die mehrere Verteilungspraktiken entlang der Geschlechterdifferenz beschrieben haben.[358] Aufgrund der fehlenden Vergleichsfälle kann die Bedeutung dieser Sequenz nicht seriös eingeschätzt werden, für diesen Einzelfall gilt aber, dass die gemischtgeschlechtliche Zusammensetzung der Gruppe es hier erschwert einen Anfang zu finden – ein Phänomen, das in gleichgeschlechtlichen Gruppen nicht beobachtet werden konnte.

5.3 Handlungsstrategie 1: Kommandieren oder Regie führen?

Im Unterschied zur gerade vorgestellten Sequenz, in der keine der TeilnehmerInnen die Hauptfigur übernehmen wollte, kommt es in den Arbeitsphasen der Gestaltungsaufgaben in gleichgeschlechtlichen Gruppen an vielen Stellen zum umgekehrten Fall. Nämlich dazu, dass eine oder auch mehrere AkteurInnen versuchen, eine Art von „RegisseurInnenrolle" zu übernehmen und den anderen anzusagen, was sie zu tun haben. Das erste Transkript stammt aus der Stationenübung. Hilal, Tuba und Lisa befinden sich an der Station, an der es gilt, einen „Räubertanz" zu entwickeln. Dieser Räubertanz soll aus choreographierten Bewegungen bestehen, die sich alle acht Schläge wiederholen.

Sequenz 37: Ich weiß den ersten Schritt

Ereignis: Hilal/Tuba/Lisa_Tanz   Quelle: AG_05.03.07   Timeline: 1:41-2:56

```
1    Tuba:    ich weiß den ersten schritt <<geht einen Schritt
2             nach vorne, den Körper leicht zur Seite drehend,
3             die Hände gefaltet und die Zeigefinger ausge-
4             streckt> eins <<tritt wieder zurück, wendet sich
5             zu Hilal> und du musst den zweiten
6    Hilal:   <<wendet den Blick von Tuba ab, guckt in die an-
7             dere Richtung, dann nach vorne>
8             (0,5)
9    Tuba:    MACH;
10   Hilal:   <<geht zwei Schritte nach vorne, die Hände neben
```

---
358 BREIDENSTEIN/KELLE 1998, Kap. 1.

11		dem Körper hängend und nach vorne blickend> <<p>
12		zwei <<lacht>
13	Tuba:	JETZT=MA´ MH <<stampft mit dem Fuß auf> [<<tritt
14		nach vorne und nimmt Hilal am Arm und zieht sie
15		zurück> jetzt (.) HILal (.) also]
16	Lisa:	[<<geht zwei Schritte nach vorne und richtet
17		dann ihre Hände ebenfalls gefaltet und mit den
18		Zeigefingern gestreckt nach vorne]
19		
20	Tuba:	[also ich bleibe stehen und du musst zu diesem
21		schritt den zweiten (.) okay? <<klopft Hilal auf
22		die Schulter>]
23	Lisa:	[<<geht wieder zurück, guckt zu Tuba und Hilal>]
24	Tuba:	<<geht einen Schritt nach vorne, den Körper zur
25		Seite gedreht, die Hände wieder mit Zeigefingern
26		ausgestreckt gefaltet> EIns;
27	Hilal:	ähm <<tritt einen Schritt nach vorne, diesmal
28		die Hände ebenfalls mit Zeigefingern gestreckt
29		gefaltet> Zwei
30	Tuba:	DU musst ja HINTER gehen (.) <<zeigt mit den
31		Fingern in die Richtung in die sie sich bewegt
32		hatten> <<p> bisschen=
33	Hilal:	=egal <<geht noch einen Schritt, den Blick zu
34		Tuba gerichtet> [ZWEi]
35	Tuba:	[zwei] <<verdreht die augen, dann wendet sie ih-
36		ren Körper schnell einmal um die Achse und zu-
37		rück zur Ausgangsposition]
38	Lisa:	<<schaut Hilal an> schau=schau (.) sie meint SO
39		<<stellt sich neben Tuba>(.) mach.
40	Hilal:	<<nimmt einen Platz neben Tuba und Lisa ein]
41	Tuba:	<<tritt einen Schritt nach vorne> <<pp> eins
42	Lisa:	<<tritt einen Schritt nach vorne> <<pp> diesen
43		gleichen schritt und dann so <<tritt noch einen
44		Schritt vor, dreht dabei ihren Körper in die an-
45		dere Richtung und führt die Hände gefaltet mit
46		ausgestreckten Zeigefingern nach oben> <<p> zwei
47	Tuba:	jetzt bist du dran <<wendet sich um und geht
48		wieder zurück>
49	Hilal:	<<macht zwei große Schritte, so dass sie weit
50		vor Lisa steht> <<p> drei: <<geht noch einen
51		Schritt>
52	Lisa:	<<f> NOCh einMAL
53	Hilal:	<<f> HAB ich <<sie geht noch einen Schritt nach
54		vorne>
55	Tuba:	OKAY (.) wir machen das jetzt nach der reihe (.)
56		geh hinter
57	Lisa:	<<geht zurück und stellt sich neben Tuba>
58	Hilal:	<<kommt zu den beiden anderen zurück, stellt
59		sich wieder zwischen diese beiden>
60	Tuba:	also (.) <<cresc> auf die plätze fertig los (--)
61		<<sie packt Hilal am Arm und schiebt sie auf den
62		Platz, an dem sie gerade gestanden hatte>
63	Lisa:	<<lacht kurz auf>
64	Hilal:	ALSO:: (.) <<f> ladies und gentlemen [<<f> EINS]
65	Tuba:	[<<f> OKAY]
66	Hilal:	<< tritt mit einem Ausfallschritt nach vorne,
67		dreht sich nach links, die Hände mit ausge-
68		streckten Zeigefingern gefaltet>
69	Tuba:	<<tritt zwei Schritte nach vorne, dreht sich
70		nach links, die Hände mit ausgestreckten Zeige-
71		fingern gefaltet>
72	Lisa:	<<tritt drei Schritte nach vorne, sie dreht sich
73		nicht ein, sondern blickt nach vorne, geht in
74		die Knie, die Hände mit gestreckten Zeigefingern

75		gefaltet> [<<lacht>]
76	Hilal:	[<<lacht]
77	Lisa:	drei <<lacht>
78	Tuba:	<<wendet sich zu Hilal> <<all> JETZ mach den
79		vierten schritt
80	Hilal:	<<geht zwei Schritte nach vorne, spricht dabei>
81		fünf sechs <<rutscht mit dem Fuß weit nach vor-
82		ne, setzt sich auf den Boden> a:h
83	Tuba:	<<deutet einen Fußtritt zu Lisas Po an, wendet
84		sich dann ab, lacht>
85	Lisa:	guck mal was die für BLö:dsinn ma:cht
86	Tuba:	JA (.) was macht sie? <<zeigt mit der Hand auf
87		die am Boden sitzende Hilal>

Tuba versucht in dieser Sequenz die Regie des Geschehens zu übernehmen. Sie macht nicht nur Bewegungsvorschläge (Z. 1-5), sondern versucht den anderen beiden Akteurinnen, insbesondere Hilal, zu befehlen, was sie wann wie zu tun haben. Dies beginnt in Z. 9, setzt sich in Z. 30, in Z. 47 und in Z. 55-56 fort und findet seinen vorläufigen Abschluss in Z. 78-79. An zwei Stellen intensiviert Tuba sogar noch ihren Maßnahmen und belässt es nicht bei verbal geäußerten Befehlen. In Z. 13-15 und Z. 60-62 begeht sie territoriale Grenzüberschreitungen und schiebt Hilal auf die von ihr gewünschten Positionen. Tuba versucht hier also, das Geschehen massiv zu beeinflussen und die Handlungen der anderen, insbesondere von Hilal, zu bestimmen. Diese ratifiziert diese Versuche auch, indem sie die von Tuba gewünschten Handlungen durchführt (Z. 10-12, Z. 33-34, Z. 49-51, Z. 58-59, Z. 80-82), selbst auf die territorialen Übergriffe reagiert sie nicht abwehrend. Hilal stimmt so performativ der Aufgabenverteilung in dieser Sequenz zu: Tuba sagt an, was zu tun ist und sie führt es aus.

Diese Rahmengestaltung erweist sich aber als problematisch: Es kommt in dieser Sequenz zu wiederholten Handlungsabbrüchen, die aber nicht dadurch ausgelöst werden, dass Hilal sich der Ausführung der Befehle verweigert, sondern dass Tuba Hilals Handlungen wiederholt mit Abbruch der gemeinsamen Choreographie beantwortet (Z. 13-15, Z. 35-37). Tuba bricht hier die Choreographie ab, weil sie mit den durchgeführten Bewegungen Hilals unzufrieden ist – in Z. 13 und 35 wird das sehr deutlich durch das genervte „JETZ=MA` MH" und das Augenverdrehen. Hilal wiederum bekam bis dahin keine klaren „Bewegungsanweisungen" (nur „MACH" Z. 9, und „DU musst ja HINTER gehen" Z. 30). Das Problem an der „Befehlsstrategie" der AkteurInnen ist hier also nicht, dass unklar bleibt, wer hier wem etwas ansagen darf, sondern das Problem ist, dass Tuba ihre „Bewegungsanweisungen" so undeutlich gibt, dass Hilal nur daran scheitern kann.

Lisa ist es schließlich, die dieses Problem erkennt und eine andere Strategie wählt. Sie initiiert eine „Vorführsequenz" (ab Z. 38), in der sie Hilal zum Zuschauen auffordert (Z. 38) und Tuba zum Vorführen (Z. 39): Dann führt sie gemeinsam mit Tuba die Choreographie für Hilal vor und erläutert Hilal gleichzeitig, was sie gerade macht (Z. 42-46). Tuba fordert Hilal auf, sich nun an der Choreographie zu beteiligen (Z. 47) und Hilal geht drei Schritte in den Raum hinein (Z. 49-51). Lisa kommentiert das mit einem „NOCh einMAL" (Z. 52). Unklar bleibt hier, ob Lisa damit darauf verweisen wollte, die gesamte Choreographie noch einmal zu tanzen. Hilal versteht es aber als Aufforderung noch einen Schritt zu machen – wehrt sich zwar verbal gegen diese Aufforderung (Z. 53), macht aber noch einen Schritt (Z. 54). Die beteiligten Akteurinnen lösen nun nicht auf, ob Lisa Hilal tatsächlich zu einem weiteren Schritt aufgefordert hatte, sondern Tuba schließt die Sequenz mit einem „OKAY" und übernimmt erneut die Regie und kündigt einen weiteren Durchlauf „in der Reihe" an (Z. 55-56). Lisa und Hilal ratifizieren diesen Vorschlag und stellen sich an der Grundlinie bereit (Z. 57-59). Tuba beginnt mit einer Ankündigung des baldigen Beginns (Z. 60), um dann abzubrechen und kommentarlos Hilal in die erste Position zu schieben (Z. 61-62). Die Gründe für diese Handlung bleiben unklar, Lisas Lachen kann aber ebenfalls als ein Kommentar des Unverständnisses gedeutet werden. Hilal fragt auch hier nicht nach, warum sie nun plötzlich die erste sein soll, sie beginnt ihrerseits einen Auftritt (Z. 64) und die anderen folgen ihr nach. Lisa ist es dann, die als erste in Lachen ausbricht (Z. 75) und Hilal lässt sich davon anstecken (Z. 76). Dieses Lachen ist ein sehr häufiges Phänomen in der Arbeitsphase der Gestaltungsaufgaben – es tritt oft auf, wenn die AkteurInnen sich in einer gemeinsamen Choreographie bewegen oder eine Szene zusammen spielen. Dieses Phänomen verstehe ich mit GOFFMAN als ein „Aushaken", das immer dann auftritt, wenn AkteurInnen sich „plötzlich" gewahr werden, dass sie sich so bewegen oder etwas so spielen, dass es eventuell als unangemessen aufgefasst werden könnte oder gar von ihnen selbst als unangemessen aufgefasst wird. In diesem Fall (zer)stören Lisa und Hilal durch ihr Lachen den gerade von ihnen etablierten Proberahmen. Tuba versucht zwar noch einmal ihn zu erneuern, indem sie Hilal auffordert, weiter zu machen (Z. 78-79), aber Hilal beendet die Probe durch ihren zu langen Schritt und ihr Hinsetzen auf den Boden (Z. 80-82). Von Tuba und Lisa wird dieses „Hinsetzen" nicht als ein Versehen interpretiert, sie deuten Hilals Verhalten als absichtlich und noch dazu als blödsinnig (Z. 85-87).

Was zeigt nun diese Sequenz? Den beteiligten Akteurinnen gelingt es hier kaum, einen Rahmen zu gestalten, in dem sie ihren Räubertanz entwickeln können. Den Befehlen von Tuba mangelt es an Klarheit und sie meldet Hilal auch nicht zurück, was an ihren Bewegungen anders werden soll. Erst durch Lisas Inszenierung eines Vorführsituation kann eine gemeinsame Probe stattfinden, die allerdings durch Tubas plötzliche Veränderung der Auftrittsreihenfolge von Anfang an erschwert und durch Lachen gestört, schnell wieder zu einem Abbruch durch Hilal führt. „Befehlen" erweist sich hier als eine problematische Strategie, da Tuba nicht auf die Genauigkeit ihrer Anweisungen achtet. In der nun folgenden Sequenz ist „Befehlen" ebenfalls die vorherrschende Handlung. Die Sequenz stammt aus den ersten Minuten der Arbeitsphase der Gestaltungsaufgabe „Antriebschoreographie", in der die TeilnehmerInnen die Aufgabe hatten, eine kleine Choreographie zu entwickeln, in der ein ganz bestimmter Antrieb dargestellt werden sollte. Die Gruppe in dieser Sequenz hatte den rechten Arm als Antrieb ausgewählt.

Sequenz 38: Nein, du machst so!

Ereignis: Antriebschoreograpie **Quelle:** AG_13.11.06 **Timeline:** 0:00-1:23

```
1   Lara, Natascha, Tuba, Yola, Lisa, Anna und Emilia haben sich in der
2   hinteren linken Ecke der Turnhalle versammelt und scheinen heftig mit-
3   einander zu diskutieren (auf Band nicht zu hören). Lisa schiebt die
4   Mädchen in eine Reihe der Größe nach geordnet.
5   Lara führt die Gruppe nun an und springt wie ein Pferdchen einige
6   Schritte nach vorne, dann stoppt sie ab und dreht sich um.
7       Lara:       alle ganz nah an mich ran (.) ganz nah
8   Alle Akteurinnen stehen in einer dichten Reihe hinter Lara.
9       Yola:       NATascha sie muss vor dir weil sie kleiner ist
10                  <<zieht Natascha nach hinten und drückt Tuba in
11                  die enstandene Lücke>
12      ?1:         <<lachen>
13      Lara:       <<dreht sich vor> also GUCK und jetzt machen wir
14                  so <<breitet beide Arme aus, dreht sich um> und
15                  noch was anderes <<dreht sich wieder vor> ich
16                  mach so <<breitet wieder ihre Arme aus>
17      Yola:       okay (.) ich mach so <<streckt die Arme nach
18                  oben>
19      Tuba:       <<streckt einen Arm nach außen> ich mach so
20  Eine langsame, getragene Klaviermusik erfüllt den Raum. Die Akteurinnen
21  beginnen ihre Arme im Takt auf und ab zu bewegen.
22      Yola:       NEIN (.) du machst <<tritt einen Schritt zur
23                  Seite und nach vorne und beginnt, Tubas Arm aus-
24                  zurichten> du macht so <<tritt noch einen
25                  Schritt vor und beginnt nun Laras Arme zu bewe-
26                  gen> SO <<dann tritt sie wieder zu Tuba> und du
27                  machst so <<dann nimmt sie ihren Platz ein,
28                  nimmt ihre Arme kurz nach oben> ich mach so
29                  <<dann wendet sie sich zu der hinter ihr stehen-
30                  den Natascha> (   ) <<wendet sich auch noch zu
31                  Emilia und Anna und richtet deren Arme aus,
32                  schließlich nimmt sie ihren Platz in der Reihe
33                  wieder ein>
34      Lara:       <<dreht sich um> wir machen jetzt ne armbewegung
35                  (.) eins zwei drei
36      Theresa:    <<tritt zur Gruppe hinzu, blickt Lara an> ihr
37                  müsst dran denken (.) dass man euren antrieb
38                  SIEHT (.) wenn ihr mit beiden armen macht <<be-
39                  wegt beide Arme auf und ab> dann müsst ihr auch
40                  mal ne bewegung machen dass man den rechtsan-
41                  trieb sieht
42      Lara:       JA (.) SO <<zeigt Theresa Armbewegungen>
43      Theresa:    <<tritt wieder von der Gruppe weg>
44      Lara:       <<dreht sich um> JA jetzt machts alle [(   )]
45      Theresa:    [okay? ]
46      Lara:       ja okay wir gehn [(   )]
47      Lisa:       <<ff> [zuerst EINER] <<schiebt Tuba ein Stück
48                  nach vorn, dann packt sie Natascha am Arm> [dann
49                  der andere]
50      Lara:       [<<schiebt Tuba zwei Schritte nach links>]
51      Anna:       [<<kommt nach vorne gelaufen, zeigt auf Tuba>]
52                  <<packt Lara am Arm> dann (   )
53      Lara:       <<springt einmal> NEIN STOPP;
54      Anna:       und du dahin <<geht wieder zurück>
55      Lara:       nein(.) du gehst <<packt Natascha an den Schul-
56                  tern und schiebt sie nach rechts> da
57      Anna:       [<<geht wieder nach hinten>]
58      Lara:       [ <<packt Yola an den Schultern, weist mit den
59                  Armen nach links> du gehst da]
```

```
60    Yola:      <<tanzt zwei Schritte nach links>
61    Lara:      <<weist nach rechts>
62    Lisa:      <<tanzt zwei Schritte nach rechts>
63    Lara:      du gehst da=und [du gehst da]
64    Emilia:    [<<tanzt zwei Schritte nach links>]
65    Anna:      [<<tanzt zwei Schritte nach rechts>]
66    Lara:      << kommt wieder nach vorne> und ich mach dann so
67               <<springt einmal hoch und beschreibt mit ihren
68               Armen einen Kreis während sie springt>
69 Lara steht nun in der Mitte der anderen Akteurinnen, die etwa 3 Meter
70 voneinander entfernt stehen und zu Lara blicken.
71    Lara:      irgendwie SO <<beginnt, sich zur Musik zu bewe-
72               gen, indem sie sich immer zwei Schritte nach
73               rechts und dann nach links bewegt, sie lässt die
74               Bewegung dabei immer von dem jeweiligen Arm be-
75               ginnen, in dessen Richtung sie sich bewegt>
76 Einige der anderen Akteurinnen lachen laut, andere beginnen ihren
77 Tanzstil nachzuahmen, dann wendet sich die Kamera zu einer anderen
78 Gruppe.
```

Die Akteurinnen versuchen hier das Problem zu lösen, wie sie zu einer gemeinsamen Choreographie ihrer Bewegungen kommen. Wie schon in der gerade beschriebenen Sequenz setzen sie dabei auf die Rolle einer Regisseurin, die den anderen Akteurinnen ansagt, was sie zu tun haben. Im Unterschied zu Seq_37: *Ich weiß den ersten Schritt* treten hier allerdings mehrere Akteurinnen in Erscheinung, die – so wirkt es bei oberflächlicher Betrachtung – um die Position der Regisseurin ringen. Zunächst ist es Lisa, die hier als Regisseurin in Erscheinung tritt, sie ordnet die Mädchen nach Größe und weist ihnen ihren Platz zu (Z. 3-4). Dann aber ist es Lara, die die Regie übernimmt und damit beginnt, den anderen Mädchen Befehle zu geben, den ersten in Z. 7, dann in Z. 13-17, Z. 34-35, Z. 44, Z. 55-58 und in Z. 62. Auch Yola versucht die Position der Anleiterin zu übernehmen, sie beginnt damit, nicht nur verbale Befehle zu geben, sondern die anderen Tänzerinnen auch körperlich auszurichten (Z. 23-33). Und auch Anna mischt sich ein und versucht Einfluss auf das Geschehen zu nehmen (Z. 52, Z. 55). Lara gelingt es aber, ihre Anleiterposition zu behaupten und zum Ende der Sequenz ist sie es, die allen anderen ansagt, was sie zu tun haben (Z 56-68). Dass sie hier tatsächlich in der Rolle der Regisseurin ist, zeigt sich daran, dass die anderen ihre Anweisungen auch ausführen, sie diskutieren nicht und machen auch nicht etwas anderes. Folgende Gründe lassen sich in der Sequenz finden, weshalb es Lara ist, die diese Anleitungsposition von den anderen auch übertragen bekommt:

Zunächst fällt auf, dass Lara – im Unterschied zu Tuba in der vorangegangen Sequenz – ihren „Tänzerinnen" zeigt, was sie von ihnen haben will (Z. 13-14), zudem dreht sie sich wiederholt zu ihrer Gruppe um und guckt, wie die Tänzerinnen ihre Arme ausgerichtet haben (Z. 35, Z. 45).

Die Interventionen von Yola und Anna erweisen sich bei genauer Analyse dann als Interventionen, die gar nicht Laras Anleiterposition in Frage stellen, sondern eher darauf abzielen, zu einer Art „Co-Regisseurin" zu werden. Yola interveniert auf Tubas Ankündigung ihrer Bewegung (Z. 20), Yola korrigiert diese Ankündigung und beginnt Tubas Arme auszurichten (Z. 23-25). Dann macht sie das auch mit allen anderen Teilnehmerinnen, die das auch mit sich geschehen lassen – selbst Lara wehrt sich nicht.

Als Yola alle Arme ausgerichtet hat, begibt sie sich wieder an ihren Platz und Lara übernimmt – ohne dass es zu einer Auseinandersetzung gekommen wäre – wieder das Kommando (Z. 35-36). Hier kommt es zu keiner Überlappung oder einem Zurückweisen von Yola, es wirkt wie eine Staffelübergabe: die Co-Regisseurin Yola hat die Arme ausgerichtet und die Hauptregisseurin Lara übernimmt nun wieder die „Befehlsgewalt". Die Intervention Annas (Z. 52-58) zeigt noch deutlicher, dass Laras Führerschaft im Grunde akzeptiert ist, Anna richtet ihren Bewegungsvorschlag für Tuba direkt an Lara (Z. 52-53) und wendet sich nach der doppelten Zurückweisung durch Lara (Z. 54, Z. 56) wieder an ihren Platz zurück.

Die Kommunikation zwischen Theresa und der Gruppe bietet ein weiteres Indiz dafür, dass die Führerschaft von Lara im Grund unbestritten ist. Theresa wendet sich mit ihrem Hinweis auf die Aufgabenstellung direkt an Lara (Z. 37-42) und auch Lara antwortet ihr im Namen der Gruppe (Z. 43). Dieses Muster wiederholt sich noch einmal in der kurzen Nachfrage durch Theresa (Z. 46), die wiederum von Lara beantwortet wird (Z. 47). Lara tritt hier also nicht nur innerhalb der Gruppe als Anführerin auf, sondern sie vertritt die Gruppe auch nach außen, in diesem Fall gegenüber Theresa.

Die abschließenden Zeilen des Transkripts zeigen, dass es der Gruppe gelingt, eine Choreographie zu entwickeln. Lara weist allen ihre Aufgabe zu, die von den Tänzerinnen auch ausgeführt werden (Z. 56-66) und gelangt zu einer Inszenierung ihres eigenen Auftritts als Höhepunkt dieser Sequenz in der Mitte der Gruppe (67-69). Dann beginnt sie eine Tanzbewegung, die sie durch ihren verbalen Kommentar als einen Vorschlag ausweist (Z. 72).

Hier erweist sich die Wahl bzw. Selbstwahl und Akzeptanz einer Regisseurin als ein möglicher Weg, um zu einer gemeinsamen Choreographie zu gelangen. Voraussetzung dafür ist aber, dass die RegisseurIn nicht nur Befehle gibt, sondern auch möglichst deutlich macht, wie Bewegungen ausgeführt werden sollen. Zudem müssen auch die anderen AkteurInnen die Regisseurin akzeptieren und sich an ihre Anweisungen halten. Die AkteurInnen haben hier also unterschiedliche Handlungsrechte und -pflichten. Wie sich in den folgenden beiden Unterkapiteln zeigen wird, haben die TeilnehmerInnen aber auch Wege zur Gestaltung von Choreographien/Szenen gefunden, in denen keine RegisseurIn auftrat.

5.4 Handlungsstrategie 2: Planen

Die nun folgende Sequenz zeigt Nasir und Thomas, die versuchen, aus einem Gedicht von Wilhelm Busch eine Szene zu entwickeln. Ihre Aufgabe ist es dabei, zu diesem Gedicht bzw. einzelnen Zeilen daraus, „Körperstatuen" zu bauen, die das Gedicht illustrieren. Eine Körperstatue ist ein „Standbild", das sie mithilfe ihrer beider Körper formen und das ZuschauerInnen vorgeführt werden soll. Die Sequenz stammt vom Beginn der Arbeitsphase, nachdem Natalie Thomas, der beim letzten Projekttermin nicht da gewesen war, mit Nasir das Prinzip der Körperstatuen erklärt und gezeigt hatte. Die Sequenz setzt ein, als Thomas die letzte Zeile des Gedichts liest.

Rahmenanalysen der Lernkultur 237

Sequenz 39: Angst an allen Ecken

Ereignis: KleingruppeNasirThomas   Quelle: AG_05.02.07   Timeline: 2:16-5:17

```
1    Thomas und Nasir sitzen nebeneinander auf dem Boden, sie blicken in ein
2    Buch, das vor ihnen liegt und lesen daraus abwechselnd vor.
3       Nasir:    <<len> wer andren gar zu we:nig traut hat angst
4                 an allen ecken (-) wer gar zu viel auf andere
5                 baut erwacht mit schrecken (.) <<p> gu:t
6       Thomas:   <<len> es trennt sie nur ein leichter zaun die
7                 beiden SORgengründer zu WENig und zu VIEL ver-
8                 trauen SIND nachbarskinder (--) von wilhelm
9                 BUSCH <<guckt kurz in die Kamera>
10      (5)
11      Nasir:    hm:
12      (2)
13      Nasir:    <<guckt Thomas an> wie könnten wirs denn machen?
14      Thomas:   <<guckt an Nasir vorbei, hat den Mund wie zum Pfeifen
15                gespitzt>
16      Nasir:    <<guckt wieder ins Buch>
17      (5)
18      Thomas:   <<legt einen Finger an den Mund> <<pp> was ma-
19                chen wi::r?
20      (3)
21      Thomas:   <<blickt ins Buch> wer andren gar zu wenig
22                TRAUT-
23      Nasir:    wir könnten was zum TRau:en machen
24      (2)
25      Thomas:   <<pp> was?
26      Nasir:    wir könnten was zum traun machen (.) also dass
27                wir uns nicht trauen (---) wir trauen uns nicht
28      Thomas:   <<pp> ganz gut
29      Nasir:    wir trauen uns sehr WENIG (--) also wir trauen
30                uns sehr WENIG <<guckt ins Buch>
31      (10)
32      Thomas:   <<pp> gar nicht so leicht
33      (7)
34      Nasir:    vielleicht (-) ähm (.) könnten wir uns halt so
35                (---) nein DOCH nich <<blickt wieder ins Buch>
36      (10)
37      Nasir:    na EGAL komm (.) dann könnte einer von uns halt
38                in die ecke da gehen (---) also zitternd da sein
39      Thomas:   ZITTernd↑ wie [kann man]
40      Nasir:    [also wie frieren] so machen <<verschränkt beide
41                Arme vor dem Körper>
42      Thomas:   <<verschränkt beide Arme vor dem Körper>
43      Nasir:    ja (-) genau
44      Thomas:   <<steht auf, läuft zur Ecke und stellt sich dort
45                mit verschränkten Armen hin> so?
46      Nasir:    in der ecke SITZT- <<blickt ins Buch>
47      (3)
48      Nasir:    <<guckt zu Thomas> <<f> SITZ in der ECKE
49      Thomas:   <<setzt sich hin>
50      (2)
51      Nasir:    HEY (-) komm mal THOMAS
52      Thomas:   <<kommt langsam wieder zu Nasir, setzt sich wie-
53                der neben ihn vor das Buch>
54      Nasir:    was könnten wir dann:: beim bauen machen?
55      Thomas:   egal (--) wir müssen erstmal <<blickt in das
56                Buch> ANGST von allen ECKEN
57      Nasir:    na okay (.) du hast angst halt dann in dieser
58                ecke
59      Thomas:   ja aber (-) wie machst DUS DANN?
```

60	Nasir:	dann hab ich (-) ähm erwach ich halt (.) SCHRE-
61		CKEND in der nacht (-) das steht hier genau
62	Thomas:	<<blickt ins Buch>
63	Nasir:	erwacht mit schrecken (-) dann erwach ich mit
64		schrecken (.) also es ist morgen und ich erwach
65		mit schrecken
66	Natalie:	<<kommt auf die beiden Jungen zu>
67	Thomas:	<<blickt Natalie an> ah (-) wir kommen nicht
68		weiter-
69	Natalie:	ihr kommt nicht weiter?
70	Nasir:	nei::n
71	Natalie:	wieso↑ (---) wieso?
72	Nasir:	wir wissen nicht was wir machen sollen
73	Natalie:	was habt ihr denn schon?
74	Thomas:	NIX

Vergleicht man diese Sequenz mit den beiden vorangegangenen Sequenzen fällt vor allem auf, dass es hier sehr lange Pausen gibt, in denen Nasir und Thomas in das Buch oder geradeaus gucken und nicht miteinander interagieren.

Die Kommunikation, die dann beginnt, ist nicht von Anweisungen und Ausführungen geprägt, sondern dadurch, dass Nasir und Thomas sich wechselseitig nach Ideen fragen (Z. 13, Z. 19-20). Die erste konkrete Idee entsteht im Teamwork: Thomas liest noch einmal ein Stück aus dem Gedicht vor, betont „TRAUT" und Nasir macht einen konkreten Themenvorschlag (Z. 22-24), den er – nach der Nachfrage durch Thomas (Z. 26) – noch einmal wiederholt und präzisiert (Z. 27-28). Thomas evaluiert diesen Vorschlag positiv (Z. 29) und Nasir präzisiert seinen Vorschlag ein weiteres Mal. Dann kommt es wieder zu einer sehr langen Pause nach einem Selbstabbruch durch Nasir (Z. 35-36). Dann macht Nasir einen konkreten Statuenvorschlag (Z. 38-39). Er kombiniert dabei das gefundene Thema „sich wenig trauen" mit der „Ecke" aus dem Gedicht und macht zudem einen konkreten Vorschlag wie ein „sich wenig trauen" körperlich darstellbar sein könnte, nämlich indem man „zittert". Thomas ist noch unklar, wie man „zittern" in einem Standbild darstellen kann und er fragt nach (Z. 40) und Nasir präzisiert seinen Vorschlag verbal (Z. 41) – „so wie frieren" – aber auch gestisch, indem er die Hände um seinen Körper schlingt (Z. 42). Thomas greift diese Geste sofort auf (Z. 43) und Nasir evaluiert die Haltung von Thomas positiv (Z. 44). Thomas greift dann den Ortsvorschlag von Nasir wieder auf und läuft in die Ecke und fordert eine erneute Evaluation durch Nasir ein (Z. 45-46). Nasir ist aber noch nicht ganz zufrieden und fordert Thomas auf, in der Ecke zu sitzen (Z. 47), das macht Thomas, nach einer erneuten Aufforderung, dann auch (Z. 49).

Nach einer weiteren, diesmal kürzeren Pause (Z. 51) fordert Nasir Thomas auf, wieder zu ihm zu kommen und stellt ihm die Frage, wie sie den „beim Bauen" darstellen könnten (Z. 55). Er schlägt somit vor, die erste Statue als gefunden zu betrachten und eine weitere zu entwickeln. Er wendet dabei das Muster an, das sich gerade bewährt hat: Er nimmt einen Begriff aus dem Gedicht und stellt die Frage, wie sich dieser in eine Statue umsetzen lässt. Thomas geht aber auf diese Frage nicht ein, sondern macht deutlich, dass er die erste Statue noch nicht für fertig hält (Z. 56-57). Nasir präzisiert daher seinen „Lösungsvorschlag" und macht aus „Angst an allen Ecken" aus dem Text „du hast angst in dieser ecke" (Z. 58-59). Thomas nimmt diesen Vorschlag an, fragt aber nach, was denn Nasir mache (Z. 60) und dieser macht einen weiteren konkreten Vorschlag, dass er nämlich mit Schrecken erwachen könnte (Z. 64-66).

Thomas und Nasir versuchen sich hier an einer schwierigen Aufgabe: Sie sollen aus einem nicht ganz einfachen Gedicht, in dem viele Begriffe metaphorisch verwendet werden (bauen, Zaun, Nachbarskinder), Körperstatuen entwickeln, die dieses Gedicht illustrieren. Die beiden – zunächst etwas ratlos, wie sie diese Aufgabe bearbeiten sollen – finden einen Weg zur Bearbeitung: Sie wählen einen Begriff aus dem Gedicht aus, dann überlegen sie, wie sich dieser Begriff körperlich darstellen lässt und beziehen die dann gefundene Haltung wieder auf das Gedicht zurück: So wird aus „Angst an allen Ecken" ein „Angst in der Ecke haben", das durch die Haltung des Arme-um-den-Körper-Schlingens zum Ausdruck gebracht wird. Nasir beginnt diese Strategie für einen weiteren Begriff, nämlich „bauen" zu verfolgen. Die beiden sind, so könnte man sagen, auf einem guten Weg: Es ist nicht nur die erste Statue gefunden, sondern auch eine Bearbeitungsstrategie zur Lösung der Aufgabe.

Nun tritt allerdings Natalie zu den beiden und Thomas begrüßt sie mit der Feststellung: „Wir kommen nicht weiter" (Z. 68-69). Natalie fragt nach und auch Nasir bestätigt Thomas Feststellung (Z. 71). Natalie will es nun genauer wissen und fragt nach den Gründen und Nasir gibt die Antwort, dass sie nicht wüssten, was sie machen sollen (Z. 73). Und auch auf die nächste Frage, was sie denn schon hätten (Z. 74), gibt es eine vernichtende Antwort: „NIX" (Z. 75). Diese Antworten sind nun verwunderlich, Nasir und Thomas erkennen offensichtlich nicht, dass sie sehr wohl wissen, was sie zu tun haben und auch schon erfolgreich eine erste Statue entwickelt haben. Ihr praktisches Können wird von ihnen nicht anerkannt und sie stellen sich der Anleiterin – kontrafaktisch – als unwissend und ergebnislos vor. Sie sind nicht in der Lage, den Wert bzw. Erfolg ihrer Lösungsstrategie zu erkennen. Deutlich wird, dass es also in den Arbeitsphasen von Gestaltungsaufgaben nicht nur darum geht, Ideen zu entwickeln, sondern auch darum, sie zu einer aufführungsfähigen Form zu bringen. Dies setzt aber voraus, dass die AkteurInnen dazu in der Lage sind, eine gefundene Form auch als interessant und damit vorführfähig zu erkennen. Genau das gelingt Thomas und Nasir in der hier gezeigten Sequenz nicht.

5.5 Handlungsstrategie 3: Spielen

Die nun folgende Sequenz stammt wieder aus der Stationenübung. Magnus, Thomas und Nasir befinden sich an der Station mit der Aufgabe „Was machen die Freunde gemeinsam?". Hier zeigt sich, dass es noch eine weitere Strategie zur Gestaltung von Arbeitsphasen gibt:

Sequenz 40: Du bist Schuss!

Ereignis: Stationenübung   Quelle: AG_05.03.07   Timeline: 0:08-2:22

```
1    Magnus, Nasir und Thomas stehen einander zugewandt zusammen.
2       Magnus:    <<f> INTERNET? <<setzt sich hin> (-) <<guckt die
3                  beiden noch Stehenden strahlend an> internet-
4                  gruppe
5       Nasir:     fußballspielen?=
6       Thomas:    <<all> =im internet spielen
```

```
7      ?:         genau
8      Magnus:    internetgruppe
9      Thomas:    <<setzt sich hin> computer
10     Nasir:     <<setzt sich hin>
11     Die drei sitzen nun einander zugewandt in einem engen Kreis.
12     Thomas:    COMPUterspielen
13     Magnus:    <<bewegt seine Finger vor sich schnell auf und
14                ab, als würde er auf einer Tastatur schreiben>
15     Thomas:    <<h> HAHA computer[spielen]
16     Magnus:    [guckt mal] was ich für ne coole seite im inter-
17                net entdeckt habe <<blickt die anderen an>
18     Thomas:    [HEY (.) was denn?]
19     Magnus:    [ich lad sie dir mal rüber]
20     Nasir und Thomas rutschen neben Magnus und alle drei gucken gemeinsam
21     nach vorne.
22     Thomas:    boah=
23     Magnus:    <<guckt zu Thomas> [HEY geil]
24     Thomas:    [=GEIL]
25     Magnus:    ich lad sie euch runter <<lacht>
26     Thomas:    wa hast du da eingegeben?
27     Magnus:    hä↑ (-) was?
28     Nasir:     <<blickt nach vorne> hey↓ guck mal den goklin-
29                ger
30     Magnus:    gokli <<drückt mit dem Zeigefinger einmal auf
31                seine „Tastatur"> okay (-) ah hier steht (.)
32                könnt ihr englisch?
33     Nasir:     <<guckt in Augenhöhe nach vorne>
34     Thomas:    was?
35     Magnus:    soll ich das englisch auf deutsch übersetzen?
36     Thomas:    [ja:] BITTE,
37     Nasir:     [ja:]
38     Magnus:    <<drückt mit dem Zeigefinger einmal auf seine
39                „Tastatur">
40     Thomas:    ach so: (-) jetzazt (---) <<len> INTERNATIONALE
41                FILMSCHAU in Lausanne=
42     Magnus:    [<<=lacht)]
43     Nasir:     [<<=lacht)]
44     Magnus:    ich glaube des brauchen wir nicht=
45     Thomas:    =gehen wir mal eins weiter runter
46     (...)
47     Nasir:     mario
48     Magnus:    <<blickt zu Nasir> du machst laufen <<blickt zu
49                Thomas> du machst äh (.) springen und so
50     Thomas:    und du schießt
51
52     (...)
53     Magnus:    ich glaub ich hab euch mario runtergeladen=
54     Thomas:    =und schuss=
55     Magnus:    <<f> =SCHUSS
56     Thomas:    DU bist SCHUSS <<blickt zu Magnus>
57     Magnus:    <<blickt zu Thomas> DU bist SCHUSS (.) ich lenke
58     Nasir:     ich bin SCHUSS
```

Magnus, Thomas und Nasir zeigen hier eine weitere Strategie zur Bearbeitung von Gestaltungsaufgaben. Sie haben keinen Regisseur und sie planen auch nicht, sie entwickeln ihre Szene in einem „Spiel". Es beginnt damit, dass Magnus einen ersten Vorschlag macht (Z. 2), den er sofort auch körperlich „vorschlägt", indem er sich hinsetzt und die beiden anderen ansieht (Z. 2-4. Naisr hat einen anderen Vorschlag – Fußballspielen (Z. 5) – und Thomas formuliert sofort eine Synthese aus den beiden Vorschlägen, indem er „im Internet spielen" daraus macht (Z. 6). Dieser Vorschlag wird nun von allen ratifiziert, sowohl Thomas als auch Nasir setzen sich und bilden einen engen Kreis mit Magnus (Z. 9-11). Thomas wiederholt noch mal seinen Spielvorschlag (Z. 12) und Magnus beginnt wie auf einer Tastatur zu schreiben. Dann ist es Magnus, der eine neue Idee einbringt, er fragt allerdings nicht nach, sondern fordert Thomas und Nasir auf, sich die Seite anzugucken, die er gerade aufgerufen habe (Z. 16-17). Thomas geht sofort darauf ein und fragt nach (Z. 18) und auch Nasir spielt mit: Thomas und Nasir rutschen neben Magnus und alle drei gucken gemeinsam auf die Seite. Das Besondere ist hier – und genau an dieser Stelle unterscheidet sich die Sequenz von *Seq_Angst an allen Ecken* –, dass hier keine Vorschläge von außerhalb des Spieles gemacht werden, sondern innerhalb des Spiels. Die Ratifizierung des Vorschlags erfolgt dann auch nicht über eine verbale Zustimmung („ja" oder ähnliches), sondern durch Handlungen, die die Gültigkeit des Spiels bestätigen – in diesem Fall rutschen Thomas und Nasir so zu Magnus, dass sie auch die Internetseite „sehen" können. Nach einer unspezifischen Bewertung der Seite (Z. 22-24) ist es Thomas, der Magnus fragt, was er da gerade eingegeben habe (Z. 26). Auf diese Frage weiß Magnus aber keine Antwort und reagiert verwirrt (Z. 27). Nasir versucht ins Spiel zurückzufinden und weist die beiden anderen wieder auf etwas hin, was er auf dem Bildschirm „gesehen" hat, einen „Goklinger"[359] (Z. 28). Magnus nimmt das kurz auf (Z. 29) und berichtet dann von einer weiteren Seite, die allerdings auf Englisch[360] zu sein scheint (Z. 31). Thomas' „was?" (Z. 33) wird von Magnus als Ausdruck des Unverständnisses im Spiel gewertet und er bietet an, die Seite auf Deutsch zu übersetzen (Z. 34). Thomas und Nasir fordern ihn dazu auf und Magnus drückt auf seine Tastatur (Z. 37-38). Thomas sieht sich nun die übersetzte Seite an und liest – langsam und damit so als ob es mühsam zu entziffern wäre, vor: „Internationale Filmschau in Lausanne" (Z. 39-40). Magnus und Nasir quittieren das mit einem Lachen (Z. 41-42) und Magnus und Thomas beschließen gemeinsam eine andere Seite anzusehen (Z. 43-44). Das Besondere an dieser Sequenz ist nun, dass alle drei in ein gemeinsames Spiel gefunden haben, in dem jede Handlung einer Person die Geschichte weiterentwickelt, ohne dass sie sich vorher planend über den Ablauf verständigt hätten. So nimmt die Geschichte einige unerwartete Wendungen. Nach Nasirs „Goklingern" gerät Magnus auf eine Seite, die nur auf Englisch verfügbar ist und er fragt nach, ob die anderen an dieser Seite interessiert seien und er lässt sie – nach der Bestätigung des Interesses durch die beiden anderen – mit seiner Tastatur übersetzen. Thomas ist es dann, der die übersetzte Seite vorliest und verkündet, dass es sich um eine Internationale Filmschau handle. Er liest dabei tatsächlich so, als ob er etwas mühsam ablese und die Spannung steigt dadurch – für mich als Zuschauer, aber auch für Magnus und Nasir wie das Lachen im Anschluss an sein Vorlesen zeigt (Z. 41-42). Dieses Lachen wiederum unterbricht hier nicht im Geringsten den Spielfluss, es ist eine mögliche Reaktion der Figuren des Spiels und Magnus und Thomas beschließen, sich noch eine andere Seite anzusehen.

---

[359] Ich vermute, dass er sich hier auf Spielfiguren bezieht, eventuell auf die relativ weit verbreiteten „Gogo-Spielfiguren".
[360] Zur hohen Bedeutung der englischen Sprache – im Unterschied zu anderen Sprachen – siehe den *Exkurs Natioethnokulturelle Mitgliedschaft*.

Schließlich kommen die drei auf eine Seite, die von Nasir als „Mario"[361] identifiziert wird (Z. 46) und die drei beginnen damit, die Aufgaben zu verteilen, um gemeinsam eine Runde Mario zu spielen (Z. 47-49). Interessant ist daran, dass sie auch hier wieder die Verteilung der Rollen nicht zuerst planen/aushandeln, sondern diese Aushandlung als Teil des Spiels gestalten. Dieses Muster findet sich dann gleich noch einmal, als sie sich in Z. 53-57 erneut über die Rollenaufteilung verständigen. Sie „spielen" auch hier die Aushandlung der Rollenverteilung als Teil des gemeinsamen Spiels.

Diese Möglichkeit, die Arbeitsphasen von Gestaltungsaufgaben in einem gemeinsamen Spiel zu gestalten, findet sich auch in einigen anderen Sequenzen. In der nun Folgenden sind es Emilia und Natascha, die sich eine gemeinsame Urlaubsreise „erspielen":

Sequenz 41: Safaripark

Ereignis: 3 Wörter Szene   **Quelle:** AG_15.01.07   **Timeline:** 11:20-12:49

```
1    Die TeilnehmerInnen hatten die Aufgabe bekommen, sich aus einer Liste
2    von Wörtern drei herauszusuchen und von diesen drei Worten ausgehend
3    eine in einer Kleingruppe eine kurze Szene zu entwickeln. Emilia und
4    Natascha wollten diese Aufgabe gemeinsam bearbeiten. Das Transkript
5    setzt ein, als die Kamera sich das erste Mal diesen beiden zuwendet.
6    Man sieht, dass Emilia am Boden sitzt, Natascha steht gerade auf und
7    geht fünf Schritte von Emilia weg, dann dreht sie sich um.
8        Natascha: <<kommt zu Emilia gelaufen> hallo <<setzt sich
9                  vor sie>
10       Emilia:   ich wollte dich was fragen (-) wir fahren für
11                 zwei wochen (  ) (.) willst du mit mir MITkom-
12                 men?=
13       Natascha: =JA (.) ich muss nur meine eltern fragen
14       Emilia:   <<nickt, wendet sich etwas nach links und blickt
15                 auf den Boden>
16       Natascha: wohin gehen wir denn da GENAU↑ (--) wo sind wir
17                 denn da GENAU?
18       Emilia:   ähm <<wendet den Blick zurück zu Natascha> in
19                 CandalLU:ci <<lacht>
20       Natascha: <<lacht, wendet den Kopf nach links, bedeckt ihr
21                 Gesicht mit der Hand, dann richtet sie sich wie-
22                 der auf, als sie wieder aufrecht sitzt, spricht
23                 sie> in diesem DSCHUNgel (-) oder?
24       Emilia:   nein (.) im SAFaripark
25       Natascha: <<nickt> da komm ich MIT
26       Emilia:   (  ) <<greift auf den Boden, nimmt „etwas" und
27                 gibt es Natascha
28       Natascha: <<hält den „Gegenstand" an ihr Ohr> hallo (.) JA
29                 ich wollt mal fragen ob ich mit (         )
30       Emilia:   also in den SAfariPARK
31       Natascha: Also in den SAfarPARK (---) okay tschü:s (-)
32                 <<streckt beide Arme nach oben, blickt Emilia
33                 an> JA: (.) ich darf;
34   Die beiden sehen sich etwa eine Sekunde lang schweigend an, dann bricht
35   Natascha in ein Lachen aus, Emilia stimmt ein.
36       Natascha: <<vollführt eine Drehung auf den Knien, wendet
37                 sich dann wieder Emilia zu> nochmal (.) okay?
38       Emilia:   <<nickt>
```

---

[361] Nasir bezieht sich hier auf eines der bekanntesten „Jump and Run-Spiele", nämlich „Super Mario", in dem die Spielfigur Mario laufen, springen und schießen kann.

```
39      Natascha:   <<steht auf>> <<pp> okay <<geht wieder fünf
40                  Schritte nach hinten>
41      Natascha:   <<hebt eine Hand mit einem nach vorne ausge-
42                  strecktem Finger in Brusthöhe> DINGDONG <<sie
43                  läuft bis zu Emilia> hallo-
44  Die beiden sehen sich an, wieder bricht Natalie in Lachen aus, Emilia
45  fällt ein.
46      Natascha:   <<steht auf, geht drei Schritte von Emilia weg
47                  und dreht sich wieder ihr zu, im Gehen streckt
48                  sie den Finger nach vorne> DINGDONG <<bevor sie
49                  bei Emilia ankommt, grinst sie, dann lacht sie>
50                  <<wendet sich wieder ab und geht zwei Schritte
51                  zurück, dann dreht sie sich wieder nach vorne
52                  und streckt ihren Finger nach vorne> DINGDONG
53                  (sie geht bis zu Emilia, setzt sich vor sie>
54                  hallo-
55      Emilia:     <<lacht>>
56      Natascha:   <<wendet den Kopf zur Seite> och MA:n (-) also
57                  jetzt noch mal;
```

Emilia und Natascha planen ebenfalls nicht vor, was passieren soll, sondern spielen ihre Szene und entwickeln sie dadurch weiter. Das wichtigste Instrument ist dabei, dass sie einander Fragen stellen und sich dann auf die gegebenen Antworten einlassen. Deutlich wird das in dieser Sequenz an der Passage Z. 16-26. Vor diesen Zeilen erfolgten die Sprecherwechsel sehr schnell und es wirkte wie eine wiederholte Probe einer schon zuvor gespielten Szene. Dann aber verändert sich die Geschwindigkeit und Natascha stellt Emilia eine Frage, die sie nach einer längeren Pause noch mal wiederholt. Emilia gerät ins Stocken – ähm (Z. 18) – hat dann aber ein Reiseziel zur Hand: „CandalLUci" (Z. 19). Das Lachen Emilias wird nun von Natascha aufgegriffen und sie wendet sich kurz ab und bedeckt ihr Gesicht mit der Hand – dadurch macht sie deutlich, dass dieses Lachen „eigentlich" nicht zur Szene gehört, daher versucht sie es zu verbergen (Z. 20-24). Besonders interessant ist dieses Lachen, da es erst durch diese „Verbergungshandlung" zu einem Problem für die Szene wird – davor hätte es auch die gemeinsame Freude über das Urlaubsziel mit verheißungsvollem Namen sein können – so wie das Lachen in „Seq_40: Du bist Schuss!" (Z. 40-41) ein Lachen der im Internet surfenden Kinder ist.

In dieser Sequenz hakt Natascha also aus, findet dann aber wieder zurück ins Spiel, richtet sich auf und fragt nach, ob Candalucci im Dschungel liege (Z. 23-24). Emilia wiederum greift die Assoziation des Dschungels auf und nimmt eine Korrektur vor und erzählt Natascha, dass Candalucci in einem Safaripark liege (Z. 25). Diese Reiseziel wird von Natascha angenommen und sie bestätigt, dass sie mitkommen will (Z. 26). Nach dieser Zustimmung kann das „Telefonat", in dem sie um Erlaubnis fragt, beginnen (Z. 29-32). Besonders spannend erscheint mir an diesen Zeilen, dass die Strategie des Spielens – genau wie in „Seq_ Du bist Schuss!" es tatsächlich ermöglicht, dass Szenen entstehen, die zuvor nicht so geplant gewesen waren. Bevor sie diese Szene gespielt haben, wussten Emilia und Natascha noch nicht, dass sie nach Candalucci in einen Safaripark fahren werden – genau so wenig wie Nasir, Thomas und Magnus wussten, welche Seiten sie auf ihrem Ausflug ins Internet zu sehen bekommen würden. „Spielen" erweist sich so als eine ertragreiche Strategie, um Material zur Bearbeitung von Gestaltungsaufträgen zusammenzutragen. Wie die *Seq_Safaripark* zeigt, gilt es dann aber auch, die gefundene Form zu fixieren. In der Z. 37 wendet sich Natascha an Emilia und schlägt eine Probe vor, um die gefundene Form zu fixieren. Emilia stimmt zu und die beiden versuchen zu proben. Es gelingt ihnen aber nicht, da sie durch Lachen immer wieder aus ihren Rollen „aushaken" und die Probe von neuem beginnen müssen (Z. 45-46, Z. 51-52, Z. 56-58). Das Problem am Lachen ist dabei, dass es keinen Part der zu spielenden Figuren darstellt und somit auf die beiden Spielerinnen zurückfällt. In ihren Spielfiguren haben sie nicht zu lachen, sondern sich zu begrüßen, über den gemeinsamen Urlaubsort zu sprechen und schließlich das Telefonat mit den Eltern zu führen. Sie können also nicht schon bei der Begrüßung in Gelächter ausbrechen, wenn sie die Illusion der gespielten Szene nicht zerstören wollen. Dreimal bricht Natascha hier die Probe ab und nimmt wieder die Startposition ein, ohne dass es den beiden gelingt, eine Probe abzuschließen. Die Fixierung gefundener Szenen stellt also – wie diese Sequenz stellvertretend für viele andere zeigt – ein weiteres Problem in der Arbeitsphase von Gestaltungsaufgaben dar. Wie die AnleiterInnen mit dieser Schwierigkeit umgegangen sind und mit welchen Strategien sie versuchen, die TeilnehmerInnen in Proben vor dem Aushaken zu bewahren, wird eines der zentralen Themen in der Fallstudie *Proben*.

5.6 Differenz- und egalitäterzeugende Praktiken in den Arbeitsphasen von Gestaltungsaufgaben

Die Arbeitphase von Gestaltungsaufgaben ist von besonderem Interesse, weil die AnleiterInnen in Arbeitsphasen nicht mehr für die Gestalt des Rahmens sorgen. Die TeilnehmerInnen selbst müssen Formen entwickeln, in denen sie die ihnen gestellten Aufgaben bearbeiten. Die Differenz zwischen AnleiterInnen und TeilnehmerInnen, dem in den meisten der im Projekt realisierten Rahmen eine relationale Bedeutung zukommt, da entlang dieser Differenz unterschiedliche Handlungsrechte vergeben werden, hat hier nicht mehr dieser Funktion, da die AnleiterInnen sich aus der Arbeitsphase von Gestaltungsaufgaben zurückziehen.

Die Analyse der hier vorgestellten sechs Sequenzen hat gezeigt, dass die TeilnehmerInnen sehr unterschiedliche Strategien zur Gestaltung dieser Arbeitsphasen wählen. Besonders auffällig ist dabei, dass in manchen Gruppen eine RegisseurIn identifizierbar war und in anderen Gruppen nicht. Vergleicht man nun die Strategien des „Regieführens" und des „Spielens" miteinander, wird deutlich, dass diese Strategien diverse Unterschiede zwischen den TeilnehmerInnen erzeugen. Im Fall des Regieführens gibt es eine Person – oder auch mehrere, wie in *Seq_Du machst so* – die den anderen TeilnehmerInnen ansagt, was sie zu tun oder zu lassen haben. Diese Person beansprucht für sich andere Handlungsrechte als die Personen, die die „Befehle" der RegisseurIn ausführen, nämlich das Recht, den anderen zu sagen, was sie zu tun haben. Diese Form der Gestaltung von Arbeitsphasen ist also mit einer starken Hierarchie verbunden – hier treten die TeilnehmerInnen nicht als gleichberechtigte Verschiedene in Erscheinung, sondern mit unterschiedlichen Handlungsrechten. Auffällig ist dabei, dass es kaum zu Streitigkeiten über die Handlungsstrategie des Regieführens kommt. Es scheint für die TeilnehmerInnen ein gängiges Muster zu sein, dass es eine Person gibt, die den anderen sagt, was sie zu tun haben. Sie sind hier – wie etwa Hilal in der *Seq_37: Ich weiß der ersten Schritt* – erstaunlich leidensfähig und lassen sich nicht nur Befehle, sondern auch territoriale Übergriffe gefallen. Die Probleme entstehen nicht dadurch, dass über die Position der RegisseurIn gestritten wird, sondern vielmehr dadurch, dass die RegisseurInnen die mit ihrer Position ebenfalls verbundenen Handlungspflichten nicht wahrnehmen. Tuba, die in der *Seq_37: Ich weiß den ersten Schritt* versucht, Regie zu führen, achtet nicht darauf, Hilal klare Anweisungen und Rückmeldungen zu geben, sie bricht die Arbeit kommentarlos ab und zeigt Hilal nur, dass sie es falsch gemacht hat. Sie „kommandiert" nur. Lara handelt in der *Seq_38: Nein, Du machst so anders*: sie macht ihrer Gruppe Bewegungen vor und achtet – gemeinsam mit ihren Co-Regisseurinnen – auch auf eine korrekte Durchführung. Lara nutzt aber ihre Rolle als Regisseurin auch dazu, sich selbst in Szene zu setzen und die anderen Teilnehmerinnen zu den Statistinnen ihres großen Auftritts zu machen. Sie interessiert sich nicht für die Ideen der Anderen, sie inszeniert deren Bewegungen als Hintergrund für ihren eigenen großen Auftritt.

In den beiden Sequenzen, in denen „Spielen" die Handlungsstrategie darstellt, ist das ganz anders. Hier gibt es keine Person, die den Anderen ansagt, was diese zu tun haben. Die Geschichte entwickelt sich vielmehr durch Fragen und Antworten bzw. Angebote und Annahmen. In der *Seq_40: Du bist Schuss!* etwa schlägt Magnus seine „Internetgruppe" vor und Nasir sein „Fußballspielen". Beide „befehlen" das aber nicht den beiden anderen, sondern schlagen es vor – wie die steigende Intonation am Wortende und die Reaktionen der anderen zeigen. Die reagieren nämlich nicht einfach auf das Gesagte, indem sie es ausführen. Sie machen vielmehr, wie im konkreten Fall Thomas, ebenfalls Vorschläge, hier einen synthetisierenden, nämlich „im Internet spielen". Die Ratifizierung von Vorschlägen erfolgt dann weniger über verbale Zustimmung, sondern über die Ausrichtung der Körper – schön zu sehen bei Magnus, Thomas und Nasir, die sich so setzen, dass sie alle auf einen „Bildschirm" gucken können und sich dadurch wechselseitig anzeigen, dass sie alle dasselbe Spiel spielen. In den beiden hier vorgestellten Sequenzen gelingt es den TeilnehmerInnen dann auch, ihre Figuren im Stück im gemeinsamen Spiel voneinander zu unterscheiden. Magnus, Thomas und Nasir diskutieren, wer welche Aufgabe beim gemeinsamen Mario-Spielen hat und Emilia und Natascha machen sich zu einladender und eingeladener Person, die über unterschiedliches Wissen verfügen. So entstehen Differenzen innerhalb des Spiels und es entsteht eine Differenz zwischen den SpielerInnen und den von ihnen gespielten Figuren. Ganz besonders deutlich wird das in der *Seq_41: Safaripark*, in der Natascha dreimal hintereinander eine Probe abbricht, da sie und Emilia immer wieder in ein Lachen ausbrechen, das kein Lachen ihrer Figuren darstellt und damit die Illusion der Szene zerstört. Wie sich in der Fallstudie *Proben* zeigen wird, ist diese Differenz zwischen SpielerIn und Figur eine zentrale Differenz, mit der beim Theaterspielen umzugehen gelernt werden muss.

Die dritte hier vorgestellte Strategie, die von Thomas und Nasir genutzt wurde, das „Planen", erwies sich als durchaus gangbarer Weg, der es wiederum durch ein Fragen und Antworten ermöglicht, Ideen zu entwickeln. Im konkreten Fall aber gelingt es den beiden nicht, den Wert ihrer Ideen zu erkennen. Besonders problematisch ist das, weil das Ziel der Arbeitsphasen von Gestaltungsaufgaben ja ist, eine vorführbare Szene zu entwickeln. Um das zu gewährleisten ist es allerdings notwendig, sich auf eine bestimmte Form zu verständigen und aus den entwickelten Ideen die besten auszuwählen. Genau dies ist Thomas und Nasir aber nicht möglich, da sie den Wert ihrer Ideen nicht erkennen.

Die versammelten Sequenzen machen aber vor allem deutlich, dass Gestaltungsaufgaben in Tanz- und Theaterprojekten ein interessantes Untersuchungsfeld darstellen. Gerade weil die AnleiterInnen sich hier zurückziehen, müssen die TeilnehmerInnen selbst für die Gestaltung eines Rahmens sorgen, der die Aufgabenbearbeitung erlaubt. Von welchen Faktoren diese Auswahl abhängt, ist auf der Grundlage des relativ kleinen Korpus nicht zu beantworten, es lassen sich aber einige erste Vermutungen anstellen: Die Aufgabenstellung könnte Einfluß auf die gewählte Strategie haben: Ist die Aufgabe nah an der Erfahrungswelt der TeilnehmerInnen oder weit davon entfernt? Als weitere mögliche Einflussfaktoren ließen sich dann die Gruppengröße, die Vertrautheit/Erfahrung mit Improvisationen und die Vertrautheit untereinander untersuchen. Zudem könnte auch die Ambiguitätstoleranz der Beteiligten eine Rolle spielen: Wie sehr lassen sie sich darauf ein, einfach drauflos zu spielen ohne schon zu wissen, ob dies zu einem guten Ergebnis führen wird?

Ebenfalls interessant wäre es, die Bedeutung der Geschlechtszugehörigkeit in Arbeitsphasen genauer zu untersuchen. Dass es hier, wie die *Seq_36: Ladies first* gezeigt hat, in der gemischtgeschlechtlichen Gruppe zu Startschwierigkeiten kam, erscheint angesichts der vorhandenen Arbeiten zur Bedeutung der Geschlechterdifferenz in Schulen kein so überraschendes Ergebnis. Interessanter erscheint, dass es in den hier untersuchten Fällen nicht die Jungen sind, die die Strategie des Befehlens anwenden, sondern Mädchen, die in zwei Sequenzen auf diese Strategie zurückgreifen und nicht in ein gemeinsames Spiel finden. Dieser Befund widerspricht nun den Geschlechtsstereotypen, die besagen, dass Mädchen sozial orientiert sind und gelernt haben, miteinander zu spielen – Jungen hingegen Konkurrenzkämpfe austragen und eher nicht gelernt haben, gleichberechtigt miteinander zu spielen. Der Korpus ist allerdings zu klein, um daraus generalisierende Aussagen abzuleiten, weitere Forschungsarbeiten könnten sich aber auch dieser Frage zuwenden.

Für nachfolgende Forschungsprojekte sei angeregt, sich die Gestaltungsaufgaben, die in vielen theater- und tanzpädagogischen Projekten wichtiger Bestandteil sind, genauer anzusehen und die verschiedenen Strategien der Aufgabenbearbeitung weiter zu untersuchen. Ein Ziel dieser Untersuchungen könnte dann auch sein, Hinweise für die Vorbereitung solcher Arbeitsphasen zu formulieren, die AnleiterInnen beachten sollten, wenn sie die TeilnehmerInnen dabei unterstützen wollen, zu interessanten, selbst entwickelten Szenen und Choreographien zu gelangen. Der beste Weg dorthin ist es, „gleichberechtigt verschieden" miteinander zu spielen.

„Oh Mensch lerne tanzen. Ich lobe den Tanz, denn er befreit den Menschen von der Schwere der Dinge. Er bindet den Einzelnen an Gemeinschaft. Ich lobe den Tanz, der alles fordert und fördert. Gesundheit und Klarheit im Geist sowie eine beschwingte Seele."[362]

6 Tanzrahmen

In dieser nun folgenden Fallstudie werde ich mich zwei Tanzrahmen zuwenden, die im Verlauf des Projekts jeweils eine bedeutende Rolle spielten. Ich werde zum einen den „Chace-Kreis" vorstellen und zum anderen die „Hiphop-Choreographien". Auch hier ist es mir nicht möglich, auf alle Tanzrahmen einzugehen, die im Projekt realisiert wurden. Neben den hier analysierten gab es Übungen, die starke tänzerische Elemente beinhalteten und Proben, in denen Tanzsequenzen für die Abschlussaufführung geprobt wurden sowie Spiele, in denen der Tanz eine Rolle spielte. Ich beschränke mich auf den Chace-Kreis und die HipHop-Choreographien, da diese beiden wiederholt durchgeführt wurden und die spezifische Gestaltung dieser Rahmen mit sehr unterschiedlichen differenz- bzw- egalitäterzeugenden Praktiken einherging. Es wird sich zeigen, dass „Tanz" keineswegs immer zu den im obigen Zitat beschriebenen Auswirkungen führt und dass die Gestalt der Tanzrahmen darüber entscheidet, welche Erfahrungen den Teilnehmenden möglich werden. Ich werde zunächst den Rahmen des Chace-Kreises beschreiben und analysieren (6.1). Im Anschluss daran werde ich auf die HipHop-Choreographien eingehen (6.2), um im abschließenden Teil die beiden Tanzrahmen miteinander zu vergleichen (6.3).

6.1 Der Chace-Kreis

Der „Chace-Kreis", so die Bezeichnung, die die Tanzpädagogin Natalie für diesen Tanzrahmen nutzte, wurde an insgesamt 10 Projektterminen und in verschiedenen Varianten durchgeführt. Die Ausgangssituation des Chace-Kreises lässt sich aus der folgenden Sequenz ersehen:[363]

---

[362] Herkunft unbekannt, wird häufig fälschlich Aurelius von Hippo zugeschrieben, vgl. hierzu: ENGEMANN 2007, S. 20.
[363] Die Übersetzung des audiovisuellen Materials in einen Text gestaltet sich in diesem Kapitel besonders schwierig, da gesprochene Sprache im Tanz so gut wie keine Rolle mehr spielt. Die Interaktionen werden über Körperbewegungen gestaltet, deren Beschreibung sehr komplex und zeitaufwändig ist. Das von mir genutzte System der Kombination von „Dichten Beschreibungen" und Transkripten kommt hier an seine Grenzen. Für diese Fallstudie wäre eine Kombination der Beschreibungen mit Standbildern eine bessere Arbeitsgrundlage. Die Herstellung dieser Form von Transkriptionen ist allerdings so zeitaufwändig, dass im Kontext dieser Arbeit, die ja zum Ziel hat, alle Rahmen der Lernkultur dieses Projekts vorzustellen, darauf verzichtet werden muss. Dennoch lassen sich aus den vorgestellten Sequenzen Einsichten über die spezifischen differenz- bzw. egalitäterzeugenden Praktiken in Tanzrahmen gewinnen.

Sequenz 42: Sich zur Mitte drehen

Ereignis: Chace-Kreis   **Quelle:** AG_18.12.06   **Timeline:** 1:02-1:20

```
1    Alle AkteurInnen stehen im Kreis. Es läuft das Stück „Mr. Vain" von
2    Culture Beats, ein sehr bekanntes Dancefloor-Stück aus den 90ern. Die
3    TeilnehmerInnen und der Kameramann, der ebenfalls mittanzt, haben ihre
4    Blicke auf Natalie gerichtet, die damit beginnt, im Rhythmus der Musik
5    ziemlich schnell von einem Bein auf das andere zu springen, dabei hat
6    sie die beiden Arme seitlich von ihrem Körper in Brusthöhe ausge-
7    streckt. Die anderen AkteurInnen beginnen damit, sich wie Natalie zu
8    bewegen. Dann verändert Natalie ihre Bewegungen, wenn sie den rechten
9    Fuß nach oben nimmt, bewegt sie den linken Arm nach links oben und wenn
10   sie den linken Fuß nach oben nimmt, streckt sie den rechten Arm nach
11   rechts oben. Auch diese veränderten Bewegungen werden von den AkteurIn-
12   nen übernommen.
13      Natalie: <<so weiter tanzend und etwas nach hinten gehend> geh
14               ma mal weiter hinter
15   Die TeilnehmerInnen und Tim tanzen mit denselben Bewegungen wie Nata-
16   lie, sie tanzen alle ein wenig aus der Kreismitte heraus.
17      Natalie: <<macht eine erste Drehung, dabei springt sie
18               weiter von einem Fuß auf den anderen und wirft
19               ihre Arme gegenläufig nach oben>
20   Noch bevor sie diese Drehung abgeschlossen hat, beginnen die ersten
21   TeilnehmerInnen sich ebenfalls zu drehen, als erste ist es Emilia, dann
22   Louise, Anna, Natascha und Magnus und schließlich auch Tim und Yola.
23   Natalie beginnt damit, dass sie sich mit ihren Drehbewegungen in die
24   Kreismitte begibt, die TeilnehmerInnen, die sich gerade ja auch drehen,
25   registrieren diese Bewegungsrichtung während sie Natalie zugewendet
26   sind und beginnen sich selbst ebenfalls in die Kreismitte zu drehen.
27   Sie versuchen dabei, ihre Blickrichtung möglichst lange bei Natalie zu
28   belassen und lassen ihre Köpfe als letztes der Drehbewegung ihrer Kör-
29   per folgen. Es sind mehrere hohe Auflacher zu hören. Einige der Teil-
30   nehmerInnen bewegen sich nun bis fast in die Kreismitte - wie es auch
31   Natalie tut - andere nur einen oder zwei Schritte.
32      Natalie: <<ist in der Kreismitte angekommen und führt ih-
33               re Drehbewegungen jetzt wieder aus der Mitte
34               heraus zu ihrem Ausgangspunkt>
35   Je nachdem, an welcher Stelle ihrer eigenen Drehung die TeilnehmerInnen
36   gerade waren, registrieren die TeilnehmerInnen dieses Wiederzurückdre-
37   hen unterschiedlich schnell und bewegen sich ebenfalls wieder zurück.
38   An die ursprüngliche Kreislinie zurückgekehrt, tanzt Natalie wieder in
39   der Grundform, indem sie von einem Bein auf das andere springt und den
40   anderen Arm nach oben wirft. Sie bleibt bei dieser Bewegung, bis alle
41   TeilnehmerInnen ebenfalls wieder in dieser Form an der Kreislinie tan-
42   zen (nach vier Sekunden sind alle wieder in derselben Bewegung an der
43   Kreislinie).
44      Natalie: <<beendet die Bewegung mit den Armen und tanzt,
45               weiter von einem Bein auf das andere springend,
46               einen Schritt nach rechts>
```

Für die Durchführung des Chace-Kreis befinden sich alle AkteurInnen im territorialen Arrangement des Kreises. Alle stehen dabei auch in etwa gleicher Entfernung zueinander, das Gesicht zur Kreismitte gerichtet. Dieses Arrangement schafft zunächst eine Egalität zwischen allen AkteurInnen, die Blickrichtungen verraten aber, dass im Chace-Kreis sehr wohl bedeutsame Unterschiede gemacht werden. Die Blicke sind nämlich alle auf die Anleiterin Natalie gerichtet, die als erste beginnt, sich zur Musik zu bewegen

(Z. 5-6). Die anderen AkteurInnen beginnen daraufhin damit, die Bewegungen von Natalie nachzuahmen (Z. 8-9). Als sie ihre Bewegungen verändert, verändern auch die anderen AkteurInnen ihre Bewegungen (Z. 8-12).

Natalie erscheint hier als die zentrale Figur des Geschehens, da die TänzerInnen nicht nur die Blicke auf sie gerichtet haben, sondern auch beständig versuchen, ihre Bewegungen an die Bewegungen Natalies anzupassen. Natalie kann auch verbal Handlungsveränderungen ansagen, hier die, dass alle noch ein bisschen nach hinten tanzen sollen (Z. 13-14).

Durch die dann beginnenden Drehungen von Natalie wird dieses Nachahmen der Bewegungen schwieriger, da die NachtänzerInnen bei ihren Drehungen den Blickkontakt zu Natalie unterbrechen müssen (Z. 17-28). Zudem werden die Bewegungen, die Natalie vorgibt, zusehends komplexer, die Bewegungen der Arme und Hände sind wechselseitig aufeinander bezogen und orientieren sich am Rhythmus der Musik, zugleich dreht sie sich und begibt sich in die Kreismitte. Es gelingt den NachtänzerInnen aber trotzdem erstaunlich gut und auch schnell, diese komplexen Bewegungsfolgen nachzuahmen. Als Natalie wieder an der Kreislinie angekommen ist, dauert es keine vier Sekunden bis auch die letzte TänzerIn wieder in dieser Bewegung an der Kreislinie angekommen ist (Z. 29-43).

Erst als alle wieder in derselben Bewegung tanzen, verändert Natalie erneut ihre Bewegungen (Z. 44-46), sie wartet hier ab, bevor sie eine neue Bewegungsveränderung vornimmt. Natalie achtet also auf die Bewegungen ihrer NachtänzerInnen und ermöglicht es allen, ihre erneute Bewegungsveränderung mitzubekommen.

Aus dieser Sequenz lässt sich sehr leicht die Grundregel des Chace-Kreises ermitteln: Eine VortänzerIn gibt Bewegungen vor, die anderen machen diese Bewegungen nach bzw. mit. Dies lässt sich als eine egalitätserzeugende Praxis begreifen, da alle AkteurInnen immer wieder dieselben Bewegungen durchführen. Gleichzeitig gibt es eine Person, hier die Anleiterin, die das Recht hat, die Bewegungen zu verändern. Bewegungsveränderungen der anderen AkteurInnen, die natürlich auch vorkommen, da nicht alle sofort völlig exakt die Bewegungen der Anleiterin imitieren, haben schlicht keine Auswirkung, da sie nicht von den anderen AkteurInnen aufgegriffen werden. Nur die Bewegungsveränderungen der Anleiterin erfahren besondere Aufmerksamkeit und werden nachgeahmt.

Wie diese Sequenz zudem zeigt, ist das Ziel des Chace-Kreises nicht, eine absolute Synchronizität der Tanzenden zu erreichen. Dies ist durch die Anlage des Chace-Kreises unmöglich, da die TänzerInnen die folgenden Bewegungen der Vortänzerin nicht kennen können und daher immer Zeit brauchen, ihre eigenen Bewegungen wieder an die vorgemachten anzupassen. Die Gesichter der TänzerInnen, die zugleich konzentriert und gelöst erscheinen, weisen dabei darauf hin, dass diese Tanzform den TänzerInnen großen Spaß bereitet. Die folgende Sequenz unterstützt diese Hypothese, da hier von vielen TeilnehmerInnen, ähnlich wie bei Spielen, eine weitere Runde des Chace-Kreises eingefordert wird:

Sequenz 43: NOCHMAL NOCHMAL

Ereignis: Chace-Kreis   Quelle: AG_18.12.06   Timeline: 3:45-4:12

```
1   Alle AkteurInnen stehen im Kreis, etwa einen Meter voneinander ent-
2   fernt. Es läuft immer noch das Stück „Mr. Vain" von Culture Beats. Alle
3   TänzerInnen klatschen den Rhythmus des Liedes mit, indem sie beide Hän-
4   de nach rechts oben zu einem Klatschen führen und dann mit Schwungbewe-
5   gung nach unten am Bauch vorbei auf die andere Seite, um dort - wieder
6   am höchsten Punkt - zu klatschen. Das Musikstück wird in den letzten
7   zwei Sekunden ein klein wenig langsamer, die TänzerInnen klatschen ein
8   letztes Mal mit, das Musikstück verstummt und auch die TänzerInnen be-
9   enden ihre Bewegungen und ihr Klatschen. Dabei ist nicht mal mehr ein
10  Klatschen nach dem Ende des Stückes zu hören.
11      ?:          NOChmal
12      Natalie:    SO;
13      ?2:         NEIN;
14      ?3:         NOCHMAL
15      Lara:       <<geht auf Natalie zu und springt direkt vor ihr
16                  auf und ab, so dass es laut zu hören ist> NOCH-
17                  MAL (.) NOCHMAL
18      Yola:       <guckt zu Lara und beginnt dann ebenfalls laut-
19                  stark auf und ab zu springen> NOCHMAL
20  Jetzt sind so viele schreiende Stimmen zu hören, die „NOCHMAL" einfor-
21  dern, dass nicht mehr auszumachen ist, wer schreit.
22      Magnus:     <<guckt ebenfalls zu Lara und beginnt lautstark
23                  auf und ab zu springen>
24      Anna:       <<springt auf und ab>
25  Mit einem letzten Sprung hören alle vier auf zu springen.
26      Natalie:    <<nimmt Lara an den Schultern, führt sie so ne-
27                  ben sich> nein (.) nicht nochmal
```

Neben diesem lautstark formulierten Wunsch, noch eine weitere Runde des Chace-Kreises durchzuführen, fällt in den Z. 6-10 die erstaunliche Synchronisation der TänzerInnen auf, die ihr Klatschen mit den letzten Tönen der Musik gemeinsam einstellen – nicht einer der TänzerInnen klatscht über das Stück hinaus – und das, obwohl die musikalische Ankündigung des Endes des Stückes „Mr. Vain" durch ein Langsamerwerden des Rhythmus nur wenige Sekunden vor dem endgültigen Ende beginnt.

Auffällig ist auch, dass das Werben um eine weitere Runde des Chace-Kreises ebenfalls eine erstaunliche Synchronisation aufweist. Zuerst ist es Lara, die ein Springen beginnt (Z. 15-17), das von Yola, Magnus und Anna kopiert wird. Diesen vier gelingt es hier – und es ist für einen BeobachterIn der Situation nicht zu erkennen wodurch –, ihr Springen synchronisiert wieder einzustellen und keine der vier hüpft auch nur einmal öfter als die anderen drei (Z. 25). Zu vermuten ist, dass die Anlage des Chace-Kreises die TänzerInnen dazu zwingt, ihre volle Aufmerksamkeit darauf zu richten, ihre eigenen Handlungen beständig mit den Handlungen der anderen abzugleichen und die eigenen Bewegungen anzupassen. Diese Anpassung vollzieht sich dabei so schnell, dass es keine bewusste, sondern eine körperliche Imitation ist, das „Sichangleichen" vollzieht sich in einem mimetischen Prozess. Die TänzerInnen sind scheinbar auch nach Abschluss des Chace-Kreises noch in einem „Synchronisierungmodus", der dazu führt, dass die vier Springenden hier ihr Springen aneinander anpassen. Der Chace-Kreis wird so in seiner Grundform zu einer Übung in der Fähigkeit, eigene Bewegungen mit den Bewegungen anderer TänzerInnen zu synchronisieren. Dabei geht es in der Grundform nicht darum, dass die Güte dieser Anpassung von ZuschauerInnen beurteilt wird. Natalie, aber auch keine andere AkteurIn, evaluiert die Bewegungen der TänzerInnen. Durch die besondere Anlage des Chace-Kreises, der erforderlich macht, dass alle ihre Aufmerksamkeit auf die VortänzerIn richten, ist es auch den TänzerInnen kaum möglich, sich die Bewegungen ihrer Mittanzenden anzusehen, um so eine Zuschausituation zu schaffen. Eine Analyse der Blickrichtungen zeigt genau das sehr deutlich: je schneller und komplexer die Bewegungen der VortänzerIn werden, desto weniger blicken die TänzerInnen zu den anderen AkteurInnen.

In der Grundvariante des Chace-Kreises gibt es also eine Differenz zwischen der VormacherIn und den NachmacherInnen, die aber immer wieder aufgelöst wird – nämlich dann, wenn alle AkteurInnen die gleichen bzw. ähnliche Bewegungen durchführen. Es gibt dabei keine Instanz, die die korrekte Nachahmung evaluiert. Dadurch wird, so meine Interpretation des Chace-Kreises, die sich mit einem Zitat von Burkhard Hill stützen lässt, das Gemeinschaftserlebnis eines gemeinsamen Tanzes möglich. Hill schreibt über das gemeinsame Musizieren:

„Das individuelle Empfinden und Erleben muß im Einklang mit anderen stattfinden, wodurch eine tiefe Wechselseitigkeit und Übereinstimmung erzielt werden kann. [...] Diese Gemeinschaftsleistung und emotionale Nähe bzw. Übereinstimmung ist Quelle für intensive Gemeinschaftserlebnisse und Hochgefühle."[364]

Genau das scheint in der Grundversion des Chace-Kreises auch zu passieren, auffällig ist dabei auch, dass die AnleiterInnen hier an keiner Stelle sanktionierend eingreifen müssen, die TeilnehmerInnen machen „einfach" mit.[365] Und es scheint ihnen großen Spaß zu machen. Marian Chace, eine Tänzerin und Tanztherapeutin aus den USA, auf die das Prinzip des Chace-Kreises zurückgeht, bezeichnete dabei das, was in diesen Kreisen passiert, als „kinästhetische Empathie".[366] Die sichtbare Freude mit der die AkteurInnen – und das gilt für alle Teilnehmenden am Chace-Kreis, also auch Kameramann, Teilnehmene BeobachterIn, AnleiterInnen und LehrerInnen – diesen Tanz durchführen, stützt den Begriff der „kinästhetischen Empathie". Der Chace-Kreis schafft ein starkes Gefühl der Zusammengehörigkeit, ganz ähnlich wie es auch bei den Communitas-Spielen sichtbar wurde.[367] In all diesen Fällen spielt die synchronisierte Bewegung aller anwesenden AkteurInnen die entscheidende Rolle. Dadurch, dass alle in Bewegung sind, gibt es keine ZuschauerInnen, die die exakte Nachahmung der Bewegungen überprüfen könnten.

Von der gerade beschriebenen Grundform des Chace-Kreises ausgehend, wurden im Projekt fünf verschiedene Varianten des Chace-Kreises durchgeführt:
1. Die eben beschriebene, „normale" Variante: Die Tanzpädagogin tanzt vor, die anderen nach.
2. Wer möchte, kann sich in die Mitte der im Kreis Tanzenden begeben und dort „Freestyle" tanzen.

---

[364] Hill 1996, S. 50.
[365] Vgl. hierzu die Fallstudie „Übungen", in denen die AnleiterInnen Regeln setzen, die von den TeilnehmerInnen beständig gebrochen werden (III/4).
[366] Pallasch 2002, S. 24.
[367] Siehe die Fallstudie Spiele (III/2).

3. Die Rolle der VortänzerIn wird abgewechselt.
4. Die Rolle der Vortänzerin wird abgewechselt und diese Person befindet sich in der Kreismitte.
5. Die Tanzpädagogin erklärt und zeigt bestimmte Bewegungen, beobachtet das Nachmachen der TeilnehmerInnen und korrigiert es.

Diese Varianten stellen interessante Modulationen des Chace-Kreises dar. Die Variante 2 verändert den Aufmerksamkeitsfokus auf die Mitte des Kreises und entbindet die TänzerInnen des Kreises von der Aufgabe, ihre Bewegungen an die in der Mitte Tanzende anzupassen; dadurch entsteht eine Präsentationssituation, in der die Differenz von Präsentierenden und ZuschauerInnen zur zentralen Differenz wird.[368]

In Variante 3 wechselt die Aufgabe vorzutanzen, hier ist es dann nicht mehr nur Natalie, die das macht, sondern auch die TeilnehmerInnen können dieses Vortanzen übernehmen. Dabei lässt sich beobachten, dass keineswegs alle TeilnehmerInnen diese Rolle des Vortanzens übernehmen.

Variante 4 schließlich stellt eine Kombination aus den Varianten 2 und 3 dar, auch hier lässt sich beobachten, dass nur wenige TeilnehmerInnen die dann doppelt exponierte Situation in der Kreismitte wählen.

Die Variante 5 schließlich unterscheidet sich von den anderen Varianten vor allem dadurch, dass eine der AkteurInnen, die Tanzpädagogin, die Genauigkeit der Nachahmung evaluiert und Hinweise gibt, wie ihre Bewegungen besser nachgeahmt werden können. Welche Schwierigkeiten durch diese Form der Evaluation entstehen können, zeigt sich in den nun folgenden Sequenzen, die aus Hiphop-Choreographien stammen.

6.2 Hiphop-Choreographien

Die Hiphop-Choreographien stellen den zweiten Tanzrahmen dar, der hier vorgestellt werden soll. In vier aufeinanderfolgenden Stunden versuchte die Tanzpädagogin Natalie, den TeilnehmerInnen eine von ihr vorbereitete Hiphop-Choreographie beizubringen. Wie die folgende Sequenz zeigt, unterscheidet sich der Aufbau des Rahmens der Hiphop-Choreographie erheblich von dem des Chace-Kreises:

Sequenz 44: Die Tuba kanns besser als die Hilal

Ereignis: HipHop-Tanz   Quelle: AG_15.01.07   Timeline: 0:28-2:12

```
1    Alle AkteurInnen stehen gemeinsam im Kreis.
2      Natalie:   also STEFFEN (.) wir haben letzte woche den ers-
3                 ten teil von dem hiphop tanz gemacht (---) heute
4                 machen wir weiter (.) stellt ihr euch einfach
5                 mal hier wieder auf (.) alle in einer linie und
6                 schaut zum tim
7    Alle TeilnehmerInnen und auch die Lehrerin stellen sich an einer der
8    Linien auf dem Hallenboden auf, vor allem in der Mitte stehen viele
```

---

368 Eine ausführliche Analyse dieser Chace-Kreis-Variante findet sich in: FINK 2009, S. 229-234.

```
9     sehr eng beieinander.
10    Natalie:    <<tritt aus der Linie heraus, geht etwa zwei Me-
11                ter nach vorne, dann dreht sie sich um> und du
12                steffen gehst mehr in die mitte <<zeigt auf die
13                in der Mitte Stehenden>
14    Steffen:    <<kommt zu Natalie, die etwa zwei Meter vor den
15                an der Linie aufgestellten TeilnehmerInnen
16                steht>
17    Natalie:    und ihr steht mal nicht so eng <<schiebt ihre
18                beiden Armen nach außen> das immer ( ) dazwi-
19                schen platz hat
20    Steffen:    was (.) wohin?
21    Natalie:    <<zeigt ganz nach rechts> nasir (.) geh noch ein
22                bisschen nach rüber
23 Sie fährt damit fort, den TeilnehmerInnen ihre Plätze zuzuweisen. Sie
24 sagt ihnen, wo sie hingehen sollen, dann tritt sie zu ihnen und richtet
25 die einzelnen aus, indem sie sie auf einen Platz schiebt. So gelingt es
26 ihr, dass zwischen allen an der Linie stehenden mehr Platz ist als vor-
27 her. Steffen steht in dieser Zeit alleine in der Mitte.
28    Natalie:    jetz muss aber noch der Steffen mittenrein
29                <<nimmt ihn an den Schultern und führt ihn zwi-
30                schen Hilal und Maria> damit er (.) der steffen
31                kommt hier noch rein (.) damit er abgucken kann
32                (.) könnt ihr mal ( )
33    Maria:      ja=a
34    Natalie:    ja?
35    Hilal:      ich nich
36    Natalie:    doch
37    Maria:      er muss dahin <zeigt links neben sich> die tuba
38                kanns besser als die hilal
39    Tuba:       ICH kanns besser als DU;
40    Hilal:      <<blickt zu Tuba>
41    Tuba:       <<stupst Maria an> ich kanns [besser als du,]
42                <<tippt sich mit dem Finger an die Stirn>
43    Natalie:    [wies GEht (.) wisst ihrs noch?]
44    Tuba:       <<macht die ersten zwei Schritte der Tanzchoreo-
45                graphie>
46    Maria:      <<guckt Tuba zu>
47 Mehrere TeilnehmerInnen beginnen die ersten Schritte der Choreographie
48 durchzuführen.
49    Tuba:       <<tritt zurück in die Reihe>
50    ?:          HALLO?
51    ?2:         <<all> darf ich vormachen=darf ich vormachen?
52 Viele Stimmen durcheinander, daher unverständlich.
53    Natalie:    die lara macht jetzt mal vor (-) okay?
54    Lara:       <<tritt nach vorne und stellt sich in der Mitte,
55                in der Nähe von Natalie, auf>
```

Zunächst fällt auf, dass Natalie hier viel Zeit darauf verwendet, eine bestimmte körperliche Anordnung der TeilnehmerInnen herzustellen (Z. 2-29). Zunächst lässt sie sie an einer Linie aufstellen, ist aber mit dem Abstand, den die TeilnehmerInnen voneinander haben, nicht zufrieden und legt schließlich selbst Hand an, um die Körper zu positionieren. Hier sind die TeilnehmerInnen nun nicht mehr in einem Kreis angeordnet, sondern in einer geraden Linie, die Blickrichtung nach vorne. Der Aufmerksamkeitsfokus wird so in diese Richtung gelenkt.

Dann wird Steffen ein besonderer Platz in der Mitte zugewiesen. Natalie begründet diese Platzwahl auch, damit er nämlich „besser abgucken" kann (Z. 27-31). Die Reaktionen der Mädchen, die links und rechts von Steffens neuem Platz stehen, zeigen, dass sich dieses „Abgucken" keineswegs auf Natalie, die Vortänzerin, bezieht. Maria ist es, die sich darüber Gedanken macht, von wem es sich gut abgucken lässt und die ein Ranking des Könnens vornimmt und konstatiert, dass Steffen besser neben Tuba und ihr stehen sollte, da Tuba es besser kann als Hilal (Z. 36-37). Maria ist es damit, die als erste den Fokus auf das Beherrschen oder Nicht-Beherrschen der Bewegungsabfolge richtet und so eine Differenz zwischen „Können" und „Nicht-Können" einzieht, die die weiteren HipHop-Choreographien durchziehen wird. Hilal weist diese Beurteilung ihres Vermögens – schlechter als Tuba – nicht zurück (Z. 39), Tuba aber greift dieses Ranking auf und wendet sich ihrerseits an Maria und führt das Ranking fort: „Ich kanns besser als du" (Z. 38). Da sie weder von Hilal noch von Maria eine Reaktion bekommt, beginnt sie ihr Vermögen zu zeigen (Z. 40-43), bekommt aber wieder keine Reaktion, weder von Hilal noch von Maria. Die Frage von Natalie fokussiert ebenfalls auf die Könnerschaft (Z. 42), sie fragt nach, ob die TeilnehmerInnen noch wissen, welchen Ablauf die Choreographie hatte, durch dies Frage entsteht eine große Unruhe (Z. 49-51) und Natalie wählt eine TeilnehmerIn aus, die Choreographie zu zeigen. Deutlich wird hier, dass es – im Unterschied zum Chace-Kreis – eine fixierte Bewegungsfolge gibt, die man beherrschen kann (Lara), nicht ganz so gut beherrschen kann (Hilal nach der Einschätzung von Maria; Maria nach der Einschätzung von Tuba) oder eben (noch) überhaupt nicht kann (Steffen). Dieses Ranking entlang der Differenz von Können/Nicht-Können spielt im weiteren Verlauf der Hiphop-Choreographie weiter eine entscheidende Rolle, wie die folgende Sequenz zeigt:

Sequenz 45: Ha=ha tschü:üß

Ereignis: HipHop-Tanz   **Quelle:** AG_15.01.07   **Timeline:** 16:11-16:55

```
1   Die Kamera ist auf die tanzenden TeilnehmerInnen gerichtet, diese ste-
2   hen in zwei Reihen so hintereinander, dass alle den Blick frei nach
3   vorne richten können. Man hört Natalie, die in einem festen Rhythmus
4   bis acht zählt. Im Bild sieht man Elkie, Louise, Hilal, Steffen, Maria
5   und Tuba (ich werde mich mit der Beschreibung vor allem auf Steffen
6   konzentrieren, da sein Tanz die dann folgenden Szenen auslöst).
7       Natalie:   okay (.) [fünf sechs sieben]
8       Steffen:   [<<dreht sich einmal schnell im Kreis>]
9   Die anderen Tänzerinnen warten im Freeze.
10      Natalie:   [acht]
11      Steffen:   [<<geht einen Schritt mit links nach vorne>]
12      Natalie:   eins
13  Die anderen Tänzerinnen beginnen mit der „Eins" ihren ersten Schritt
14  mit links, da geht Steffen schon seinen zweiten Schritt, er aber nun
15  mit rechts.
16      Natalie:   zwei drei vier fünf
17  Die TänzerInnen (auch Steffen) kommen mit der „Fünf" in eine leichte
18  Hocke und verschränken die Arme.
19      Steffen:   <<schiebt seinen Oberköper weit über sein linkes
20                 Bein hinaus nach links>
21      Natalie:   sechs sieben acht (---)
22  Hilal und Maria (die neben Steffen im Kamerabild zu sehen sind) richten
23  sich dabei auf, führen ihren rechten Arm einmal hinter dem Kopf vorbei
24  und kommen diesen Arm nach vorne gestreckt in die von der „Acht" gefor-
25  derte Haltung. Steffen hält bei der „Acht" seinen rechten Arm vor das
26  Gesicht, dann kratzt er sich am Kopf, führt den Arm hinter den Kopf und
27  lässt ihn kurz dort. Dann wechselt er den Arm, führt den rechten nach
```

```
28    vorne und den linken nach hinten, hinter den Kopf.
29        Natalie:   fünf sechs sieben acht EINS
30    Alle beginnen ihre Schritte auf die betonte „Eins", diesmal ist Steffen
31    nicht zu früh. Natalie zählt weiter und Steffen gelingt es bis zum
32    sechsten Schlag die richtigen Bewegungen durchzuführen. Auch bei der
33    „Sieben" hebt er der Choreographie entsprechend den rechten Arm und
34    führt ihn hinter den Kopf, dann führt er ihn allerdings weiter und
35    lässt sich der Bewegung des Armes folgend zu Boden fallen. Er springt
36    schnell wieder auf und stellt sich hin.
37        Natalie:   steffen↑ bleibst du mit dabei?
38        Steffen:   JA: (.) ich checks nich
39        Natalie:   du checkst es nicht?
40        ?:         ja-
41        ?2:        ich auch nich
42        Natalie:   wer hat dann=wer hats schon?
43        ?3:        ICH
44        Hilal:     <<f> ein bissi=bissi=bissi
45        Natalie:   und wer hat das gefühl er hats noch nich?
46        ?4:        halb
47        Natalie:   wer hats noch nicht↑ die kommen mal zu mir
48        ?5:        ha=ha (.) tschü=üß
49    Hilal, Tuba, Janina, Lisa, Elkie und Steffen gehen zu Natalie.
```

Diese Sequenz stammt aus demselben Projekttermin, im Fokus der Kamera bzw. der Beschreibung steht Steffen. Es fällt ihm nicht leicht, die Bewegungen im Rhythmus der gezählten Schläge durchzuführen. Er beginnt einen Schlag zu früh und beginnt daher die neue „Eins" mit dem falschen Fuß (Z. 10-15). Auch die Bewegungsfolge des „Arm hinter den Kopf und wieder nach vorne bringen", fällt ihm schwer, es gelingt ihm aber nach einer Selbstkorrektur, in die richtige Abschlusshaltung zu kommen (Z. 22-28). Im nächsten Durchgang, der von Natalie eingeleitet wird (Z. 29), ist er nicht mehr zu früh und es gelingt ihm bis zur „Sieben", die von der Choreographie geforderten Bewegungen durchzuführen (Z. 30-34). Dann aber führt er den Arm nicht mehr nach vorne, sondern lässt sich von dem Gewicht seines Armes nach hinten und auf den Boden führen (Z. 34-35). Er springt aber schnell wieder auf und stellt sich wieder auf die Füße (Z. 35-36). Dieses Hinfallen wird nun von Natalie kommentiert, sie wertet es als einen absichtlichen Verstoß gegen die geltenden Regeln und fordert ihn auf, „dabeizubleiben" (Z. 37). Steffens Antwort lässt sich als Entschuldigungsversuch für sein Verhalten interpretieren – er formuliert seine Bereitschaft, „mitzumachen" (JA:, Z. 38) und nennt den Grund, der ihm das Mitmachen erschwert (Z. 38): er behauptet, es „nicht zu checken". Damit nimmt er die schon aus der vorherigen Sequenz etablierte Differenz auf und ordnet sich selbst denen zu, die es nicht können. Auffällig ist dabei, dass seine Selbstklassifikation im Grunde gar nicht richtig ist, er hat die geforderte Bewegungsabfolge gerade „richtig" durchgeführt und nur den Bewegungsabschluss durch sein Fallen und Aufstehen – das im Übrigen ziemlich gekonnt und schnell durchgeführt wurde – verändert. Natalie nimmt seine Selbstbeschreibung aber an und stellt an alle TeilnehmerInnen die Frage, wer es denn „schon habe"? (Z. 42) Zwei der TeilnehmerInnen ordnen sich dieser Gruppe der Könner zu – eine klar und entschieden (Z. 34), Hilal noch zögerlich (Z. 44). Natalie stellt daraufhin die Frage umgekehrt (Z. 45) und bekommt eine Antwort einer TeilnehmerIn, die sich allerdings nur bedingt der Gruppe zuordnen will, die es noch nicht haben („halb", Z. 46). Daraufhin überführt Natalie die Differenz zwischen „Können" und „Nicht-Können" in eine binäre Differenz, indem sie zwei Gruppen bilden lässt: Die, die es können und die, die es nicht können (Z. 47). Der sich daran anschließende Kommentar zeigt, dass es dabei nicht nur um Können oder Nicht-Können geht: Einige der TeilnehmerInnen, die es wohl schon können, oder zumindest glauben es zu können, verabschieden die Anderen, die „Nicht-Könner", mit einem höhnischen Kommentar (Z. 48).

Die nächste Sequenz setzt zwei Minuten später ein und zeigt einen Ausschnitt aus dem Tanz der „Nicht-Könner":

Sequenz 46: Auslachen 2 ?!

Ereignis: HipHop-Tanz   **Quelle:** AG_15.01.07   **Timeline:** 19:00-19:30

```
1   Hilal, Tuba, Janina, Lisa und Steffen stehen an einer Linie, und bli-
2   cken zu Natalie. Natalies Körper ist in dieselbe Richtung wie die der
3   TeilnehmerInnen gerichtet; sie dreht den Kopf, um so zu den Teilnehmer-
4   Innen blicken zu können. Alle gucken nach rechts zur anderen Turnhal-
5   lenhälfte, dort hört man Frau Zellmaier die Schläge zählen.
6        Natalie:   fünf´ JANINA: (.) zuschaun
7        Janina:    <<wendet den Blick zu Natalie>
8   Steffen, Lisa und Tuba gucken weiter nach rechts zur anderen Turnhal-
9   lenhälfte.
10       Natalie:   LISA (.) zuschaun
11       Lisa:      <<wendet den Blick zu Natalie, nickt>
12       Natalie:   <<wendet auch ihren Körper zu den TeilnehmerInn-
13                  en> sonst könnt ihr drüben mitmachen (.) wenn
14                  ihrs nicht einzeln üben wollt (.) dann können
15                  wir [(         )]
16       ?:         <<von der anderen Hälte der Turnhalle> [<<ff>
17                  FÜNF SECHS SIEBEN ACHT]
18       Natalie:   ALSO <<wendet sich wieder nach vorne, beginnt
19                  mit den Schritten>
20  Nur Hilal und Tuba folgen ihr und machen die Schritte mit ihr gemein-
21  sam, Janina, Lisa und Steffen bleiben an der Linie stehen und gucken
22  Hilal und Tuba zu.
23       Janina:    <<lacht>
24       Steffen:   [<<lacht>]
25       Lisa:      [<<lacht>]
26       Janina:    [<<lacht>]
27       Janina:    <<klatscht in die Hände>
28       Hilal:     <<dreht sich um, zeigt mit dem Zeigefinger auf
29                  Janina, kommt dann lachend auf sie zu>
30       Natalie:   habt ihrs↑ dann mag ichs nochmal sehen
```

Nur fünf der TeilnehmerInnen hatten sich entschieden, mit Natalie in die andere Turnhallenhälfte zu wechseln und dort als Gruppe der „Nicht-Könner" mit ihr weiterzuüben. Als die Sequenz beginnt, stehen die fünf an der Ausgangslinie, blicken aber alle zur Gruppe der „Könner" (Z. 1-5). Natalie fordert die TeilnehmerInnen mit Namen auf, sich ihr zuzuwenden, dies machen die von ihr Angesprochenen, die anderen blicken weiter in die andere Turnhallenhälfte (Z. 6-11). Natalie interpretiert das als ein Desinteresse an dem von ihr angebotenen „Nachhilfeunterricht" (Z. 12-14), dann wird das Zählen aus der anderen Tunrhallenhälfte so laut, dass Natalie nicht mehr zu verstehen ist (Z. 15-17). Obwohl kein Zustimmungssignal der TeilnehmerInnen zu beobachten ist, beginnt Natalie mit einem „ALSO" einen erneuten Durchlauf (Z. 18-19). Nur Hilal und Tuba folgen ihr aber, die anderen bleiben auf der Ausgangslinie stehen (Z. 20-22). Janina beginnt zu lachen und Steffen und Lisa fallen in dieses Lachen ein (Z. 23-26). Janina klatscht und Hilal kommt – ebenfalls lachend und einen Zeigefinger ausstreckend – auf sie zu. Es bleibt unklar, wie dieses Lachen zu interpretieren ist – auch die Reaktion von Hilal gibt keinen eindeutigen Hinweis. Der höhnische Kommentar aus *Seq_45: Ha=ha tschü:üß* und die nächste Sequenz verweisen aber darauf, dass das Ausgelachtwerden für das Nicht-Können eine große Rolle spielt. Daher erscheint es mir als sehr plausibel, auch ein Lachen, dessen Bedeutung nicht aufgelöst wird, als ein problematisches Lachen in dieser Situation zu deuten. Dabei erweisen sich die Zuschauenden als das Problem für die „Nicht-Könner":

Sequenz 47: Weil's mir peinlich ist

Ereignis: HipHop-Tanz   Quelle: AG_15.01.07   Timeline: 21:50-23:10

```
1    Hilal, Tuba, Janina, Lisa und Steffen üben die Choreographie. Natalie
2    zählt die Schläge und bei jedem Neubeginn startet eine der TänzerInnen
3    von der Grundlinie. Als letzter steht Steffen an der Grundlinie bereit.
4    Er hat die Hände vor dem Gesicht, dann faltet er sie vor dem Körper,
5    blickt nach oben und hebt dann auch die gefalteten Hände.
6         Natalie:  [eins zwei drei vier]
7         Steffen:  [<<geht vier Schritte nach vorne, die Beine da-
8                   bei kaum knickend>]
9    Bei fünf und sechs vollzieht Steffen die richtigen Bewegungen, er
10   rutscht aber fast so weit mit den Füßen auseinander, dass er sich kaum
11   auf den Beinen halten kann. Er schafft es aber gerade noch, seinen Arm
12   zu heben und dicht hinter dem Kopf nach vorne zu führen. Beim
13   nächsten Durchgang geht er in einem noch „stechender" ausgeführten
14   Schritt, bei dem er seine Füße lautstark auf den Boden fallen lässt und
15   stoppt nicht bei der 4, sondern läuft einen Schritt weiter. Dann bewegt
16   er kurz den Arm hinter den Kopf und nimmt ihn dann wieder nach vorne.
17   Nachdem sie zu Ende gezählt hat, kommt Natalie auf Steffen zu.
18        Natalie:  du hast keine lust
19        Steffen:  <<nickt>
20        Natalie:  und was können wir da machen?
21        Steffen:  gar nichts
22        Natalie:  wieso?
23        Steffen:  weil ich kann das nicht
24        Natalie:  <<wendet sich zu Hilal, die gerade vorbeiläuft
25                  und sich auf den Boden setzt> hilal (.) des war
26                  super
27        Steffen:  <<läuft einige Schritte davon und lässt sich
28                  hinter Hilal auf den Boden fallen>
29        Hilal:    (        ) <<steht auf>
```

```
30    Natalie:  <<zu Steffen blickend> hä?
31    Steffen:  ZU PEINlich
32    Natalie:  WAS↑ (.) des mitzumachen↑ und wenn du in der
33             gruppe mit dabei bist?
34    Steffen:  <<dreht sich am Boden auf den Knien im Kreis>
35    Natalie:  <<f> auch wenn du in der gruppe mit dabei bist?
36    Steffen:  JA
37    Natalie:  wieso?
38    Hilal:    <<setzt sich auf den Boden und wendet sich
39             zu Steffen> o:h mann (.) des is TANZ ag
40    Natalie:  des hat doch jetzt gar nichts mit dir zu tun
41    Hilal:    DOCH
42    Natalie:  NE (.) hats gar nich¬
43    Hilal:    (       )
44    Natalie:  du kannst einfach mittanzen
45    Hilal:    <<p> ich weiß nicht
46    Natalie:  <<pp> (       )
47    Hilal:    <<pp> (       )
48    Natalie:  DOCH (.) hast du wirklich
49    Hilal:    <<guckt in die Kamera, dann dreht sie ih-
50             ren Körper von der Kamera weg und steht auf>
51    Natalie:  und STEFFEN (.) ich zeigs dir jetzt nochmal al-
52             lein(.) okay?
53    Steffen:  <<steht auf>
```

Steffen zeigt kurz vor dem Beginn seines Durchlaufes eine ausdrucksstarke Bewegungsfolge: er hält die Hände vors Gesicht, faltet sie dann wie zu einem Gebet und richtet den Blick und dann auch die Hände nach oben als ob er göttlichen Beistand erflehen möchte (Z. 2-5): Er beginnt dann seinen Durchlauf und zeigt – wie eine detaillierte Bildanalyse deutlich macht – eine Modulation der Choreographie, die er nur ausführen kann, weil er die eigentliche Bewegungsfolge beherrscht. Er vergrößert seine Bewegungen bzw. setzt sie extrem abgehakt, bleibt aber der Bewegungsfolge treu (Z. 6-17). Er vollzieht die geforderten Bewegungen, zeigt aber zugleich durch seine Art der Ausführung eine große Distanz zu diesen Bewegungen an. Natalie reagiert darauf, sie interpretiert sein Verhalten so, dass er keine Lust habe (Z. 18). Steffen bestätigt das und Natalie fragt nach, ob daran irgendetwas zu ändern sei (Z. 20). Sie spricht dabei von „wir" und zeigt so an, dass sie ihm und sich diese Frage stellt. Steffen verneint aber mögliche Maßnahmen und hat auch eine Begründung dafür, nämlich die, dass er es halt nicht könne (Z. 21-23). Nach einem kurzen Zwischengespräch mit Hilal, die von Natalie gelobt wird (Z. 24-26), gibt Steffen schließlich noch einen weiteren Grund an, der ihn daran hindere, Spaß zu haben, nämlich den, dass es ihm zu „peinlich" sei (Z. 31). Dieses „peinlich sein" weist auf ein Problem hin, das auch in der Fallstudie *Übungen* eine bedeutende Rolle spielt. Für Steffen scheint es schwierig, sich auszuprobieren, er fürchtet eine sofortige Evaluation seines Tanzes, der in den Augen der anderen „peinlich" sein könnte. Durch diese Aussage gewinnt seine gerade gezeigte Durchführung einen neuen Sinn: Er macht so seine Distanz zu dieser Tanzchoreographie offensichtlich. Im Grunde parodierte er die Tanzchoreographie, indem er die Bewegungen stark reduzierte oder so vergrößerte, dass er sie kaum noch beherrschen konnte. Diese Art der Durchführung kann so von niemandem als „ernsthafte" Durchführung angesehen werden und kann damit auch nicht „wirklich" peinlich sein. Natalie fragt noch weiter nach und möchte die Bedingungen für das „peinlich" genauer ergründen (Z. 32-36), es schaltet sich aber Hilal ein, die Steffen zu verstehen gibt, dass er sich nicht so anstellen soll (Z. 38-39). Natalie weist ihre Einmischung zwar zurück und bringt Hilal dazu, aufzustehen und wieder mit den anderen zu tanzen (Z. 40-50), greift aber dann nicht mehr das Gespräch über die Bedingungen der Peinlichkeit auf, sondern schlägt Steffen vor, es ihm allein zu zeigen (Z. 51-52).

Sie versucht das dann – im Anschluss an diese Sequenz – auch, es schließen sich aber immer wieder andere TeilnehmerInnen dem Tanz von Natalie und Steffen an und Steffen gibt seinen parodierenden Stil zu keiner Zeit ganz auf, wie die nun folgende, letzte Sequenz aus den HipHop-Choreographien, zeigt:

Sequenz 48: Nasir tanzt allein

Ereignis: HipHop-Tanz   Quelle: AG_15.01.07   Timeline: 29:00-29:30

```
1   Alle TeilnehmerInnen stehen in einer Ecke der Turnhalle. Es wird ein
2   HipHop-Stück eingespielt und auf jedes Zählen einer 8er-Sequenz durch
3   Natalie startet eine Kleingruppe zu einer getanzten Diagonale durch
4   den Raum. Die anwesenden drei Jungen Thomas, Steffen und Nasir stehen
5   ganz hinten. Als die drei Mädchen vor ihnen an der Reihe sind, stellt
6   sich Nasir ganz in die Ecke und Thomas, der gemeinsam mit Steffen wei-
7   ter vorne steht, dreht den Kopf nach ihm um. Dann dreht er sich zu-
8   rück, blickt Steffen kurz an und die beiden beginnen ihren Tanz. Sie
9   blicken sich an, gehen die ersten vier Schritte auch richtig, Thomas
10  begibt sich in die Knie und beginnt damit, seinen Arm hinter den Kopf
11  zu bewegen, bricht dann aber in dieser Bewegung ab und verschränkt die
12  Arme vor dem Oberkörper. Steffen guckt ihm dabei zu und unternimmt nur
13  eine kurze angedeutete Bewegung mit seinem Arm. Dann treten die beiden
14  von der nächsten Acht angetrieben wieder vier Schritte nach vorne, die
15  Hände weit nach hinten und vorne ausschlagen lassend.
16  Nasir tanzt alleine hinter den beiden, er ist sehr genau in seinen Be-
17  wegungen und es gelingt ihm, sich an den von Natalie vorgegebenen
18  Rhythmus zu halten. Auch die folgenden Diagonalen tanzen Steffen und
19  Thomas zusammen, sie halten sich dabei immer weniger an die vorgegebe-
20  ne Choreographie und bewegen sich mit eigenen Bewegungen durch die Di-
21  agonale, die sie allerdings schon bei der Hälfte abbrechen und den
22  Rest nur noch laufend zurücklegen. Nasir tanzt jedesmal allein und
23  bleibt sehr genau und tanzt seine Diagonalen bis zum Ende.
```

Hier tanzen Steffen und Thomas gemeinsam, zu Beginn versuchen sie noch – vor allem Thomas – die Choreographie mit den vorgegebenen Bewegungen zu tanzen, geben dies aber schnell auf und bewegen sich nur noch mit eigenen Bewegungen durch die Diagonalen. Nasir schließt sich ihnen von Beginn an nicht an, sondern tanzt seine Diagonalen ganz allein. Er hält sich dabei – im Gegensatz zu den beiden anderen Jungen – an die vorgebene Bewegungsabfolge und es gelingt ihm, sich im Rhythmus der von Natalie gezählten Schläge zu bewegen. Er schließt sich keiner der „ernsthaft" tanzenden Mädchengruppen an, aber auch nicht den beiden die Choreographie persiflierenden Jungen, er geht das Risiko ein, alleine zu tanzen, obwohl er sich dadurch selbst aus der parodierend tanzenden Jungengruppe ausschließt und auch nicht zu der ernsthaft tanzenden Mädchengruppe gehört. Steffen und Thomas verweigern sich hier – und auch in den nächsten Stunden, in denen an der HipHop-Choreographie geübt wird – der ernsthaften Teilnahme und nehmen entweder parodierend oder überhaupt nicht mehr teil. Steffen beendete nach der nächsten Projektstunde sogar seine weitere Teilnahme ganz, ohne dass er den AnleiterInnen oder den TeilnehmerInnen seine Gründe hierfür offenlegte.

Die vorgegebene Bewegungsabfolge der HipHop-Choreographie führt dazu, dass sich schnell eine Differenz zwischen denen, die die Bewegungsabfolge „können" und denen, die sie „nicht-können", herstellt, sowohl von den TeilnehmerInnen als auch von den Anleiterinnen. Dies führt dazu, dass einige TeilnehmerInnen, insbesondere Steffen und Thomas die weitere Auseinandersetzung mit der Bewegungsfolge vermeiden, da sie ihr Nicht-Können als „peinlich" erleben. Diese Peinlichkeit ist dabei nicht nur eine Furcht vor negativer Evaluation, die sie aus anderen Kontexten übertragen, in den Sequenzen selbst finden sich Stellen, in denen sich die anderen TeilnehmerInnen über die Nicht-Könner lustig machen. Es scheint dabei in diesem Projekt gerade für die beiden Jungen Steffen und Thomas schwierig, sich mit der Bewegungsfolge anders als persiflierend auseinanderzusetzen, obwohl es mit Nasir auch einen Jungen gibt, der sich sehr ernsthaft und ausdauernd mit der HipHop-Choreographie beschäftigt. Nasir versucht dabei allerdings auch nicht, die beiden Jungen „mitzuziehen", er distanziert sich von ihnen und tanzt für sich allein.[369] Die Differenz von Können/Nicht-Können hat hier eine exkludierende Wirkung, die vermutlich so stark ist, dass Steffen deswegen die gesamte weitere Teilnahme am Projekt aufgab. Er verriet seine Gründe dafür zwar weder den AnleiterInnen noch den TeilnehmerInnen, aber Elkie berichtet in einem Gespräch über die Abmeldung von Steffen, dass er ihnen auf dem Pausenhof oft „Hallo, wie geht´s Euch, Ihr Scheißtanzkinder?!" zurufe.[370]

6.3 Tanz ≠ Tanz: Gemeinschaftserleben vs. Können/Nicht-Können

Die beiden hier vorgestellten Tanzrahmen scheinen zunächst nicht sehr verschieden. In beiden Fällen geht es um die Synchronisation von Bewegungen. In einem Fall aber, dem Chace-Kreis, wird die synchrone Durchführung nicht überprüft, im anderen Falle, den HipHop-Choreographien, geht es um die möglichste exakte Nachahmung einer vorgegebenen Bewegungsabfolge. Da die Bewegungsabfolge feststeht, gibt es eine „Norm", die mit den je eigenen Bewegungen erreicht oder nicht erreicht werden kann. Wie die Analyse der hier vorgestellen Sequenzen gezeigt hat, sind es dabei gar nicht in erster Linie die AnleiterInnen, die die korrekte Durchführung der Bewegungen evaluieren, sondern die TeilnehmerInnen selbst, die ein Ranking des Beherrschens bzw. Nicht-Beherrschens vornehmen. Die HipHop-Choreographien werden so zu einer „normalisierenden" Praxis, wie sie Norbert Wennig mit Rückgriff auf Foucault als „schultypisch" beschrieben hat.[371] Bei Wennig liegt das „normalisierende" Element in der Praxis der Notenvergabe, die die Verschiedenheit der SchülerInnen zur „Ungleichheit" werden lässt, die auf einer Notenskala, die auch einen „Normwert"

---

[369] Der vierte Junge des Projekts, Magnus, ist die ersten zwei der vier HipHop-Stunden krank, in den anderen nimmt er eine Zwischenstellung zwischen Nasir und den beiden anderen Jungen ein. Er nimmt teil – nicht ganz so parodierend wie es Thomas und Steffen getan haben, aber auch nicht so ernsthaft wie Nasir.
[370] AG_12.2.07_Gesprächskreis_25:30.
[371] Siehe hierzu ausführlicher I/3.2 bzw. Wenning 2001.

umfasst, abgebildet wird. In den HipHop-Choreographien in dieser Projektgruppe lässt sich ein ähnliches Phänomen analysieren, das sich allerdings ohne Noten vollzieht. Durch die gemeinsame Bewegungsaufgabe, die eine sehr klar definierte Gestalt besitzt, entwickelt sich eine Praxis des Unterscheidens zwischen denen, die die Bewegungsfolge beherrschen, denen, die sie ein bisschen beherrschen und denen, die sie überhaupt nicht beherrschen. Im Unterschied zur schulischen Praxis des Notenvergabe wird bei den HipHop-Choreographien zwar keine Stufe definiert, die, wer „normal" sein will, auch zu erreichen hat, aber es lässt sich trotzdem eine exkludierende Wirkung beobachten. Die TeilnehmerInnen, denen die korrekte Nachahmung (vermeintlich) schwer fällt, werden von einigen anderen TeilnehmerInnen ausgelacht. Das Nicht- oder Noch-nicht-Beherrschen wird so zum Kriterium des Ausschlusses gemacht. Vor allem zwei der TeilnehmerInnen, Thomas und Steffen, reagieren darauf mit einer Strategie, die man als „persiflierende Durchführung" bezeichnen könnte: Sie tanzen nicht mehr „ernsthaft" mit, sondern verstärken die vorgegebenen Bewegungen so stark, dass es wie eine persiflierende Durchführung wirkt. Meine Erklärung für dieses Verhalten ist, dass sie so versuchen, sich der Evaluation durch die anderen TeilnehmerInnen zu entziehen, da sie ja – offensichtlich – gar nicht ernsthaft versuchen, die Bewegungsfolge durchzuführen. Die nicht-korrekte Durchführung kann ihnen damit nicht mehr als Fehler vorgehalten werden, da sie ja gar nicht versucht haben, die Bewegungen korrekt durchzuführen: Sie sind nicht mehr Tänzer, die daran scheitern, eine Bewegungsfolge synchron mit den anderen TänzerInnen zu tanzen, sondern sie sind Personen, die Tänzer parodieren und daran nicht scheitern, sondern genau das tun: sie parodieren die Tanzbewegungen der anderen. Goffman analysiert dieses Phänomen folgendermaßen:

„Wenn dem Menschen auch kleinere Anpassungen verwehrt sind, zieht er die ganze Situation und sich selbst ins Lächerliche, so dass er noch etwas anderes sein kann als der Rollenspieler."[372]

Die Praxis des Parodiens ermöglicht also den „Nicht-Könnern" ihr Gesicht zu wahren, es führt aber auch dazu, dass sich die parodierend Tanzenden nicht mehr mit der Bewegungsaufgabe auseinandersetzen und ihr vorhandenes Können nicht wahrnehmen und auch nicht zeigen. Besonders problematisch erscheint die Differenzierungspraxis in Könner und Nicht-Könner, weil sie es den vermeintlichen Nicht-Könnern, die dann parodierend tanzen, verunmöglicht, sich mit der Bewegungsfolge ernsthaft auseinanderzusetzen. Im Falle von Steffen führt diese Differenzierungspraxis wahrscheinlich sogar dazu, dass er seine Teilnahme am Projekt beendet, obwohl ihm gerade das Tanzen, wie er in einem Interview kurz vor den Stunden mit den HipHop-Choreographien mitteilte, am meisten Spaß machte.[373] Auffällig ist auch, dass die Strategie des Parodierens hier vor allem von Jungen angewendet wurde. Es stellt sich die Frage, ob das nicht mit den Vorstellungen von geschlechtsadäquaten Verhaltensweisen zusammenhängt. West & Zimmerman formulieren das folgendermaßen:

„[...] a person engaged in virtually any activity may be held accountable for performance of that activity as a *woman* or a *man*, and their incumbency on

---
372 Goffman 1977a, S. 384.
373 Interview_Steffen_6.12.07, S. 6.

one or the other sex category can be used to legitimate or discredit their other activities."[374]

„Tanzen" wird eher als eine „weibliche" Tätigkeit eingeschätzt, wenn Männer dennoch tanzen, dann haben sie das gekonnt, kraftvoll und elegant auszuführen.[375] Steffen und Thomas stehen also mit ihren Schwierigkeiten, die HipHop-Choreographien zu tanzen, vor einem doppelten Problem: Sie tanzen nicht nur – nein – sie üben sich im Tanzen und sind damit mit Aktivitäten beschäftigt, die traditionellen Vorstellungen von „Männlichkeit" entgegenstehen.

Im Unterschied zu den HipHop-Choreographien wird im Chace-Kreis die Synchronität der Bewegungen nicht evaluiert. Es gibt keine so klar definierte Bewegungsfolge und niemanden, der die genaue Nachahmung überprüft. Es geht nicht um die exakte Nachahmung, sondern „nur" um die gemeinsame Bewegung. Entscheidend ist dabei, dass alle anwesenden AkteurInnen auch am Chace-Kreis beteiligt sind und es keine Personen gibt, die als ZuschauerInnen die durchgeführten Bewegungen beurteilen. Es ließ sich beobachten, dass die beteiligten AkteurInnen großen Spaß daran haben, ihre Bewegungen miteinander zu synchronisieren, eine mögliche Erklärung dafür liegt im Begriff der „kinästhetischen Empathie", der von Marian Chace, der „Erfinderin" des Chace-Kreises, geprägt wurde. Die beteiligten AkteurInnen im Chace-Kreis können sich als „Gleiche unter Gleichen" fühlen, die gemeinsame Bewegung schafft ein hohes Maß an gefühlter Gemeinschaft.[376] Meine Erklärung für dieses Phänomen ist, dass die gemeinsame Bewegung eine Differenzierung in Zeigende und ZuschauerInnen und damit eine potentielle Evaluation der Handlungen der Zeigenden unterläuft und sich zudem die eigene Körperwahrnehmung auf die Körper der anderen Tanzenden erweitert. Robert Gugutzer hat dieses Phänomen der Ausweitung der eigenen Körperwahrnehmung und dessen Bedeutung für die Identitätsentwicklung unter Rückgriff auf Merleau-Ponty beschrieben:

„In solchen Situationen, in denen ich in einem Auto sitzend durch eine enge Gasse fahre oder einen Hut tragend durch eine niedrige Tür eintrete, weitet sich das räumliche Empfinden meines Leibes auf die Begrenzung des Autos oder des Hutes aus. Auto und Hut sind hier keine Gegenstände ‚an sich' mehr, die mir gegenüberstehen, vielmehr ‚verschmelzen' sie mit meinem Leib – ich einverleibe sie mir. Es ist mein Leib als Situationsräumlichkeit, das heißt als praktisches Vermögen, der es mir erlaubt, die in diesen Situationen mir entgegentretenden Aufgaben ‚instinktiv' zu erfüllen (zwischen den Bäumen bzw. durch die Tür durchzukommen), und dies in diesen Fällen deshalb, wie die Grenze meines (empfundenen) Leibs über den Umfang meines (‚objektiven') Körpers hinaus auf die jeweiligen Gegenstände sich ausweiten kann. Das leibliche Vermögen, eine praktische Welt zu öffnen, kann sich somit auf immer neue praktische Räume ausdehnen."[377]

---

374 West/Zimmerman 1987, S. 136.
375 Vgl. hierzu auch Seq_58: ganz=ganz=ganz, in der Maria einen Auftritt von Magnus als „ballerinahaft" beschreibt, sie macht dadurch deutlich, dass diese Art zu tanzen, „eigentlich" Frauen vorbehalten ist.
376 Ich nahm als Teilnehmender Beobachter selbst an einigen Chace-Kreisen teil und habe daher den Spaß und die Zugehörigkeit, die mit dem Chace-Kreis verbunden sind, auch am eigenen Leib erfahren.
377 Gugutzer 2002, S. 79.

Im Falle des Chace-Kreises, so meine Interpretation, weitet sich dieses Vermögen auf die gesamte Gruppe aus und schafft so ein sehr besonderes Gemeinschaftsgefühl. Tanz kann also, wie es im einleitenden Zitat beschrieben wird, gemeinschaftstiftend wirken, er kann aber auch, wie die Sequenzen aus den HipHop-Choreographien gezeigt haben, exkludierende Wirkung haben, wenn auf die Genauigkeit der Nachahmung fokussiert wird und eine Differenz zwischen „Könnern" und „Nicht-Könnern" entsteht. Gerade für die Jungen scheint dieses Problem beim Tanzen besonders virulent zu sein.

„Ein Gespräch zu verstehen, bedeutet zu rekonstruieren, mit welchen Problemen sich die Interaktanten beschäftigen."[378]

7 Gesprächsrahmen

In dieser siebten Fallstudie werde ich zwei *Gesprächsrahmen* vorstellen, deren Durchführung mit besonderen egalität- bzw. differenzerzeugenden Praktiken verbunden war. Ich verwende dabei den Begriff des „Gesprächsrahmens", um deutlich zu machen, dass es sich dabei um Rahmen handelt, in denen dem gesprochenen Wort entscheidende Bedeutung zukommt. Ich versuche so, diese Rahmen von den bisher vorgestellten zu unterscheiden, in denen natürlich auch gesprochene Sprache eine wichtige Rolle spielt, aber eben nicht durchgängig das zentrale Medium der Interaktionen darstellte.[379] Ich nenne diese Rahmen dabei ganz bewusst „Gesprächsrahmen", da ich damit auch Rahmen bezeichnen möchte, die normalerweise nicht als „Gespräche" bezeichnet werden: In der Projektarbeit kam es zu den folgenden Gesprächsrahmen, die als eigene Rahmen zu verstehen und zu analysieren sind: „Berichte", „Krisengespräche", „Organisationsgespräche", „Geschichtenentwicklungsgespräche", „Reflektionsgespräche" und „Feedbacksituationen". Angesichts der Komplexität von Gesprächen, die durch die Zahl der Partizipierenden, die Länge und die Komplexität des Themas gesteigert wird, kann diese Fallstudie nicht alle diese genannten Gespräche ausführlich analysieren. Ich werde mich daher auf die Geschichtenentwicklungsgespräche und die Feedbacksituationen beschränken.

Diese Auswahl begründet sich dadurch, dass in den Geschichtenentwicklungsgesprächen (7.1) versucht wurde, ein ganz spezifisches Problem, das mit der hier praktizierten Art des Theatermachens zusammenhängt, zu lösen. Die Anleiterinnen arbeiteten nach dem Prinzip des „Devising Theatre"[380], d. h. dass sie ohne ein fertiges Stück in die Projektarbeit gegangen sind. Die Geschichte und Inszenierung sollte vielmehr in der gemeinsamen Arbeit mit den TeilnehmerInnen entwickelt werden. Spannend daran ist, dass das „Devising Theatre" aus der Idee entstand, die Hierarchien zwischen AutorInnen, RegisseurInnen und SchauspielerInnen aufzubrechen und die SchauspielerInnen selbst auch zu AutorInnen und RegisseurInnen ihres Stückes zu machen. Aus diesem Ansatz ergibt sich aber die Notwendigkeit, Ideen für eine gemeinsame Geschichte zu entwickeln und irgendwann Entscheidungen über die Gestalt des Stückes zu treffen. Der erste Teil dieser Fallstudie wird der Frage nachgehen, wie diese Ideenfindung und Entscheidung gestaltet wurden.

Im zweiten Teil werde ich mich den Feedbacksituationen zuwenden (7.2). Auch an diesen Gesprächenrahmen ist interessant, dass „Feedback" als bestimmte Form des Gesprächs erfunden wurde, um hierarchische Beziehungsverhältnisse zu überwinden

---

378 Deppermann 1999, S. 81.
379 In Spielen zum Beispiel gibt es, wie in der Fallstudie *Spiele* ausführlich gezeigt, eine Phase der Spielerklärung, auch diese stellt natürlich ein Gespräch dar, aber ein Gespräch, das als Teil des Spielrahmens verstanden werden kann und das dort als Teil des Spielrahmens analysiert wurde.
380 Oddey 1997.

und Formen des gleichberechtigten Austauschs zu entwickeln.[381] Auch hier werde ich der Frage nachgehen, wie diese Feedbacksituationen gestaltet wurden und ob der Anspruch, eine egalitäre Gesprächssituation mit Feedbacksituationen zu schaffen, eingelöst werden konnte.

Zum Abschluss der Fallstudie werde ich wieder die analysierten differenz- bzw. egalitäterzeugenden Praktiken in einem eigenen Kapitel zusammenfassen (7.3).

7.1 Geschichtenentwicklungsgespräche

Mit der Entscheidung für die Arbeitsweise des „Devising Theatre" geht einher, dass die TeilnehmerInnen nicht nur als SchauspielerInnen in Erscheinung treten sollen, sondern auch als AutorInnen und RegisseurInnen des Stücks. In der nun folgenden Analyse werde ich zeigen, wie die Anleiterinnen versucht haben, diesem Anspruch, die Gestalt des Stücks gemeinsam mit den TeilnehmerInnen zu entwickeln und über die endgültige Form zu entscheiden, gerecht zu werden.

In insgesamt sechs Gesprächen fand die Geschichtenentwicklung statt. In den ersten drei Gesprächen dieser Art wurden Ideen für ein Stück gesammelt. Im vierten dieser Gespräche wurde die „Grundstory" festgelegt, im fünften die einzelnen Szenen geplant und im sechsten schließlich ein Name für das Stück gefunden. Das vierte dieser Gespräche, das ich im Folgenden genauer analysieren werde, stellt das mit Abstand längste Gespräch mit einer Dauer von 49 Minuten dar (die anderen dauerten zwischen zehn und zwanzig Minuten). Das Problem, das von den AkteurInnen hier gelöst werden sollte, war, aus den bisherigen Ideen das Grundgerüst der Geschichte zu entwickeln bzw. zu beschließen, welche „Grundstory" sie mit ihrem Stück erzählen wollten.

Das Gespräch beginnt, nachdem die beiden Anleiterinnen eine besondere räumliche Gestaltung der Bänke aufgebaut haben: Die TeilnehmerInnen sitzen auf drei Bänken, die zu einer Seite hin geöffnet sind. Hier sitzt Theresa auf dem Boden, zwischen ihr und den TeilnehmerInnen liegt ein sehr großer Bogen Papier, zudem hat Theresa kleine Karteikarten und einen dicken Filzstift dabei. Sie eröffnet das Gespräch folgendermaßen:

Sequenz 49: Ein SEHR SEHR wichtiger Teil

Ereignis: Geschichtenfindung 1   Quelle: AG_12.03.07   Timeline: 0:00-1:45

```
1    Theresa:   HM=HM (.) <<f> LADIES and GENTleme::n
2    ?1:        [ME::n]
3    ?2:        [ME::n]
4    Anna:      [(   ) ladies]
5    Theresa:   <<len> wir kommen zu einem SEHR SEHR wichtigen
6               teil unserer nachmittags=ag (-) unseres KUR-
7               SES=unseres JAHRES> (--) WEIL (--) <<all> wir
8               ham ja bisher: RICHTIG viele übungen gemacht und
9               ihr seid ja schon alle richtig gute: <<p> nasir
10              (.) magst du mal rutschen dann seh ich dich auch
11              <<all> ihr seid ja alle richtig gute tänzer und
12              schauspieler geworden (-) wir ham viele ideen
```

---

381 Vgl. dazu zum Beispiel FENGLER 1998.

```
13                zur geschichte schon entwickelt (.) und HEUTE
14                ist der große TAG an dem ich euch jetzt gleich
15                alle diese ideen dies schon gab <<acc> natürlich
16                teilweise schon ein bisschen zusammengefasst o-
17                der manche ideen sind im laufe der zeit auch
18                wieder rausgeflogen> (-) aber ich werd euch ALL
19                diese ideen präsentieren (.) und dann besprechen
20                wir hier in der runde GEMEINsam wie wir die ge-
21                schichte genau machen (-) wir müssen jetzt heute
22                noch nicht jedes detail festlegen jede KLEInig-
23                keit <<all> des entwickelt sich dann schon> ABER
24                wir sollten uns heute als ZIEL der STUNDE (.)
25                <<all> sagen wir mal bis zwanzig vor vier oder
26                so> (.) drauf einigen wie die geschichte vom ge-
27                samtablauf her sein soll damit wir DANN ab
28                NÄCHStes mal die geschichte wirklich EINstudie-
29                ren=PROBEN können (.) WEIL NÄMLICH (.) am fünf-
30                zehnten MAI das ist also mitte mai bis dahin ha-
31                ben wir nach heute noch sieben termine
32    Hilal:      sieben?
33    Theresa:    SIEben termine <all> is die erste aufführung
34    ?3:         .hhh
```

Die beiden Anleiterinnen haben eine besondere Sitzordnung aufgebaut, die allen TeilnehmerInnen einen guten Blick auf ein großes auf dem Boden liegendes Papier ermöglicht. Zudem haben sie mit Stiften und Karteikarten Dinge mitgebracht, die bis dato im Projektverlauf nur selten genutzt wurden. Theresa beginnt nun das „Geschichtenfindungsgespräch" und stellt den Bezug dieses Gesprächs zum bisherigen Projektverauf her. Sie formuliert dabei wiederholt die Bedeutung dieses Gesprächs (Z. 5-7, Z. 14) und unterstreicht diese Bedeutung durch ihre Wortwiederholungen und Betonungen (a.a.O.). Dann erklärt sie den Ablauf des Gesprächs, indem sie den TeilnehmerInnen ankündigt, dass sie zunächst versuchen wird, all die Ideen, die im Lauf der bisherigen Projekttermine entstanden waren, noch einmal zu präsentieren (Z. 18-19), um daran anschließend das Grundgerüst der Geschichte gemeinsam festlegen zu können (Z. 26-27). Daran schließt sie eine Erklärung an, die dieses Vorgehen und vor allem den Zeitpunkt des Gesprächs verständlich machen soll. Sie verweist darauf, dass es bald zu einer Zwischenaufführung kommen soll (Z. 33). Die Proben, die notwendig sind, um auf diese Aufführung hinzuarbeiten, sind aber nur möglich, wenn das Grundgerüst einer Geschichte vorliegt (Z. 27-28). Theresa markiert so dieses Gespräch als entscheidenden Wendepunkt, der eine Phase des Projekts, eine Vorbereitungs- und Ideensammlungsphase, abschließt und zu einer Phase überleitet, an deren Ende die erste Präsentation stehen soll.

In den folgenden Minuten spricht fast ausschließlich Theresa, die den TeilnehmerInnen zunächst unter Zuhilfenahme einer gemalten Spannungskurve erläutert, was eine gute Theatergeschichte auszeichnet. Daran anschließend stellt sie mit Karteikarten all die Ideen vor, die im Laufe der ersten Projekttermine schon entstanden waren, um schließlich die Vorbereitungen abzuschließen und die entscheidende Frage an die TeilnehmerInnen zu richten:

Sequenz 50: Wer hat schon eine Idee?

Ereignis: Geschichtenfindung 1   **Quelle:** AG_12.03.07   **Timeline:** 10:00-12:16

```
1    Theresa:  is ganz schön viel (.) oder?
2    (5)
3    Theresa:  wer hat schon ne idee?
4    Janne:    <<pp> ich
5    Theresa:  ich würd den vielleicht echt da hinlegen <<legt
6              einen Stab auf den Boden> DA (.)und dann ruf ich
7              dich auf dann kriegt ihr immer mit (.) dass wir
8              den nur als symbol hinlegen (-) einer SPRICHT
9              die anderen hören ZU
10   (2)
11   Theresa:  janne
12   Janne:    <<p> das wär doch wieder gut also das mit dem
13             stolpern also für die einführung
14   (1)
15   Theresa:  m:hm: (.) des is ganz´ des ist was ganz konkre-
16             tes (.) okay -
17   (2)
18   Theresa:  <<f> einfach mal´ sagt mal´ es geht jetzt WIRK-
19             LICH drum wie soll die geschichte´ was soll der
20             anfang sein der hauptteil der schluss (.) darum
21             gehts (--) wie wir das dann genau im einzelnen
22             machen das können wir noch besprechen des ist
23             jetz einfach mal da die ideen zu sammeln (.) an-
24             hand DIESer ideen (--) noch was janne↑
25   (4)
26   Theresa:  was wollt IHR machen↑ was wollt ihr für ne ge-
27             schichte dem publikum zeigen↑ darum gehts ja
28             letztendlich
29   (12)
30   Theresa:  magnus
31   Magnus:   vielleicht ne etwas spannendere geschichte nicht
32             so ne laschi=laschi geschichte
33   ?4:       <<lacht> <<pp> laschi=laschi geschichte
34   Theresa:  hast du ne konkrete idee↑ aus dem was wir da
35             haben wie man daraus ne coole geschichte machen
36             könnte (.) ne spannende?
37   (2)
38   Magnus:   jetzat hab ich noch keine idee
39   (1)
40   Theresa:  nasir
41   Nasir:    ALSO:: vielleicht könnt es ja so sein zu´ am an-
42             fang da: gibts halt so ÄNGstliche freunde dann
43             im hauptteil passiert vielleicht irgendwas und
44             am schluss sind die ganz MUTig
45   (2)
46   Theresa:  m:hm: okay
```

Theresa beendet die Vorstellung der gesammelten Ideen (Z. 1) und stellt nach einer langen Pause (Z. 2) die entscheidende Frage, wer nun eine Idee hat, wie aus all diesen vielen Ideen eine Geschichte zu machen ist (Z.3). Janne ist es, die diese Frage bejaht (Z. 4) und nach einer kurzen Verfahrensklärung der Rederechtvergabe durch Theresa (Z. 5-9), das Rederecht von Theresa zugewiesen bekommt (Z. 11). Ihr Vorschlag (Z. 12-13) wird von Theresa doppelt kommentiert: Zunächst macht sie klar, dass es sich bei diesem Vorschlag um einen sehr konkreten handelt (Z. 15-16), um dann zu verdeutlichen, was das Problem an sehr konkreten Vorschlägen ist (Z.18-24). Sie will eine Idee, die einen Anfang, einen Hauptteil und einen Schluss umfasst. Sie bietet Janne noch einmal das Rederecht an (Z. 24), um nach einer langen Pause (Z. 25) um Vorschläge zu werben (Z. 26-28). Darauf folgt wieder eine sehr lange Pause (Z. 29), die als ein Hinweis gelesen werden kann, dass den TeilnehmerInnen eine Antwort auf die von Theresa gestellte Frage nicht leicht fällt. Schließlich ist es Magnus, der nach der Rederechtübergabe durch Theresa (Z. 30) deutlich macht, welche Art von Geschichte er favorisiert. Er möchte eine spannende – keine „laschi-laschi" Geschichte (Z. 31-32). Auch diese Aussage wird von Theresa nicht positiv evaluiert, sie fragt nach, ob er denn eine Idee habe, wie so eine spannende Geschichte aussehen könnte. Magnus verneint das, aber Nasir meldet sich zu Wort und bekommt das Rederecht (Z. 40). Nasir gliedert nun seinen Beitrag – wie von Theresa gefordert, in den Dreischritt von Anfang, Hauptteil und Schluss (Z. 41-44) und bekommt eine zustimmende – wenngleich zögerliche postive Evaluation durch Theresa (Z. 46). Nasir ist es hier, der die von Theresa geforderte Dreiteilung der Geschichte aufgreift und eine erste Idee liefert. Wie die folgende Sequenz zeigt, bricht er damit den Bann und macht auch den anderen TeilnehmerInnen deutlich, welche Art von Ideen Theresa interessieren.

Sequenz 51: Und dann finden die Räuber einen Trick

Ereignis: Geschichtenfindung 1   **Quelle:** AG_12.03.07   **Timeline:** 13:25-15:18

```
1    Anna:       und dann <<lachend> will der räuber den schlüs-
2                sel verstecken und dann schmeißt er den ins
3                KLO=O: [<<lacht>]
4    Lara:       [<<lacht>] und dann hat [er (    ) in seinem Zim-
5                mer und dann (    )gelandet]
6    Anna:       [<<lacht>)
7    Theresa:    was↑ und dann↑ [wo is dann]
8    Lara:       [dann is der schlüssel] beim anderen gelandet (.)
9                im KLO (.) aber des geht ja gar nicht weil es
10               fließt ja durch den kanal
11   Theresa:    is ja ne abgefahrene idee
12   Anna:       JA↑ GE?
13   ?:          voll abgefahrn
14   Theresa:    LISA
15   Lisa:       die räuber entführen halt einen freund und dann
16               sagen sie zu den anderen freunden sie müssen ei-
17               ne mutprobe bestehen dass ihr freund RAUSkommt
18   Theresa:    ah::: des wär ja sozusagen eine art verknüpfung
19               von diesen beiden varianten
20   Lisa:       <<nickt>
21   Theresa:    die räuber entführen einen FREUND und die ande-
22               ren freunde müssen eine mutprobe machen um [ih-
23               ren freund zu befreien]
24   Janne:      [<<stößt einen Arm mit gestrecktem Finger nach
25               oben> .hhh]
26   Theresa:    aha (.) janne-
27   Janne:      und dann ähm finden die räuber einen trick womit
28               sie die´ die´ ähm räuber überlisten können und
29               trotzdem den freund frei bekommen
30   Theresa:    weil die mutprobe ihnen zu gefährlich wäre?
31   Janne:      ja-
32   Theresa:    okay (.) gut auch ne möglichkeit (.) magnus
33   Magnus:     äh vielleicht dass man das so macht dass sie ne
34               mutprobe bestehen müssen aber die räuber lauern
35               dann irgendwie in der ecke von ner höhle und
```

```
36              fangen dann auch die anderen räuber äh die ande-
37              ren freunde ein und die fliehen dann durchs klo-
38              fenster oder so was
39     (1)
40     Theresa: okay (.) is schon SEHR kompliziert die räuber
41              entführen einen freund die verlangen dann ne
42              mutprobe die freunde wollen die mutprobe nicht
43              machen wollen ihren freund so befreien daraufhin
44              sperren die räuber alle ein=
45     Magnus:  =ja genau
46     Theresa: ich glaub wenn man da eine idee rauslässt funk-
47              tionierts auch noch (-) also die idee ist gut
48              aber es muss ja auch darstellbar sein (.) dass
49              des publikum des versteht
```

Anna und Lara berichten von ihrer Idee, die sie zuerst in einem Zweiergespräch diskutiert hatten und erst nach einer Aufforderung durch Theresa bereit waren, allen zu erzählen (kurz vor dieser Seqeuenz). Schließlich erzählen sie die Geschichte (Z. 1-3) und Lara begründet, warum die Geschichte so nicht zu spielen ist (Z. 8-10). Theresa evaluiert diesen Vorschlag mit einem „abgefahrene Geschichte" (Z. 11), das von Anna wohl eher als Lob, denn als als Abwertung verstanden wird (Z. 12). Lisa ist es dann, die eine neue Idee ins Gespräch einbringt (Z. 15-17). Diese Idee wird von Theresa in den bisherigen Verlauf des Gesprächs eingeordnet, nämlich als Verknüpfung zweier anderer „Varianten" (Z. 18-19). Als sie die Idee Lisas wiederholt (Z. 21-23), begleitet Janne ihre stoßartige Meldung mit einem deutlich zu hörenden Einatmen (Z. 24-25), sie zeigt so an, dass sie etwas sagen möchte, wie ihr Anschluss in Z. 27 verdeutlicht. Sie beginnt ihren Redebeitrag mit einem „und dann" und schließt ihn direkt an die Idee von Lisa an. Dann spricht sie davon, dass die Räuber einen Trick finden, die Räuber zu überlisten – sie meint wahrscheinlich die „Freunde" wird aber von niemandem korrigiert, Theresa scheint sie verstanden zu haben und nennt einen möglichen Grund, weshalb die Freunde sich nicht auf die Mutprobe einlassen, sondern einen Trick anwenden (Z. 30). Interessant ist diese Zeile, weil Theresa hier ihre bisherige Gesprächsstrategie verändert und nicht mehr nur die Beiträge der TeilnehmerInnen evaluiert und einordnet, hier bringt sie selbst eine inhaltliche Idee ein und begründet das vorgeschlagene Verhalten der Freunde. Diesmal ist es daher Janne, die den Vorschlag Theresas positiv evaluiert (Z. 31), genau dies macht dann auch Theresa (Z. 32). Magnus ist es dann, der die bisherigen Ideen zusammenführt (Z. 33-38): Er greift die Mutprobenidee von Lisa auf, verändert die Idee von Janne, nimmt aber ihren Versprecher, den er diesmal aber korrigiert, auf, um schließlich sogar das „Klo" von Anna und Lisa in seine Geschichte zu integrieren. Diese Häufung von Ideen ist Theresa nun zuviel, das ist „SEHR kompliziert" (Z. 40), sie fasst die Geschichte zusammen (Z. 41-44) und Magnus bestätigt die richtige Zusammenfassung seiner Idee (Z. 45). Theresa erläutert ihm, warum sie seinen Vorschlag zurückweist: nicht etwa weil er nicht gut ist, sondern aus inszenatorischen Gründen (Z. 46-49).

Was zeigt nun diese Sequenz? Deutlich wird, dass Theresa sich in einer machtvollen Position befindet, sie ist es, die beständig alle Ideen der TeilnehmerInnen evaluiert und durch diese Evaluation, bestimmte Ideen „hoffähig" macht und andere aus dem Diskurs ausschließt. Annas und Laras Idee wird mit einem „abgefahren" als außergewöhnlich geadelt, Magnus versucht das aufzunehmen und baut ebenfalls ein „Klo" in seine Geschichte ein und nimmt zusätzlich Bezug auf Lisas und Jannes Vorschläge. Seine Idee wird aber nicht positiv evaluiert, sondern als zu kompliziert zurückgewiesen. Durch ihre Begründung macht Theresa deutlich, dass sie die vorgeschlagenen Ideen immer auch unter dem Gesichtspunkt der Inszenierbarkeit denkt und daher manche Vorschläge – wie den eben gemachten – als problematisch einschätzt. Eine der Hauptfunktionen der Anleiterin in diesem Planungsgespräch ist es also, die Beiträge der TeilnehmerInnen zu evaluieren, dabei ist ein Kriterium die Originalität („abgefahren"), ein anderes die Inszenierbarkeit („zu kompliziert"). Wie die folgende Sequenz zeigt, versucht Theresa immer wieder, die bisherigen Ideen zu systematisieren:

Sequenz 52: Aber die könnte man doch auch zusammen machen

Ereignis: Geschichtenfindung 1   Quelle: AG_12.03.07   Timeline: 20:13-22:02

```
1    Theresa:   des heißt (.) bevor du dran kommst magnus (.)
2               ich hab das gefühl dass ihr schon alle wollt
3               dass es sich um eine entführung oder so was han-
4               delt also eher die variante die räuber machen
5               etwas mit den freunden (.) und DA wars aber
6               jetzt so (.) also ENTweder die räuber entführen
7               EINEN freund und die anderen freunde befreien
8               DEN (.) das war so eine möglichkeit jetzt (.)
9               warum auch immer ob sie sich vorher gestritten
10              ham das is jetz noch mal ein detail und die an-
11              dere möglichkeit war jetzt die räuber HAM schon
12              was böses angestellt also zum beispiel die kin-
13              der ähm entführt und die freundegruppe (.) das
14              ist so ne gruppe von mutigen freunden die [sagen
15              SO]
16   Elkie:     [<<meldet sich>]
17   Theresa:   dem setzen wir jetzt ein ende jetzt befreien wir
18              mal die kinder (-) des waren jetz mal nur so die
19              zwei HAUPTideen die wir bis jetzt hatten
20   Elkie:     <<richtet sich nach vorne> <<p> ABER-
21   Theresa:   magnus
22   Magnus:    ich würde es so machen´ also die geschichte is
23              schon ganz gut NUR dass die räuber noch fliehen
24              können und dann gibts ne riesen verfolgungsjagd
25              <<grinst>
26   Theresa:   in welcher meinst du jetzt da wenn sie die kin-
27              der entführt haben oder wie in der variante?=
28   Magnus:    =genau wenn sie die kinder [entführt haben]
29   Theresa:                              [ah::]
30   Magnus:    alle kinder sind befreit sie hören POLIzeisire-
31              nen dann sagen die einfach nur (.) WEG HIER und
32              dann gibts ne riesenverfolgungsjagd
33   Theresa:   ah (.) des wär natürlich auch spannend (-) ja
34              des stimmt=
35   Magnus:    =wo man sich dann auch´ da sitzen hier die zu-
36              schauer und wo man sich dann schnell mal auch
37              bei den zuschauern verstecken kann und so was=
38   Theresa:   =ah: (.) ja: gute idee m:hm is ne möglichkeit (-
39              ) elkie
40   Elkie:     aber die könnte man doch auch zusammen machen
41              die zwei möglichkeiten=
42   Theresa:   =wie denn?=
43   Elkie:     =dass sie davor immer merken dass die freunde
44              (.) ähm die ähm des irgendwie zufällig in der
45              zeitung sehen oder von den eltern erfahren dass
```

```
46                        die´ dass mehrere kinder gekidnappt wurden und
47                        dann ähm (.) und dann geht (.) wird der eine
48                        auch entführt und dann sind die´ wird der von
49                        den gleichen räubern entführt von dem sie des
50                        erfahren haben (.) das würde doch zusammengehen,
51      Theresa:          ah: (.) ja stimmt das könnte man auch machen
```

Theresa fasst in ihrem ersten Redebeitrag (Z. 1-19), nach einem Rederechtversprechen an Magnus (Z. 1), die bisherigen „Hauptideen" zusammen. Während sie spricht ist es Elkie, die anzeigt, dass sie eine Idee hat, die, wie ihr Beitrag in Z. 40-41 dann zeigt, sich auf die von Theresa formulierte Zweiteilung der Ideen bezieht und die sie dringend mitteilen will (Z. 20). Elkie muss sich aber gedulden, da Theresa ihr Versprechen einlöst und zunächst Magnus das Rederecht übergibt (Z. 21). Magnus bezieht sich nun gar nicht auf das von Theresa Gesagte – er wollte ja offensichtlich auch schon etwas sagen, bevor Theresa zu sprechen angefangen hatte (sonst hätte sie ihm ja kein Rederecht versprechen müssen) – sondern seine Idee einer „Riesenverfolgungsjagd" ins Gespräch einbringen (Z. 22-25). Er nutzt dabei auch das Mittel der Evaluation, bezeichnet die Geschichte als „schon ganz gut" und macht so deutlich, dass sein Vorschlag die Krönung der Geschichte darstellen könnte. Dieser Vorschlag wird nun von Theresa sehr positiv evaluiert (Z. 33-43, Z. 35-37). Dann übergibt Theresa das Rederecht an Elkie, die erklärt, wie man die beiden von Theresa als getrennte Ideen zusammengefassten Vorschläge zusammenbringen kann (Z. 40-41). Theresa bekundet ihr Interesse an diesem Vorschlag (Z. 42) und Elkie bringt diesen ins Gespräch ein (Z. 43-50). Dieser Vorschlag wird von Theresa nicht zurückgewiesen, sondern positiv evaluiert und als eine Möglichkeit festgehalten (Z. 51).

Interessant ist nun die Frage, wie die AkteurInnen zu einer Entscheidung kommen, welche der Möglichkeiten ausgewählt werden soll. Entscheidet Theresa, welcher der Vorschläge sich am besten inszenieren lässt? Stimmt die Gruppe über die Vorschläge ab? In der nächsten Sequenz wird die Grundentscheidung über die Form der Geschichte getroffen werden – die auch tatsächlich Bestand haben wird und das Grundgerüst des späteren Stücks darstellt.

Sequenz 53: Ja?

Ereignis: Geschichtenfindung 2   **Quelle:** AG_12.03.07   **Timeline:** 1:58-5:16

```
1       Theresa:    aber was ich grad so merke=IS (.) es gibt FREUN-
2                   DE es gibt RÄUBER (.) JA↑ so wie wir das ja
3                   hier auch schon mal hatten (-) die FREUNDE wis-
4                   sen schon´ ham schon erfahren (.) OH: (.) es
5                   gibt hier irgendwie so ne wilde räubergruppe die
6                   irgendwie hier kinder entführt (.) JA↑ (-)kann
7                   ja sein es gibt eben diese wilde räubergruppe
8                   die kinder entführt (.) <<all> und dann kommts
9                   aber eines tages dazu> ANNA (.) hört ihr mir mal
10                  zu bitte (.) kommts dazu dass also die räuber
11                  auch einen von der freundegruppe entführen (-)
12                  und daraufhin REICHTS den freunden (.) die sagen
13                  (.) alles was RECHT ist (.) die räuber ham jetz
14                  schon des fünfte kind entführt oder des wievielte
15                  ist ja egal (-) WIR schlagen ZURÜCK wir be-
16                  freien die kinder (-) und machen sich also auf
```

17		(.) um diese kinder zu befrein (--) JA↑ und des
18		gelingt ihnen auch=geh ich davon aus (.) und ob
19		es da dazwischen noch verfolgungsjagden gibt O-
20		DER (-) wie sie sich anfreunden oder ob sie sich
21		anfreunden des is jetzt ein DETAIL (-) wär des
22		in euerm SINN↑ is des die geschichte die´ die
23		ich jetzt am meisten gehört hab?
24	Nasir:	JA
25	Janne:	ja=ja (.) JA-
26	Anna:	<<nickt>
27	?1:	m=hm
28	Nasir:	okay;
29	Magnus:	wer is für die GESchichte ? <<lacht>
30	Theresa:	ich würd gern mal noch von leuten die jetzt noch
31		weniger gesagt haben (.) THOMAS (.) is des was
32		wo du sagst (.) des find ich SPANNEND↑ (-) des
33		würd ich gern machen?
34	Thomas:	<<nickt heftig> ja;
35		(1)
36	Theresa:	ja↑ EMILIA?
37		(2)
38	Theresa:	NATASCHA↑ (---) ihr dürft jetzt gerne (.) des
39		ist jetzt eure CHANCE weil <<all> EMILI-
40		A=NATSCHA=THOMAS> wenn ihr jetzt nicht sagt ich
41		würd aber gern noch lieber des dann ham wirs
42		ausgemacht und DANN (-) haben wirs ausgemacht (-
43		-) deshalb sagt RUHIG´ wenn ihr jetzt sagt oder
44		auch ne kleinigkeit aber NE da würd ich gern was
45		anders machen
46		(2)
47	Natalie:	finst dus gut so (.) natscha?
48	Natascha:	ja
49	Theresa:	ja↑ lisa (.) so richtig überzeugt klingst du
50		nicht
51	Lisa:	<<grinst, bewegt dann den Kopf zweimal hin und
52		her>
53	Theresa:	was heißt des?
54		(2)
55	Lisa:	weiß ich nich
56	Theresa:	du weißt es noch nicht so genau?
57	Lisa:	<<nickt>
58	Theresa:	louise (-) you dont know anything?
59	Louise:	<<schüttelt den kopf>
60	Theresa:	right (---) okay (---) vielleicht brauch ma mal
61		ne übersetzerin für die louise die dann mal
62	Natalie:	ja=
63	Theresa:	=vielleicht kannst du mal zwischendurch (.) [nata-
64		lie]
65	?2:	[ich hab einen]
66	Theresa:	nen übersetzer?
67	?2:	<<p> ( )
68	Theresa:	hilal (.) tuba wie gehts EUCH mit der version?
69	Hilal:	<<nickt>
70	Theresa:	gut?
71	Janne:	<<streckt einen Finger nach oben> ich wurde noch
72		nicht gefragt
73	Theresa:	du hast jetzt viel beigetragen (.) ich frag
74		jetzt in erster linie die (.) die weniger beige-
75		tragen haben (-) tuba↑ findst du des spannend
76		und gut?
77	Tuba:	ja
78	Theresa:	nasir hat auch schon ja gsagt (---) okay (.) na-
79		talie (--) frau zellmaier?
80	Frau Z.:	ja (---) klar (---)

```
81      Theresa:    (   ) das wir uns auf so ein grundding einigen
82                  müssen (-) ne BASIS
83      (3)
84      Theresa:    OKAY (.) ALSO (.) des is jetzt ein bisschen
85                  schwierig zu legen aber das können wir ja bis
86                  zum nächsten mal auf ein plakat schreiben
```

Wieder ist es hier Theresa, die einen gesprächsstrukturierenden langen Redezug einbringt (Z. 1-24). Sie versucht, die bisherige Diskussion zusammenzufassen, und fragt dann nach, ob diese Zusammenfassung den „Kern" des bisherigen Gesprächs wiedergibt. Dies wird spontan von mehreren TeilnehmerInnen – ohne die Bitte um das Rederecht – bestätigt (Z. 25-28). Magnus hat den Sinn der Frage von Theresa so verstanden, dass es ihr darum geht, eine Abstimmung über den Vorschlag zu machen und er stellt eine entsprechende Frage (Z. 29). Sein Lachen kann als Hinweis gelesen werden, dass ihm klar ist, dass er eigentlich nicht in der Position ist, solche Fragen zu stellen, es reagiert auch keiner auf ihn. Theresa ist es, die wieder das Wort ergreift und erklärt, weshalb sie mit der gerade geäußerten Zustimmung noch nicht zufrieden ist (Z. 31-34). Sie fokussiert auf den Unterschied zwischen denen, die sich am bisherigen Gespräch beteiligt haben und denen, die nichts oder fast nichts beigetragen haben und beginnnt damit, diese TeilnehmerInnen einzeln nach ihrer Zustimmung zu fragen (Z. 35-78). Sie bekommt nur sehr zögerliche Antworten und macht daher noch einmal deutlich, dass die Angesprochenen jetzt das Wort ergreifen müssen, wenn ihnen etwas an der Geschichte nicht gefällt (Z. 39-45). Durch dieses Ansprechen der Einzelnen wird auch deutlich, dass hier die Übersetzung für Louise bisher vergessen wurde und Louise daher keine Ahnung hat, worüber gesprochen wurde.[382] Nach der Ratifizierung der Zusammenfassung durch alle TeilnehmerInnen, die mindestens dadurch ausgesprochen wurde, dass auch auf dezidierte Nachfrage hin keine Einwände gegen die Geschichte formuliert wurden, legt Theresa mit ihrem „OKAY" fest, dass die Geschichte nun die gerade zusammengefasste Form haben wird (Z. 84).

Die Entscheidung für die Geschichte wurde also nicht von Theresa allein getroffen. Theresa legt eine Zusammenfassung der bisherigen Ideen hier zur Abstimmung vor. Diese Abstimmung ist dabei keine Mehrheitsentscheidung, sondern eine konsensuelle. Sie will die Zustimmung aller beteiligten AkteurInnen hören. Dabei nimmt sie ernst, dass sich manche TeilnehmerInnen bisher kaum aktiv am Gespräch beteiligt haben und fragt daher dezidiert jede einzelne TeilnehmerIn nach ihrer Zustimmung bzw. nach eventuellen Einwänden. Bis auf Louise, für die hier viel zu spät für eine Übersetzung gesorgt wird, haben so alle TeilnehmerInnen die Möglichkeit, ihre Zweifel an der Geschichte zu formulieren. Erst als die Ratifizierung durch alle erfolgt ist, besiegelt Theresa die Entscheidung für die gerade formulierte Fassung der Geschichte. Kurz darauf folgt schließlich diese Sequenz, in der Theresa noch einmal eine andere Strategie anwendet, um Ideen der TeilnehmerInnen anzustoßen:

---

382 Louise verstand zu diesem Zeitpunkt nur wenig Deutsch, da sie erst seit wenigen Monaten in Deutschland lebte. Zu einer eingehenderer Analyse des Umgangs mit diesem Problem, siehe den *Exkurs: Natioethnokulturelle Mitgliedschaft*.

Sequenz 54: Also die hatten vielleicht Probleme in der Schule

Ereignis: Geschichtenfindung 2 **Quelle:** AG_12.03.07 **Timeline:** 6:13-7:17

```
1    Theresa:      was mich jetz intressieren würde (.) wä:r (-)
2                  waRUM <<len> entführen die räuber die kinder↑
3                  (-) können die ihre schuhe nicht selber putzen↑
4                  und brauchen irgendwie putzfraun↑ oder <<all>
5                  die müssen doch irgendwie ne idee haben↑ (-)
6                  magnus;
7    Magnus:       also die hatten vielleicht probleme in der schu-
8                  le
9    Theresa:      die räuber?
10   Magnus:       ja die räuber=
11   Theresa:      =ah das is ja ne lustige idee
12   ?:            räuber haben immer probleme in der schule
13   Magnus:       und jetzat
14   Theresa:      und die klaun sich lauter kleine streberschüler
15                 die ihnen die hausaufgaben machen
16   Viele:        [<<lachen>]
17   Magnus:       [<<schüttelt den Kopf> <<p> ne:]
18   ?2:           [(       )]
19   Magnus:       ja des is so
20   Theresa:      ja des is doch ne witzige idee
21   Magnus:       ja WIRKlich räuber haben meistens probleme in
22                 der schule
23   Lara:         ich stimm zu=ich stimm zu weil sie keine gschei-
24                 te arbeit haben
25   Tuba:         louise hat gerade dasselbe gesagt
26   Theresa:      louise hat dieselbe idee grad (---) ah des könn-
27                 te doch´ findet ihr des alle gut?=
28   ?3:           =ja
29   Theresa:      emilia↑ natascha↑ dass die räuber in der schule
30                 so schlecht sind?=
31   Natascha (?): =ja
32   Theresa:      und sich deshalb kleine streberkinder=
33   Emilia (?):   =JA
34   Theresa:      naja streberkinder sag ma halt richtig GUTE
35                 schüler
```

Hier stellt Theresa nun eine konkrete Frage, um einen wichtigen Aspekt der vereinbarten Geschichte genauer zu bestimmen (Z. 1-6). Sie fragt dabei nach dem „warum", sie will die Gründe wissen, die die Handlungen der Figuren des Stückes motivieren. Magnus ist es, der eine Antwort auf die Frage gibt (Z. 7-8), die Theresa zu einer sofortigen Nachfrage bringt (Z. 9). Seine Bestätigung führt dann zu einer positiven Evaluation seiner Idee (Z. 11). Magnus will dann seine Idee weiter ausführen (Z. 13), kommt aber nicht dazu, weil Theresa ihrerseits an seiner Idee weiterdenkt (Z. 14-15). Magnus formuliert zwar zunächst noch (Z. 17), dass seine Idee anders gewesen sei, kann sich aber im allgemeinen Lachen stimmlich nicht durchsetzen (Z. 16) und schwenkt schließlich auf die Linie Theresas ein (Z. 19). Dann formuliert Magnus eine Begründung für die von ihm formulierte Idee (Z. 21-22), die von Lara begeistert aufgenommen wird. Tuba berichtet, dass Louise gerade dieselbe Idee gehabt habe (wobei unklar bleibt, woher Tuba das weiß) und Theresa fragt bei zwei TeilnehmerInnen noch einmal die Zustimmung zu dieser Idee ab (Z. 29-30). Nach dieser Zustimmung (wahrscheinlich Z. 31 und Z. 33) verändert Theresa noch die Bezeichnung dieser neuen Gruppe, die tatsächlich zur dritten Gruppe des späteren Stücks werden wird, von „Streber" in die „Guten Schüler" (Z. 34-35). Hier verlässt Theresa erneut die bisher von ihr gezeigte inhaltliche Zurückhaltung und „verlängert" die Idee von Magnus – allerdings nicht so, wie Magnus sie ursprünglich gedacht hatte. Deutlich wird hier, in welch mächtiger Position sich Theresa als Moderatorin dieses Gesprächs befindet. Magnus bringt noch nicht einmal mehr seine eigene Idee zu Ende ein, als deutlich wird, dass die Idee von Theresa großen Anklang findet. Dies kann zwar auch darin begründet liegen, dass er diese Idee wirklich gut findet. Sein kurzes, leises „ne:" (Z. 17) zeigt aber an, dass er zunächst diese Idee von Theresa zurückweist, aber eben, nach der allgemeinen Begeisterung über Theresas Vorschlag, seine eigene Idee doch nicht mehr einbringt.

Aus der Analyse der hier vorgestellten Sequenzen lässt sich das folgende Fazit ziehen:

Die Anleiterin Theresa versucht, dem Anspruch des „Devising Theatre", die SchauspielerInnen an der Gestaltung des Stücks zu beteiligen, gerecht zu werden, indem sie verschiedene egalitäterzeugende Praktiken anwendet: Zunächst schafft sie eine „Raumegalität", indem sie durch eine spezifische Sitzordnung sicherstellt, dass alle TeilnehmerInnen vergleichbare Blickmöglichkeiten auf das in der Mitte liegende Plakat haben. Dann schafft sie eine „Informationsegalität", indem sie die ersten zehn Minuten des Gesprächs nur darauf verwendet, die TeilnehmerInnen über den Ablauf des Gesprächs, die Spannungskurve einer guten Theatergeschichte und die bisherigen Ideen zu informieren. Sie versucht, die Voraussetzungen zu schaffen, damit alle TeilnehmerInnen an der Problemlösung mitarbeiten können: Zunächst wirbt sie um besondere Aufmerksamkeit, indem sie stimmlich und inhaltlich deutlich macht, welche Bedeutung diesem Gespräch zukommt, sie stellt dabei die Verbindung zum bisherigen Projektverlauf her und verweist auf die baldige erste Aufführung. Im Anschluss daran verdeutlicht Theresa den TeilnehmerInnen anhand einer gemalten Spannungskurve die Grundprinzipien einer guten Theatergeschichte. Wichtig ist dieser Schritt, um den TeilnehmerInnen die Möglichkeit zu geben, ihre eigenen Idee mit diesen Prinzipien abzugleichen – dies funktioniert dann später auch bei einigen Redebeiträgen, wie etwa bei Nasir, der seine Idee in drei Teile, Anfang/Hauptteil/Schluss, gegliedert erzählt.

Diese Praktiken führen dazu, dass sich tatsächlich einige der TeilnehmerInnen an der Geschichtenentwicklung beteiligen und synthetisierende Ideen entwickeln, die sich an der vorgeschlagenen Dreiteilung in Einleitung/Hauptteil/Schluss orientieren. Es lässt sich aber beobachten, dass sich die TeilnehmerInnen sehr unterschiedlich stark einbringen, einige, wie etwas Magnus, Janne und Elkie, sehr stark, andere wie Emila, Thomas und Louise überhaupt nicht. Im Falle von Louise liegt das vermutlich daran, dass hier die Übersetzung für sie vergessen wurde. Erst als die zweite Anleiterin diese Übersetzungsaufgabe übernimmt, beteiligt sich auch Louise am Gespräch.[383] Im Falle der anderen Schweigenden bleiben die Gründe für deren Zurückhaltung verborgen. Theresa versucht aber, diese selbst gewählte Differenzierungspraxis zu umgehen, indem sie am Ende des Gesprächs den bisher Schweigenden ein explizites Rederecht einräumt. So stellt sie sicher, dass die Schweigenden eine Möglichkeit bekommen, mögliche Einwände gegen die vorgeschlagene Geschichte zu formulieren. Erst als diese Einwände ausbleiben, erklärt sie die Geschichte für gefunden. Hier gelingt es ihr somit, die Ratifizierung der Geschichte durch alle TeilnehmerInnen sicherzustellen.

---

383 Siehe hierzu III/2.

Es finden sich allerdings auch differenzerzeugende Praktiken in den analysierten Sequenzen, die mit dem Anspruch, dass die TeilnehmerInnen ihre eigene Geschichte entwickeln, nicht so leicht in Einklang zu bringen sind. Theresa evaluiert beständig die Redebeiträge der TeilnehmerInnen, ihre Kriterien sind dabei die Orginalität, der Grad der Detailiertheit und die Inszenierbarkeit. Zudem fasst sie das Gehörte immer wieder zusammen und versucht, den TeilnehmerInnen so verschiedene Varianten der Geschichte zur Abstimmung vorzulegen. Ihre Evaluationen wirken dabei differenzerzeugend, sie „adelt" einige Ideen als „abgefahren", „interessant" oder „spannend" andere weist sie zurück mit den Hinweisen, dass sie „zu kompliziert" oder „zu detailliert" seien. Diese Form der Evaluation zu bewerten, ist nicht einfach. Zunächst scheint es der von Theresa anvisierten Egalität zwischen den TeilnehmerInnen zu widersprechen, sie macht ja Unterschiede und evaluiert nicht alle Redebeiträge gleich. Auf der anderen Seite lässt sich auch die Frage stellen, ob Theresa hier nicht ihrer Verantwortung als Theaterpädagogin nachkommt und darauf achtet, dass die TeilnehmerInnen eine Geschichte entwickeln, die orginell und spannend (so wie es ja auch von Magnus gewünscht wurde: nicht „laschi=laschi), aber eben auch mit den vorhandenen Mitteln inszenierbar ist. Sie greift hier auf theaterpädagogisches Wissen zurück, dass die TeilnehmerInnen nicht haben können und stellt so sicher, dass die Geschichte „gut" und „inszenierbar" wird. Wie schmal dieser Grad zwischen selbständiger Geschichtenentwicklung und notwendiger Evaluation durch die Anleiterin ist, zeigte die *Seq_54: Also die hatten vielleicht Probleme in der Schule*, in der Theresa ihre inhaltliche Zurückhaltung aufgibt und selbst einen konkreten Vorschlag macht. Dieser Vorschlag, der von den TeilnehmerInnen sehr positiv aufgenommen wurde, hat dabei zur Folge, dass Magnus seinen eigenen, anderen Vorschlag gar nicht mehr ins Gespräch einbringt.

Deutlich wird, dass der mit dem „Devising Theatre" verbundene Anspruch, die SchauspielerInnen (hier: die TeilnehmerInnen) auch zu AutorInnen und RegisseurInnen ihres eigenen Stücks zu machen, nicht leicht einzulösen ist. Die Anleiterinnen wenden viel Mühe auf, um durch besondere egalitäterzeugende Praktiken die Mitgestaltung durch die TeilnehmerInnen zu ermöglichen. Sie behalten aber eine besondere Verantwortung dafür, dass auch ein „gutes" Stück entsteht, mit dem sich die TeilnehmerInnen nicht vor ihrem Publikum blamieren.

7.2 Feedbacksituationen

Im Verlauf des Projekts kam es zu dreizehn Feedbacksituationen, immer im Anschluss an ganz bestimmte Präsentationssituationen, wobei es um das Zeigen einer entwickelten Szene durch eine Teilgruppe ging (daher können Feedbacksituationen als Abschluss der komplexen Rahmungen von Gestaltungsaufgaben und Entwicklungsproben angesehen werden: siehe dazu auch die Fallstudie *Gestaltungsaufgaben* und *Proben*).

Das Ziel dieser Feedbacksituationen ist es, einen Austausch zwischen den Präsentierenden und den ZuschauerInnen möglich zu machen. Die ZuschauerInnen erhalten so die Möglichkeit, den Präsentierenden eine Rückmeldung über das Gesehene zu geben. Welche Form diese „Rückmeldung" annehmen soll und auf welche Aspekte sie sich beziehen soll, wird in der Analyse der nun folgenden Sequenzen deutlich werden.

Interessant ist es dabei, sich noch einmal vor Augen zu führen, mit welchem Anspruch das Konzept des „Feedback" erfunden wurde. FENGLER formuliert das folgendermaßen:

„Beide Gesprächspartner sind gleichrangig. Keiner von beiden nimmt für sich in Anspruch, dem anderen gegenüber einen Expertenvorsprung zu haben. Ihr Verhältnis zueinander ist nicht das von Fachmann oder Laie, sondern von Partner zu Partner."[384]

Die folgende Sequenz stellt die erste Feedbacksituation des Projekts dar. Im Anschluss an die Gestaltungsaufgabe „Marionetten" kommt es zu dieser ersten Feedbackrunde:

Sequenz 55: Es geht nicht um richtig oder falsch

Ereignis: Präsentation I   Quelle: AG_04.12.06   Timeline: 4:25-5:38

```
1    Emilia, Maria, Lisa, Janne, Yola und Lisa stehen auf der Bühne und ver-
2    beugen sich. Die anderen TeilnehmerInnen sitzen auf einer Bank an der
3    Öffnung der Bühne und klatschen Beifall.
4         Theresa:   SEHR gut <<all> dann machen wirs jetzt noch mal
5                    anders (.) ihr dürft euch da kurz hinSETZEN> AL-
6                    LE die aufgetreten sind
7    Emilia, Maria, Lisa, Janne, Yola und Lisa setzen sich auf die Bühne,
8    den ZuschauerInnen gegenüber in etwa zwei Meter Entfernung. Theresa
9    sitzt am Rand der Bühne gleich weit von den ZuschauerInnen und den
10   SpielerInnen entfernt.
11        Theresa:   und bevor ihr dann dran kommt (.) die nächste
12                   gruppe (.) dürfen die zuschauer erst mal sagen
13                   (-) was sie GEsehen haben (-) JANINA <<gibt
14                   Janina einen Stab>
15        Janina:    <<nimmt den Stab, blickt Theresa an> ich hab
16                   paddler gesehen=
17        Theresa:   sags [direkt ihnen] <<zeigt mit einem Finger von
18                   Janina zu den SpielerInnen>
19        ?1:        was?
20        Janina:    <<blickt zur Bühne> ich hab einen paddler gesehen
21        ?2:        m=hm
22        Janina:    der hat so gemacht <<macht Ruderbewegungen mit
23                   ihren Armen>
24        ?3:        paddler?
25        Theresa:   es geht jetzt NICHt <<weist dabei mit geöffneten
26                   Handinnenflächen in Richtung der SpielerInnen> um
27                   RICHTIG oder Falsch sondern nur was die gesehen
28                   haben
29        Janina:    <<guckt zu Theresa> dann hab ich einen gesehen
30                   der ist gesprungen (.)der hat sich glaub ich ge-
31                   freut ähm dann war ein pferd da das ist nach
32                   vorne gegangen und wieder nach hinten
33        (...)
34        Elkie:     also und=äh also jeder hat <<wendet den Blick zu
35                   Theresa> also der marionettenSPIEler=
36        Theresa:   sags DIREKT (.) IHNEN=
37        Elkie:     <<blickt zu den SpielerInnen> der marionetten-
38                   spieler (.) also sie hat halt einfach so machen
39                   müssen <<"schneidet" mit ihrer Hand durch die
40                   Luft und wendet den Blick wieder zu Theresa> und
41                   dann hatte jeder seine eigenen Sachen
42        Theresa (?):    m=hm
43        Elkie:     also jeder hat was eigenes gemacht
```

---

[384] FENGLER 1998, S. 10.

Theresa nimmt auch in dieser Sequenz eine zentrale Rolle ein. Sie ist in der Position, den anderen AkteurInnen Anweisungen zu geben, was als nächstes geschehen soll. Sie lässt die gerade aufgetretenen SpielerInnen auf der Bühne Platz nehmen (Z. 4-6) und richtet eine Frage an die ZuschauerInnen (Z. 12-13). Zudem vergibt sie wieder das Rederecht (Z. 14), hier durch die Übergabe eines Stabes noch einmal extra ausgezeichnet. Damit enden aber die Befugnisse von Theresa keineswegs, sie korrigiert zudem die Aussage Janinas (Z. 15-16) und gibt ihr Anweisungen, an wen sie ihre Aussage zu richten habe (Z. 17-18). Sie fordert Janina auf, das was sie sagt „direkt ihnen" zu sagen. Janina wendet daraufhin den Blick zu den SpielerInnen und wiederholt, was sie gerade gesagt hatte (Z. 20-21). In Z. 25 fragt eine AkteurIn – wahrscheinlich eine der SpielerInnen, wie die Reaktion von Theresa vermuten lässt – zweifelnd nach, ob Janina eine „Paddlerin" gesehen habe. Diese Nachfrage wird nun von Theresa ebenfalls kommentiert und als unzulässiger Redebeitrag zurückgewiesen (Z. 26-29), sie macht deutlich, dass es ihr nicht um die Frage geht, ob die ZuschauerInnen erkannt haben, was die SpielerInnen darstellen wollten, sondern nur darum, dass die ZuschauerInnen das erzählen, was sie gesehen haben. Diese Intervention von Theresa führt dann aber nicht nur dazu, dass Janina nicht auf diese Nachfrage eingeht, sondern auch dazu, dass sie ihren Blick wieder zu Theresa richtet und das Folgende wieder Theresa erzählt (Z. 30-33). Im Anschluss an diese Erzählung bekommt Elkie das Rederecht zugeteilt und auch sie beginnt ihre Wahrnehmungen in Richtung von Theresa zu erzählen (Z. 35 f.). Hier interveniert Theresa erneut (Z. 37) und Elkie wendet ihren Blick zu den SpielerInnen (Z. 38) und beginnt mit ihrer Schilderung, die sie abbricht (Z. 39), um sie dann neu zu beginnen (Z. 39). Sprachlich verbleibt sie dabei, genau wie auch schon Janina, in der Erzählform der 3. Person und berichtet über die SpielerInnen und nicht direkt an die SpielerInnen gewandt. Dazu passt dann auch, dass sich ihr Blick schnell wieder Theresa zuwendet (Z. 41). Offensichtlich fällt es den ZuschauerInnen sehr schwer, ihre Berichte über ihre Wahrnehmung direkt an die SpielerInnen zu richten, da es ja immer Theresa ist, die eine Frage an die Zuschauenden stellt. Daher ist es nur folgerichtig, dass sich die Zuschauenden mit ihren Antworten auch an Theresa richten. „Frage" und „Antwort" sind eines der klassischen in der Konversationsanalyse als „adjacency pair" bezeichneten Sprachmuster: Auf die Frage einer GesprächspartnerIn folgt eine an diese GesprächspartnerIn gerichtete Antwort, andernfalls bliebe das pair offen und es entstünde eine erklärungsbedürftige Situation. Hier versucht Theresa diese Form zu verändern und trägt den Zuschauenden auf, ihre Antworten nicht an sie, sondern an die Präsentierenden zu richten. Als Janina das macht, kommt es zu einer Reaktion der Angesprochenen, eine der Präsentierenden fragt nach: paddler?" (Z. 25). Erstaunlicherweise interveniert hier Theresa sofort und unterbindet diese Nachfrage, die sie offensichtlich als Versuch deutet, die Wahrnehmung der Zuschauenden in Frage zu stellen (Z. 26-30). Sie betont daher noch mal, dass es ihr nur darum gehe, dass die Zuschauenden erzählen, was sie gesehen haben. Deutlich wird, dass Theresa hier mit besonderen Handlungsrechten ausgestattet ist: Sie ist es, die bestimmt, dass es jetzt eine Feedbacksituation geben soll und sie ist es auch, die bestimmt, welche sprachlichen Formen dazu genutzt werden dürfen und welche nicht. Ob die TeilnehmerInnen selbst überhaupt Interesse an dieser Form der Rückmeldungen haben, wird nicht thematisiert. Damit stellt sich aber die Frage, ob

Feedbacksituationen hier überhaupt möglich sind, wenn sie nur deshalb stattfinden, weil eine Person, die mit besonderen Handlungsrechten ausgestattet ist, das von den anderen AkteurInnen fordert.

In der nächsten Sequenz zeigt sich wieder, dass es Theresa ist, die die Form des Feedbacks bestimmt und die Beiträge der TeilnehmerInnen evaluiert. Diesmal ist der Auftrag nicht nur, zu erzählen, was die Zuschauenden gesehen haben, sondern ihnen „Tipps" zu geben:

Sequenz 56: Sags direkt

Ereignis: Präsentation II   Quelle: AG_04.12.06   Timeline: 4:30-6:20

```
1   Theresa:   gu:t (.) könnt ihr ihnen nochn tipp geben wo ihr
2              sagt da gabs ne kleinigkeit die könnt ihr noch
3              besser machen (-) weil super wars ja schon
4              <<gibt Lara den Redestab>
5   Lara:      ä:hm wo: die tuba (-) die ganze zeit mit der
6              hand so das bein hochgemacht hat=
7   Theresa:   sags direkt (.) wo DU tuba (.) sags ihr direkt
8              weil des hilft ja nix wenn [dus mir sagst]
9   Lara:                                 [wo du die ganze] zeit mit deiner hand das bein
10             so hochgetan hast da=da haben manche Mädchen das
11             bein gar nicht hochgetan
12  Janina:    [das war nur unter]
13  Lara:      [das könnten die verbessern]
14  Theresa:   das könntet IHR sags ihnen direkt
15  Tuba:      das war eine kaputte (1) <<grinst>
16  Theresa:   <<p> gibs mal der anna erstmal (.) weil die hat
17             noch gar nichts gesagt
18  Lara:      <<steht auf und bringt den Stab zu Anna>
19  Anna:      ähm=ähm (.) wenn die tuba ähm (.) wieder so also
20             mit
21  Theresa:   sags ihr (.) du musst es der tuba sagen
22  Anna:      wenn du wieder da hinten ziehst ähm und ähm
23             <<dim> und die des nicht sehen dann sag halt
24             (          )
25  Theresa:   gleich elkie (.) kommt ihr dran
26  Anna:      <<bringt den Stab zu Lara>
27  Lara:      ähm (.) was die tuba jetzt zum=äh was du besser
28             machen kannst=könntest des ist vielleicht bei
29             der natascha zuerst den kopf runter machen weil
30             sie hat wirklich nicht verstanden was sie jetzt
31             mit dem fuß machen soll
32  (2)
33  Janina:    sie sollte den halt knicken
34  Lara:      ja aber sie hats nicht verstanden weil sie nicht
35             hin ähm weil sie den kopf nicht knicken=
36  Theresa:   =a:h (.) hast du verstanden↑ dass man [erst den
37             kopf]
38  Lara:                                            [damit sie hinschauen kann]
39  Theresa:   damit die marionette auch sieht wo dann was be-
40             wegt wird des is ne schöne idee
41  Lara:      und janina was du besser machen kannst des is
42             dass du einfach stehen bleibst und nicht mit
43             deinen haaren rummachst zum Beispiel (.) <<all>
44             was bei dir der fehler war aber du sollst nicht
45             die kleidung runter tun weil sonst versteht man
46             gar nicht was du machst
47  Janina:    was soll ich runtertun?
```

```
48      Lara:       NICHT (.) du sollst jetzt zum beispiel nicht an
49                  deinen haaren so rumfuchteln <<steht auf und
50                  fährt sich durch die haare> oder das runtertun
51                  <<zieht ihren Pulli nach unten>
52      Janina:     hab ich doch gar nich gemacht
53      Lara:       DOCH (.) am anfang (.) sonst versteht man nicht
54                  was du meinst
55      Theresa:    <<cres> vielleicht hast dus auch nicht gemacht
56      Lara:       [<<gibt Maria den Redestab>]
57      Theresa:    [aber es ist ja auch ALLGEmein] interessant
58                  dass so was irgendwie komisch kommt wenn des jemand
59                  macht
```

Hier fordert Theresa die ZuschauerInnen auf, den DarstellerInnen noch „Tipps" zu geben, was sie noch besser machen könnten (Z. 1-3). Lara ist es, die als erstes das Rederecht (und damit auch den Stab) bekommt (Z. 5-6), aber sofort von Theresa unterbrochen wird (Z. 7-8). Diesmal belässt es Theresa aber nicht bei der bloßen Aufforderung, es den SpielerInnen direkt zu sagen, sondern spricht die von ihr gewünschte Formulierung „DU tuba" direkt aus (Z. 7) und begründet auch, warum sie diese Korrektur vornimmt (Z. 8). Dieses Vorgehen führt dann dazu, dass Lara auch tatsächlich das „Du" nutzt und nun versucht, ihren Tipp direkt an Tuba zu richten (Z. 9-11), sie wird aber von Janina unterbrochen (Z. 12), die die Aussage Laras scheinbar als Vorwurf aufgefasst hat und sich nun rechtfertigen will. Daraufhin formuliert Lara den eigentlichen „Tipp" wieder unpersönlich (Z. 13). Dies wird wiederum von Theresa korrigiert (Z. 14) und Tuba findet eine humorvolle Erklärung, die das Verhalten ihrer Marionetten aber ebenfalls zu rechtfertigen versucht (Z. 15).

Als nächstes ist Anna an der Reihe und auch sie beginnt ihren „Tipp" mit einer unpersönlichen Adressierung (Z. 19-20), die wiederum eine Korrektur von Theresa herausfordert (Z. 21). Anna greift das auf und wendet sich direkt an Tuba (Z. 22-24), sie wird allerdings immer leiser, so dass gar nicht mehr zu verstehen ist, was sie Tuba rät (Z. 24). Dann ist es Lara, die spricht. Auch sie beginnt mit einer Ansprache an Tuba in der dritten Person (Z. 27), korrrigiert sich aber selber (Z. 27) und korrigiert auch ihren Indikativ in einen Konjunktiv (Z. 28). Diese Aussageform genauso wie das einschränkende „vielleicht" kann als ein Versuch gedeutet werden, ihre Tipps als „Vorschläge" und nicht als „Vorwürfe" zu fromulieren.

Nach ihrem Beitrag kommt es zu einer relativ langen Pause (Z. 32), die von Janina beendet wird, die den Beitrag von Lara aber trotzdem als Vorwurf interpretiert hat und nun eine Erklärung für das Geschehen anbietet (Z. 33). Lara versucht daher, ihren Vorschlag noch einmal zu erklären (Z. 34-35) und Theresa unterstützt sie in diesem Versuch (Z. 36-37), der von Lara zu Ende erklärt wird (Z. 38) und eine positive Evaluation durch Theresa erfährt (Z. 39-40). Lara fährt nun fort und wendet sich an Janina und sagt ihr, dass sie „einfach stehen bleiben soll" und „nicht mit ihren Haaren rummachen soll" (Z. 41-44). Lara spricht dabei sehr schnell und Janina fragt nach (Z. 47). Lara erklärt nun noch einmal, was Janina gemacht hat und unterstreicht das, was sie sagt, indem sie die beschriebenen Handlungen auch ausführt (Z. 48-51). Dies wird nun von Janina als Vorwurf aufgefasst, wie ihre Zurückweisung des Gesagten zeigt (Z. 52). Lara beharrt aber auf ihrer Wahrnehmung und begründet, warum das ein Problem darstellt (Z. 53-54). Theresa ist es dann, die versucht, diesen Disput mit immer lauter werdender Stimme zu beenden, indem sie die Frage, ob und wie sich Janina „unerlaubt" bewegt hat, durch eine irritierende Antwort auflöst: „vielleicht hast dus auch nicht gemacht" (Z. 56) und der nächsten SprecherIn das Rederecht zuweist (Z. 57). Sie nutzt hier erneut ihre exklusiven Handlungsrechte der Rederechtvergabe, um ein Gespräch zwischen einer Zuschauerin und einer Präsentierenden zu beenden, ohne dass es zu einer Klärung des Sachverhalts gekommen wäre. Sie versucht dann das von Lara Formulierte als „Tipp" zu retten, indem sie es als „allgemeine" Einsicht reformuliert (Z. 57-59). Damit widerspricht sie allerdings selbst dem Anspruch, den sie davor die ganze Zeit selber formuliert, nämlich sich direkt an die SpielerInnen zu wenden.

Die gerade analysierte Sequenz legt nahe, dass die unpersönlichen Aussagen der ZuschauerInnen nicht nur der Tatsache geschuldet sind, dass die AnleiterIn Theresa die Person ist, die hier Handlungsaufforderungen erteilt und somit naheliegenderweise auch die Person ist, an die man sich mit seinen Beiträgen richtet. Eine weitere plausible Erklärung ist, dass die TeilnehmerInnen – ganz ähnlich wie zum Ende der Sequenz Theresa – hier eine Gesprächsstrategie anwenden, die darin besteht, direkte Aussagen unpersönlich zu formulieren, um so nicht in die Schleife eines Vorwurf-Rechtfertigungsdialogs zu gelangen. Sätze die man mit „Du" beginnen lässt und die im Indikativ bestimmte Handlungen benennen, scheinen eine Zurückweisung oder Rechtfertigung herauszufordern. „Vorwurf/Rechtfertigung" ist als ein adjacency pair zu deuten. Die von Theresa gewählte Formulierung des „Tipps geben", die sie auch noch mit „was sie noch besser machen können" präzisiert, haben eine gefährliche Nähe zu Vorwürfen, auf die mit Rechttfertigung reagiert wird. In der nächsten Sequenz, die einem späten Projekttermin entstammt, findet sich dann auch ein andere Formulierung, nämlich die des Wünschens:

Sequenz 57: Ich wünsche mir dass du ein bisschen so halt wütend aussiehst

Ereignis: Feedback 2   **Quelle:** AG_11.06.07   **Timeline:** 3:58-6:04

```
1    Natalie:  theresa hast du auch noch ne anmerkung an die
2              (.) JANNE was sie besser machen kann?
3    Theresa:  JA=a was ich mir wünschen würde was du noch bes-
4              ser machst ist (.) dass ich manchmal das gefühl
5              hab dass du des so GENAU machst diese schläge
6              und so und wann du den rantust dass dann so ein
7              bisschen das spielerische verloren geht (-) dass
8              du ja auch ne coole persönlichkeit bist und dass
9              du jetzt grad WÜTend bist dass du grad (-) TRAU-
10             RIG bist weil die Hanna weg is dass des ein
11             bisschen untergeht weil du so sehr auf das tech-
12             nische konzentriert bist (--) verstehst du was
13             ich meine?
14   Janne:    ja (.) des is auch schwierig zu zählen=
15   Theresa:  =JA:=
16   Janne:    =WEIL wir müssen des achtmal [machen]
17   Natalie:                               [DU JANNE]
18   Theresa:  des musst du jetzt gar nicht´ da musst du dich
19             gar nicht rechtfertigen (.) ich glaub das des
20             WAHNSInnig SCHWierig is ich wollt Dir des nur
21             [gern]
22   Janne:    [ja]
```

```
23    Theresa:    mitgeben (.) dass du technisch super bist dass
24                du dann find ich aber halt wieder auch mehr DA-
25                RAN arbeiten kannst
26    Natalie:    GENAU (.) ähm MAGNUS und THOMAS habt [ihr noch
27                ne ]
28    Magnus:     [JA: also]
29    Natalie:    verbesserung für die ANNA?
30    Nasir:      ANNA↑ HILAL↑
31    Natalie:    äh:=für die Hilal tschuldigung=
32    Magnus:     =also die hilal hat äh als sie da=
33    Theresa:    =DU <<zeigt mit dem Finger auf Hilal> sag DU=
34    Magnus:     DU hast die äh´ vorne als sie da ihr äh schläge
35                machen solltet hat´ habt ihr immer=hat sie immer
36                das gleiche gemacht <<guckt zu Natalie>
37    ?1:         hast DU immer das gleiche gemacht
38    Magnus:     hast DU immer das gleiche gemacht und äh
39  Die Kamera wendet sich zu Hilal, die guckt kurz in die Kamera, winkt
40  dann mit der Hand die Kamera fort und grinst.
41    Magnus:     dann hat dir irgendjemand mal was gesagt und
42                dann hast du irgendwie angefangen zu lachen oder
43                so was
44    Hilal:      <<p> ja (-) wer hat was GESAGT?= <<wendet den
45                Blick zu Anna, die neben ihr sitzt>
46    Anna:       also ich nicht (.) ich hab was zur yola gesagt
47    Hilal:      ALSO
48    Natalie:    das ist jetz egal (-) <<f> thomas hast du noch
49                ne verbesserung↑ für die hilal?
50    Thomas:     die´ du´ du könntest ein=du warst ein bisschen
51                LANGSam bei manchen schlägen und du könntest ein
52                bisschen schneller sein
53                (1)
54    Natalie:    GU=ut (--) NASIR und EMILIA?
55    Emilia:     <<blickt zu Anna> ich wünsche mir dass du ein
56                bisschen so: HALT (.) wütend aussiehst=
57    Nasir:      <<lächelt> <<p> =JA:
58    ?2:         <<lachen>
59    ?3:         wer denn?
60    ?4:         [weil (    )]
61    ?5:         [wer denn?]
62    ?6:         hast du des freiwillig gemacht oder musstest du
63                das machen mit diesem zählen bei diesem tanz?
64    Anna:       ich hab des freiwillig gemacht
65    Natalie:    des muss auch gar nicht sein (.) GENau
66    Anna:       DOCH ich muss aber zählen sonst weiß ich nicht
67                (.) sonst mach ich zehn oder so
```

Hier ist es Theresa, der als Zuschauerin von Natalie die Frage gestellt wird, ob sie einen Verbesserungsvorschlag für Janne habe (Z. 1-2), Theresa bejaht das (Z. 3) und beginnt einen ausführlichen Redebeitrag, indem sie erklärt, was ihr an Jannes Darstellung gefehlt hat. Sie beginnt ihren Beitrag zwar mit einer Formulierung, die auf einen Wunsch hinführen soll (Z. 3), ändert aber diese Richtung, indem sie zu einer Beschreibung des Gesehenen umschwenkt (Z. 4ff) und so deutlich macht, was sie in der Darstellung vermisst hat. Im Anschluss daran stellt Theresa an Natalie die Nachfrage, ob Janne verstanden habe, was sie meint (Z. 12-13) und Janne beginnt mit einer Rechtfertigung (Z. 14, Z. 16), die aber sowohl von Natalie (Z. 17) als auch von Theresa unterbrochen wird (Z. 18-21). Theresa versucht dabei, Janne die Gründe für ihre Rechtfertigung zu nehmen, indem sie sie darauf hinweist, dass ihr Beitrag nicht als Vorwurf gemeint war (Z. 20-21) und dass sie zudem die Leistung Jannes durchaus anerkenne (Z. 23-24) und ihr – sozusagen auf hohem Niveau – einen Ratschlag geben wollte (Z. 24-25). Natalie schließt diesen Dialog ab (Z. 26) und erteilt Magnus und Nasir das Rederecht und fragt, ob sie noch Tipps für Anna hätten (Z. 29). Nasir korrigiert Natalie, da Thomas und Magnus – genau wie alle anderen ZuschauerInnen auch – vor der Präsentation eine SpielerIn als zu beobachtende SpielerIn zugewiesen bekommen hatten, dies war aber nicht Anna, sondern Hilal gewesen. Natalie entschuldigt sich für ihren Fehler (Z. 31) und Magnus ergreift das Wort. Er beginnt wieder – und es handelt sich hier um die letzte von dreizehn (!) Feedbackrunden – mit einer unpersönlichen Ansprache (Z. 32) und wird von Theresa sofort korrigiert (Z. 33). Er bemüht sich dann auch redlich, schafft es aber trotz mehrerer Anläufe nicht, bei der persönlichen Anrede zu bleiben (Z. 34-36) und wird daher auch erneut korrigiert (Z. 37). Nun gelingt es ihm, seine Wahrnehmung direkt an Hilal zu adressieren (Z. 41-43). Es scheint dabei so zu sein, dass nicht nur Magnus Schwierigkeiten hat, seine Wahrnehmung direkt an Hilal zu adressieren, auch Hilal scheint diese Situation nicht ganz angenehm zu sein, zunächst versucht sie, die Kamera „wegzuwinken" (Z. 39-40), dann wendet sie sich an ihre Mitspielerinnen und will wissen, wer mit ihr geredet habe (Z. 44-45). In der sich anschließenden Diskussion geht es wiederum Vorwurf und Rechtfertigung (Z. 46-47), sie wird dann von Natalie unterbrochen (Z. 48). Sie übergibt das Rederecht an Thomas (Z. 48-49), dem es schließlich, im vierten (!) Anlauf, gelingt, einen Tipp an Hilal zu formulieren (Z. 50-52). Diesmal entsteht kein Vorwurf- und Rechtfertigungsdialog und Natalie setzt die Reihe fort und übergibt das Rederecht an Nasir und Emilia (Z. 54). Emilia ergreift das Wort und formuliert, nach einer Vorbereitung durch ein „ein bisschen SO: halt", einen direkten und klaren Wunsch an Anna. Nasir kommentiert dies sofort mit einem Lächeln und einem zustimmendem „Ja:" (Z. 57). Eine AkteurIn lacht (Z. 58) und es entsteht wieder eine Vorwurfs- und Rechtfertigungsdiskussion (Z. 60-67), die allerdings nichts mehr mit dem von Emilia geäußerten Wunsch zusammenhängt, sondern auf das von Anna praktizierte Zählen während des Tanzens abhebt.

Auch diese Sequenz, die die dreizehnte Feedbacksituation darstellt, zeigt, dass das direkte Ansprechen der beobachteten Personen für die TeilnehmerInnen sehr schwierig zu bewerkstelligen ist. Wenn es ihnen gelingt, kommt es sehr schnell zu Rechtfertigungs- und Vorwurfsdiskussionen. Die AnleiterInnen versuchen dann, dieser Fokussierung entgegenzuarbeiten – wie hier Theresa, die Janne hier den Unterschied zwischen einem Tipp und einer Kritik deutlich machen will (Z. 18-25). Das Problem von Vorwurf und Rechtfertigung zieht sich dabei durch fast alle Feedbacksituationen, es findet aber nicht statt, als Emilia einen Wunsch an Anna formuliert (Z. 54). Wenn man sich nun in Erinnerung ruft, mit welchem Anspruch Feedbacksituationen gestaltet werden – nämlich einen Austausch zwischen Gleichberechtigten zu ermöglichen –, wird deutlich, dass sich im Wünschen eine gleichberechtigte Beziehung ausdrückt: Der Wünschende ist dem Anderen nicht unter- oder überlegen, sondern formuliert seine subjektiven Bedürfnisse, die die Person, an die der Wunsch gerichtet ist, erfüllen kann oder auch nicht (natürlich gibt es auch „erpresserische" Wünsche, in diesen Fällen wird aber auch eine Drohung mitformuliert). Bei „Tipps" und „besser machen" ist die Nähe zu einer Rollenverteilung in „ExpertInnen" und „Laien" dagegen sehr viel größer und „Tipps" werden schnell als „Vorwürfe" verstanden. Auch in der letzten Sequenz aus Feedbacksituationen zeigt sich dies noch einmal eindrücklich. Interessanterweise spielt hier nun auch die Geschlechtszugehörigkeit eine wichtige Rolle:

Sequenz 58: ganz=ganz=ganz

Ereignis: Präsentation III   Quelle: AG_04.12.06   Timeline: 4:19-6:55

```
1    Anna, Hila, Nasir, Thomas, Steffen und Magnus präsentierten ihre Mario-
2    nettenszene, im Anschluss daran setzen sie sich auf die Bühne und die
3    ZuschauerInnen sollen ihnen sagen, was sie gesehen haben. Als drittes
4    meldet sich Maria zu Wort.
5        Maria:      <<nimmt den Redestab auf> ich fands halt total
6                    schön dass der magnus auch mal ähm so ne balle-
7                    rina [gemacht hat]
8        Mehrere:    <<[lachen]>
9        Maria:      weil es sah total komisch aus
10       (1,5)
11       Theresa:    noch was?
12       Magnus:     <<p> ( ) mit skispringer im sturzflug
13       Mehrere:    <<lachen>
14       Theresa:    yola (.) gibs mal der yola
15       Magnus:     <<p> (        ) <<lacht>
16       Theresa:    achtung es gibt tipps für euch (.) magnus
17       (0,5)
18       Yola:       ich (.) also (.) ich würde dir raten dass du (.)
19                   <<acc> du hast nämlich wie die anna ganz langsam
20                   die arme so nach unten hast=hast du die so ganz
21                   schnell nach unten fallen lassen (--) und dann
22                   könntest du ja so wie die anna das mit dem tempo
23                   macht
24       Thomas:     <<wendet seinen Kopf zu Magnus und flüstert ihm
25                   etwas ins Ohr>
26       Theresa:    janina
27       Janina:     sie haben sich sehr oft bewegt (.) ruhiger da-
28                   stehen (.) ich hab den magnus oft gesehen <<dim>
29                   dass er geruckelt hat und so (        )
30       ?:          was?
31       Theresa:    <<f> du musst a bissl lauter reden glaub ich
32                   sonst hörn die des gar ned (.) janina
33       Janina:     der magnus der thomas der nasir und der steffen
34                   haben sich ganz=ganz=ganz [(      )]
35       ?:                                    [ja↑ immer] nur wir,
36       Janina:     JA: (.) stimmt doch auch (.) und (-) die anna
37                   hat halt die wollte die halt bewegen (     ) ganz
38                   schnell und sie hats ganz langsam gemacht <<gibt
39                   den Stab an Theresa>
40       Theresa:    wart erst mal (.) einer hat sich noch gemeldet
41                   (.) ne: doch nich (.) <<f> also es geht ja (.)
42                   <<p> gleich anna (.) <<f> es geht ja um nen TIPP
43                   für euch was ihr NOCH besser machen könnt (.)
44                   anna (.) ihr noch und dann: <<gibt den Stab an
45                   Anna>
46       Anna:       ich wollt (.) wir konnten eigentlich gar nichts
47                   (.) ähm (.) machen weil wir am anfang ein prob
48                   lem hatten
49       Hilal:      wirklich= <<hebt einen Finger und guckt zu The-
50                   resa>
51       Anna:       ja wir hatten so:
52       ?:          wie lange?
53       Anna:       neun minuten ein problem <<gibt den Stab an Hi-
54                   lal>
55       Hilal:      (    ) ein kreisgerede
```

```
56      ?:         acht minuten
57      Hilal:     also (.) ich denke wir könnten es BESS:ER machen
58                 (-) wenn die:: <<wendet den Blick zu Nasir,
59                 Thomas, Steffen und Magnus> JUNGS=
60      Theresa:   =ne: wenn (.) IHR (.) dann sags ihnen direkt
61      Hilal:     na ja dann (.) wenn wir noch schneller wären (-)
62                 also wenn wir keinen schmarrn gemacht hätten
63      ?:         <<pp> guck mal der magnus (   ) anfangen zu heu-
64                 len
65      Theresa:   okay (.) nasir will noch was sagen
66      Nasir:     <<bekommt den Stab von Hilal gereicht> aber ich
67                 bin mir auch sicher nicht nur WIR vier haben uns
68                 bewegt bestimmt hat auch mal die hilal sich be-
69                 wegt
70      Theresa:   darum gehts nicht nasir (.) ihr habt mitbekommen
71                 was ihr besser machen könnt
72      Nasir:     ja aber (.) weil die janina beschuldigt immer
73                 nur die JUngs:
74      Theresa:   die janina hat vorher auch schon tipps gegeben
75                 (.) das glaub ich nicht (.) des is n schmarrn
76                 (.) das gefühl hab ich nicht (-) <<f> IHR habt
77                 jetzt n tipp bekommen (---) okay?
78      Nasir:     <<lächelt, rollt den Stab zu Janina>
79      Mehrere:   <<ff> stopptanz (.) stopptanz
80      Natalie:   <<f>NEIN (.) NEIN (.) ich hab noch was vorberei-
81                 tet das will ich unbedingt mit euch machen
82      Theresa:   aber da muss ich noch eins vorher sagen=
83      Janina:    <<p> die jungs (   ) die haben sich aber mehr
84                 bewegt als die hilal
85      Theresa:   ja:=a (.) okay (.) darum gehts nicht
```

Maria ist es, die hier Magnus' Auftritt als Marionette als den einer Ballerina wertet und mit dem Attribut „schön" belegt (Z. 5-7). Dieser Aussage folgt ein Lachen von mehreren AkteurInnen (Z. 8), was wiederum Maria dazu bringt, einen Grund für ihre Einschätzung zu liefern (Z. 9), der aber nicht recht zu ihrer Attribuierung des Auftritts von Magnus als „schön" zu passen scheint, sie wählt nämlich nun ein anderes – sehr vieldeutiges Attribut – es „sah total komisch aus". Diese Zeilen lassen nun mehrere Interpretationen zu: die erste ist, dass Maria den Auftritt von Magnus tatsächlich „schön" fand und diesem Eindruck Ausdruck gegen wollte. Das darauf folgende Lachen aber bringt sie dazu, ihre Einschätzung des Gesehenen noch mal zu verändern (oder zu ergänzen?) und deutlich zu machen, dass dieser Auftritt eines Jungen als Ballerina eben (auch) „total komisch" aussah, „komisch" kann sich dabei sowohl darauf beziehen, dass es „lustig" ist, Jungen zu sehen, die Mädchendinge tun, als auch darauf, dass es „ungewohnt" bzw. „lächerlich" ist, wenn Jungen so etwas tun.

Die zweite Lesart wäre, dass Maria schon ihre erste Aussage macht, um Magnus für seine Darstellung einer Ballerina aufzuziehen, gegen diese Interpretation spricht aber, dass sie in dieser ersten Aussage das Attribut „schön" wählt, das nur positiv konnotiert ist, und nicht hier schon das Attribut des „komischen", das eben mehrere Interpretationen zulässt. Wahrscheinlicher erscheint es mir daher, dass Maria es tatsächlich „schön" fand, einen Jungen in einer Ballerinarolle zu sehen und sie erst durch das Lachen der anderen daran erinnert wird, dass Jungen, die Mädchendinge tun, „komisch" sind.

Zu dieser Lesart passt auch, dass, was Breidenstein und Kelle in ihrer ethnographischen Studie zu den Geschlechterpraktiken in der Schule bemerkt haben:
„Huldigungen tauchen in unserem Material viel seltener auf als Beleidigungen.
Es gibt kaum eine Kultur des Huldigens, die frei von Ironie wäre."[385]

Nach dieser Aussage von Maria folgt dann auch eine relativ lange Pause, die durch Theresa unterbrochen wird (Z. 11), dann folgt ein ziemlich leiser Beitrag, der einen „Skispringer im Sturzflug" beschreibt, dies wird wiederum von Lachen kommentiert und Magnus sagt etwas, das er dann ebenfalls mit einem Lachen begleitet (Z. 15). Aufgrund der leisen Beiträge fehlen hier Teile im Transkript, da auf dem Kameraband nicht genau zu verstehen ist, was gesagt wird. Festzuhalten ist aber, dass die Aussage von Maria nicht laut und und damit öffentlich diskutiert wird, sondern von Magnus und anderen (es ist leider auch nicht zu identifizieren von wem) leise weitergeführt zu werden scheint und erst ihren Abschluss findet, als Theresa die TeilnehmerInnen wieder zur Ordnung ruft (Z. 16).

Yola richtet sich dann an einen der Spieler – es ist nicht ganz klar, an welchen, sie blickt nämlich in die Richtung von Magnus, Thomas und Nasir – und macht einen konkreten Vorschlag, den sie auch mit „du", wenn auch ohne Namen, adressiert (Z. 18-23). Thomas kommentiert dies nicht-öffentlich und flüstert Magnus etwas ins Ohr. Janina bekommt das Rederecht zugeteilt (Z. 26) und formuliert ihren „Tipp" wieder unpersönlich, nicht direkt an die Spieler gewandt und so leise werdend, dass sie zum Schluss nicht mehr zu verstehen ist (Z. 27-29). Nach der Aufforderung, nochmal lauter das Gesagte zu wiederholen (Z. 31-32), nennt sie die Namen der vier beteiligten Jungen und eine dreifache Steigerung des dann folgenden Attributs (Z. 33-34), das aber gar nicht mehr zu verstehen ist, weil sich schon einer der Jungen gegen diese Beschreibung verwehrt und Janina vorhält, dass sie nur den Jungen einen Vorwurf mache (Z. 35). Janina lässt diesen Einwand nicht gelten und beruft sich auf ihre Wahrnehmung (Z. 36-37).

Anna ist es dann, die das schon bekannte Rechtfertigungsverhalten wieder aufnimmt und den ZuschauerInnen die Gründe nennt, weshalb die Koordination der Handlungen bei der gerade gesehenen Aufführung so problematisch gewesen war (Z. 46-48). Hilal unterstützt diese Rechtfertigung, versucht dann aber die Schuld für die Probleme den Jungen zuzuweisen (Z. 57-59). Da sie hier wieder auf die unpersönliche Anrede zurückgreift („die::") wird sie von Theresa korrigiert und aufgefordert, es den Jungen direkt zu sagen (Z. 60). Hilal wendet sich nun aber nicht direkt an die Jungen, sondern wählt ein „wir" und gesteht ihre gemeinsame „Schuld" an der Situation ein (Z. 61-62). Dann folgt ein geflüsterter Satz, der nur deshalb auf der Kamera zu hören ist, weil ihn eine Teilnehmerin äußert, die sehr nah an der Kamera sitzt, es bleibt unklar, warum sie Magnus hier als jemanden beschreibt, der gleich das Heulen beginnen wird (Z. 63-64), aber sie will das offensichtlich einer anderen Teilnehmerin nicht nur mitteilen, sondern diese auffordern, sich das anzusehen. Es erfolgt allerdings keine – zumindest keine hörbare – Reaktion und Nasir, der sich gemeldet hatte, bekommt von Natalie das Rederecht zugeteilt (Z. 65). Er spricht nun für die Jungen und weist das von Janina Geäußerte als unberechtigten Vorwurf, der eine

---
385 Breidenstein/Kelle 1998.

unzulässige Fokussierung auf die Handlungen der Jungen darstelle, zurück (Z. 66-69). Diese Zurückweisung wird aber von Theresa ebenfalls zurückgewiesen (Z. 70-71), Nasir beharrt aber auf seiner Zurückweisung, indem er konstatiert, dass Janina das immer so mache (Z. 72-73). Theresa lässt auch diese Erklärung nicht gelten und Nasir rollt den Stab zu Janina, die es sich nicht nehmen lässt, noch einmal die Richtigkeit ihrer Wahrnehmung zu betonen (Z. 83-84). Diesmal weist Theresa aber auch diese Aussage zurück, indem sie darauf hinweist, dass es ihr nicht um den Vergleich des Verhaltens von Jungen und Mädchen gehe (Z. 85).

Offensichtlich verhandeln hier die TeilnehmerInnen – wie auch schon in den anderen Sequenzen der Feedbacksituationen – ein anderes Problem als Theresa. Theresa versucht, die ZuschauerInnen dazu zu bringen, den SpielerInnen Tipps für ein „noch besseres" Spielen an die Hand zu geben. Janina ist es dann, die sich mit ihren „Tipps" nur an die Jungen richtet und deren Verhalten gegenüber dem der Mädchen als „verbesserungsbedürftiger" beschreibt. Dies wird nun wiederum von Nasir, der sich hier zum Sprecher der Jungengruppe macht, nicht als ein Tipp aufgefasst, sondern als eine falsche Beschreibung des Aufgeführten und er wirft seinerseits Janina vor, „immer" und „nur" die Jungen zu „beschuldigen". Janina wiederum führt gegen diese Vorwürfe ihre Wahrnehmung ins Feld und beharrt darauf, dass sie das Aufgeführte sehr wohl richtig wahrgenommen habe. Um „Tipps" geht es hier überhaupt nicht mehr. Ganz im Gegenteil, die beiden ProtagonistInnen dieser Auseinandersetzung, Janina und Nasir, machen sich gegenseitig Vorwürfe über das jeweilige Verhalten und streiten darüber, welche Wahrnehmung des Geschehens die richtige ist: Janina evaluiert die Darstellungsleistung „der Jungs" als schlechter als die der Mädchen und Nasir wirft Janina vor, dass sie „immer" und „nur" die Jungs beschuldige und ihre Wahrnehmung damit falsch sei. Theresa gelingt es hier nicht, ihr Gesprächsziel, das Geben und Annehmen von Tipps, zu erreichen, sie beschränkt sich hier darauf, die jeweiligen Vorwürfe als nicht angemessen zurückzuweisen, zu einem Geben und Nehmen von Tipps kommt es aber nicht.

Die analysierten Sequenzen zeigen, dass der Anspruch, der mit Feedbacksituationen verbunden ist – nämlich einen partnerschaftlichen Austausch zu ermöglichen – hier kaum realisiert werden kann. Vier Erklärungen dafür lassen sich als Fazit aus den Analysen formulieren:

1. Die AnleiterInnen fragen gar nicht bei den TeilnehmerInnen nach, ob sie sich überhaupt Feedback geben wollen. Sie fordern die TeilnehmerInnen „einfach" dazu auf. Möglich ist ihnen das, weil sie mit besonderen Handlungsrechten ausgestattet sind, die es ihnen erlauben, den TeilnehmerInnen anzusagen, was als nächstes zu passieren hat. Das Problem daran ist aber, dass so eine Grundbedingung des partnerschaftlichen Dialogs, nämlich die Freiwilligkeit, nicht gegeben ist.

2. Die AnleiterInnen erklären nicht den Sinn und die Funktion eines partnerschaftlichen Feedbacks, stattdessen intervenieren sie beständig, um die Formulierungen der Sprechenden zu korrigieren. Dadurch verstärken die Anleiterinnen die eigentlich ungewollte Fokussierung der Sprechenden auf sich als AnleiterInnen.

3. Die Anleiterinnen sind in ihren eigenen Formulierungen, wenn sie Feedback geben, oft selbst sehr nah an „Expertenratschlägen", selbst wenn sie versuchen, ihre Formulierungen partnerschaftlich zu formulieren (in *Seq_57: Ich wünsche mir dass du ein bisschen so halt wütend aussiehst* formuliert Theresa zum Beispiel nur scheinbar einen Wunsch)
4. Die TeilnehmerInnen selbst scheinen mit den sprachlichen Formen einer partnerschaftlichen Rückmeldung unvertraut, sie rutschen fast immer in Vorwurfs- und Rechtfertigungsdialoge, in denen es um die korrekte Durchführung oder korrekte Wahrnehmung des Gezeigten geht.

7.3 Differenz- und egalitäterzeugende Praktiken in Gesprächsrahmen

Geschichtenentwicklungsgespräche und Feedbacksituationen weisen in ihrer Gesprächsanlage Parallelen auf: In beiden Fällen ist das Ziel, eine partnerschaftliche und damit gleichberechtigte Gesprächssituation zu schaffen. Im Fall der Geschichtenentwicklungsgespräche soll dadurch ein gemeinsames Grundgerüst eines Stückes entwickelt werden, im Falle der Feedbacksituationen eine andere (aber gleichberechtigte!) Wahrnehmung den SpielerInnen zur Verfügung gestellt werden.

In beiden Fällen ist zu beobachten, dass der Anspruch der Gleichberechtigung nur schwer zu realisieren ist, da die AnleiterInnen über besondere Handlungsrechte verfügen und diese auch einsetzen: Zunächst bestimmen die Anleiterinnen ohne Rücksprache mit den TeilnehmerInnen die Rahmen, in denen die Interaktionen ablaufen sollen. Zudem kommt ihnen in Gesprächssituationen ein umfassendes Rederecht zu: Nach jedem Redebeitrag fällt das Rederecht erst einmal automatisch an sie zurück und sie können dann selbst sprechen oder das Rederecht an eine andere TeilnehmerIn vergeben. Wie die Feedbacksituationen zeigen, haben sie zudem das Recht, Beiträge von TeilnehmerInnen zu unterbrechen und eine Korrektur einzufordern. Wie die Arbeiten der Konversationsanalytiker eindrucksvoll belegen, ist dieses Recht keineswegs in allen Gesprächsformen gegeben. Die von Sacks/Schegloff/Gail herausgearbeitete „simplest systematic of turn-taking" besagt, dass in Geprächen zwischen gleichberechtigten Gesprächspartnern das Rederecht entweder vom gerade Sprechenden vergeben wird oder aber, falls dieser das nicht tut, durch Selbstwahl erfolgt.[386] Die Organisationsform des Sprecherwechsels zeigt in den beiden hier untersuchten Gesprächsformen eine starke Differenz zwischen den Anleiterinnen und den TeilnehmerInnen. Im ersten Fall, den Geschichtenentwicklungsgesprächen, gelingt es den Anleiterinnen aber durch besondere egalitäterzeugende Praktiken, das Gesprächsziel, nämlich die Verständigung auf eine gemeinsame Geschichte, zu erreichen. Sie nutzen hier ihre besonderen Handlungsrechte, um es allen TeilnehmerInnen möglich zu machen, sich am Gespräch zu beteiligen. Zunächst schaffen sie eine „Raumegalität", die allen die gleichen Sichtmöglichkeiten gewährt, dann verwenden sie viel Zeit, um eine „Informationsegalität" zu schaffen, indem sie die bisherigen Ideen vorstellen, die Bedingungen einer guten Geschichte erläutern und das Gesprächsziel formulieren. Als sich trotzdem nicht alle

---
386 Vgl. Sacks et al. 1974.

TeilnehmerInnen am Gespräch beteiligen, vergeben die Anleiterinnen noch einmal ganz explizit das Rederecht an all die, die sich bisher noch nicht zu Wort gemeldet hatten. Sie nutzen hier also ihre besonderen Handlungsrechte, um die Beteiligung aller zu erreichen. Wie notwendig solche Interventionen sein können, um ein gleichberechtigtes Gespräch möglich zu machen, zeigt sich hier auch am Fall von Louise, für die über weite Strecken des Gesprächs keine Teilnahme möglich war, da es keine Übersetzung für sie gab. Hier zeigt sich, so mein Fazit, das ich aus der Analyse der Geschichtentwicklungsgespräche ziehe, dass ein partnerschaftliches, gleichberechtigtes Gespräch keineswegs „von allein" geführt werden kann. Es muss vielmehr dafür Sorge getragen werden, dass die GesprächsteilnehmerInnen auch tatsächlich gleichberechtigt am Gespräch teilnehmen können, dazu bedarf es bestimmter territorialer Arrangements, eines geteilten Wissens über die Gesprächsaufgabe und des Ausgleichs individueller Einschränkungen (wie im Fall von Louise mit den Verständnisschwierigkeiten). Die Anleiterinnen setzen hier ihre besonderen Handlungsrechte ein, um ein Gespräch von gleichberechtigten TeilnehmerInnen möglich zu machen. Wie die Analysen gezeigt haben, besteht dabei aber beständig die Gefahr, dass sie ihre exponierte Stellung missbrauchen und die Beiträge der TeilnehmerInnen unterschiedlich evaluieren – sie nehmen dadurch erheblichen Einfluss auf die Auswahl der Ideen.

Im Unterschied zu den Geschichtentwicklungsgesprächen gelingt es den Anleiterinnen in den Feedbacksituationen nicht, ein gleichberechtigtes, partnerschaftliches Gespräch zu iniitieren. Die AnleiterInnen versuchten mit diesen Feedbackgesprächen, die sich immer an Präsentationssituationen anschlossen, den TeilnehmerInnen neben ihrer Selbstwahrnehmung auf der Bühne eine Fremdwahrnehmung zugänglich zu machen. Dieses „Feedback" sollte dabei kein evaluierendes Feedback sein, in dem die Frage nach der „richtigen" oder „falschen" Darstellung beantwortet wird, sondern ein „beobachtendes" Feedback.

Wie die vorgestellten Sequenzen zeigen, entwickelte sich aber fast immer ein Vorwurfs- und Rechtfertigungsdialog zwischen den BeobachterInnen und den Beobachtenden. Die FeedbacknehmerInnen nehmen das direkt ihnen Mitgeteilte als Bewertung wahr, gestehen den FeedbackgeberInnen aber nicht die Position zu, ihr Verhalten zu bewerten und beginnen sich zu rechtfertigen und die Wahrnehmung der BeobachterInnen als „falsch" oder „unangemessen" zurückzuweisen. Dies fordert nun wiederum die BeobachterInnen heraus, ihre Wahrnehmungen als zutreffend zu verteidigen und der Vorwurfs- und Rechtfertigungsdialog ist in vollem Gange.

Als Gründe für dieses Scheitern der Feedbacksituationen konnte herausgearbeitet werden, dass die Anleiterinnen es hier versäumt haben, die Teilnehmerinnen über den Sinn und die Form von Feedbacksituationen ausreichend zu informieren. Zudem holen sie nicht das Einverständnis der TeilnehmerInnen ein und verletzen so eine zentrale Voraussetzung des Feedbacks, nämlich die Freiwilligkeit. Da sie sich zudem in ihren eigenen sprachlichen Formulierungen von Feedback sehr nah an Verbesserungsvorschlägen bewegen, fordern sie selbst ebenfalls Rechtfertigungen heraus. Angesichts dieser Versäumnisse erscheint es nicht verwunderlich, dass sich bis zum Schluss fast nur Vorwurfs- und Rechtfertigungsdialoge ereignen.

In einem Fall gelingt es den Anleiterinnen also (zumindest meistens) ihre besonderen Handlungsrechte einzusetzen, um ein Gespräch zwischen gleichberechtigten TeilnehmerInnen zu ermöglichen, im anderen gelingt es ihnen kaum. Für die Fragestellung dieser Arbeit ist festzuhalten, dass sich in Gesprächsrahmen (und das gilt auch für die anderen hier nicht ausführlich analysierten) sehr unterschiedliche Handlungsrechte von Anleiterinnen und TeilnehmerInnen zeigen, die sich vor allem darin begründen, dass die Anleiterinnen fast uneingeschränktes Rederecht besitzen und die Rederechtverteilung steuern dürfen. Diese Handlungsrechte geben den Anleiterinnen großen Gestaltungsspielraum, den sie nutzen können, um gleichberechtigte, partnerschaftliche Gespräche möglich zu machen. Sie können diese Rechte aber auch so einsetzen, dass sie ein gleichberechtigtes, partnerschaftliches Gespräch verunmöglichen.

> „Eine Figur spielen heißt nicht, sie abbilden. Sie existiert nicht als ‚Vorbild', sondern entsteht erst in der Auseinandersetzung des Spielenden mit dem eigenen Ich und als ein bewusst gestalteter Teil dieses Ichs. In diesem Prozeß verleiht das Subjekt dem Spiel seiner Einbildungskraft einen objektivierten Ausdruck."[387]

8 Proben

„Proben" sind einer der Rahmen, die zunächst rein quantitativ eine hohe Bedeutung für die Lernkultur dieser Projektgruppe haben und sich mit dem Fortgang des Projekts noch steigern. Vor der Zwischenaufführung stieg die Zahl der Proben an, hielt sich auf einem konstant hohen Niveau und wurde in den letzten Projektterminen vor der Aufführung zu dem Rahmen, dem mit Abstand die meiste Zeit gewidmet wurde. Dies ist natürlich nicht verwunderlich, soll hier aber erwähnt werden, um auch die quantitative Bedeutung dieses Rahmens deutlich zu machen.

Interessanter und etwas weniger trivial wird es nun, wenn man sich die Frage stellt, was „Proben" eigentlich auszeichnet und wie sie gestaltet wurden. Ein Ergebnis der genauen Analyse ist, dass es sinnvoll ist, verschiedene Arten von Proben von einander zu unterscheiden (8.1). Im Anschluss daran werde ich mich den „Entwicklungsproben" zuwenden, die das Ziel haben, Gestaltungsideen für Szenen zu entwickeln (8.2). Davon unterscheiden lassen sich „Arbeit-an-der-Form-Proben", in denen es darum geht, bereits entwickelte Gestaltungsideen deutlicher in Szene zu setzen (8.3). Schließlich gibt es auch noch „Durchläufe", in denen die Koordination der SpielerInnen im Fokus der Aufmerksamkeit steht (8.4). In einem abschließenden Kapitel werde ich die differenz- und egalitätserzeugenden Praktiken in Proben zusammenfassen (8.5) und zeigen, dass Proben nicht nur quantitativ, sondern auch qualitativ hohe Bedeutung für die Lernkultur der hier untersuchten Projektgruppe haben, da eine nicht-alltägliche Unterscheidung zentral wird: die Differenz zwischen SpielerInnen und ihren Figuren. Mit dieser Unterscheidungspraxis geht aber auch eine Egalisierungspraxis einher, da die SpielerInnen als SpielerInnen auf der Bühne eine gemeinsam geteilte Verantwortung für die Aufrechterhaltung des Spielrahmens und damit der für die ZuschauerInnen erzeugten Illusion haben.

8.1 Formen von „Proben"

Was sind „Proben" eigentlich? Wenn man beginnt, sich diese Frage zu stellen und das empirische Material dazu befragt, wird deutlich, dass vieles zu einer „Probehandlung" erklärt werden kann. Auch in den bisher vorgestellten Sequenzen finden sich dazu Beispiele. In Seq_1: Das Anfangsritual geht so erklärt Theresa ein gerade durchgeführtes Vormachen des Stampfens zu einer „Probehandlung", indem sie sagt: „also des was wir jetzt machen zählt (.) das vorher war nur ein beispiel" (Z. 36/37). Und in der Fallstudie zu Gestaltungsaufgaben rahmte Emilia in Seq_ 41: Safaripark die folgende Handlung als eine Probehandlung, indem sie zu Natascha sagte: „nochmal

---

387 Hentschel 2000, S. 135.

(.) okay?" (Z. 41). In beiden Fällen müssen die AkteurInnen scheinbar nicht mehr tun, als die gerade erfolgte oder die gleich erfolgende Handlung zu einer Probehandlung zu erklären. Dabei gilt, dass sie das noch nicht einmal „Probe" nennen müssen, die anderen AkteurInnen verstehen, was gemeint ist. In *Seq_1: Das Anfangsritual geht so* nehmen die TeilnehmerInnen den neuen Rhythmus von Theresa auf und in *Seq_ 41: Safaripark* nickt Natascha nur und macht sich zu einem weiteren Durchlauf – einer „Probe" eben – der von den beiden entwickelten Szene bereit. Die beiden Beispiele haben dabei gemeinsam, dass das Proben auf eine spätere Handlung, nämlich auf eine Aufführung verweist: im ersten Fall auf die Durchführung des Anfangsrituals, die als Aufführung, bei der Handelnde und ZuschauerInnen dieselben sind, analysiert wurde, im zweiten Fall auf die Aufführung der von Emilia und Natascha entwickelten Szene vor den anderen AkteurInnen. Proben werden also als „Probehandlungen" für etwas – in diesem Fall Aufführungen – eingesetzt.

Mit GOFFMAN könnte man daher „Proben" auch als Modulationen von Aufführungen begreifen, da sie ohne den Bezug zu einer Aufführung nicht verständlich werden. Genau so versteht GOFFMAN auch Proben und widmet „Übungssituationen", wie er sie nennt, einen ganzen Abschnitt im Kapitel „Module und Modulationen" seiner Rahmenanalyse.[388] Hier macht er deutlich, dass die Aufmerksamkeit auf einen ganz bestimmten Ausschnitt der „eigentlichen" Handlungen gerichtet werden kann:

„Ein interessanter Zug des Übens ist, daß Lehrender und Lernender es gewöhnlich nützlich finden, sich bewusst auf eine Seite der zu übenden Aufgabe zu konzentrieren, die der Könner nicht mehr beachtet."[389]

In der *Seq_1: Das Anfangsritual geht so* diente die Probe dazu, den TeilnehmerInnen den Ablauf des Rituals zu zeigen, in *Seq_41: Safaripark* versuchen Emilia und Natascha, einen ganzen Durchlauf ihrer Szene zu proben. Ein Charakteristikum von Proben ist dabei, dass sie sich beständig wiederholen lassen. Ganz ähnlich wie bei Spielen kann sofort an das Ende einer Probe eine erneute Probe angehängt werden. Die Dauer der wiederholten Sequenz kann dabei stark variieren, es können nur wenige Sekunden oder eine komplexe, lange Handlungsabfolge wiederholt werden. Dadurch wird es möglich, genau wie GOFFMAN es beschreibt, die Aufmerksamkeit auf ganz bestimmte Ausschnitte der Handlungen zu lenken und so – zum Beispiel – einen einzigen Ausruf fünfmal zu wiederholen. Diese Wiederholungsmöglichkeit und die Möglichkeit, einen bestimmten Ausschnitt in den Fokus der Aufmerksamkeit zu stellen, werfen aber das Problem auf, dass beständig entschieden werden muss, was als nächstes getan werden soll. Wird weitergespielt oder ein bestimmter Abschnitt noch einmal wiederholt? Wer hat das Recht dazu, die laufende Probe zu unterbrechen und eine neue zu beginnen? Und wer entscheidet, auf welchen Aspekt des zu Probenden sich die Aufmerksamkeit richtet?

Beginnt man sich diese Fragen zu stellen, dann zeigt das Material, dass es sinnvoll ist, verschiedene Formen von Proben zu unterscheiden:

Zunächst gibt es Situationen, in denen eine „Probehandlung" von einer AkteurIn vorgeschlagen wird und dadurch etwas „moduliert" wird: zum Beispiel kann vor Spielen

---

388 Vgl. GOFFMAN 1977a, S. 71-78.
389 GOFFMAN 1977a, S. 77.

eine „Proberunde" gespielt werden, die genauso abläuft wie ein echtes Spiel, mit dem Unterschied, dass dieses Spiel „nicht zählt".

Neben diesen Situationen lassen sich aber im hier untersuchten Material auch Sequenzen identifizieren, die als „Proben" benannt werden und der Vorbereitung öffentlicher Aufführungen dienen. Diese Proben nehmen ganz bestimmte Formen an, in denen unterschiedliche Handlungsregeln für die beteiligten AkteurInnen gelten und unterschiedliche differenz- bzw- egalitäterzeugende Praktiken zur Anwendung kommen. Dies liegt daran, dass in diesen unterschiedlichen Formen von Proben der Fokus der Aufmerksamkeit auf Unterschiedliches gerichtet wird:

In „Entwicklungsproben" versuchen die AkteurInnen, Ideen und Darstellungsformen für einzelne Szenen zu entwickeln. Davon unterscheiden lassen sich „Arbeit-an-der-Form-Proben", in denen es darum geht, gefundene Ideen und Formen zu verfeinern und zu fixieren. Und schließlich gibt es noch „Durchläufe", in denen der Fokus auf die Koordination der Handlungen durch die SpielerInnen gelegt wird. Ich werde im Folgenden diese drei Formen von Proben als eigene Rahmen mit spezifischen Handlungsregeln analysieren.

8.2 Entwicklungsproben

Entwicklungsproben fanden vor allem und fast ausschließlich in den sieben Projektterminen vor der Zwischenaufführung statt. In diesen Proben ist immer eine der Anleiterinnen oder die Lehrerin mit anwesend und die Proben finden immer mit einer Teilgruppe statt. Eine Teilgruppe umfasst dabei die TeilnehmerInnen, die zu einer der drei Gruppen des Stücks, den „Guten Schülern", den „Räubern" oder den „Jazz Girls" gehören. Die folgenden Sequenzen stammen alle (bis auf die letzte) aus einer Probe mit der Gruppe der „Guten Schüler". Natalie ist es hier, die als Anleiterin anwesend ist und die in der hier untersuchten Sequenz erläutert, um was es im Folgenden gehen soll:

Sequenz 59: Es ist nichts Schlechtes ein guter Schüler zu sein!

Ereignis: Matheentwicklungsprobe   Quelle: AG_19.03.07   Timeline: 0:15-

```
1    Natalie sitzt mit Natascha, Emilia, Lara, Nasir und Thomas im Kreis.
2       Natalie:   so:↓(.) und ZWAR sind wir ja jetzt die gruppe
3                  von den guten schülern (--) und es ist ja so
4                  dass:=es is ja nichts SCHLEChtes ein guter schül-
5                  er zu sein=des is ja (.) ziemlich GUT (.) ei-
6                  gentlich (.) [vor allem]
7       Thomas:    [warum?]
8       ?:         ich bin aber ein schlechter schüler
9       Natalie:   <<den Blick zu Thomas gewendet> is doch schön↓
10                 und wir können auch wenn wir in echt vielleicht
11                 schlechte schüler warn oder sind können wir
12                 jetzt einfach mal <<hebt die Hände über den Kopf
13                 und bewegt sie in einer triumphierenden Geste
14                 hin und her> (---) ganz gute schüler sein (---)
15                 und wir wollen des aber natürlich nich so dar-
16                 stellen dass wir da auf der bühne ewig viele
17                 bruchrechnungen machen oder sonst irgendwas oder
```

18		ganz schwierige matheaufgaben lösen <<all> son-
19		dern wir wollen versuchen das alles> in BEWEGung
20		darzustellen und zwar so dass wir zum beispiel
21		einen TANZ (.) der um MATHE geht (.) so: dar-
22		stellen dass die zuschauer wissen es geht um ma-
23		the aber wir kein einziges mal ne zahl gesagt
24		haben
25	Thomas:	<<dreht sich um, so dass er nun mit dem Rücken
26		zu den anderen sitzt>
27	Nasir:	man↓ ich will aber reden
28	Natalie	du willst reden↑ (.) des kannst du später noch
29		(.) jetz aber nur für den anfangsteil das wir
30		machen und wir versuchen mal dass wir <<wendet
31		den Blick zu Thomas> DU (.) THOMAS drehst du
32		dich bitte um-
33	Thomas:	ich kann aber nich <<dreht sich um und legt sich
34		in Nasirs Schoß>
35	Natalie:	was kannst du nich?
36	Thomas:	nix
37	Natalie:	setz dich bitte mal hin
38	Thomas:	<<setzt sich hin>
39	Natalie:	und meine idee war jetz der erste teil von dem
40		stück war (---) dass wir geometrische FORMEN in
41		bewegungen umsetzen (.) was kennt ihr denn für
42		geometrische formen?

Natalie beginnt damit, dass sie für die Figur des Guten Schülers wirbt. Sie versucht den TeilnehmerInnen diese Figur als „positiv" vorzustellen. Verständlich wird diese „Werbung", da kurz vor dieser Sequenz die Rollen verteilt wurden und die Gruppe der „Räuber", die Gruppe der „Freunde" (die dann später zu den Jazz Girls wurden) und die Gruppe der „Guten Schüler" entstanden.[390] Offensichtlich hält es Natalie hier für nötig – in Konkurrenz zu diesen beiden anderen Gruppen – dafür zu werben, dass es „nichts Schlechtes sei, ein guter Schüler" zu sein.

Thomas (Z. 7) fragt allerdings nach – „warum?" – und eine der TeilnehmerInnen stellt fest, dass sie aber gar keine gute SchülerIn sei. Natalie gibt im ersten Teil ihres darauf folgenden langen Redebeitrags (Z. 9-14) auf beide Einwände eine Antwort und versucht deutlich zu machen, dass es einen Unterschied zwischen ihnen als Personen und der Figur, die sie spielen, geben kann und versucht mit einer jubelnden Geste zu verdeutlichen, dass die Figur des Guten Schülers mit angenehmen Situationen verbunden ist. Im zweiten Teil des Redebeitrags (Z. 15-24) macht sie dann deutlich, wie sie sich die Inszenierung der „Guten Schüler" auf der Bühne vorstellt: sie will einen Tanz, der deutlich macht, dass es sich um „Gute Schüler" handelt.

Nun folgen wieder zwei Kommentare auf Natalie, Nasir äußert einen enttäuschtes „man↓", da die Beschreibung der Szene im Widerspruch zu seinem Wunsch, zu sprechen, steht. Thomas kommentiert Natalies Vorstellungen hingegen nonverbal und dreht seinen Rücken zu den Sprechenden. Zuerst reagiert Natalie auf Nasir und versucht, seine Zustimmung zu erreichen, indem sie ihm verspricht, dass er „später" auch noch reden darf, dann fällt ihr Blick auf Thomas und sie reagiert sofort, indem sie ihn beim Namen nennt und auffordert, sich wieder umzudrehen. Nach einem kurzen Dialog (Z.

---

390 Ich wähle hier die Bezeichnung der Gruppen, die von den AkteurInnen genutzt wurden, sie sprachen von „Räubern",„Guten Schülern" und „Freunden".

33-38), der die Gründe für Thomas Verhalten nicht erhellt, setzt sich Thomas wieder so in den Kreis, dass Natalie ihr eigentliches Thema wieder aufgreifen kann. Sie erklärt (Z. 39-42) die erste Inszenierungsaufgabe für die Probe, nämlich „Gute Schüler, die mit Mathematik beschäftigt sind", darzustellen.

Deutlich wird in dieser Sequenz, dass Natalie hier andere Handlungsrechte und -pflichten hat als die TeilnehmerInnen. Sie ist es, die den anderen AkteurInnen ihre Aufgabe gibt und für diese Aufgabe wirbt. Die TeilnehmerInnen kommentieren dies (Z. 7, Z. 8. Z. 25-26, Z. 27) und in allen Fällen ist es allein Natalie, die auf diese Kommentare reagiert. Sie ist offensichtlich das Zentrum dieses Gesprächs, alle Beiträge der TeilnehmerInnen werden von Natalie kommentiert, das Rederecht fällt nach einem Redebeitrag einer TeilnehmerIn grundsätzlich wieder ihr zu. Zudem setzt sie die Aufgabe für die kommende Probesequenz fest.

Für das Rahmendrehbuch von Entwicklungsproben lässt sich festhalten, dass die Aufgabe zunächst – vor Beginn der eigentlichen Probe – von den AnleiterInnen formuliert wird. Diese Aufgabenformulierung umreisst dabei die thematische Zielsetzung der zu entwickelnden Szene: In diesem Fall geht es um die „Darstellung Guter Schüler auf der Bühne". Zusätzlich wird oft eine erste Gestaltungsanregung – hier die, geometrische Figuren in einem Tanz darzustellen – gegeben.

Die folgende Sequenz stammt nun aus dieser eigentlichen Probe, die AkteurInnen versuchen, die von Natalie formulierte Aufgabe in Handlungen zu überführen:

Sequenz 60: Ist ein Dreieck?

Ereignis: Matheentwicklungsprobe   **Quelle:** AG_19.03.07   **Timeline:** 7:24-8:30

```
1    Natalie steht Lara, Emilia und Natascha gegenüber.
2        Natalie:   wir zeigen euch jetz mal ein anderes dreieck;
3                   (1)
4        ?:         m:hm:
5        Natalie:   <<hat Nasir und Thomas an den Schultern gepackt,
6                   die beiden stehen einander zugewandt, etwa einen
7                   halben Meter von einander entfernt, Natalie et-
8                   was hinter den beiden, die beiden ansehend> geht
9                   ihr mal mit den köpfen zusammen
10       Thomas:    [<<neigt den Kopf nach vorne, bis die Köpfe sich
11                  berühren>]
12       Nasir:     [<<neigt den Kopf nach vorne, bis die Köpfe sich
13                  berühren>]
14       Natalie:   und mit den füßen ein bisschen auseinander
15                  <<schiebt mit ihrem Fuß den Fuß von Nasir nach
16                  außen> so dass ihr an den köpfen zusammensteht>
17       ?:         m:hm:
18       Natalie:   die füße müssen noch weiter raus <<schiebt auch
19                  Thomas Füße mit dem Fuß nach außen>
20       Thomas:    <<pp> <<h> ich kann nich mehr
21       Natalie:   DOCH (.) SO <<stellt sie sich hinter ihn und
22                  richtet seinen Oberkörper aus> genau
23       Lara:      des sieht aus wie ein haus
24       Natalie:   dann ists ein HAUS (.) also müsst ihr die arme
25                  zusammennehmen (.) DOCH nich die köpfe
26   Nasir und Thomas lösen ihre Köpfe voneinander und legen die Hände über
27   ihren Köpfen aneinander
28       Natalie:   ganz weit auseinander (.) dass ihr euch gegen
29                  die hände lehnt
```

```
30    Nasir und Thomas gehen jeder ein bisschen zurück, lehnen sich gegen die
31    Hände des Anderen.
32    Natalie:   den po nicht so weit raus (.) sondern wie ein
33               brett machen (.) genau und dann
34    Lara:      schaut [trotzdem wie ein dreieck nich aus]
35    Natalie:   [und dann kann einer hier unten] <<geht auf die
36               Knie> IMMER noch? <<guckt von unten zu Nasir und
37               Thomas> ja ihr müsst hier ein bisschen spannen
38               junge männer <<führt die Hand zu Thomas Bauch>
39               gut (.) okay (.) <<legt sich zwischen die beiden
40               guckt zu Lara, Emilia, Natascha> is ein dreieck↑
41               (-) oder?
42    ?:         ´hm´hm
43    Natalie:   nich erkennbar?
44    ?2:        eher nich
45    Natalie:   DANN
46    Natalie setzt sich auf, Nasir und Thomas lösen die Hände voneinander
47    und stehen.
48    Natalie:   wie sollen sies machen?
49    Thomas:    <<führt beide Hände über dem Kopf zusammen, die
50               Arme nach außen angewinkelt>
51    Nasir:     [<<sieht Thomas an, führt dann auch beide Hände
52               über dem Kopf zusammen, die Arme nach außen an-
53               gewinkelt>]
54    Emilia:    [<<streckt beide Arme nach oben>]
55    Natalie:   <<blickt zu Emilia> macht mal (-) probiert ihr
56               mal
57    Emilia:    zum beispiel SO:
58    Emilia und Lara stützen die Hände über ihren Köpfen gegeneinander und
59    lehnen sich so gegeneinander.
60    Lara:      des sieht aber auch nich wie ein dreieck aus
61    Nasir:     des sieht genau so aus
62    Emilia:    aber ihr macht immer runter <<geht in eine ange-
63               deutete Kniebeuge, den Blick zu Nasir gerichtet>
64    Natalie:   LARA↑ (-) helf uns mal
65    Lara:      <<zieht die Schultern hoch, dann die Augenbrauen
66               und schiebt die Unterlippe vor> hm:
67    ?:         keine ahnung
68    Natalie:   dann (.) dann macht halt was anderes (.) ein
69               viereck
70    Thomas:    ä:h
```

In den ersten 45 Zeilen dieser Sequenz versucht Natalie, mit den Körpern von Thomas und Nasir ein Dreieck zu formen. Natascha, Emilia und Lara gucken dabei zu und kommentieren diese Versuche. Als sie schließlich den letzten Versuch ebenfalls negativ kommentieren (Z. 44), gibt Natalie auf und richtet eine Frage an die Zuschauerinnen („wie sollen sies machen?"). Interessant ist diese Frage, weil sich hier nun die starke Anleitungsposition von Natalie auflöst. Im ersten Teil der Sequenz gestaltete sie die Körperanordnungen von Nasir und Thomas, nun verlässt sie diese Rolle und fragt die ZuschauerInnen nach ihren Ideen. Ihre Formulierung macht dabei deutlich, dass sie sich an die ZuschauerInnen richtet, da sie ja danach fragt, wie sollen „sies" machen. Thomas und Nasir geben aber ebenfalls Antwort auf die Frage, wenn auch keine verbalen, sondern gestische. In den Zeilen 49-53 formt zunächst Thomas und dann auch Nasir mit den Händen ein gut erkennbares Dreieck. Diese Vorschläge werden aber von Natalie nicht wahrgenommen, die ihren Blick auf Emilia gerichtet hat, die ihre Hände nach oben streckt (Z. 54). Natalie übernimmt wieder ihre Leitungsfunktion und gibt Emilia und einem nicht näher spezifizierten „ihr" die Handlungsaufforderung, es mal zu probieren.

Emilia und Natascha sind es dann, die ebenfalls versuchen, ein Dreieck darzustellen. Sie wählen allerdings dieselbe Anordnung wie Nasir und Thomas und haben dasselbe Problem. Es ist nämlich schwierig, so viel Spannung im Körper aufzubauen, dass man trotz des schiefen Standes von den Füßen bis zu den Händen, mit denen man sich an die Hände des anderen stützt, eine gerade Linie darstellt. Folgerichtig wird auch dieser Versuch von Lara abgelehnt (Z. 60). Natalie startet einen weiteren und bittet Lara, den beiden gescheiterten Paaren zu helfen (Z. 64), aber Lara macht keinen Vorschlag und signalisiert, dass sie keinen Vorschlag hat (Z. 65-66). Auch eine andere TeilnehmerIn fühlte sich offensichtlich angesprochen und macht deutlich, dass auch sie oder er keine Idee mehr hat (Z. 67). Natalie gibt schließlich auf und schlägt vor, sich an einer neuen Form, einem Viereck, zu versuchen (Z. 68). Dies wird wiederum von Thomas mit einem ratlosen „ä:h" kommentiert.

In dieser Sequenz gelingt es den AkteurInnen nicht, eine körperliche Umsetzung der geometrischen Form des Dreiecks zu entwickeln. Die jeweiligen ZuschauerInnen unterstützen die Darstellenden nicht mit Veränderungsvorschlägen, sondern machen nur ihre Ablehnung deutlich. Natalie greift sehr stark in das Geschehen ein und versucht, im ersten Teil durch die körperliche Ausrichtung, im zweiten durch Fragen, das Handeln der TeilnehmerInnen zu lenken. Dadurch nimmt sie die gute Idee von Thomas (Z. 49-50), die auch von Nasir aufgegriffen wird (Z. 51-52), gar nicht wahr und auch die TeilnehmerInnen erkennen nicht das Potential dieser Idee, weil sie so sehr auf Natalie fixiert sind. In der folgenden Sequenz ist das nun anders, hier ist es zwar wieder Natalie, die eine Gestaltungsaufgabe formuliert, selbst dann aber keine so zentrale Rolle mehr spielt, da die TeilnehmerInnen auf die Handlungsvorschläge ihrer MitspielerInnen eingehen:

Sequenz 61: 1+1=2

Ereignis: Matheentwicklungsprobe   Quelle: AG_19.03.07   Timeline: 15:25-16:24

```
1   Nasir, Thomas, Natascha, Emilia und Lara stehen dicht beieinander, die
2   Arme nach vorne und oben gestreckt, so dass sie sich über ihnen berüh-
3   ren. Ihre Gesäße haben sie nach hinten gestreckt.
4       Natalie:  halten=halten=halten
5   Musik erklingt - ein getragenes Klavierstück - und die SpielerInnen
6   lösen sich aus ihrer Position. Thomas geht rückwärts und führt im Takte
7   der Musik seine Hände auf und ab, als ob er etwas schneiden würde. Die
8   anderen bewegen sich vorwärts und gehen mit eher ausdruckslosen Gesich-
9   tern. Die Musik stoppt wieder. Die SpielerInnen frieren ein.
10      Natalie:  EINS (.) PLUS (.) EINS (.) IST (.) ZWEI;
11  Natascha wendet ihren Blick zu Emilia, auch Nasir und Thomas blicken zu
12  ihr.
13      Emilia:   <<reißt den Mund weit auf, dann formt sie mit
14                ihren beiden Armen ein „+-Zeichen" vor ihrem
15                Körper>
16      Natalie:  schnell aufstellen
17      Natascha: <<guckt ihr genau zu, dann formt sie ein eben-
18                solches Zeichen>
19  Natascha, Emilia, Thomas und Nasir blicken zu Lara, die mit in Höhe des
```

```
20            Bauchs horizontal ausgebreiteten Armen dasteht.
21   Emilia:  <<löst ihre Arme und lässt sie wieder an ihrem
22            Körper herabhängen, dann nimmt sie sie wieder
23            nach oben>
24   Natalie: schnell
25   Nasir:   <<f> was ist was?
26   Lara:    <<kommt zu Natascha und schiebt diese ein wenig
27            zur Seite, dann stellt sie sich zwischen Na-
28            tascha und Emilia und breitet ihre Arme aus>
29   Nasir:   <<p> was soll [denn des?]
30   Natalie:          [alle zusammen]
31   Nasir:   <<stellt sich auf die andere Seite von Natascha>
32            ich bin die eins
33   (1)
34   Natalie: EINS (.) PLUS
35   Lara:    <<schlägt die Hände an die Hose, dann stellt sie
36            sich mit verschränkten Armen hin>
37   Thomas:  EINS plus EINS
38   Emilia:  <<stellt sich neben Lara, die Arme horizontal
39            vor ihrem Körper, so dass sie ein „=-Zeichen"
40            formen> ist
41   Lara:    [stimmt nicht]
42   Natalie: zwei
43   Thomas:  <<stellt sich neben Emilia>
44   Natalie: eins=
45   Lara:    =plus eins ist EINS <<dabei zeigt sie mit dem
46            Finger immer auf eine der anderen SpielerInnen>
47   Natalie: du bist ne zwei thomas
48   Nasir:   wie soll er des denn machen?
49   (1)
50   Natalie: mach ne zwei
51   Thomas:  <<hebt die Hände nach oben über den Kopf, ver-
52            dreht dann den Körper nach links unten>
53   Lara:    so vielleicht <<nicht auf dem Kamerabild zu se-
54            hen, was sie macht>
55   Thomas:  SO? <<sitzt auf den Knien, den Oberkörper mit
56            dem Armen gerundet>
57   Natalie: andersrum (.) damit wirs erkennen
58   Thomas:  << dreht sich um> also so rum?
59   Natalie: ja genau
```

In dieser Sequenz zeigt sich, dass Natalie eine andere Strategie anwendet als in der eben beschriebenen Sequenz „Ist ein Dreieck?". Hier lässt sie die TeilnehmerInnen in ihren Figuren, d. h. als „Gute Schüler", durch den Raum gehen, bei einem Musikstopp sagt sie die darzustellende Aufgabe an. Nun geht es nicht mehr darum, geometrische Figuren zu bilden, sondern eine Matheaufgabe, nämlich „1+1=2" körperlich darzustellen. Im Unterschied zur vorherigen Sequenz ist es nun nicht Natalie, die die Körper ausrichtet, sondern die TeilnehmerInnen selbst entwickeln ihre Darstellung. Dabei spielen die folgenden Handlungen die entscheidende Rolle:

Zunächst fällt auf, dass die TeilnehmerInnen in dieser Sequenz ihre Blicke nicht an Natalie ausrichten, sondern sich wechselseitig beobachten (Z. 11-12, Z. 19-20). Dabei entwickeln einzelne TeilnehmerInnen Haltungsvorschläge (Emilia zeigt ein „+" in Z. 14, dann ein „=" in Z. 39-40, Lara schlägt eine Haltung in Z. 19-20 – vielleicht ein =-Zeichen, und eine „2" in Z. 53-54 vor), die von den anderen TeilnehmerInnen diesmal nicht abweisend kommentiert werden, sondern aufgegriffen werden (Natascha in Z. 17-18, Thomas in Z. 55-56).

Nasir ist es, der eine weitere Strategie zur Koordinierung der Handlungen verfolgt, er stellt verschiedene Fragen, die aber nicht an Natalie, sondern an seine MitspielerInnen gerichtet sind (Z. 25, Z. 29, Z. 48).

Schließlich werden eindeutige Positionen besetzt, Lara richtet Natascha und Emilia aus und stellt sich zwischen die beiden (Z. 26-28), Nasir macht sich selbst zur „Eins" (Z. 31-32) und Emilia sich selbst zum „=-Zeichen" (Z. 38-40) und Thomas nimmt die Position hinter dem „=-Zeichen" ein (Z. 43). Diese Besetzung der Positionen erfordert dann auch, dass einzelne TeilnehmerInnen ihre ursprüngliche Haltung aufgeben, Lara verwirft ihre Geste, die sie am Anfang hatte und wird zu einer „Eins" (Z. 35-36) und Emilia überlässt ihr „+-Zeichen" Natascha und macht sich zum „=-Zeichen" (Z. 38-40).

Natalie als Anleiterin spielt keine große Rolle mehr, sie sagt lediglich die Regeln an („schnell" und „alle zusammen") und fungiert zum Schluss als Zuschauerin, die Thomas' „Zwei" als erkennbar wertet.

Der Vergleich der beiden Sequenzen zeigt, dass die TeilnehmerInnen im zweiten Fall sehr viele Strategien nutzen, um die gemeinsame Koordination der Aufgabe zu bewerkstelligen. Sie machen Haltungsvorschläge, sie übernehmen Haltungsvorschläge, sie geben Haltungsvorschläge auf und evaluieren sich gegenseitig die Güte der Haltungsvorschläge.

In der *Seq_60: Ist ein Dreieck?* hingegen nutzten sie diese Strategien nicht und die starken Interventionen von Natalie waren nicht von Erfolg gekrönt. Eine erste Hypothese, die sich hier formulieren lässt ist, dass gelingende Entwicklungsproben nur dann möglich sind, wenn sich die SpielerInnen auf die Impulse der MitspielerInnen einlassen und gemeinsam zu einer möglichen Handlungsform gelangen – ein zu starker Einfluss von AnleiterInnen kann eher hinderlich als förderlich sein, da die Aufmerksamkeit der SpielerInnen von den MitspielerInnen abgelenkt wird.

Nachdem die SpielerInnen zu allen Aufgaben, die Natalie ihnen gestellt hatte, mögliche Darstellungen entwickelt hatten, setzte sich Natalie an einen Tisch und schrieb die Folge der Aufgaben bzw. ihre Darstellungsformen auf. Hier schließt die folgende Sequenz an:

Sequenz 62: Machen wirs noch einmal durch?

Ereignis: Matheentwicklungsprobe   Quelle: AG_19.03.07   Timeline: 23:50-24:41

```
1    Natalie sitzt an einem Tisch, um sie herum stehen Nasir, Thomas Lara,
2    Emilia und Natascha.
3        Lara:     achtundzwanzig geteilt durch dreizehn
4        Natalie:  achtundzwanzig geteilt durch dreizehn und dann
5                  ohne ergebnis
6        (1)
7        Natalie:  machen wirs noch einmal durch?
8        Lara:     okay
9        Emilia:   geteilt durch fünf hab ich gedacht
10       Natalie:  wenn die musik stoppt (.) ihr denkt dran=ihr
11                 seid ja ganz=ganz=ganz (.) GANZ schlaue schüler
12                 und ihr bewegt euch [ganz]
13       Nasir:    [streber]
14       Natalie:  nicht streber (.) ihr seid einfach ganz schlau
15                 und ihr bewegt euch ganz´ (.) ein bisschen wie
16                 (-) ähm (.) sehr vornehm und sehr korrekt (.)
```

```
17      Natascha:   <<beginnt durch den Raum zu gehen, leicht im
18                  Hohlkreuz, den Kopf nach oben gestreckt>
19   Auch Nasir und Thomas beginnen durch den Raum zu gehen.
20      Natalie:    vielleicht putzt ihr euch auch mal so die jacken
21      Nasir:      <fasst sich an den Kragen und tut so, als ob er
22                  da einen Krümel wegschlägt>
23      Natalie:    [und du kannst ja mal deinen kragen da so raus-
24                  holen]
25      Nasir:      [<<beginnt sich den Kragen unter seinem Pulli zu
26                  richten]
27      Thomas:     [<<beginnt sich den Kragen unter seinem Pulli zu
28                  richten]
29      Natalie:    <<steht auf und kommt auf Thomas und Nasir zu>
30                  und du bist so (.) a:h (.)ganz schlau
31      Nasir:      [<<greift sich in die Haare> a: meine schönen
32                  Haare (.) die hab ich gestern erst geschnitten]
33      Natalie:    [und vielleicht mal die brille zurechtrücken] und
34                  wenn ihr euch bewegt dann könnt ihr euch viel-
35                  leicht so wie <<beginnt selbst sich drehend
36                  durch den Raum zu bewegen> beim walzertanzen o-
37                  der tangotanzen so: GANZ
38   Thomas, Nasir, Natascha, Lara und Emilia bewegen sich drehend durch den
39   Raum.
40      Natalie:    genau (.) super;
```

Genau wie GOFFMAN es beschrieben hat, erlauben Proben, einen bestimmten Ausschnitt der Handlung besonders zu fokussieren. Ging es in den ersten Proben darum, mögliche Darstellungsformen für die Aufgaben zu finden, geht es in der sich anschließenden Proben nicht mehr darum – die Form ist ja schon gefunden und fixiert. Natalie schlägt vielmehr vor, dass die SpielerInnen ihr Augenmerk auf ihre Form des Tanzens legen sollen. Um das vorzubereiten wählt sie zwei unterschiedliche Strategien: Zum einen erinnert sie die SpielerInnen, dass sie „ganz=ganz=ganz=GANZ schlaue Schüler sind" (Z. 10-12) und versucht so, die Bewegungsqualität durch die Vorstellungskraft der Spielerinnen zu verändern. Der Einwurf von Nasir, der „ganz=ganz=ganz=GANZ schlaue Schüler" mit Strebern gleichsetzt (Z. 13), muss von ihr zurückgewiesen werden, da sie die Konnotationen dieses Wortes nicht in den Köpfen der SpielerInnen haben will; sie präzisiert daher noch mal, indem sie die Eigenschaften dieser Guten Schüler betont (Z. 16). Natascha nimmt diese Beschreibung als Spielimpuls auf und bewegt sich – im wahrsten Sinne des Wortes – hochnäsig durch den Raum (Z. 17-18). Natalie wählt nun eine weitere Strategie und macht den SpielerInnen Handlungsvorschläge (Z. 19), die sofort von Nasir aufgegriffen werden, der sich einen vorgestellten Krümel von seinem Kragen entfernt (Z. 21-22). Diese Bewegung wird nun ihrerseits von Natalie aufgegriffen, sie schlägt Nasir vor, sich den Kragen zu richten (Z. 23-24). Auch dieser Vorschlag wird als Spielimpuls aufgegriffen (Z. 25-28). Dann wechselt Natalie wieder zu der Beschreibung von Eigenschaften (Z. 30), diesmal antwortet Nasir nicht nur mit einer Bewegung, sondern mit einem ganzen Satz in seiner Figur des „Guten Schülers" (Z. 31-32).

Schließlich verändert Natalie noch einmal ihre Strategie und sie beginnt selbst, sich in einer bestimmten, von ihr auch verbal beschriebenen Form, durch den Raum zu bewegen (Z. 33-37). Auch dieser Impuls wird aufgegriffen, diesmal von allen SpielerInnen und alle tanzen – sozusagen als Probe der Probe – durch den Raum. Das Tanzen der SpielerInnen wird abschließend von Natalie mit einem Lob ratifiziert und die „Probe vor der Probe" findet ihr Ende und die eigentliche Probe beginnt. Natalie versucht hier also, die Gestaltung der Szene zu verändern, indem sie sich auf die von den TeilnehmerInnen gespielten Figuren bezieht. Sie nutzt dabei drei Strategien – sie macht vor bzw. mit (sie tanzt selbst als „Gute Schülerin" durch den Raum), sie macht konkrete Bewegungsvorschläge (Kragen richten) und sie beschreibt die Eigenschaften der „Guten Schüler", um so die inneren Bilder der TeilnehmerInnen anzuregen.

Während der dann folgenden Probe verfolgt Natalie weiter diese drei gerade beschriebenen Strategien. In allen Fällen nehmen die SpielerInnen ihre Impulse auf und verändern ihr Verhalten, wie in der folgenden Sequenz aus der gerade vorbereiteten Probe:

Sequenz 63: Krümel? Krümel!

   Ereignis: Matheentwicklungsprobe   **Quelle:** AG_19.03.07   **Timeline:** 26:50-27:07

```
1    Alle SpielerInnen bewegen sich zur Musik tanzend durch den Raum.
2       Natalie:  ihr werdet immer=ihr werdet immer HOCHnäsiger
3                 sozusagen weil ihr immer besser werdet
4    Thomas läuft auf Nasir zu, er hebt den Arm und auch Nasir hebt seinen
5    Arm, sie klopfen sich, als sie sich treffen, auf die Schulter, dann
6    zeigt Thomas mit ausgestrecktem Zeigefinger auf den Ärmel Nasirs. Nasir
7    guckt auf diese Stelle und schaut dann Thomas fragend an. Thomas be-
8    ginnt mit seinem linken Arm seinen rechten Ärmel schnell entlangzufah-
9    ren, als ob er ihn säubern wollte. Jetzt versteht Nasir und wischt sich
10   an der Stelle, die vorher von Thomas bezeichnet wurde, seinen Ärmel ab.
```

Auf Natalies Aufforderung immer „hochnäsiger" zu werden, die sie mit der Entwicklung in der Szene begründet (da sie ja alle Aufgaben lösen und so immer besser werden) (Z. 2-3) finden Thomas und Nasir sofort eine Handlungsumsetzung, die für ZuschauerInnen verständlich ist. Sie klopfen sich gegenseitig auf die Schultern und zeigen sich somit sichtbar ihre wechselseitige Anerkennung an (Z. 4-5), Thomas hat gleich noch eine weitere Idee und zeigt mit dem Finger auf Nasirs Ärmel (Z. 5-6). Nasir sieht sich diese Stelle an und richtet dann den Blick auf Thomas zurück (Z. 6-7). Thomas registriert das Nichtverstehen von Nasir und zeigt ihm mit seiner Säuberungshandlung an seinem eigenen Ärmel an, was er gemeint hatte. Nun versteht auch Nasir, dass Thomas ihm einen „Krümel" auf seinem Ärmel gezeigt hatte und wischt seinen Ärmel ab. Hier zeigt sich eindrucksvoll, dass Thomas und Nasir hier tatsächlich in ihren Figuren spielen. Sie finden Handlungen, die für die ZuschauerInnen deutlich machen, dass sie sich wechselseitig für ihr Können anerkennen, ohne dass sie das verbalsprachlich ausdrücken. Darüber hinaus aber gelingt es ihnen auch, den Spielimpuls, den Nasir zunächst nicht deuten kann, in ihren Figuren zu lösen. Nasir fragt Thomas nicht, was er denn meine – dann würde Nasir als Spieler und nicht mehr als Figur sprechen – sondern schaut ihn mit großen Augen an. Thomas deutet das als ein Unverständnis und zeigt Nasir durch seine eigene Säuberungshandlung an, was er gemeint hat. Dabei greift auch er nicht auf die Verbalsprache zurück, sondern zeigt, was er gemeint hat und zwar so, dass die Handlung auch als die Handlung der gespielten Figur gedeutet werden kann. Diese Unterscheidung von Handlungen, die den SpielerInnen zugeordnet werden und solchen, die den von ihnen gespielten Figuren zugeordnet werden, gewinnt im weiteren Verlauf der Proben die entscheidende Bedeutung. Thomas und Nasir bleiben in ihren Rollen und Thomas deutet Nasir gestisch an, was er gerade gemeint hat und sie finden so eine Lösung, die sie in ihren Figuren durchführen können.

Nach dieser Probe findet noch einmal eine „Fixierungssequenz" statt, in der sich das Verhältnis von Anleiterin und TeilnehmerInnen verändert:

Sequenz 63: Des könnt ihr mir jetzt sagen

Ereignis: Matheentwicklungsprobe   Quelle: AG_19.03.07   Timeline: 30:24-30:54

```
1   Natalie sitzt am Tisch, um sie herum stehen Nasir, Thomas, Lara und
2   Natascha.
3      Natalie:   nein (.) ne=des könnt ihr mir jetzt sagen (.)
4                 wollt ihr lieber dass ich musik stopp oder soll
5                 ich [einfach reinrufen]
6      ?1:        [musikstopp]
7      ?2:        musikstopp
8      Natalie:   stoppen↓ und ihr formatiert euch wie ne statue↓
9                 <<hebt die beiden Hände nach oben> und dann geht
10                die musik weiter und ihr macht=
11     Lara:      =aber wer macht dann das für die emilia?
12     (1)
13     Natalie:   die emilia ist ne ACHT <<hebt die beiden Hände
14                über den Kopf und schließt sie dort>
15     Thomas:    ja: (.) aber wer macht des dann↑=
16     Natalie:   =des sagen wir einfach dass die emilia fehlt
17     (2)
18     Natalie:   des wissen die ja: (-) okay?
19     ?3:        okay;
20     Nasir:     dann sagen wir einfach die emilia ist nich da=
21     Natalie:   =genau=
22     Nasir:     =und sie wär die ACHT=
23     Natalie:   =genau (-) okay?
24     Lara:      DES sagt SIE:; <<deutet mit einem Zeigefinger
25                auf Natalie>
26     Natalie:   JA (.) ich sag des (.) SIE: heißt natalie
```

Natalie stellt den SpielerInnen die Frage, ob sie die Musik stoppen soll oder nicht (Z. 3-5). Dabei zeigt sie durch ihre besondere Rahmung „das könnt ihr mir jetzt sagen" an, dass sich hier etwas verändert – nun sagt nicht mehr sie den TeilnehmerInnen an, was zu tun ist, sondern die TeilnehmerInnen dürfen ihr sagen, wie sie es haben wollen. Zwei TeilnehmerInnen formulieren ihren Wunsch (Z. 6-7) und Natalie greift diesen Wunsch auf (Z. 8) und beschreibt, wie der Ablauf der Szene sein soll (Z. 9-10). Dabei wird sie aber von Lara unterbrochen, die sich hier das Rederecht „nimmt", wie die Überlappung zeigt (Z. 11). Sie stellt die Frage, wie denn die Szene zu spielen ist, wenn Emilia nicht da ist (Emilia musste zum Zahnarzt und konnte daher nicht an der sich anschließenden Präsentation vor den anderen Gruppen teilnehmen). Natalie versteht die Frage aber anders und antwortet mit der Haltung, die Emilia einnehmen soll (Z. 13-14). Thomas ist es, der das Problem noch mal reformuliert und die Frage stellt, wer Emilia ersetzt (Z. 15). Natalie schlägt vor, Emilia einfach wegzulassen und das dem Publikum im Vorfeld mitzuteilen (Z. 16). Die Ratifizierung dieses Vorschlags lässt aber lange auf sich warten, zunächst ist es zwei Sekunden lang still (Z. 17), daher gibt Natalie eine Begründung für ihren Vorschlag (Z. 18). Dies wird schließlich von einer MitspielerIn ratifiziert (Z. 19), Nasir hakt aber noch mal nach und wiederholt Natalies Vorschlag (Z. 20) und ergänzt, dass sie ja auch noch sagen können, was Emilia eigentlich darstellen müsste (Z. 22). In Z. 23 versucht Natalie noch einmal die Ratifizierung ihres Vorschlags einzuholen („okay?"), dies wird ihr aber von Lara ein weiteres Mal verweigert, indem diese deutlich macht, dass es dann aber Natalie sein muss, die diese Lösung dem Publikum vorschlägt (Z. 24-25). Dabei spricht Lara so über Natalie als sei diese gar nicht anwesend („SIE") und macht so erneut ihre Distanz zu diesem Vorschlag deutlich. Die Formulierung Laras wird aber von Natalie kommentiert, indem sie deutlich macht, dass sie auch einen Namen hat und erwartet, dass Lara nicht als „sie" von ihr sprechen soll (Z. 26).

Versucht man nun das spezifische Rahmendrehbuch von Entwicklungsproben zusammenzufassen, ergibt sich folgender Ablauf:

Entwicklungsproben beginnen damit, dass die Anleiterinnen den SpielerInnen die Ideen für eine Szene mitteilen. Daran schließt sich eine Phase des Experimentierens an, in der die AkteurInnen versuchen, diese Ideen szenisch darzustellen. Dabei werden – im Unterschied zu allen anderen bisher vorgestellten Rahmen – überhaupt keine Regeln explizit formuliert. Es wird „einfach" angefangen. Dabei wählen die AkteurInnen sehr unterschiedliche Strategien, um diese szenische Inszenierung zu gestalten. In der ersten hier vorgestellten Sequenz *Seq_60: Ist ein Dreieck?* führen die starken Interventionen der Anleiterin, die die Körper der SpielerInnen ausrichtet, zu keiner Lösung und auch die SpielerInnen selbst entwickeln durch ihre starke Fixierung auf die AnleiterIn und ihre grundsätzlich abwehrende Haltung gegenüber den Vorschlägen der anderen keine Darstellungsform, die ihnen gefällt. Erst als sie, wie in *Seq_61: 1+1=2* gut zu zeigen ist, andere Handlungsstrategien wählen, nämlich „Gestische Vorschläge machen", „sich zuzucken", „Impulse aufgreifen", „Positionen besetzen" und „Haltungen auch wieder aufgeben", gelingt es ihnen, szenische Darstellungen zu entwickeln, mit denen sie zufrieden sind. Wichtig ist dabei, dass die Szene als eine „Spielszene" gerahmt ist, d. h. dass sich die SpielerInnen in ihren Figuren und nicht als SpielerInnen begegnen. Genau aus diesem Grund können auch Interventionen einer AnleiterIn problematisch werden, weil sie die Spielrahmung modulieren und den „ursprünglichen" Rollen von AnleiterIn und TeilnehmerIn zur Gültigkeit verhelfen.

Sind mögliche Darstellungsformen gefunden, werden diese fixiert – zum Beispiel schriftlich. Dann ist es möglich, wie in Sequenz *Seq_62: Machen wirs noch einmal durch* zu sehen ist, eine weitere Probe anzuschließen, die nun nicht mehr das Ziel hat, Gestaltungsformen zu entwickeln, sondern einen anderen Schwerpunkt setzen kann, hier: Sich auch wirklich als „Gute Schüler" durch den Raum zu bewegen. Deutlich wird auch, dass Entwicklungsproben auf eine Aufführung hinzielen, die dann eine erneute Koordination erforderlich macht. In Sequenz *Seq_63: Des könnt Ihr mir jetzt sagen* gilt es dabei ein ganz spezielles Problem zu lösen, da nämlich eine der SpielerInnen bei der Präsentation nicht anwesend sein kann. Dies verweist auf ein weiteres Spezifikum von Proben und Präsentationen: ein einmal entwickelter und dann fixierter Handlungsablauf ist nur dann gut zu präsentieren, wenn die beteiligten SpielerInnen auch tatsächlich anwesend sind. Sobald wirklich alle SpielerInnen eine Figur darstellen, die in der Szene nicht einfach nur „auch noch da ist", führt ein Fehlen dieser SpielerIn dazu, dass die gesamte Szene nicht mehr so wie geplant zur Aufführung gebracht werden kann. Die Gestaltung von Szenen kann so auch als eine egalitäterzeugende Praxis verstanden werden, da alle SpielerInnen – so verschieden sie in ihren Figuren auch sein mögen – als SpielerInnen die gleiche Bedeutung für die Darstellung der Szene haben (dies gilt für alle Szenen, in denen auch alle auf der Bühne Anwesenden als eigenständige Figur auftreten und nicht einfach nur „mitspielen"; genau dies wurde aber auch in den in diesem Projekt entwickelten Szenen so gehandhabt).

8.3 Arbeit-an-der-Form-Proben

In Arbeit-an-der-Form-Proben geht es nun nicht mehr darum, Ideen eine Gestalt zu geben, sondern darum, die schon fixierte Gestalt zu bearbeiten und zu modellieren. Dabei ist zu beobachten, dass beständig zwei Rahmen gleichzeitig in Kraft sind: zum einen der Rahmen, der innerhalb des Stückes dargestellt werden soll und gleichzeitig der Rahmen der Probe, der es erlaubt, dass beständig Details der Gestaltung dieses inszenierten Rahmens fokussiert und verändert werden können. Dabei sind die SpielerInnen „doppelt" anwesend: zum einen als SpielerInnen im Rahmen einer Probe, aber gleichzeitig auch in ihren Figuren im Rahmen der inszenierten Szene. Dies zeigt sich eindrücklich – aber keineswegs nur hier, sondern an vielen Stellen im Material – in der folgenden Sequenz:

Sequenz 65: Hallo? – Du magst mich!

Ereignis: Probe_Räuber+Schüler   Quelle: AG_26.03.07   Timeline: 0:42-0:55

```
1     Louise, Elkie, Lisa und Magnus und Theresa stehen auf einem Teil der
2     Turnhalle, der durch Bandenelemente an drei Seiten vom Rest der Turn-
3     halle abgegrenzt ist. An der offenen Seite, etwa 3 Meter entfernt,
4     steht eine Turnhallenbank, auf dieser sitzen Emilia, Lara und Natascha.
5     Lisa, Elkie und Louise stehen mit ihren Gesichtern zur offenen Seite
6     der Bühne. Theresa steht links vor ihnen, halb zum Publikum und halb zu
7     ihnen gerichtet. Ihr gegenüber, ebenfalls halb zum Publikum und halb zu
8     Louise, Elkie und Lisa gerichtet, steht Magnus.
9         Theresa:   <<den Blick zu Magnus gerichtet> du bist der
10                   CHEF (.) du sagst (.) HEY (.) DU holst jetzt un-
11                   sere SCHÜLER
12        Magnus:    <<guckt mit verschränkten Armen Elkie an> DU
13                   HOLST SIE <<schlägt ihr auf die Brust>
14        Elkie:     <<weicht vom Schlag getroffen einen Schritt zu-
15                   rück> <<p> aua <<legt ihre beiden Hände auf die
16                   von Magnus getroffene Stelle und wendet ihren
17                   Blick zu Theresa>
18        Theresa:   nich ganz so grob (.) OKAY? <<legt ihren Arm auf
19                   Magnus Schulter>
20        Elkie:     <<blickt Magnus an> HALlo↑ du magst mich
21        Theresa:   SAGS ihr (.) du musst sie nicht anfassen (--) okay
```

Schon das räumliche Arrangement, das in den Zeilen 1-8 beschrieben ist, weist daraufhin, dass es sich um eine Probe handelt. Die Bandenelemente begrenzen einen Teil des Raumes an drei Seiten. An der geöffneten Seite steht eine Bank, auf der drei AkteurInnen, den Blick zum umgrenzten Raum gerichtet, sitzen. Die AkteurInnen auf der Bühne haben ihre aufeinanderbezogene Körperhaltung so aufgebrochen, dass sie ihre Gesichter mindestens halb den auf der Bank Sitzenden zugewendet haben. Theresa steht leicht nach links versetzt und Magnus leicht nach rechts versetzt. Beide richten ihre Blicke auf die in der Mitte stehenden: Louise, Elkie und Lisa.

Theresa wendet sich dann an Magnus und sagt zu ihm, wer er in der zu spielenden Szene sei. Sie formuliert das an den Spieler Magnus, allerdings in einer Formulierung, die sich auch direkt an die von Magnus gespielte Figur – den Räuberhauptmann Checko – richtet. Sie sagt nämlich nicht: „Du spielt jetzt hier den Chef", sondern sie sagt: „Du bist hier der Chef". Diese Anweisung bezieht sich dabei nicht auf die Beziehung zwischen Theresa und Magnus – hier ist Theresa die „Chefin", die Magnus sagt, was er zu tun hat, sondern auf die im Stück zu spielende Szene. Magnus versteht Theresa auch genau in diesem Sinne und wendet sich als Räuberboss Checko zur Räuberin Mogy und sagt ihr, dass sie die Gefangenen zu holen habe (Z. 11-12). Dabei schlägt er ihr auch auf die Brust und Elkie/Mogy weicht vom Schlag getroffen zurück. Ihr „Aua" zeigt an, dass ihr dieser Schlag weh getan hat und sie wendet den Blick zu Theresa (Z. 13-16). Mit diesem Blick reagiert Elkie als Elkie und nicht mehr als Spielerin Mogy auf den Schlag von Checko – das „Aua" könnte noch eine Reaktion der Figur sein, der Blick zu Theresa aber, die ja in der gespielten Szene gar nicht da ist, transformiert den Rahmen erneut. Sie gibt durch diesen Blick eine Handlungsaufforderung an Theresa und Theresa interveniert auch und wendet sich nun an den Spieler Magnus und macht ihm die geltenden Regeln des Engagements deutlich, die kein grobes Schlagen erlauben (Z. 17-18). Elkies Blick und Theresas Intervention lassen sich also als Handlungen des „ersten" Rahmens, des Proberahmens, verstehen, der Befehl und der Schlag von Magnus als Handlungen des „zweiten", des gespielten Rahmens.[391]

Dann ergreift Elkie wieder das Wort und richtet sich an Magnus: „HAllo↑ du magst mich" (Z. 19). Dieser Satz ist nun von besonderem Interesse, da nicht mehr eindeutig zu entscheiden ist, in welchem der beiden gerade unterschiedenen Rahmen Elkie diesen Satz äußert:

Elkie klärt das Verhältnis von Mogy und Checko im Stück und formuliert das direkt an Checko gewandt – sie sagt nicht: „HAllo↑ der mag die doch", sondern sie sagt: „HAllo↑ du magst mich". In diesem Sinne lässt sich der Satz als Handlung des zweiten, des gespielten Rahmens, verstehen. Gleichzeitig reagiert Elkie hier aber auch auf die Handlungen des ersten Rahmens und unternimmt eine Beziehungsklärung, die in der gespielten Szene „eigentlich" nicht möglich ist, bzw. im bisherigen Skript der Szene nicht vorgesehen war. Die Frage ist also, wer hier eigentlich miteinander spricht? Es wäre sicherlich problematisch zu behaupten, dass „Elkie" hier ihre Beziehung zu „Magnus" klärt, Elkie würde sofort und zu Recht einwenden, dass sie das doch „in" ihrer Figur gesagt habe. Es war also nicht Elkie, die diesen Satz zu Magnus gesagt hat. Wer

---

[391] Man könnte es auch andersherum formulieren und den gespielten Rahmen als „ersten Rahmen" und den Proberahmen als „zweiten" bezeichnen.

aber hat diesen Satz dann gesagt, schließlich war es doch auch nicht „Nicht-Elkie". Und auch die Antwort, dass es eben „Mogy" war, hilft nur bedingt weiter, da ja dann die Frage ist, wer „Mogy" eigentlich ist. Ist Mogy Elkie? Und wenn sie „Nicht-Elkie" ist, ist sie aber doch auch nicht „Nicht-Elkie"?

Diese Unterscheidung zwischen einem „Nicht-Ich" aber eben auch „nicht Nicht-Ich" formuliert der Theateranthropologe RICHARD SCHECHNER als Kennzeichen des Theaters; er schreibt:

„Führt das Überziehen der Hirschmaske nicht zu einem Zustand, der ‚Nicht-Mensch' und ‚Nicht-Hirsch' ist und also etwas zwischen beiden Liegendes bezeichnet. Der mit der Hirschmaske bedeckte Schädel erscheint als Hirsch. Unterhalb des weißen Stoffes erkennt man jedoch Augen, Nase und Mund des Menschen. Durch das weiße Tuch, das der Performer umlegt, wird die Unmöglichkeit der vollständigen Transformation in einen Hirschen deutlich. In den Momenten, in denen der Tänzer ‚nicht er selbst' und noch ‚nicht nicht er selber' ist, läßt sich seine Identität nur im Grenzbereich von ‚Charakter', ‚Repräsentation', ‚Imitation', , Entführung' oder ‚Transformation' beschreiben. All diese Begriffe kreisen um die Unmöglichkeit für den Performer zu bestimmen, wer er ist. Die Menschen zeichnen sich vor den Tieren durch die Fähigkeit aus, verschiedene Identitäten gleichzeitig nicht nur zu besitzen, sondern auch ausdrücken zu können."[392]

Der Satz Elkies ist ein empirischer Beleg für SCHECHNERS These der Fähigkeit des Menschen, verschiedene Identitäten gleichzeitig auszudrücken. Elkie spricht hier zu Magnus über ihre Rollen im Stück, dies tut sie aber nicht als „Elkie", sondern als „Mogy", die sich direkt an „Checko" wendet. Sie führt Mogy und Checko so aus dem zweiten Rahmen, dem Spielrahmen, hinaus und gestaltet eine Interaktion zwischen Elkie und Magnus als Mogy und Checko – sie drückt so verschiedene Identitäten gleichzeitig aus: Sie ist Mogy, die gerade Checko erklärt, wie Elkie und Magnus das Verhältnis von Mogy und Checko zu spielen haben.

Diese Unentscheidbarkeit, wer da nun eigentlich als wer mit wem interagiert, setzt sich schließlich im Anschluss an die *Seq_65: Hallo? – Du magst mich!* noch fort, hier ist es nun eine Begegnung zwischen Louise und Magnus, die als eine Begegnung zwischen Mary und Checko verstanden werden kann, obwohl der „eigentliche" Spielrahmen gerade unterbrochen wurde:

---

392 SCHECHNER 1990, S. 12.

Sequenz 66: Krieg ich auch eine?

Ereignis: Probe_Räuber+Schüler   **Quelle:** AG_26.03.07   **Timeline:** 1:05-1:30

```
1    Magnus:    <<cresc> du holst die schüler
2    Elkie:     ja-
3    Theresa:   okay (.) dann gehst du los
4    Elkie:     <<[dreht sich um und geht nach hinten]>
5    Theresa:   <<[geht in Richtung des Geräteraums]> dann kommen
6               die schüler
7    Lisa:      <<gähnt lang und ausgiebig>
8    Theresa:   <<wendet ihren Blick zu Emilia> haben wir das
9               andere Seil auch noch (.) das dünne?
10   Emilia geht in den Geräteraum, Theresa spricht außerhalb der Bandenum-
11   randung mit Elkie. Louise, Magnus und Lisa befinden sich weiter inner-
12   halb dieser Umrandung.
13   Louise:    <<schlendert durch den umgrenzten Raum und tut
14              so, als ob sie an einer Zigarette ziehen würde>
15   Als sie sich Magnus nähert, wendet er sich ihr zu:
16   Magnus:    krieg ich auch eine?
17   Sie streckt ihm ihre Hand entgegen, er berührt ihre Hand mit
18   seiner, dann geht auch er rauchend durch den
19   Raum.
```

Magnus beginnt in dieser Sequenz einen neuen Spieldurchlauf und wendet sich als Checko an Mogy und gibt ihr den Befehl, die Schüler zu holen (Z. 1). Diesmal schlägt er sie dabei nicht und Elkie ratifiziert den Befehl durch ein „ja" (Z. 2). An dieser Stelle schaltet sich Theresa in das Geschehen ein und verändert den Rahmen, indem sie eine Regieanweisung gibt. Zunächst bestätigt sie die Handlungen von Checko und Mogy durch ein „okay", dann sagt sie Elkie, was sie als nächstes zu tun hat (Z. 3). Ihre dabei verwendete Formulierung macht wieder sehr gut deutlich, dass es sich um eine Handlungsaufforderung handelt, die dem Rahmen der Probe und nicht dem des Spiels entstammt: das „okay" und auch das „dann" markieren das Gesagte als Regieanweisungen und Elkie versteht es auch genauso und führt die von Theresa gewünschten Handlungen durch (Z. 4). Dann wendet sich Theresa zum Geräteraum und verweist auf den folgenden Auftritt der Schüler (Z. 5-6). Lisa, die noch auf der Bühne steht, gähnt lang und ausgiebig (Z. 7) – und da dieses Gähnen Teil ihrer Figur der verschlafenen Räuberin ist – kann es als ein Verbleiben im Spiel verstanden werden. Dies muss es aber keineswegs und da keine Reaktion einer anderen AkteurIn erfolgt, kann diese Frage hier auch nicht entschieden werden. Theresas Frage an Emilia allerdings ist wieder klarerweise eine, die sich im Rahmen der Probe bewegt: Sie fragt Emilia nach einem bestimmten Requisit, das für den Auftritt der gefesselten Schüler gebraucht wird (Z. 8-9). Emilia begibt sich daraufhin in den Geräteraum und Theresa bespricht leise etwas mit Elkie außerhalb der Bandenumrandung (Z. 10-12). Zwei der AkteurInnen, die gerade auf der Bühne anwesend waren, nämlich Elkie und Theresa, haben die Bühne verlassen und eine andere AkteurIn, Emilia, holt das Requisit für den angekündigten Auftritt der Schüler. Die „eigentliche" Spielszene pausiert offensichtlich, aber drei der SpielerInnen befinden sich noch auf der Bühne: Magnus, Louise und Lisa. Louise ist es, die „rauchend" durch den Bühnenraum schreitet (Z. 13-14) und offensichtlich nicht als Louise auf der Bühne anwesend ist. Magnus geht auf dieses Angebot zum

Weiterspielen ein und fragt als Checko die Räuberin Mary: „krieg ich auch eine?" (Z. 16). Auch Mary spielt das Spiel weiter, sie streckt ihre Hand aus, er berührt sie, als ob er sich eine Zigarette nimmt und beide bespielen „rauchend" den Bühnenraum (Z. 17-18). Auch hier gilt, dass sich nicht „einfach" Louise und Magnus begegnen, aber genauso gilt natürlich auch, dass sich Louise und Magnus hier „nicht nicht" begegnen.

Dieses Spannungsverhältnis zwischen SpielerInnen und ihren Figuren wird dabei nicht nur von SCHECHNER bemerkt und beschrieben. Es gibt eine lange Tradition, dieses Verhältnis auch theater- und schauspieltheoretisch zu fassen. ULRIKE HENTSCHEL kommt hier das Verdienst zu, verschiedene Schauspieltheorien nach ihren unterschiedlichen Bestimmungen dieses Verhältnisses befragt zu haben.[393] Sie wendet sich den Arbeiten von STANISLAVSKIJ, CECHOV, VACHTANGOV, STRASBERG UND BRECHT zu und vergleicht deren Bestimmungen des Verhältnisses zwischen SpielerIn und Figur. Sie kann hier zeigen, dass dieses Verhältnis all die Genannten stark beschäftigt hat und in allen Theorien von einer gleichzeitigen Anwesenheit als SpielerIn und Figur ausgegangen wird. Die „richtige" Gestaltung dieses Verhältnisses und vor allem seine Darstellung für ein Publikum werden aber verschieden beschrieben:

„Die Diskussion der verschiedenen Konzeptionen der Theatertheoretiker und -praktiker hinsichtlich der Erfahrung der Spielenden im Spannungsfeld zwischen eigener Person und zu gestaltender Figur hat gezeigt, daß in dieser Frage eine weitgehende Übereinstimmung zwischen den diskutierten Ansätzen herrscht. Unabhängig von ihren jeweiligen theaterästhetischen Grundentscheidungen, ob der Bruch zwischen Spieler und Figur für das Publikum sichtbar sein soll oder nicht, ist die Erfahrung auf der Ebene der Gestaltung eine ähnliche. Für die Spielenden ist sie immer eine Erfahrung des ‚Sowohl-als-auch'. Sie sind sowohl sie selbst als auch die Figur; ihre Erfahrungsweise ist zwischen diesen beiden Ebenen angesiedelt."[394]

ULRIKE HENTSCHEL macht hier deutlich, dass im Prozess der Gestaltung die Spielenden immer eine Erfahrung des „Sowohl-als-auch" machen, der Unterschied aber darin zu sehen sei, ob dieser Bruch auch für das Publikum sichtbar gemacht werden sollte oder eben nicht. Auch wenn durch die Analyse meines Videomaterials keine Antwort auf die Frage gegeben werden kann, ob die AkteurInnen dieses „Sowohl-als-auch" auch als ein „Sowohl-als-auch" *erleben*, zeigen die analysierten Sequenzen, dass es in Probenprozessen zu vielfachen Handlungen kommt, die nicht mehr so einfach einer SpielerIn oder ihrer Figur zuzurechnen sind – es ist, als wären die AkteurInnen doppelt anwesend und als verfügten sie über die Möglichkeit, als verschiedene zu handeln. Dabei wird dieses Verhältnis keineswegs immer problematisch und es ist auch möglich, dass Handlungen nicht genau zuortbar sind.

Während der konkreten Probe einer bestimmten Szene allerdings wird die Unterscheidung zwischen SpielerIn und Figur von den AnleiterInnen oft zum Thema gemacht. Dabei spielt ein imaginiertes Publikum eine immer stärker werdende Rolle, wie die folgende Sequenz aus der schon bekannten *Seq_23: Der türkische Satz* zeigt:

---
[393] HENTSCHEL 2000, S. 163-192.
[394] HENTSCHEL 2000, S. 191.

Rahmenanalysen der Lernkultur 309

```
1    Tuba, Hilal, Yola und Janne proben mit Theresa eine Szene des Stückes.
2    Es geht dabei darum, dass die vier vor der Bühne stehen und berichten,
3    was passiert ist, nachdem eine ihrer Freundinnen von den Räubern ent-
4    führt wurde.
5        Janne:    damals als sie uns die hanna geklaut haben (.)
6                  das war für uns nicht sehr schön
7        (2)
8        Janne:    DU hast doch schuld <<zeigt mit einem Arm auf
9                  Yola>
10       Yola:     <<f> ICH?
11       Janne:    du hast nicht aufgepasst
12       Yola:     du warst schuld <<zeigt auf Hilal>
13       Hilal:    ich hab aufgepasst <<sie guckt dabei Yola an und
14                 deutet mit einem Arm auf sich> (-) sie hat nicht
15                 aufgepasst <<wendet den Blick zu Tuba und deutet
16                 mit dem Arm in ihre Richtung>
17       Tuba:     <<grinst und zeig mit beiden Händen mit ausge-
18                 streckten Fingern auf Janne ohne dabei etwas zu
19                 sagen>
20       Yola:     <<versucht ihr Lachen zu unterdrücken, indem sie
21                 ihren Oberkörper nach vorne klappt und sich zu-
22                 sätzlich die Hand vor den Mund legt>
23       Tuba:     <<lachend> sie hat nicht auf <<lacht sodass sie
24                 ihren Satz nicht zu Ende sprechen kann, dreht
25                 sich dann einmal im Kreis, hält sich den Bauch>
26       Theresa:  weitermachen (.) DRINNbleiben nicht aussteigen
27                 JETzt
28       Janne:    <<ff> DU hast doch nicht aufgepasst=
29       Yola:     =[DU hast nicht aufgepasst]
30       Tuba:     <<f> =[ICH?]
31       Janne:    abe:r DU:::
32       Yola:     aber sie, <<zeigt dabei zu Hilal>
33       Hilal:    <<f> aber ihr alle > <<beschreibt mit ihrer
34                 rechten Hand eine Kreisbewegung mit der sie alle
35                 Mädchen einbezieht> (.) wir alle besser gesagt
36       Tuba:     warum lachen wir eigentlich?
37       Theresa:  okay (.) das ist ein guter übergang für dich
38       Janne:    <<dreht sich von der Gruppe weg, hin zum Zu-
39                 schauerraum, sie hat die Arme verschränkt, dann
40                 tritt sie zwei Schritte vor> als uns die hanna
41                 geklaut worden war da war das für uns nicht
42                 schön weil wir waren ja zu sechst und jetzt sind
43                 wir nur mehr zu viert
```

Janne beginnt diese Szene mit einer Kommentierung der in der vorangehenden Szene gezeigten Entführung von „Hanna". Die Jazz Girls treten dabei aus dem eigentlichen Bühnenraum heraus und wenden sich – aus einer späteren zurückschauenden Perspektive – zunächst direkt an das Publikum: Mira/Janne blickt das Publikum an und erläutert die Gefühle, die die Jazz Girls nach dieser Entführung hatten (Z. 5-6). Dann folgt eine relativ lange Pause (Z. 7) und Mira beginnt, sich den anderen Jazz Girls zuzuwenden. Sie blickt Sally/Yola an und gibt ihr die Schuld an der Entführung (Z. 8). Sally weist das mit einer empörten Frage zurück (Z. 10) und Mira begründet ihre Einschätzung. Sally beginnt nun, diese Schuldzuweisung weiterzugeben und wendet sich an Hilal/Lale. Lale weist sie ebenfalls zurück und schiebt sie auf Tuba/Luna. Die „Jazz Girls" streiten hier darüber, wer schuld ist an der Entführung von „Hanna" (die später dann eine „Lissy" wird), ihre Gesten und sprachlichen Handlungen lassen dabei keinen Bruch erkennen, sie passen zu dem gespielten Streit. In den Zeilen 17-19 kommt es dann zu einem Bruch: das Jazz Girl Luna zeigt auf das Jazz Girl Mira und grinst dabei. Problematisch an diesem Grinsen ist, dass es nicht mehr zu der Figur von Luna passt: Warum sollte sie, die gerade in einen Streit mit ihren Freundinnen verstrickt ist, eine Zeigegeste durchführen und dabei grinsen und sich nicht wie die anderen auch verbal gegen die Schuldzuweisung wehren? Da diese Handlung nur mehr schwer als Handlung der Figur der Luna zu verstehen ist, fällt sie auf die Spielerin Tuba zurück. Es sieht so aus, als ob Luna die Zeigehandlung durchführt und Tuba dazu grinst. Yola reagiert auf dieses Grinsen auch, es wirkt, also ob sie versucht, ihr Lachen zu unterdrücken (Z. 20-22).

Tuba fährt mit ihrer „doppelten Verkörperung" fort und spricht als Jazz Girl Mira und lacht als Spielerin Tuba. Sowohl Tuba als auch Yola versuchen aber ihr „Aushaken"[395] aus dem Rahmen zu begrenzen, indem sie sich die Hand vor den Mund halten und sich aus der Situation abwenden. Durch dieses Aushaken gerät aber der ganze Spielrahmen in Gefahr. Theresa interveniert und ermutigt die Spielerinnen im Rahmen des Spiels zu bleiben, sie versucht dies durch eine Kommentierung der Situation bzw. die Aufforderung weiterzuspielen (Z. 26-27). Janne greift dies auf und wendet sich wieder direkt und mit lauter Stimme an Yola/Sally (Z. 28), die wieder „einsteigt" und den Vorwurf entsprechend der Szenenvorgabe an Tuba/Luna weitergibt (Z. 29). Nun gelingt es auch Tuba als Luna zu handeln und sie stellt die empörte Frage „ICH?" (Z. 30). Der Streit setzt sich nun wieder fort, bis Hilal/Lale ihren zuerst geäußerten Satz korrigiert (Z. 33-35). Die Art ihrer Korrektur ist dabei interessant, weil sie den Satz so korrigiert, dass sie ihn auch als Figur Lale genauso korrigieren könnte, um anzuzeigen, dass die wechselseitigen Schuldzuweisungen sinnlos sind und sie eigentlich alle schuld daran sind. Genau in diesem Sinne scheint er auch von Theresa verstanden worden zu sein, da sie etwas – „das" – als guten Übergang für Janne definiert. Es scheint nur plausibel, dass sie dieses „das" auf den von Hilal geäußerten Satz bezieht, die Frage von Tuba (Z. 36) stellt keinen „guten Übergang" dar, da er von Tuba und nicht von Luna geäußert wird und nicht als Satz des Stückes begriffen werden kann. Der Satz von Tuba findet keine Antwort und Janne/Mira wendet sich wieder dem Publikum zu (Z. 38-44).

Die nun folgende Sequenz ist ganz ähnlich strukturiert. In jeder der „Arbeit-an-der-Form-Proben" lässt sich das gerade gezeigte spannungsreiche Verhältnis zwischen SpielerInnen, Figuren, RegisseurIn und einem imaginierten Publikum zeigen:

Sequenz 67: Mandy

Ereignis: Probe_Szene1-5_1   Quelle: AG_9.7.07   Timeline: 0:55-2:19

```
1    Theresa:  dann fangt ihr an
2    Natascha: liebe zuschauer heute erzählen wir euch die ge-
3              schichte von (-) oh man (--)
4    Theresa:  macht nichts
5    Natascha: <<all> liebe zuschauer heute erzähln (-) wir
6              fünf=
7    Lara:     =mandy=
8    Thomas:   =nico=
```

---

[395] Vgl. *Das Anfangs- und Abschlussritual* (III/1) hier gehe ich genauer darauf ein, welche Phänomene von GOFFMAN als „Aushaken" beschrieben werden.

```
9       Nasir:      =kevin=
10      Emilia:     =jacqueline=
11      Natascha:   <<p> <<acc> =und ich jessy euch die geschichte
12                  unserer kindheit (-) als wir schüler waren (.)
13                  ich kann mich noch sehr gut erinnern waren wir
14                  richtige [streber]
15      Theresa:    <<all> [darf ich] da noch mal unterbrechen
16                  tschuldigung natascha du sprichst des an sich
17                  super aber versuch mal (.) trotzdem ihr dann (
18                  ) viel viel lauter zu sprechen (.) okay↑ (.)
19                  fang noch mal an (.) <<f> und alle andern <<nä-
20                  hert sich den in einer Reihe stehenden „Schü-
21                  lern") ihr habt da nen auftritt und ihr seid zu
22                  dem zeitpunkt ERWACHSEN (.) des heißt ihr spielt
23                  nicht mit den seilen rum (.) ihr lasst das seil
24                  einfach liegen und stellt euch anständig hin
25                  <<nimmt Nasir bei den Schultern und richtet ihn
26                  etwas auf> so wie sich des für an GSCHeiden
27                  schüler ghört (.) lara (.) hast gehört?
28      Lara:       <<f> JA↑ (.) <<ff> MANDY
29      Theresa:    MANdy (.) sehr gut und du auch nasir (.) wie
30                  heißt du?
31      Nasir:      kevin
32      Theresa:    KEVIN (.) dann bleib mal gscheid stehen und steh
33                  nicht auf dem seil (.) da wird nicht rumgehüpft
34                  okay↑ (.) gut (.) jetzt noch mal natascha
35      Natascha:   <<f> <<len> liebe zuschauer [heute]
36      Theresa:    [super]
37      Natascha:   erzählen wir=
```

Theresa gibt den SpielerInnen das Startsignal (Z. 1), Natascha beginnt als Jessy zu sprechen, um dann ihre Pause in Z. 3 mit einem „oh man" als Natascha zu kommentieren. Theresa entschuldigt dieses Aushaken (Z. 4) und die Spielerin Natascha entscheidet, dass sie als Jessy neu beginnt (Z. 5). Bis in Z. 14 treten Jessy, Mandy, Nico, Kevin und Jacqueline in Erscheinung, ohne dass es zu einem sichtbaren Bruch zwischen Figuren und SpielerInnen kommt. Daher muss Theresa ihre trotzdem erfolgende Intervention als Entschuldigung rahmen und Natascha erläutern, weshalb sie sie unterbricht (Z. 15). Ihre Forderung, Natascha solle lauter sprechen, richtet sich an die Spielerin Natascha und begründet sich durch Theresas Wissen um die Aufführungssituation, in der so viele ZuschauerInnen anwesend sein werden, dass die Spielerin Natascha ihre Figur Jessy lauter sprechen lassen muss. In den Zeilen 19-27 erklärt sie dann den anderen SpielerInnen, wie sie ihre Figuren Mandy, Nico, Kevin und Jacqueline spielen sollen.

Schließlich wendet sie sich direkt an Lara/Mandy, spricht diese aber mit „Lara" an (Z. 27/28). Lara korrigiert Theresa und nennt ihren Figurennamen (Z. 29), Theresa lässt sich auf dieses Spiel ein, wiederholt ihren Figurennamen und fragt auch Nasir nach seinem Figurennamen, um sich dann sofort im Anschluss daran direkt an Kevin wenden zu können (Z. 32-34). Schließlich gibt sie in Z. 34 das Signal für Natascha, eine erneute Probe zu beginnen. Natascha greift diese Aufforderung auf und beginnt als Jessy zu sprechen, diesmal deutlich lauter. Dies wird von Theresa registriert und sie sendet ein Lob (Z. 36) an die Spielerin Natascha, die sich dadurch aber nicht als Jessy unterbrechen lässt und weiterspricht.

Die Bedeutung eines imaginierten Publikums wird in dieser Sequenz gut sichtbar: Theresa ist es, die dafür Sorge trägt, dass die SpielerInnen nicht nur in ihren Figuren auf der Bühne interagieren, sondern auch dafür, dass diese Interaktionen auch von ZuschauerInnen gesehen und gehört werden können. Neben der Lautstärke spielt dabei die Koordination der Handlungen auf der Bühne die entscheidende Rolle, wie die nun folgende und letzte Sequenz aus einer Arbeit-an-der-Form-Probe zeigt.

Sequenz 68: Da müsst ihr vom Timing gucken

Ereignis: Probe_Szene 11   Quelle: AG_10.07.07   Timeline: 9:15-10:40

```
1   Theresa und Natalie sitzen auf einer Bank. Auf der Hälfte der Turnhal-
2   le, zu der sie gucken, sind Bühnenbilder aufgebaut, die eine Höhle und
3   ein Feuer zeigen. Links von der Mitte der Bühne steht ein Baumstumpf,
4   an den die guten Schüler festgebunden sind. Auch Maria/Christin ist
5   angebunden, aber sie steht, die Hände in den Bauchtaschen ihres Ober-
6   teils vergraben. Anna/Lissy sitzt etwas entfernt, aber ebenfalls ange-
7   bunden. In der Mitte der Bühne. Lisa/Mauren kommt hinter den guten
8   Schülern vorbeigelaufen, sie wird von Yola/Sally verfolgt. Lissy
9   streckt ihr Bein aus und Mauren fällt darüber und zu Boden.
10      Natalie:    NATASCHA
11      Natascha:   <<steht auf und läuft zu Mauren, die sie zum
12                  Baumstumpf zieht>
13      Anna:       <<nimmt ein Seil und beginnt Mauren festzubin-
14                  den>
15      Theresa:    MARIA: <<all> ich will dass du SPIELST (.) du
16                  wirkst wie wenn du kaffee trinkst
17      Maria:      <<nimmt die Hände aus den Taschen>
18      Theresa:    jetz is ernst (-) du bist hier mitten in einer
19                  VERFOLGUNGSjagd (-) ich weiß jetz nich ob ( )
20      Tuba:       <<tritt ein wenig auf die Bühne> JA (-) des is
21                  die bühne so: klein
22      ?:          ja;
23      Tuba:       <<geht wieder von der Bühne ab>
24      Theresa:    SO <<guckt auf Zettel, die sie in den Händen
25                  hält> dann is jetz der thomas (.) immer wenn die
26                  anna fast fertig is
27      Maria:      <<beginnt, Thomas die Fesseln zu lösen>
28      Theresa:    THOmas (.)steh dazu auf
29      Thomas:     <<steht auf>
30      Maria:      <<nimmt ihm die Fesseln ab>
31      Theresa:    des ist ein besonderer moment ich will dich da
32                  sehen (.) da bist du aufgeregt
33      Thomas:     <<p> okay;
34      Theresa:    sehr gut thomas
35      Tuba:       <<den Blick zu Lara gewendet> LARA;
36      Lara:       <<guckt zu Tuba>
37      Tuba:       [<<zeigt auf ihre Hose>]
38      Theresa:    [dann kommen tuba] und louise wenn der thomas
39                  fast fertig befreit ist (-) ihr müsst vom timing
40                  her wirklich gucken (.) immer wenn ne aktion
41                  vorher FAST fertig ist (.) dann kommt die nächs-
42                  te (.) damit des zackig läuft
43      Tuba:       <<guckt zu Theresa> soll ich schon laufen?
44      Theresa:    ja (.) tuba und louise (.) auf gehts
45      Tuba:       <<läuft auf die Bühne, umrundet einmal die Schü-
46                  ler und läuft dann in Richtung Bühnenmitte>
47      Louise:     <<jetzt kommt auch Louise auf die Bühne und sie
48                  treffen sich in der Bühnenmitte>
49   Die beiden beginnen miteinander zu kämpfen, sie haben dabei die Arme
```

```
50  gegeneinander gestemmt und schieben sich hin und her. Mal ist die eine
51  stärker und drückt die andere in Richtung Boden, dann wieder die ande-
52  re.
53       Theresa:    sehr gut macht ihr des (.) super
54       Lara:       <<steht auf, rennt zu Louise und springt ihr auf
55                   den Rücken>> <<schreit>>
56       Louise:     <<dreht sich einige Male um sich selbst und ver-
57                   sucht Lara abzuschütteln>> <<schreit>> <<stürzt zu
58                   Boden>>
59       Lara:       wo soll ich abgehen?
```

Die beiden Anleiterinnen sind hier als Koordinatorinnen des komplexen Geschehens auf der Bühne aktiv. In dieser Szene, der Abschlussszene des Stücks, kommen nach und nach alle SpielerInnen auf die Bühne. Dies erfordert ein hohes Maß an Koordination der Handlungen. Dabei geht es vor allem darum, dass der Aufmerksamkeitsfokus der ZuschauerInnen gelenkt wird. In dieser Probe sind es an vielen Stellen noch Natalie und Theresa, die den einzelnen SpielerInnen ihren Einsatz anzeigen (Z. 10, Z. 28, Z. 44), an anderen hingegen wird der Einsatz schon von den SpielerInnen selbst koordiniert: Lara beginnt ihren Sprung auf Louises Rücken (Z. 54-55), ohne dazu von Theresa oder Natalie aufgefordert worden zu sein. Besonders wichtig ist die Passage in Zeile 38-42, in der sich Theresa an die SpielerInnen wendet und ihnen eine Strategie erläutert, wie sie ihre Einsätze aufeinander abstimmen können: Sie sollen auf die Spielhandlungen der anderen Figuren achten; kurz bevor diese abgeschlossen sind, sollen sie mit ihrer Handlung beginnen. Wie schwierig diese Aufgabe ist, zeigt das Verhalten von Tuba: In den Z. 20-23 und Z. 35 versucht sie, ihren Auftritt vorzubereiten. Zunächst sieht sie sich die Bühne an, dann nimmt sie Kontakt zu Lara auf, die ihr später als Mandy auf den Rücken springen soll. All diese Handlungen sind aber Handlungen, die sie als Spielerin Tuba und nicht als Figur Luna ausführt. In diesem Fall werden diese Handlungen zwar nicht von Theresa sanktioniert (sie achtet gerade auf die Gruppe um die Guten Schüler und sanktioniert Maria/Christin), aber sie sind für eine ZuschauerIn sichtbar und zwar als Handlungen einer SpielerIn und nicht einer Figur. Interessant ist diese Sequenz vor allem deshalb, weil Theresa hier versucht, die Koordination der Handlungen auf der Bühne in die Verantwortung der SpielerInnen zu geben. Sie – die in den bisherigen Proben an vielen Stellen koordinierend eingegriffen hat – muss sich nun wieder aus den Szenen zurückziehen, da sie bei den Aufführungen nicht mehr in Erscheinung treten kann. Um diese Koordination der SpielerInnen untereinander möglich zu machen, sind eigene Proben notwendig, die als dritte Form von Proben unter dem Titel „Durchläufe" im Anschluss analysiert werden.

Für die Arbeit-an-der-Form-Proben lässt sich festhalten, dass in diesen Proben vielfältige Aufgaben zu lösen sind: Es gilt, die Wahrnehmung der TeilnehmerInnen dafür zu schärfen, dass sie auf der Bühne beständig den Blicken der ZuschauerInnen ausgesetzt sind und alle Handlungen als Handlungen ihrer Figur gestalten müssen, um nicht „aus der Rolle zu fallen". Zudem gilt es, den TeilnehmerInnen spezifische theatrale Ethnomethoden,[396] wie zum Beispiel lautes Sprechen, beizubringen und die Koordination auf der Bühne so einzuüben, dass die ZuschauerInnen nichts von dieser Koordinationsleistung mitbekommen.

---

[396] GOFFMAN widmet sich diesem Thema im Kapitel „Der Theaterrahmen" seiner Rahmenanalyse und zeigt dort verschiedene „Transkriptionsregeln", die es ermöglichen, „ein Stück wirklicher Vorgänge außerhalb der Bühne in ein Stück Bühnenwelt zu transformieren." GOFFMAN 1977a, S. 143-176, das Zitat findet sich auf S. 158 f.

8.4 Durchläufe

Um dies zu trainieren, finden sich Proben, die kurz vor der Premiere des Stückes durchgeführt wurden und als „Durchläufe" bezeichnet werden. Die Interventionen der AnleiterInnen werden immer weniger und beziehen sich vor allem darauf, die eigenständige Koordination der SpielerInnen zu befördern. Dabei versuchen die AnleiterInnen die Eigenverantwortung der SpielerInnen zu trainieren:

Sequenz 69: mitkriegen

    Ereignis: Technischer Durchlauf   **Quelle:** AG_13.07.07   **Timeline:** 3:11-3:52

```
1       Theresa:  <<stellt einen Baumstumpf auf die Bühne, ver-
2                 lässt die Bühne wieder> man HÖRT euch hinter der
3                 bü:hne (-) lisa du musst mitgekriegt haben wann
4                 ich den baumstumpf hinstell
5       Lisa:     <<betritt die Bühne, gefolgt von den Guten Schü-
6                 lern>
7       Theresa:  und in dem moment gehst du mit den schülern auf
8                 (-) ihr geht noch gar nicht auf erst wenn die
9                 aufgegangen sind
10      Die Guten Schüler haken die Seile, die an ihren Handgelenken verknotet
11      sind am Haken, die am Baumstumpf angebracht sind, ein. Dann nehmen sie
12      Stellungen am Boden ein, manche liegend, manche sitzend.
13      Theresa:  man HÖRT euch hinter der bühne
14      (.)
15      Theresa:  SO: (.) ihr müsst mitkriegen wenn die auf der
16                bühne im freeze sind und dann AUFTRITT offstimme
17                (.) FREUNDE
```

Die Sequenz beginnt damit, dass Theresa ein Requisit auf die Bühne stellt (Z. 1). Nachdem sie die Bühne wieder verlassen hat, weist sie die hinter der Bühne wartenden SpielerInnen darauf hin, dass sie so laut sind, dass sie als Zuschauerin sie hinter der Bühne hört (Z. 3-4). Sie versucht so, den SpielerInnen klar zu machen, dass sie auch ihr Verhalten hinter der Bühne so weit kontrollieren müssen, dass es für die ZuschauerInnen nicht wahrnehmbar ist. Verhalten, das wahrnehmbar ist, zum Beispiel Geräusche, werden nämlich von den ZuschauerInnen als Teil des Stücks zu interpretieren versucht. Schlagen diese Interpretationen fehl, fällt das Verhalten auf die SpielerInnen zurück und die Illusion des gespielten Rahmens ist dahin. Nach diesem Hinweis wendet sich Theresa direkt an Lisa und bedeutet ihr, dass sie selbst „mitkriegen" muss, wann die Umbauarbeiten abgeschlossen sind (Z. 3-4). Lisa reagiert auf diesen Hinweis mit dem Auftreten auf die Bühne (Z. 5-6) und Theresa ratifiziert diese Handlung durch ihren beschreibenden Kommentar (Z. 7). Dann macht sie der Gruppe der Räuber deutlich, wann sie auf die Bühne kommen soll (Z. 8-9). Die Gruppe der Guten Schüler bereitet die Szene weiter vor (Z. 10-12), ohne dass Theresa ihnen sagen muss, was sie zu tun haben. Sie wendet sich aber an die noch hinter der Bühne wartenden SpielerInnen und teilt ihnen mit, dass sie immer noch zu laut sind. Dann wendet sie sich an die Gruppe der Jazz Girls („Freunde") und verweist auch hier darauf, dass die Jazz Girls selbst es „mitkriegen" müssen, wenn die Guten Schüler und die Räuber alle im Freeze sind und die Szene mit dem Auftritt der Jazz Girls beginnen kann (Z. 15-17). Theresa versucht hier, den SpielerInnen deutlich zu machen, auf welche Handlungen der anderen sie zu achten haben, welche sie „mitkriegen" müssen, um dann ihre eigenen Handlungen anzuschließen. Wie diese Koordinierungsleistungen dann mehr und mehr auch tatsächlich von den TeilnehmerInnen selbst vollbracht werden, zeigt die nächste Sequenz, die ebenfalls aus dem sogenannten „Technischen Durchlauf" stammt. Hier geht es nun auch um die Koordination der Handlungen mit dem Einsatz von Licht- und Musiksignalen.

Sequenz 70: Heyho – Nein, Stopp!

Ereignis: Technischer Durchlauf   Quelle: AG_13.07.07   Timeline: 8:37 -9:23

```
1     Maria:     [NEIN (.) das haben wir uns nicht gefallen las-
2                sen]
3     Tuba:      [NEIN (.) das haben wir uns nicht gefallen las-
4                sen]
5     Hilal:     [NEIN (.) das haben wir uns nicht gefallen las-
6                sen]
7     Yola:      [NEIN (.) das haben wir uns nicht gefallen las-
8                sen]
9     Theresa:   GU:t
10    Frau Z.:   WARTEN=
11    Theresa:   =genau (.) licht geht AUS
12    Licht:     <<geht aus>
13    Maria:     [<<geht zur Seite, legt ihre Mikrofon ab]
14    Hilal:     [<<geht zur Seite, legt ihre Mikrofon ab]
15    Yola:      [<<geht zur Seite, legt ihre Mikrofon ab]
16    Janne:     [<<geht zur Seite, legt ihre Mikrofon ab]
17    Theresa:   [wenn das licht aus ist legt ihre eure mikros ab
18               (.) und kein gehetze reinbringen] (-) SEHR gut
19    Die Jazz Girls gehen ab, die Kamera wendet sich zur Bühne auf der die
20    guten Schüler am Baumstamm festgebunden am Boden sitzen oder liegen.
21    Theresa:   und AB (-)und ruhe (.) KEINE zwischengespräche
22               maria
23    Magnus:    <<hinter der Bühne> <<ff> HEY:HO
24    Emilia:    [<<beginnt aufzustehen>]
25    Thomas:    [<<beginnt aufzustehen>]
26    Natascha:  [<<beginnt aufzustehen>]
27    Nasir:     [<<beginnt aufzustehen>]
28    Lara:      [<<beginnt aufzustehen>]
29    Theresa:   [NEIN]
30    Frau Z.:   [STOPP]
31    Die guten Schüler setzen sich wieder.
32    Theresa:   stopp=stopp=stopp (.) MA:GNUS <<len> GANZ LANG-
33               SAM
34    Nasir:     <<p> da kommt [noch musik]
35    Theresa:   <<len> [ERST kommt] licht=
36    Frau Z.:   =immer erst das LICHT
37    Licht:     <<geht an>
38    Frau Z.:   SO (.) das ist das räuberlicht
39    (1)
40    Theresa:   GENAU
41    (2)
42    Theresa:   dann kommt doch musik?
43    ?:         ja=ja
44    Musik:     <<geht an>
45    Theresa:   dann kommt musik (.) GENAU (-) <<f> erst wenn
46               die musik ist (.) kannst du HEY:HO [schrein]
47    Magnus:    [<<ff> HEY:HO]
```

Die Sequenz beginnt damit, dass die Jazz Girls im Chor ausrufen, dass sie sich die Entführung ihrer Freundin Lissy nicht gefallen lassen (Z. 1-8). Theresa evaluiert dieses gemeinsame Sprechen positiv (Z 9) und die Lehrerin sagt den Jazz Girls, dass sie noch nicht von der Bühne abgehen sollen (Z. 10), sondern erst dann, wenn das Licht ausgeht (Z. 11). Die Jazz Girls gehen nach dem Abblenden des Lichts ab (Z. 13-16) und Theresa kommentiert zugleich ihr Verhalten (Z. 17-18). Dann weist Theresa wieder auf die Regel hin, dass es keine Geräusche bzw. keine Gespräche außerhalb des Spiels geben soll (Z. 21-22) und Magnus ruft laut von hinter der Bühne (Z. 23). Daraufhin beginnen die Guten Schüler aufzustehen (Z. 24-28) und gleichzeitig intervenieren Theresa und die Lehrerin. Hier zeigt sich, dass die Koordination zwischen Magnus und den Guten Schülern schon gut funktioniert. Die Guten Schüler wissen, dass Magnus' Ruf das Zeichen für sie ist, aufzustehen. Hier ist allerdings das Problem, dass Magnus' Ruf zu früh einsetzt und daher Theresa und die Lehrerin, die während der Proben für Licht und Ton zuständig war, intervenieren. Hier zeigt sich auch wieder die schon in der Arbeit-an-der-Form beschriebene Doppelrahmung von Proben. Zunächst reagieren die Guten Schüler in ihren Figuren auf den Ruf des Räuberhauptmanns Checko und stehen auf, durch die Intervention der Anleiterin wird der Spielrahmen aber unterbrochen und sie setzen sich als SpielerInnen – nicht als Figuren – wieder auf den Boden (Z. 31). Theresa beginnt damit, Magnus zu erklären, auf was er achten muss (Z. 32-33) und wird von Nasir sekundiert, der weiß, dass zuerst die Musik kommt, bevor Magnus als Checko rufen darf. Zunächst aber weisen Theresa und die Lehrerin darauf hin, dass das Licht erst angehen muss (Z. 35-40) und Theresa fragt nach, ob nicht auch noch Musik komme (Z. 42). Nach einer Bestätigung dieser Frage (Z. 43) und dem Ertönen der Musik, bedeutet sie Magnus, dass er nun schreien dürfe (Z. 45-46) und Magnus beginnt erneut das Spiel (Z. 47). Deutlich wird hier, wie folgenreich ein „Fehler" einer SpielerIn ist. Der zu frühe Beginn durch Magnus setzt eine Kette von Handlungen in Gang, die während einer Präsentation nicht mehr zu stoppen wären. Eine gelungene Aufführung erfordert also die Konzentration <u>aller</u> SpielerInnen. „Fehler" stellen eine höchst problematische Situation dar, da die vorgeplante Koordination der Handlungen dann nicht mehr möglich ist.[397] Dadurch entsteht die Gefahr, dass der Spielrahmen nicht mehr aufrechterhalten werden kann, weil Pausen als Reaktion auf den gestörten Ablauf entstehen. Die SpielerInnen müssen dann versuchen, den Bruch der geplanten Handlungen nicht sichtbar werden zu lassen, sonst treten sie als SpielerInnen in Erscheinung und die Illusion des Spiels zerbricht für die ZuschauerInnen. Diese wechselseitige Abhängigkeit der SpielerInnen im Spiel kann als eine egalitäterzeugende Praxis begriffen werden, da alle die Verantwortung für das Gesamtgeschehen tragen. „Fehler" sind nicht mehr nur ein individuelles Problem, sondern betreffen die ganze Gruppe der SpielerInnen. Auch die AnleiterInnen können im Rahmen von Aufführungen nicht mehr intervenieren und müssen auf die Selbstverantwortung der SpielerInnen vertrauen. Genau aus diesem Grund kommt es in den letzten Proben vor der Aufführung zu Sequenzen wie der folgenden:

---

[397] In der Fallstudie *Präsentationen* (III/10) werde ich zeigen, wie die SpielerInnen mit diesen Situationen, in denen es zu falschen Einsätzen kommt, umgehen.

Sequenz 71 : Ihr habt am Freitag Premiere, nicht ich

Ereignis: Durchlauf I   Quelle: AG_10.07.07   Timeline: 48:20-48:53

```
1     Theresa:    was für mich nicht funktioniert dass ich dreimal
2                 sage ES WIRD NICHT SEIL GESPRUNGEN HINTER DER
3                 BÜHNE (.) NASIR (.) <<f> THOMAS bleibst jetzt
4                 vielleicht mal DA↑> (-) <<f> UND IMMER WIEDER
5                 WIRD SEIL GESPRUNGEN> (-) ich bin doch nicht eu-
6                 er DEPP↓
7     Tuba:       <<p> [des sagt auch niemand]
8     Theresa:    [ihr müsst eure zeit jetzt nutzen] (.) ihr habt
9                 am freitag premiere (-) nicht ICH↓ (.) und ich
10                versuch mit euch noch so viel zu proben WIE mög-
11                lich ist <<f> und ich WEISS dass es anstrengend
12                ist (-) für MICH und für EUCH und die NATALIE
13                und für die RITA (.) aber ihr seids doch keine
14                KINdergartenkinder (.) E:CHT↑
```

In den ersten sieben Zeilen dieser Sequenz versucht Theresa, ihr Verhältnis zu den TeilnehmerInnen zu klären. Sie macht deutlich, dass sie erwartet, dass ihre Anweisungen – in diesem Fall das Verbot des Seilspringens hinter der Bühne – von den TeilnehmerInnen auch befolgt werden. Dann folgt die Formulierung „ich bin doch nicht euer DEPP↓" mit der Theresa deutlich macht, dass sie nur dann ihre Gruppenleitungsfunktion ausüben kann, wenn die TeilnehmerInnen sich auch an das halten, was sie sagt. Andernfalls laufen ihre Anstrengungen ins Leere und werden sinnlos. Sie wird dadurch zu einem „Deppen", weil sie ständig Anweisungen gibt, die aber gar nicht befolgt werden. Die Nichtbefolgung ist also nicht nur eine Nichtbefolgung, sondern hat auch die Konsequenz, dass Theresa von den TeilnehmerInnen nicht das Recht, anzuleiten, zugewiesen bekommt. Tuba ist es dann, die den Satz von Theresa wörtlich nimmt (Z. 7) und den Vorwurf daher zurückweisen kann, weil ja niemand „gesagt" hat, dass Theresa ein „Depp" ist. Theresa ist aber mit ihrem Redezug noch gar nicht fertig (daher auch die Überlappung) und verweist auf die Verantwortung, die die TeilnehmerInnen für das Geschehen haben (Z. 8-9). Sie versucht ihnen klar zu machen, dass nicht sie bald bei der Premiere auf der Bühne stehen wird, sondern die TeilnehmerInnen und dass es daher im Interesse der TeilnehmerInnen liegen sollte, noch so viel wie möglich zu proben. Durch diese weitere Erklärung gewinnt auch die Formulierung des „Depp" eine weitere Bedeutungsebene: Theresa bietet sich der Gruppe an, sie bei deren Vorbereitung auf die Premiere zu unterstützen. Wenn die TeilnehmerInnen aber nicht auf sie hören und somit ihre Hilfe zurückweisen, setzen sie Theresa in die Position einer Person, die Hilfe anbietet, aber beständig mit ihren Hilfsvorschlägen zurückgewiesen wird.

Theresa ist aber immer noch nicht fertig mit ihrer Ansprache und versucht mit einer weiteren Strategie, das Verantwortungsbewusstsein der TeilnehmerInnen herauszufordern. Sie verweist darauf, dass ihr klar ist, wie anstrengend solche Proben sind. Und zwar für alle: für die TeilnehmerInnen und die AnleiterInnen (Z. 11-14) und führt mit den „Kindergartenkindern" eine Gruppe ein, von der sie die Übernahme solcher Anstrengungen nicht erwarten würde. Implizit formuliert sie damit eine

Bedingung für den von ihr vermuteten Wunsch, dass die TeilnehmerInnen als „älter" als Kindergartenkinder wahrgenommen werden wollen: Sie erwartet, dass sie mit den Anstrengungen einer Probe umgehen können. Auch mit ihrer Intonation und dem genervten „E:CHT;" am Ende des Turns macht sie deutlich, dass sie „eigentlich" von den TeilnehmerInnen ein veranwortungsbewussteres Verhalten erwartet. Sie hält sie im Grunde für alt genug, für so alt sogar, dass sie eine Probe, die eben auch für die AnleiterInnen bzw. die Lehrerin selbst anstrengend ist, durchstehen. Theresa muss hier so massiv intervenieren, da sie versucht, die Verantwortung für das Gelingen des Stücks in die Hände der TeilnehmerInnen zu übergeben.

8.5 Differenz- und egalitäterzeugende Praktiken in Proben

Ich werde mich in diesem abschließenden Kapitel auf die zusammenfassende Darstellung von drei Themen konzentrieren:

Zunächst werde ich auf die in Proben zentrale Unterscheidung von SpielerInnen und den dargestellten Figuren eingehen. Im Anschluss daran werde ich zeigen, dass sich das Verhältnis zwischen den AnleiterInnen und den TeilnehmerInnen im Verlauf des Probenprozesses mehrfach verändert. Zum Abschluss werde ich dafür argumentieren, dass das Darstellen eines Stücks vor Publikum als eine egalitäterzeugende Praxis verstanden werden kann.

SpielerInnen und ihre Figuren
Die Unterscheidung zwischen SpielerInnen und den von ihnen dargestellten Figuren ist in Proben von großer Bedeutung. In den Entwicklungsproben wird versucht, die Figuren miteinander ins Spiel kommen zu lassen, um so Material für die Gestaltung von Szenen zu entwickeln. Es hat sich dabei als entscheidend erwiesen, dass die TeilnehmerInnen sich auch tatsächlich in ihren gespielten Figuren begegnen und nicht als SpielerInnen. Erst dadurch wird es möglich, dass „neue" und damit eben gerade nicht schon vorgeplante Gestaltungsideen entstehen (vgl. hierzu auch die Fallstudie *Gestaltungsaufgaben*, in der ebenfalls der Modus des „in-der-Figur-Spielens" als ertragreichste Gestaltungsstrategie herausgearbeitet wurde).

In den Arbeit-an-der-Form-Proben geht es dann darum, aus den „erspielten" Ideen inszenierte Szenen zu gestalten. Die AnleiterInnen übernehmen hier eine Regiefunktion und investieren erhebliche Mühe, den TeilnehmerInnen den Unterschied zwischen Handlungen, die sie als SpielerInnen und Handlungen, die sie in ihren Figuren durchführen, bewusst zu machen. Ziel ist es dabei, das „Herausfallen" aus dem gespielten Rahmen immer seltener werden zu lassen bzw. Strategien des Umgangs mit diesem Problem zu vermitteln. Das gelingt dann, wenn sich die TeilnehmerInnen auf die zu spielenden Szenen einlassen und in ihren Figuren spielen. Dies erfordert ein hohes Maß an Konzentration aller Beteiligten, da ein „Herausfallen" nicht nur die eigene Person betrifft, sondern immer auch die anderen Beteiligten, insofern die Anschlusshandlungen problematisch werden: Kann die Handlung einer Person nicht mehr der Figur zugerechnet werden, fällt sie auf die SpielerIn zurück. Kann das herausgefallene Handeln „einfach" ignoriert werden? Und wie kann da-

mit umgegangen werden, wenn ein Stück der gespielten Handlung fehlt?
In den Arbeit-an-der-Form-Proben wird den TeilnehmerInnen die Bedeutung der Unterscheidung zwischen den Handlungen als SpielerInnen und denen, die sie als Figuren durchführen, bewusst, da sie in zahlreichen Situationen auf diesen Unterschied hingewiesen werden bzw. die Konsequenzen in ihrem eigenen Spiel erleben. Die AnleiterInnen haben in den Arbeit-an-der-Form-Proben eine zentrale Position inne, sie sagen den TeilnehmerInnen, was sie wie zu spielen haben und bestimmen über den Fortgang der Probe: Erst wenn sie mit der Darstellung eines Ausschnitts zufrieden sind, kann ein nächster Ausschnitt geprobt werden. In den Arbeit-an-der-Form-Proben ist eine Gleichzeitigkeit von zwei Rahmen zu beobachten: Es gibt einen, den man als „Proberahmen" bezeichnen könnte, in dem die AnleiterIn, die hier als RegisseurIn auftritt, sich an die SpielerInnen richtet. Zudem gibt es aber auch den „Rahmen der gespielten Szene", in dem sich die Figuren des Stücks bewegen und in dem die RegisseurIn keine handelnde Person darstellt. Genau aus diesem Grund muss sich die RegisseurIn auch wieder aus dem Geschehen zurückziehen, da das Ziel der Proben ja ist, dass ein gespieltes Stück zur Aufführung gelangen kann (in dem sie im wahrsten Sinne des Wortes keine Rolle spielt).

In den Durchläufen erfolgt daher die Koordination der Handlungen nicht mehr durch die RegisseurIn, sondern durch die SpielerInnen selbst. Die TeilnehmerInnen müssen daher „doppelt" anwesend sein: Zum einen als SpielerInnen, um so die vielfältigen Handlungen während des gesamten Stücks miteinander zu koordinieren, zum anderen aber auch als Figuren des Stücks auf der Bühne. Eine besondere Herausforderung stellt diese doppelte Anwesenheit vor allem deshalb dar, weil die Koordinationsleistung der SpielerInnen für die ZuschauerInnen nicht zu sehen sein soll. Für die ZuschauerInnen sollen nur die Handlungen der Figuren sichtbar sein, um so die Illusion der gespielten Wirklichkeit zu erzeugen. Die Verantwortung für das Gelingen dieser Illusion liegt dabei immer mehr bei den TeilnehmerInnen, der Einfluss der AnleiterInnen muss zusehends kleiner werden, damit die TeilnehmerInnen lernen, ihr Spiel selbst zu koordinieren.

Als besonders spannend haben sich die Sequenzen erwiesen, in denen Handlungen nicht mehr eindeutig der SpielerIn oder ihrer Figur zuzuordnen sind. Zudem ließ sich beobachten, dass die TeilnehmerInnen ihre Figuren auch außerhalb der eigentlichen Probehandlungen als Spielressourcen einsetzten und damit begannen, Interaktionen auch in ihren Figuren zu gestalten.

Das Verhältnis von AnleiterInnen und TeilnehmerInnen in Probesituationen
Das Verhältnis von AnleiterInnen und TeilnehmerInnen verändert sich während des Probenprozesses. In den Entwicklungsproben geben die AnleiterInnen den TeilnehmerInnen eine Aufgabe, die die Gestaltung einer Szene betrifft. Diese Gestaltung soll dann in den jeweiligen Figuren stattfinden. Genau aus diesem Grund ist ein zu starkes Eingreifen der AnleiterInnen hier problematisch, da sie dadurch den gespielten Rahmen in einen Anleitungs- bzw. Probenrahmen transformieren und die TeilnehmerInnen nicht mehr als Figuren, sondern als TeilnehmerInnen reagieren. Erst wenn die AnleiterInnen in diesen Entwicklungsproben zu einem Teil des Spielrahmens werden, indem sie zum Beispiel selbst als Figuren der zu spielenden Szene agieren oder sich aus der Gestaltung der Szene heraushalten, kann sich ein improvisiertes Spiel entfalten.

In den Arbeit-an-der-Form-Proben hingegen haben die AnleiterInnen eine zentrale Rolle als RegisseurInnen inne. Sie koordinieren alle Handlungen, die auf der Bühne durchgeführt werden und bestimmen darüber, ob gespielt wird oder ob über die Gestaltung des Spiels gesprochen wird. Zudem insistieren sie massiv auf der Unterscheidung von Handlungen, die als solche der spielenden Figuren zu verstehen sind und Handlungen, die sie als „privat" und damit den SpielerInnen zugehörig bezeichnen. In ihrer Rolle als RegisseurInnen tragen sie zudem beständig dafür Sorge, dass der Rahmen des Spiels auch über große Schwierigkeiten hinweg – unter anderem durch das Problem des Aushakens bedingt – immer wieder aufgenommen wird.

Im Anschluss an diese massive Einflussnahme müssen die AnleiterInnen sich aber auch wieder aus den Proben zurückziehen und die Koordination der Handlungen in die Verantwortung der TeilnehmerInnen geben, da sie während der späteren öffentlichen Aufführungen nicht mehr als Regisseurinnen in Erscheinung treten können, weil sie dadurch selbst die Illusion der gespielten Rahmen zerstören würden. In den „Durchläufen" ist daher das Ziel, die selbständige Koordination der Handlungen durch die TeilnehmerInnen einzuüben. Die AnleiterInnen versuchen, sich selbst überflüssig zu machen.

Das Bühnenspiel als egalitäterzeugende Praxis
Ziel einer Theateraufführung ist es, ein Stück zu präsentieren, das den ZuschauerInnen die Illusion vermittelt, einem realen Geschehen beizuwohnen. Natürlich wissen alle ZuschauerInnen, dass es sich um ein gespieltes Stück handelt, aber sie wollen sich der Illusion hingeben, dass es sich um eine „Wirklichkeit" handelt. Um diese Illusion zu erzeugen, ist es notwendig, dass sich die Figuren des Stückes so zueinander verhalten, dass ihre Interaktionen als glaubhaft, d. h. als passende Interaktionen wahrgenommen werden können. Der Zauber der Illusion liegt dabei darin, dass die ZuschauerInnen vergessen können, dass es sich „eigentlich" nur um ein gespieltes Stück handelt, dessen Verlauf zudem schon fixiert und vorherbestimmt ist. Um dieses Illusion möglich zu machen, ist es notwendig, dass die SpielerInnen in ihren Figuren handeln und nicht aus ihrem Figurenhandeln ausbrechen und Handlungen ausführen, die nicht mehr als Teil des Stücks zu verstehen sind. Das Besonders an dieser Illusion ist nun, dass die Aufrechterhaltung vom Verhalten aller SpielerInnen abhängt: Schon das Ausbrechen einer einzigen SpielerIn reicht aus, um die Illusion zu zerstören. Daraus ergibt sich eine gemeinsam geteilte Verantwortung für das Gelingen einer Aufführung durch alle auftretenden SpielerInnen. Die Differenz zwischen den SpielerInnen und den ZuschauerInnen führt hier also zu einer großen Egalität unter den SpielerInnen, die gemeinsam für die Dauer des ganzen Stücks die Aufrechterhaltung der Illusion verantworten.

Diese gemeinsame Verantwortung, verbunden mit der ständigen Gefahr des Scheiterns, ist dabei, so die Hypothese, die ich hier anschließen möchte, der Grund, weshalb in den Erzählungen von Theaterspielenden die Bedeutung des Gruppenerlebens eine so große Rolle spielt.[398]

---

398 Dazu finden sich Interviewausschnitte bei Finke/Haun o.J. und Reinwand 2008.

Natalie: „wers HAT (.) kann kurz pause machen"[399]

9 Rahmenwechsel, Pausen, Atelierphasen

In dieser Fallstudie werde ich mich zunächst den Rahmenwechseln zuwenden, um die Frage zu stellen, wie diese Rahmenwechsel organisiert werden (9.1). Es wird sich zeigen, dass die Ankündigung von Rahmenwechseln eine der zentralen Aufgaben von AnleiterInnen ist, sie aber davon abhängen, dass die TeilnehmerInnen ihnen dieses Recht auch zubilligen. Der Unterschied zwischen AnleiterInnen und TeilnehmerInnen spielt hier eine zentrale Rolle und auch in den meisten der bisher analysierten Rahmen sind die Anleiterinnen mit umfassenen Handlungsrechten ausgestattet. Ich möchte mich daher in diesem Kapitel auch einem Rahmen zuwenden, in dem die TeilnehmerInnen selbst die Gestalt ihrer Interaktionen bestimmen: den Pausen (9.2). Ich werde verschiedene Sequenzen aus Pausensituationen vorstellen, in denen die TeilnehmerInnen selbst – ohne die Beteiligung der AnleiterInnen – Rahmen aufbauen und wechseln. Im Verlauf des Projekts kam es schließlich zu vielfältigen Situationen, in denen die Unterscheidung zwischen „Projektzeit" und „Pausen" nicht mehr so einfach möglich war, da verschiedene Gruppen im Raum unterschiedliche Dinge taten, die zum Teil als „Projektzeit" und gleichzeitig zum Teil als „Pausen" analysiert werden können. Für diese Phasen verwende ich die Bezeichnung „Atelierphase" und stelle diese im dritten Unterkapitel vor (9.3). Es wird sich zeigen, dass die TeilnehmerInnen, wie in Pausen, selbständig Rahmen aufbauen und wechseln, aber sich nicht mehr den bis dahin beobachteten Pausentätigkeiten widmen, sondern weiter am Stück arbeiten. Dazu gestalten sie Probe-, Präsentations-, Improvisations- und Besprechungsrahmen. In einem abschließenden Kapitel werde ich diese Entwicklung von den Pausen zu Atelierphasen als eine Übertragung von AnleiterInnenrechten an die TeilnehmerInnen charakterisieren (9.4).

9.1 Rahmenwechsel

Rahmen können und müssen gewechselt werden. Interessant ist daher die Frage, wie diese Rahmenwechsel vollzogen werden. Wer hat das Recht, sie einzuleiten? Und wie vollziehen sich die dafür notwendigen Handlungen? Sind die Rahmenwechsel als eigener Rahmen zu begreifen oder zeichnen sie sich dadurch aus, dass sie zu keinem Rahmen ganz gehören? Diese These vertritt Monika Wagner-Willi in ihrer Dissertation mit dem Titel *Kinder-Rituale zwischen Vorder- und Hinterbühne: der Übergang von der Pause zum Unterricht*.[400] Sie zeigt hier anhand der genauen Analyse der Interaktionen in Grundschulklassen, dass der Übergang von der Hofpause zum Unterricht als ein

---

399 Aus *Seq_79: Wers hat, macht Pause*.
400 Wagner-Willi 2005.

"Zwischenraum" zu betrachten ist, in dem weder die Regeln der Hofpause noch die des Unterrichts voll in Gültigkeit sind, so dass ungewöhnliche Interaktionen, insbesonders zwischen Mädchen und Jungen, stattfinden können:

> „Einerseits sind die Kinder noch nicht auf die Regeln des Unterrichts verpflichtet, andererseits kann die Sinnstruktur der Hofpause, in der die Aktivitäten weitgehend in geschlechtshomogen strukturierten Peergroups vollzogen werden, nicht mehr ungebrochen aufrechterhalten werden."[401]

Wie gestalteten sich die Rahmenwechsel in der Tanz- und Theater-AG? Dazu eine typische Sequenz, in der die AnleiterInnen die TeilnehmerInnen nach einer Pause wieder zur Arbeit zusammenrufen:

Sequenz 72: Dann treffen wir uns alle hier auf der Bank

Ereignis: Trinkpause & Erwartungspräsentation   **Quelle:** AG_20.11.06
Timeline: 5:50-6:03 & 0:00-1:18

```
1    Theresa:  <<f> dann treffen wir uns alle hier auf der
2              bank;
3    Viele der Teilnehmer begeben sich auf den Weg zur Bank, einige sitzen
4    dort schon. Tuba und Maria haben ihre Luftballons mitgebracht.
5    Natalie:  setzt euch bitte HIN;
6    Steffen steht auf der Bühne und wirft seinen Ballon in die Luft.
7    Theresa:  räumt ihr die luftballons bitte weg-
8    Tuba und Lisa stehen auf und gehen mit den Ballons aus dem Kamerabild.
9    Einige Sekunden später steht auch Lara auf und bringt ihren Ballon zur
10   Seite. Tuba und Lisa kommen ohne Ballon zurück und setzen sich wieder
11   auf die Bank.
12   Natalie:  und die luftballons bitte auf die seite:
13   Theresa:  << zu Emilia gewandt> des kannst du noch der na-
14             talie geben (.)
15   Theresa:  [steffen setz dich auf die bank]
16   Natalie:  [steffen, setz dich bitte hin]
17   Natalie:  <<auf dem Weg zur Bank, tippt sie Steffen kurz
18             auf den Oberarm> komm;
19   Natalie:  du setz dich auch noch rein
20   Theresa:  nasir (.) braucht auch noch platz
21   Nasir steht hinter der Bank und steigt schließlich zwischen Steffen
22   und Lisa über die Bank und setzt sich zwischen diese beiden.
23   Theresa:  O:KAY:: (-) setz ich mich einfach hier kurz her
```

Theresa ist es hier, die die Pause durch ihre Ankündigung beendet (Z. 1-2). Sie greift nicht auf ein ritualisiertes Signal, wie es etwa der Schulgong darstellt, zurück, sondern beendet die Pause durch eine Handlungsanweisung, die vor allem eine räumliche Angabe enthält. Viele der TeilnehmerInnen begeben sich auf diese Aufforderung hin zur Bank, Tuba und Marie haben mit ihren Luftballons Utensilien mitgebracht, mit denen sie gerade noch in der Pause gespielt haben (Z. 4). Sie werden zunächst von Theresa und dann von Natalie aufgefordert, diese Luftballons zur Seite zu bringen (Z. 7 bzw. Z. 12). Zudem präzisiert Natalie die Aufforderung von Theresa, sich an der Bank zu treffen,

---

401 WAGNER-WILLI 2005, S. 292.

und wählt auch hier die Form einer Bitte (Z. 5). Steffen scheint immer noch nicht auf der Bank zu sitzen und wird von beiden Anleiterinnen noch einmal aufgefordert, sich auf die Bank zu setzen (Z. 15-16). Auch Nasir sitzt noch nicht und bekommt von den Anleiterinnen einen Platz zugewiesen (Z. 18-21). Schließlich ist es wieder Theresa, die den Rahmenwechsel für vollzogen erklärt und durch ihr „O:KA::Y" (Z. 23) und ihr Hinsetzen das Rederecht an Natalie übergibt, die dann die folgende Aufgabe erklärt.

An dieser Sequenz fällt nun Folgendes auf: Zunächst wird deutlich, dass Theresa und Natalie hier die AkteurInnen sind, die den anderen AkteurInnen sagen, was sie wie zu tun haben. Sie setzen die geltenden Regeln, die besagen, dass sich alle sitzend ohne weitere Gegenstände auf der Bank einfinden sollen. Es dauert hier – und an vielen anderen Stellen im Material – allerdings sehr lange (über 90 Sekunden), bis tatsächlich alle TeilnehmerInnen die von den AnleiterInnen gewünschten Positionen einnehmen und der nächste Rahmen begonnen werden kann. In der schon erwähnten Arbeit von Monika Wagner-Willi benennt die Autorin die Regeln, die für den Schulunterricht gelten: Zunächst müssen alle ihre Überkleidung an einer Garderobe deponieren, dann müssen sie alle „Privatterritorien"[402] – Brotdosen, Spielzeuge, Trinkflaschen – in ihren Schulmappen verschwinden lassen und die „Funktionsterritorien" – Stifte, Hefte und Bücher – bereitlegen. Dann wird erwartet, dass alle still sitzen und auf den Anfang warten, der durch die Lehrperson markiert werden muss.[403] Wagner-Willi nennt das schnelle und reibungslose Durchlaufen dieser Aufgaben „primäre Anpassung" und unterscheidet davon einen Modus der „sekundären Anpassung"[404], mit deren Hilfe sich die Schüler zwar ebenfalls für den Unterricht bereit machen, aber sichtbar machen, dass sie im Grunde in Opposition zu der Übernahme der Schülerrolle stehen. Sie unterscheidet hier drei verschiedene Formen sekundärer Anpassung: Zunächst verweist sie auf Praktiken, in denen „Schulterritorien", also etwa der Tafelschwamm, für eine unvorhergesehene Nutzung eingesetzt werden, etwa als Wurfgeschoss. Dann benennt sie all die Praktiken, mit denen gegen das Gebot der Stille (das sowohl akustische Stille als auch Bewegungsstille umfasst) verstoßen wird: zum einen durch sprachliche Handlungen, aber auch durch das Verlassen des zugewiesenen Platzes. Schließlich weist sie noch auf die Praktiken hin, mit denen die SchülerInnen ihre im Pausenzusammenhang durchgeführten Tätigkeiten weiterführen und so deutlich machen, dass sie nicht oder noch nicht für den Unterricht bereit sind. Dabei unterstreicht Wagner-Willi mit Bezug auf Goffman, dass auch diese sekundären Anpassungsleistungen als Anpassungsleistungen und nicht als „destruktives Verhalten" gewertet werden müssen, da die SchülerInnen so ihre Distanz zur Rolle der SchülerInnen deutlich machen und zugleich die Notwendigkeit der SchülerInnenrolle akzeptieren.

Wie die folgende Sequenz zeigt, gilt auch für die Projektarbeit, dass sich nach dem Ende einer Pause primäre und sekundäre Anpassungsleistungen beobachten lassen:

---

402 So nennt Wagner-Willi unter Rückgriff auf Goffman die privaten Gegenstände der SchülerInnen.
403 Vgl. Wagner-Willi 2005, S. 286 f.
404 Vgl. Wagner-Willi 2005, S. 288 ff.

Sequenz 73: Jetz is die Natalie dran !?

Ereignis: Verweigerung der Mädchen **Quelle:** AG_05.02.07 **Timeline:** 4:48-5:54

```
1   Die anwesenden AkteurInnen stehen im Kreis.
2      Hilal:     <<pp> kommt die frau zellmaier heute?
3      Theresa:   <<schüttelt den Kopf>
4      ?1:        warum nich?
5      Theresa:   <<p> weil sie lehrerkonferenz hat
6      Hilal:     <<ff> warum kommt die frau zellmaier heute nich?
7      ?2:        weil sie lehrerkonferenz hat
8      Lara:      <<läuft durch den Kreis auf Lisa zu und nimmt
9                 ihre Haare in die Hand> das ist blond [und sie
10                hat blaue augen]
11     Natalie:   <<blickt zu Theresa> ( ) [ach ich mach des?]
12     Theresa:   ja=ja
13  Lara geht zu ihrem Platz zurück, Hilal packt Lisa am Kopf und blickt
14  sie an. Viele Stimmen und Lachen durcheinander.
15     Theresa:   [drum wart ich]
16     ?:         [ich hab blaue augen]
17  Lisa schiebt Hilal von sich weg, Hilal schlägt ihr mit der flachen Hand
18  auf die Schulter. Magnus und Thomas stehen eng beieinander, Thomas hält
19  Magnus fest. Dann lässt er ihn wieder los und Magnus wendet sich an
20  Nasir, indem er einen Schritt in dessen Richtung geht und etwas sagt
21  (zu leise, um es auf dem Band zu hören.
22     Natalie:   <<f> also;
23     Theresa:   <<ff> HEY↑ (.) ganz ruhig=ge↑ [geschlagen wird
24                nich]
25     Natalie:   [<<cresc> magnus↑ (--) magnus?]
26  Magnus wendet den Blick zu Theresa, geht wieder einen Schritt zurück
27  an seinen Platz im Kreis.
28     Tuba:      ich hab dunkelblonde und blonde [( )]
29     Theresa:   [jetz] is die natalie dran <<pp> da gehts ja heut
30                zu wie im kindergarten
31     Maria:     <<all> sonst [machen wir]
32     Natalie:   [MAria]
33     Maria:     das gleich [( )]
34     Natalie:   [thomas (.) magnus]
35
36     ?:         [sag mal spinnst] du jetz?
37     ?2:        [natascha]
38  Mehrere Stimmen durcheinander, unverständlich.
39     Theresa:   <<f> ( )(meisten) im kreis stehen fang ma an
40     Mehrere:   MEIstens
41  Gelächter mehrerer Personen ist zu hören.
42     Maria:     tom (.) dein platz-
43     ?:         ps::t
44     Tuba:      komm tom (.) [wenn du nich kommst]
45     Natalie:   [TUBA] (.) MARIA
46     Hilal:     <<f> NATALIE hat den redestab
47     Tuba:      aber jeder guckt [mich an]
48     maria:     [nein hat sie nicht]
49  Gelächter mehrerer Personen ist zu hören.
50     Natalie:   THOmas (.)MAgnus
51     Tuba:      checkt ihr des nich?
52     Nasir:     vier minuten verschwendung
53     Natalie:   vier minuten verschwendung
54     ?:         [na und?]
55     Natalie:   [danke sehr]
56     ?2:        biTTE schö:n
```

Die Sequenz beginnt damit, dass Hilal leise die Frage stellt, ob denn Frau Zellmaier, die Lehrerin, heute zum Projekttermin erscheinen wird (Z. 2). Theresa, die neben ihr steht und daher die leise Frage gehört hat, antwortet ihr durch ein Kopfschütteln (Z. 3) und eine der TeilnehmerInnen möchte die Gründe für das Fernbleiben erfahren (Z. 4). Theresa antwortet auch darauf (Z. 5) und Hilal wiederholt die gerade gestellte Frage, diesmal aber sehr laut und somit so, dass sie auch von allen TeilnehmerInnen gehört werden kann (Z. 6). Nach der Wiederholung der Antwort durch eine der TeilnehmerInnen (Z. 7), verlässt Lara ihren Platz im Kreis und läuft zu Lisa (Z. 8-10), deren Haar sie in die Hand nimmt und dessen Farbe kommentiert. Diese Handlung wird von den beiden AnleiterInnen nicht kommentiert, Natalie hat ihren Blick vielmehr auf Theresa gerichtet und stellt ihr eine Frage, die von Theresa beantwortet wird (Z. 11-12). Die beiden Anleiterinnen klären hier offensichtlich, wer von ihnen beiden die Situation anleitet – Theresa macht deutlich, dass sie das nicht ist (Z. 15) und Natalie zeigt an, dass sie diese Funktion übernehmen will (Z. 20). Parallel zu dieser Aushandlung zwischen den beiden AnleiterInnen kommt es aber auch zu einer Interaktion zwischen Hilal und Lisa, die schließlich damit ein vorläufiges Ende nimmt, dass Hilal Lisa mit der flachen Hand auf die Schulter schlägt (Z. 17-18). Hierauf reagiert nun Theresa und formuliert die Regel, dass nicht geschlagen werden darf (Z. 21-22). Thomas und Magnus haben ebenfalls zeitgleich eine weitere intensive Interaktion begonnen, Thomas hält Magnus mit beiden Armen fest umschlossen (Z. 18-19), dann wendet sich Magnus an Nasir (Z. 20-21). Darauf geht nun Theresa ein und ruft zweimal Magnus' Namen, der schließlich seinen Blick zu ihr wendet (Z. 25-27). Tuba greift dann wieder das „Haarthema" auf (Z. 28) und wird von Theresa unterbrochen (Z. 28), die darauf hinweist, dass das Rederecht jetzt bei Natalie liegt. Daran hält sich Maria aber nicht (Z. 32), die daher von Natalie durch das Rufen ihres Namens ermahnt wird (Z. 32). Maria lässt sich dadurch aber nicht abhalten (Z. 33) und auch Nasir und Thomas sind offenbar – wenngleich auf dem Kamerabild nicht zu sehen – wieder in eine Interaktion verstrickt, da auch sie von Natalie gerufen werden (Z. 34).

Dann kommt es zu zwei nicht zuortbaren Äußerungen, deren Sinn mir auch verborgen bleibt (Z. 36-37) und einem längeren Stimmengewirr, das schließlich von Theresa unterbrochen wird, die deutlich zu machen versucht, wann es weitergehen wird. Sie formuliert hier die Bedingung, die erfüllt sein muss, diese ist aber kaum zu hören, da immer noch einige andere AkteurInnen sprechen (Z. 38-39). Die TeilnehmerInnen sind auch nach dieser Aussage nicht still, sondern kommentieren Theresas Ankündigung (Z. 40). Maria nimmt sich dann erneut das Rederecht und lädt Tom, den Kameramann, ein, sich seinen Platz im Kreis zu suchen (Z. 42), dies wird einmal durch ein „ps::t" und durch eine weitere Aufforderung an Tom durch Tuba kommentiert, die schließlich auch noch eine Drohung an Tom beginnt (Z. 43-44). Jetzt greift Natalie wieder in das Geschehen ein und ruft betont die Namen von Maria und Tuba (Z. 45). Hilal trägt dann eine Äußerung bei, die performativ die geltende Ordnung unterläuft, da auch sie sich „einfach" das Rederecht nimmt, ihrem Inhalt nach aber die Form bestätigt, da sie darauf hinweist, dass Natalie den Redestab und damit das Rederecht innehabe (Z. 46). Tuba und Maria kommentieren nun diesen Satz von Hilal (Z. 47-48), was wiederum Gelächter einiger TeilnehmerInnen hervorruft (Z. 49). Natalie ermahnt erneut, diesmal wieder Thomas und Magnus (Z. 50), Tuba kommentiert auch das (Z. 51) und Nasir offenbart seine Interpretation des Geschehens als verschwendete Zeit

(Z. 52). Natalie greift das auf (Z. 53, Z. 55), bekommt aber zwei Kommentare, die die Berechtigung ihrer Äußerung in Frage stellen. Zunächst bezweifelt eine TeilnehmerIn das Problem der Verschwendung (Z. 54) und dann bezieht eine TeilnehmerIn Natalies „Dankeschön", das an Nasir gerichtet war, auf die bisherige Situation und formuliert eine ironisches „biTTE schö:n" (Z. 56).

Es zeigt sich hier, dass auch beim Übergang zum Projekt Anpassungsleistungen von den TeilnehmerInnen erwartet werden. Ganz ähnlich wie in der Schule fordern die AnleiterInnen auch hier, dass die TeilnehmerInnen sich still in einer bestimmten körperlichen Anordnung (hier im Kreis) versammeln und darauf warten, dass von den beiden AnleiterInnen der Anfang der Projektzeit gesetzt wird. Einige der TeilnehmerInnen verhalten sich auch demensprechend, sie werden daher in dieser Sequenz gar nicht erwähnt, da sie nichts anderes tun als still und im Kreis stehend darauf zu warten, dass die Anleiterinnen beginnen. Bei anderen TeilnehmerInnen lassen sich sekundäre Anpassungsleistungen beobachten, die den von Wagner-Willi beschriebenen gleichen. Vor allem Tuba, Hilal und Maria und Thomas und Magnus verletzen die „Stille-Regel", die sich sowohl auf körperliche Stille, d. h. relative Unbewegtheit, als auch auf lautliche Stille, d. h. zu schweigen und keine anderen Geräusche zu machen, bezieht. Der Beginn der Sequenz, in dem Hilal dafür sorgt, dass alle erfahren, dass die normalerweise anwesende Lehrerin zu diesem Projekttermin nicht erscheinen wird, lässt die wiederholten Regelbrüche einiger TeilnehmerInnen wie eine Art „Test" erscheinen: Es wirkt so, als ob die TeilnehmerInnen wissen wollen, wie Theresa und Natalie auf ihre wiederholten Regelbrüche reagieren. Ein weiteres Indiz für diese Lesart ist, dass sie sich wenig Mühe geben, ihre Regelbrüche im Verborgenen auszuführen. Lara schreitet durch den ganzen Kreis und die verbalen Äußerungen sind keineswegs leise und nur an die direkten NachbarInnen gerichtet.

Im hier gezeigten Ausschnitt reagieren die beiden Anleiterinnen durch die Benennung der geltenden Regeln (Z. 23-24, 39) und dadurch, dass sie einzelne TeilnehmerInnen mit ihrem Namen rufen (Z. 25, 32, 34 ,45, 50). Darauf reagieren die TeilnehmerInnen aber immer nur kurz, indem sie ihre Aufmerksamkeit zu den AnleiterInnen wenden und in ihren Handlungen innehalten. Sobald sich die Aufmerksamkeit der Anleiterinnen aber wieder abwendet, beginnen sie erneut, gegen die Stilleregel zu verstoßen.

In den 15 Minuten, die sich an den gerade vorgestellten Ausschnitt anschließen, entwickelt sich dann ein Kampf, wer mit welchen Mitteln welche Regeln zur Durchsetzung bringen kann. Die AnleiterInnen versuchen, die Stilleregel durchzusetzen, indem sie deutlich machen, dass sie erst beginnen werden, wenn alle einige Sekunden lang wirklich still sind. Dies gelingt aber lange nicht, da immer wieder einzelne TeilnehmerInnen etwas sagen oder in Lachen ausbrechen. Es kommt dabei auch zu einer interessanten Äußerung von Hilal, die auf Annas Frage, warum die Anleiterinnen denn nicht einfach anfangen, sagt: „Wenn sie anfangen werden alle ruhig".[405] Diese Äußerung interpretiere ich so, dass Hilal die bisherigen Handlungen als sekundäre Anpassungsleistungen einschätzt, die die TeilnehmerInnen beenden werden, wenn die beiden Anleiterinnen endlich einen Anfang setzen würden und damit die Übergangszeit beendeten. Die Anleiterinnen aber wählen diesen Weg nicht, sondern beharren darauf, dass es erst einige Sekunden wirklich still

---

405 AG_05.02.07_ Verweigerung der Mädchen_10:00.

sein muss, bevor sie beginnen. Nach fast 20 Minuten, in denen tatsächlich immer wieder andere TeilnehmerInnen das Stillegebot verletzen, wechseln die beiden Anleiterinnen mit dem Teil der Gruppe, die die gesamten 20 Minuten still wartend verbracht hatten, in die andere Turnhallenhälfte, um dort mit dem Begrüßungsritual zu beginnen. Dabei entschieden nicht die AnleiterInnen, wer von den TeilnehmerInnen mitgehen durfte, sondern die TeilnehmerInnen selbst konnten sich entscheiden, ob sie bereit sind, jetzt zu beginnen, oder eben nicht. Sechs Teilnehmerinnen – Hilal, Tuba, Lara, Maria, Lisa und Anna – blieben aufgrund ihrer eigenen Entscheidung zurück, um dann aber nach etwa 2 Minuten doch wieder zu den anderen zu stoßen und die sich an das Anfangsritual anschließende Übung mitzumachen.

Dieser Beginn, der über 20 Minuten dauerte, ist dabei der Rahmenwechsel im ganzen Projekt, der mit Abstand am längsten dauerte. In vielen Fällen, wenn es zum Beispiel darum geht, eine zweite Spielrunde eines Spiels zu spielen, gehen die Rahmenwechsel auch in Sekundenschnelle vor sich.

In der *Seq_16: Machst Du mich Vampir?* etwa findet sich ein gutes Beispiel dafür, dass manche Rahmenwechsel auch sehr schnell vollzogen werden:

```
1    Alle SpielerInnen, außer den beiden Vampiren, liegen am Boden.
2        Theresa:   okay (.) des ging ja zackig (.) mach mas noch
3                   einmal
4        Viele:     JA:::;
5    Innerhalb von sechs Sekunden haben sich alle SpielerInnen in einen
6    Kreis gelegt, nur Steffen steht bei Theresa und spricht leise mit ihr.
```

Die Geschwindigkeit, mit der Rahmenwechsel vollzogen werden, hängt dabei von der Motivation der TeilnehmerInnen ab – je mehr sie sich einen bestimmten Rahmen auch selbst wünschen, desto schneller begeben sie sich in die dafür notwendige Ausgangsposition. Wichtig ist zudem, ob die notwendigen Handlungen, die einen Rahmen vorbereiten, bekannt sind. In diesem Ausschnitt aus dem Vampirspiel trifft beides zu: Die TeilnehmerInnen wollen eine zweite Runde des Vampirspiels spielen und sie kennen das körperliche Arrangement, das sie einnehmen müssen, um „markiert" zu werden. Es dauert daher nur sechs Sekunden bis alle die notwendige Position eingenommen haben.

Bezüglich der Frage nach Egalität und Differenz zwischen den beteiligten AkteurInnen zeigen die bisher vorgestellten Sequenzen, dass das Recht, über den nächsten Rahmen zu entscheiden, grundsätzlich den AnleiterInnen zukommt. Die nun folgende Sequenz bestätigt diese Einsicht und zeigt zudem einen interessanten Sonderfall:

Sequenz 74: Machen wir es jetzt alles zusammen?

Ereignis: Präsentation_alles   Quelle: AG_26.02.07   Timeline: 0:00-0:45

```
1    Anna, Hilal, Magnus und Nasir haben eine Szene präsentiert, die sie zum
2    Thema „Räuber und Freunde treffen sich und werden Freunde" entwickelt
3    hatten. Sie bekommen Applaus und gehen von der Bühne ab.
4        Natalie:   TOLL (-) dass DIE den räubern ENTWischt sind
5                   <<lacht>
6        Theresa:   ganz einfach
7        Natalie:   jetz ham wa noch zehn minuten=SEHR schön
```

```
8      ?1:      machen wir jetzt alles zusammen?=
9      Nasir:   =machen wir jetzt alles zusammen?=
10     Natalie: <<blickt Nasir an> =JA
11     Mehrere: <<jubeln>
12     Natalie: <<blickt Theresa an, hebt dann die Hände mit ge-
13              öffneten Handflächen nach oben> wenn sie fragen
14     ?2:      wir haben nur noch zwanzig minuten
15     Theresa: wenn ihr des schafft von den übergängen und rol-
16              lenwechseln
17     ?3:      [JA;]
18     ?4:      [JA;]
19     Tuba, Yola, Lisa und Janne eilen auf die Bühne, es sind noch weitere
20     „JA"s zu hören. Viele andere TeilnehmerInnen stehen ebenfalls auf, set-
21     zen sich dann aber wieder hin.
22     Tuba:    <<guckt in Richtung der ZuschauerInnen> <<f>
23              BISschen weg DA (.) ich muss da gleich hin
24     Theresa: <<tritt auf die Bühne> <<f> dann lasst es uns
25              aber SO machen> (.) hört mal bitte kurz ZU (.)
26              <<f> dass IMMER (--) des heißt´ IHR <weist auf
27              die ZuschauerInnen> müsst hier alle bereit sein
28              (--) JA↑ (-) die ganze zeit (.) und die leute
29              die gespielt haben setzen sich auch wieder hier-
30              hin
```

Nach der Präsentation von verschiedenen Szenen, die Kleingruppen erarbeitet hatten, übernimmt Natalie ihre Anleitungsfunktion und benennt die noch verbliebene Projektzeit (Z. 7). Eine der TeilnehmerInnen nutzt diesen Moment und macht einen Vorschlag, was im Folgenden getan werden könnte, Nasir greift die Frage auf und wiederholt sie noch einmal. Natalie beantwortet sie positiv (Z. 10) und viele TeilnehmerInnen zeigen an, dass sie sich darüber freuen (Z. 11). Die Frage und auch die Antwort belegen hier erneut die Gültigkeit der Regel, dass die AnleiterInnen grundsätzlich das Recht haben, über den nächsten Rahmen zu bestimmen. Die nächsten Zeilen, der Dialog zwischen den Anleiterinnen, zeigt, dass es sich hier offensichtlich um eine Planänderung handelt und das Zeigen aller Szenen hintereinander „eigentlich" nicht geplant war. Natalie rechtfertigt ihre Entscheidung nämlich vor Theresa, die sich, nach einer Nachfrage an die TeilnehmerInnen (Z. 15-16) mit der gemeinsamen Präsentation einverstanden erklärt (Z. 24). Wie das Aufspringen vieler TeilnehmerInnen dann zeigt, ist hier nicht das Problem, dass die TeilnehmerInnen nicht motiviert wären, die gemeinsame Präsentation durchzuführen. Das Problem ist vielmehr, dass nicht ganz klar ist, wie diese Präsentation ablaufen soll. Viele springen auf, einige bleiben auf der Bühne, andere setzen sich wieder hin und Tuba beginnt, den ZuschauerInnen Anweisungen zu geben, welchen Platz sie einnehmen dürfen (Z. 22-23). Theresa erkennt dieses Problem und sie beginnt in einer Art RegisseurInnenrolle einen Ablaufplan für diese gemeinsame Aufführung festzulegen (Z. 26-30). Sekundäre Anpassungsleistungen sind hier, und auch im weiteren Verlauf der gemeinsamen Präsentation, nicht zu beobachten.

Wie die hier vorgestellten Sequenzen gezeigt haben, kommt das Recht, über den nächsten Rahmen zu bestimmen, normalerweise den AnleiterInnen zu. Damit geht auch eine Pflicht der TeilnehmerInnen einher, sich so zu verhalten, dass der nächste Rahmen begonnen werden kann. Dabei gilt, dass der Beginn des nächsten Rahmens von den AnleiterInnen markiert wird und die TeilnehmerInnen sich an die Stilleregel zu halten haben. Tun sie das nicht, kommt es, wie die *Seq_73: Jetz is die Natalie dran!?* eindrücklich gezeigt hat, zu

Verzögerungen, da die AnleiterInnen nicht „einfach" beginnen können und nicht bereit sind, sekundäre Anpassungsleistungen zu akzeptieren. Eine mögliche Erklärung für dieses Verhalten der Anleiterinnen findet sich in der Fallstudie zu *Proben*. Dort wurde deutlich, dass die Proben das Ziel haben, die TeilnehmerInnen in die Lage zu versetzen, die Rahmenwechsel auf der Bühne selbst und ohne Koordination von außen durchzuführen. Sekundäre Anpassungsleistungen, d. h. das Zeigen der Distanz zu den durchgeführten Handlungen, stellen eine große Gefahr für die Bühnenillusion dar. Aus diesem Grund – so die Hypothese, die hier formuliert werden soll – weisen die Anleiterinnen hier Formen der sekundären Anpassungsleistung zurück und beharren auf einer Teilnahme, die keine Distanz zu den eigenen Handlungen aufweist. Diese Art von Teilnahme ist allerdings nicht über Zwang zu erreichen, sondern nur dadurch, dass die TeilnehmerInnen eine eigene Motivation haben, die gewünschten Handlungen durchzuführen. Genau deshalb wählten die Anleiterinnen im Anschluss an die *Seq_73: Jetz is die Natalie dran!?* auch die Strategie, mit denen anzufangen, die gerne anfangen wollen.

9.2 Pause machen

Im vorherigen Kapitel untersuchte ich die Organisation der Rahmenwechsel, in diesem Kapitel wende ich mich der Frage zu, was die AkteurInnen eigentlich in den Pausen machen. Welche Rahmen werden wie aufgebaut und inwiefern unterscheiden sie sich von den bisher beschriebenen Projektrahmen? Es wird sich zeigen, dass die Tätigkeiten, die in den Pausen von den TeilnehmerInnen durchgeführt werden, große Parallelen zu denen haben, die von Wagner-Willi als typische Pausentätigkeiten beschrieben werden. Die TeilnehmerInnen *flanieren, spielen* und vollziehen *territoriale Überschreitungen*.[406] Diese Pausenphasen sind dabei multi-zentriert, es entstehen mehrere Untergruppen, in denen die Aufmerksamkeit hauptsächlich auf die eigene Gruppe gerichtet ist. Wie die Analyse der Pausensituationen gezeigt hat, passiert aber noch etwas Interessantes im Verlauf des Projekts. Das Recht, den Anfang und das Ende von Pausen zu markieren, wird von den Anleiterinnen mehr und mehr an die TeilnehmerInnen selbst übergeben. Dies führt schließlich dazu, dass Pausen nicht mehr gemeinsam und von den AnleiterInnen bestimmt durchgeführt werden, sondern der Beginn und das Ende von den TeilnehmerInnen selbst gestaltet werden. Es entstehen neue, multi-zentrierte Rahmungen, die im Anschluss unter der Überschrift „Atelierphasen" vorgestellt werden.

Zunächst möchte ich eine Sequenz vorstellen, mit der sich nachvollziehen lässt, wie der Übergang von der Projektzeit zur Pausenzeit gestaltet wird:

Sequenz 75: Änna

    Ereignis: Trinkpause   Quelle: AG_20.11.06   Timeline: 0:00-0:19

```
1    Theresa:   machen wir nachher gleich die bühnenübung weiter
2               (.) aber vorher machen wir ne kurze
3               trink(.)pause (.) okay?
4    Tuba:      <<dim> ja:::
```

---

406 Vgl. Wagner-Willi 2005, S. 65-86.

```
5    ?:         <<dim> ja:::
6    ?2:        <<dim> ja:::
7    Tuba läuft, während sie das sagt schnell in Richtung des Eingangs der
8    Turnhalle, sie reißt dabei beide Arme in die Höhe. Auch Steffen läuft
9    in Richtung des Ausgangs und schliddert schließlich in der Nähe des
10   Ausgangs auf den Knien über den Boden. Auch Lisa läuft schnell in Rich-
11   tung des Ausgangs. Tuba ist am schnellsten und verlässt die Turnhalle,
12   kurz hinter ihr Lisa. Louise guckt kurz nach links und wendet sich dann
13   in Richtung Ausgang und geht langsam in diese Richtung. Janne läuft
14   ziemlich schnell in Richtung des Ausgangs, stoppt jäh in ihrer Be-
15   wegung, wendet sich nach links zur Turnhallenmitte und läuft in diese
16   Richtung aus dem Kamerablick heraus. Hilal dreht sich kurz vor dem Aus-
17   gang um, winkelt beide Arme an, dreht die Handflächen nach oben und
18   guckt in Richtung von Anna.
19   Hilal:      <<mit gequetschter Stimme>        Anna:;
20   Dann geht Hilal auf Anna zu. Als sie sie erreicht, dreht sie sich um
21   und die beiden gehen eng beieinander weiter. Yola und Lara kommen von
22   links hinzu, Yola wendet Anna den Kopf zu. Als sich die beiden Gruppen
23   schon sehr nah sind, verlässt Lara ihren Platz, der nun zwischen Yola
24   und Anna liegt und geht vor den drei Mädchen vorbei in Richtung der
25   Bank. Yola gesellt sich zu Anna und Hilal und die drei gehen sehr dicht
26   aneinander in Richtung Ausgang. Louise wendet sich unterdessen der Bank
27   am Rand zu und nimmt sich eine Flasche, die dort steht.
28   Steffen hat unterdessen eine weitere Drehung auf den Knien am Boden
29   vollzogen, ist dann aufgestanden und hat die Halle im Laufschritt ver-
30   lassen. Die Kamera wendet sich nun der Turnhallenmitte zu, hier sieht
31   man Janne, die auf dem Boden kniet und mit dem teilnehmenden Beobachter
32   spricht. Emilia steht neben diesen beiden und richtet ihren Blick, wie
33   die beiden am Boden Sitzenden, auf ein Blatt Papier, das am Boden
34   liegt. Natascha macht in Richtung der Kamera einen Galoppsprung, dreht
35   sich dann um und blickt Emilia an. Janne und der teilnehmende Beobach-
36   ter heben ihre Köpfe und blicken einander an, Emilia sieht weiter auf
37   das Blatt Papier am Boden.
```

Hier ist es die Anleiterin, die eine Pause ankündigt und beginnen lässt (Z. 1-3). Einige TeilnehmerInnen kommentieren das mit einem „ja::::" und die vorherige Ordnung löst sich buchstäblich auf, da die TeilnehmerInnen ihre Aufmerksamkeit von einer gemeinsamen Sache abwenden und „ihrer" Wege gehen. Auffällig ist dabei, dass einige der TeilnehmerInnen sofort zu laufen beginnen (Tuba, Stefen, Lisa, Z. 7-11), andere sich erst einmal orientieren, was sie tun wollen (Louise, Z. 12-13) und wieder andere (Janne, Z. 13-15) plötzlich eine neue Entscheidung treffen. Die Pausengestaltung wird also zunächst individuell vollzogen, im Unterschied zur vorherigen Rahmung der Übung, in der es einen gemeinsamen Aufmerksamkeitsfokus und somit einen einfachzentrierten Rahmen gab. Auch in der Pause werden allerdings Rahmen aufgebaut. Ab Zeile 19 ist das gut zu verfolgen: Hilal macht Anna durch ihre Körperhaltung und ihr Anrufen deutlich, dass sie mit ihr einen Rahmen aufbauen will. Schließlich geht sie auch auf sie zu und beginnt mit ihr gemeinsam den Rahmen des „Flanierens". Dieses „Flanieren" wird von MONIKA WAGNER-WILLI als eine Praxis des nahe beisammen in gemächlichem Tempo Gehens beschrieben,[407] das ganz bestimmte Funktionen erfüllt:

„In diesem konjunktiven Ritual des *Flanierens* verbindet sich die Aktivität des kollektiven ‚In-Bewegung-Seins' mit derjenigen des ‚Sehens und Gesehenwerdens' und derjenigen des Miteinanderredens. Die Mädchen zeigen sich

---
407 Vgl. WAGNER-WILLI 2005, S. 78f.

als kollektive Einheiten unübersehbar vor der Öffentlichkeit des Pausenhofs. Durch die in Szene gesetzte Beobachterhaltung wird eine Distanz gegenüber den anderen Aktivitäten im Hof, wie etwa den territorial gebundenen Spielen, bzw. gegenüber den anderen Akteuren deutlich gemacht."[408]

Das Flanieren lässt sich also als eine differenzerzeugende Praxis der Pause beschreiben, mit deren Hilfe AkteurInnen deutlich machen können, dass sie zusammengehören. Aus den zwei flanierenden Paaren Anna & Hilal und Yola & Lara wird eine flanierende Dreiergruppe und ein Solo (Z. 25-27).

Janne hingegen ist in einen Gesprächsrahmen mit dem Teilnehmenden Beobachter vertieft, als die Kamera sich ihr zuwendet (Z. 30 ff.). Emilia beteiligt sich an diesem Rahmen als Zuhörerin; das macht sie deutlich, in dem sie sich nicht wie die andern auf den Boden setzt, aber doch ihren Blick und damit ihren Aufmerksamkeitsfokus ebenfalls auf das Blatt Papier richtet, das vor den beiden am Boden liegt.

Natascha wiederum zeigt mit ihrem Galoppsprung und dem sich anschließenden Blick zu Emilia an, dass sie gerne mit ihr einen Rahmen aufbauen möchte. Emilia reagiert hier allerdings noch nicht (Z. 34-35), aber kurz beginnen sie ein Spiel. Auch die anderen TeilnehmerInnen finden sich zu Spielgruppen zusammen, wobei sie durch ihre körperliche Ausrichtung deutlich machen, zu welcher Spielgruppe sie gehören:

Sequenz 76: Fünf Rahmen und ein Solo

Ereignis: Trinkpause   Quelle: AG_20.11.06   Timeline: 3:36

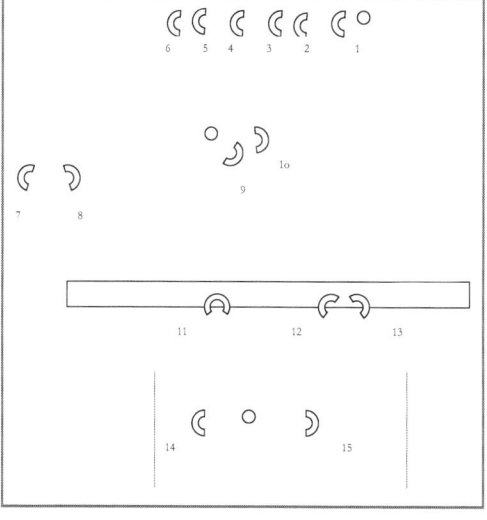

Legende:
1 Janne
2 Lisa
3 Tuba
4 Louise
5 Anna
6 Hilal
7 Emilia
8 Natascha
9 Nasir
10 Steffen
11 Frau Zellmaier
12 Theresa
13 Natalie
14 Yola
15 Lara

---

408 WAGNER-WILLI 2005, S. 79.

Dieses „Standbild" aus der Vogelperspektive zeigt die Situation in der Turnhalle nach 3:36 min dieser Pause. Fünf Rahmen und ein „Solo" wurden aufgebaut: Die Anleiterinnen sind in einen Gesprächsrahmen vertieft (12+13), sie sitzen auf der Bank, einander im 90 Grad Winkel zugeneigt. Yola und Lara haben auf der durch Bandenelemente abgegrenzten Bühne einen Spielrahmen aufgebaut (14+15) und schlagen sich einen Luftballon zu. Nasir und Steffen sind ebenfalls in einen Spielrahmen verstrickt (9+10), sie spielen ebenfalls mit einem Ballon, den sie allerdings auch von sich wegschlagen. Die große Mädchengruppe (1-6) spielt „einem Luftballon nachjagen" und Emilia und Natascha führen ein Art Bewegungsspiel durch (7+8). Die Lehrerin, Frau Zellmaier, hat ein „Solo"[409] etabliert und sitzt für sich auf der Bank (11).

Die Ausrichtung der Halbkreise im oberen Schaubild zeigt die Richtung der Aufmerksamkeitsfokusse an, die jeweils Beteiligten drücken ihr Engagement in „ihren" Rahmen durch ihr „face engagement"[410] aus. Im Falle von Lara und Yola, Natascha und Emilia und den beiden Anleiterinnen zeigen die Körperhaltungen ganz deutlich das Aufeinander-bezogen-Sein, die Akteure schaffen durch ihre Haltungen ein gemeinsames Kommunikations- bzw. Spielterritorium. Die große Mädchengruppe und auch Steffen und Nasir drücken ihre Zugehörigkeit zum jeweils selben Rahmen anders aus: Sie haben ihren jeweiligen Fokus auf ein gemeinsames Objekt gerichtet, einen grünen bzw. gelben Luftballon, und beschreiben in der Verfolgung des Ballons synchronisierte Bewegungen. Besonders bei der Mädchengruppe, die sich wie in einer Schlange durch die Turnhalle bewegt, wird diese Synchronisation sehr deutlich. Auffällig ist hier, dass es sich bei den Gruppen um geschlechtshomogene Gruppen handelt. Dass diese Aufteilung, die auch von Wagner-Willi beschrieben wird, kein Zufall ist, zeigt sich in der folgenden Sequenz, in der es zu einer territorialen Überschreitung kommt:

Sequenz 77: Nasir und Steffen suchen sich einen neuen Platz

Ereignis: Trinkpause   Quelle: AG_20.11.06   Timeline: 4:09-4:40

```
1  Emilia und Natascha haben sich dem Spiel der großen Mädchengruppe mit
2  dem gelben Ballon angeschlossen, durch zwei kräftige Schläge von Hilal
3  gelangt der Luftballon in das Territorium unter dem Basketballkorb,
4  hier spielen auch Nasir und Steffen mit ihrem, dem grünen Ballon.
5  Nasir ist plötzlich von allen Mädchen umringt, er spielt den grünen
6  Ballon zu Steffen zurück, dann blickt er nach oben zum gelben Ballon
7  der Mädchen und wendet sich dann Steffen zu. Steffen dreht sich um,
8  hinter ihm - in etwa zwei Meter Entfernung - sitzt Lisa auf dem Boden,
9  neben ihr steht Maria, die einen blauen Ballon aufpustet. Steffen wen-
```

---

409 Ich übernehme diesen Begriff von Streeck (1983) als Bezeichnung für eine Person, die gerade nicht direkt in eine Interaktion verstrickt ist, aber trotzdem als Mitglied eines „Kommunikationszusammenhangs" zu verstehen ist. Genau in diesem Sinne vollzieht die Lehrerin hier ein Solo, sie ist natürlich Teil des Gesamtrahmens „Projekt", aber in diesem Moment an keiner Unterrahmung, d. h. an keiner Interaktion beteiligt.

410 So nennt Goffman das, er führt dazu aus: „Wenn zwei Personen füreinander präsent und folglich in einem bestimmten Maße in unfokussierte Interaktion engagiert sind (...), können sie von dort aus einander in fokussierte Interaktion verwickeln, deren Einheit ich als ‚face engagement' bezeichnen werde. Face engagements umfassen alle jene Instanzen, wo zwei oder mehr Beteiligte in einer Situation sich offen an der Aufrechterhaltung eines einzelnen Brennpunktes kognitiver und visueller Aufmerksamkeit beteiligen." (Goffman 1963, dt. Übersetzung von Streeck 1983, S. 49).

```
10  det sich wieder Nasir zu. Dieser geht auf ihn zu und weist mit dem
11  ausgestreckten Arm auf die andere Hälfte der Turnhalle.
12  Beide begeben sich auf den Weg in Richtung der Mittelinie (aus dem Ka-
13  merabild heraus), kurze Zeit später (10 s) sieht man, dank eines Kame-
14  raschwenks, wie sie hinter der schon aufgebauten Bühne, auf der immer
15  noch Yola und Lara mit ihrem lila Ballon spielen, ihr Spiel wieder
16  aufnehmen.
```

Die Mädchengruppe dringt hier in das Spielterritorium von Nasir und Steffen ein. Anders als kurz vorher Emilia und Natascha schließen sich die beiden Jungen aber nicht dem Spiel der Mädchengruppe an, sondern verständigen sich gestisch darauf, ihr Territorium zu verlassen und sich ein noch unbesetztes Gebiet zu suchen, um dort ihr Spiel wieder aufzunehmen. Die Bedeutung von Spielterritorien und die potentiell mögliche Verletzung dieser Territorien ist ebenfalls ein Thema bei WAGNER-WILLI, sie schreibt:

> „Wie bereits oben deutlich wurde, lässt nicht nur das konjunktive Ritual des Flanierens, sondern bereits dasjenige des Spiels territoriale Überschreitungen bzw. Grenzziehungen erkennen. Während z. B. die flanierenden Kinder selbst schon durch die Form ihres festen Zusammenschlusses eine Art ‚wanderndes körperliches Territorium' darstellen, das Grenzen hat, die überschritten werden können (…) finden Spiele z. B. immer innerhalb territorialer Grenzen statt, die etabliert, bestätigt oder verletzt werden können."[411]

Die TeilnehmerInnen des Projekts bauen also in der Anfangsphase des Projekts genau die Pausenrahmen auf, die auch von WAGNER-WILLI beschrieben wurden, sie *flanieren, spielen* und vollziehen *territoriale Grenzüberschreitungen*. Diese Tätigkeiten werden meist in geschlechtshomogenen Gruppen durchgeführt, die sich so gut wie nie vermischen. Eine Ausnahme von dieser Regel bildet allerdings eine projektspezifische Tätigkeit, die ich als „Quatsch vor der Kamera" bezeichnet habe:

Sequenz 78: Quatsch vor der Kamera

Ereignis: Pause   Quelle: AG_27.11.06   Timeline: 1:10-1:29

```
1   Die Kamera steht am Boden, man sieht Tubas Gesicht in Großaufnahme, die
2   vor der Kamera sitzt und eine Grimasse in die Kamera schneidet. Sie
3   zieht dabei die Augenbrauen nach oben, so dass sie mit großen Augen in
4   die Kamera starrt. Sie vergrößert dann den Abstand zur Kamera, indem
5   sie ihren Oberkörper nach hinten schiebt, in diesem Moment beugt Lisa,
6   die direkt neben ihr sitzt, ihren Kopf vor die Kamera.
7       Lisa:       HA:llo liebe KAMEra;
8       Steffen:    <<beugt seinen Kopf von rechts ins Bild> ich bin
9                   jetz auf KOTZ mi:ch
10      Tuba:       [HALLo Kamera (.) wie gehts dir (.) hä=hä=hä?]
11      Nasir:      [<<schiebt sich ebenfalls ins Kamerabild, indem
12                  er seinen linken Ellbogen vor die links neben
13                  ihm sitzende Tuba schiebt und versucht diese da-
14                  mit zurückzudrücken>]
15      Nasir:      <<nimmt seinen Ellbogen zurück, legt ihn an die
16                  Körperseite und drückt mit dem ganzen Körper Tu-
17                  bas zur Seite, Nasirs Gesicht ist schließlich in
```

---
411 WAGNER-WILLI 2005, S. 82.

```
18                      Großaufnahme zu sehen, Tuba ist aber ebenfalls
19                      noch im Bild, sie sitzen fast aufeinander>
20      Lisa:           <<von hinter der Kamera> deine zähne
21      ?2:             <<von hinter der Kamera> hihi
22      Lisa:           [<<von hinter der Kamera> der kleine nasir]
23      Nasir:          [<<nimmt seinen Oberkörper wieder zurück, ist
24                      nun nur noch am Rand im Bild, man sieht wieder
25                      Tuba>]
26      Steffen:        <<von hinter der Kamera> der nasir hat stinkige
27                      zähne
28      ?2:             <<von hinter der Kamera> hihihi
29      Tuba:           [<<lacht und beugt ihren Oberkörper nach hinten>]
30      Nasir:          [<<beugt sich vorne zur Kamera und blickt mit
31                      zusammengekniffenem Mund, hochgezogenen Nasen-
32                      flügeln und aufgerissenen Augen in die Kamera<]
```

Hier und an mehreren anderen Stellen kommt es in den Pausen zu einer eigenen Rahmung, die als „Quatsch vor der Kamera" bezeichnet werden kann. Das kennzeichnende Moment ist dabei, dass sich einige TeilnehmerInnen vor der Kamera befinden und dort Grimassen schneiden oder Witze erzählen. Andere TeilnehmerInnen verfolgen das Geschehen über den Aufnahmebildschirm der Kamera und kommentieren das zu Sehende. Auch in der hier beschriebenen Sequenz lassen sich diese Merkmale entdecken. Zunächst sind es Tuba und Lisa, die vor der Kamera zu sehen sind und Grimassen schneiden bzw. einen Gruß an die Kamera formulieren (Z. 1-7). Dann kommen auch zwei Jungen dazu, zuerst Steffen (Z. 8) und dann Nasir (Z. 11). Hier ist es Nasir, der sich buchstäblich in Szene setzt und versucht, Tuba von der Position vor der Kamera zu verdrängen (Z. 11-14). Tuba lässt das aber nicht einfach mit sich geschehen, sondern bleibt ebenfalls im Kamerablick (Z. 15-19), Tuba und Nasir sitzen hier fast aufeinander (Z. 19). Dann beginnt Lisa, hinter der Kamera stehend, das auf dem Bildschirm der Kamera zu Sehende zu kommentieren und Nasir aufzuziehen (Z. 20 und Z. 22). Auch Steffen schaltet sich in dieses Spiel ein (Z. 26-27). Dieses „Quatsch machen vor der Kamera" zeichnet sich dadurch aus, dass eine große körperliche Nähe auch zwischen Jungen und Mädchen möglich wird. Ein Grund dafür könnte sein, dass die Kamera ein „knappes Gut" darstellt und ein Ausweichen auf ein anderes Territorium – eine andere Kamera – nicht möglich ist, da es nur eine Kamera im Raum gibt. Ein weiterer Grund könnte sein, dass die Erlaubnis des Kameramanns, in der Pause Quatsch vor der Kamera zu machen, einen Rahmen schafft, der auch in anderen Zusammenhängen für Annäherungen zwischen den Geschlechtern genutzt wird. Breidenstein und Kelle beschreiben zum Beispiel in ihren Beobachtungen vielfältige Szenen des wechselseitigen Ärgerns und Neckens.[412]

Auffällig ist auch, dass sich fast alle TeilnehmerInnen am „Quatsch-vor-der-Kamera-Machen" beteiligen. In der gerade beschriebenen Sequenz kommen noch Janina, Janne und Magnus dazu, die ebenfalls um den Platz vor der Kamera rangeln.

Zu Beginn der Projektzeit sind die Pausen also von den typischen Peeraktivitäten geprägt, wie sie auch von Wagner-Willi und Breidenstein und Kelle beschrieben werden. Interessanterweise verändern sich die Pausenaktivitäten aber im Laufe der Projektzeit sehr stark. Eingeleitet wird das dadurch, dass die AnleiterInnen mehr und mehr das Recht, Pause zu machen, an die TeilnehmerInnen selbst übergeben:

---

412 Breidenstein/Kelle 1998, S. 203-213.

Sequenz 79: Wers hat, macht Pause

Ereignis: Aussuchen   **Quelle:** AG_05.03.07   **Timeline:** 0:49-1:46

```
1     Natalie:    jede gruppe setzt sich noch mal zusammen bei der
2                 station wo sie grad sind und überlegen sich die
3                 drei STATIonen die sie vorspielen (--) und in
4                 welcher reihenfolge
5     Die TeilnehmerInnen setzen sich in ihren Kleingruppen an den „Statio-
6     nen" zusammen. Diese Stationen sind dadurch gekennzeichnet, dass ein
7     DIN A4 Blatt mit der Stationenaufgabe am Boden liegt. Die Stationen
8     sind über die gesamte Halle verteilt und man sieht und hört die jewei-
9     ligen Gruppen nun über die von Natalie gegebene Aufgabe diskutieren.
10    Natalie:    <<blickt in Richtung Hallenrand> TUBA (--) wir
11                machen danach PAUSE
12    Man sieht und hört die einzelnen Gruppen diskutieren.
13    Emilia und Natascha kommen zu Natalie und sprechen leise mit ihr, dann
14    wenden sie sich ab und gehen zum Hallenrand.
15    Man sieht und hört die anderen Gruppen diskutieren.
16    Natalie:    wers HAT (.) kann kurz pause machen
17    ?:          is pause?
18    Natalie:    JA (-) wers hat (.) macht pause
19    Nach und nach beenden die TeilnehmerInnen ihre Diskussionen und stehen
20    auf und gehen zum Hallenrand.
```

Natalie formuliert zu Beginn dieser Sequenz einen Arbeitsauftrag (Z. 1-4) und weist Tuba, die sich offensichtlich am Hallenrand befindet, darauf hin, dass jetzt noch nicht Pause sei (Z. 10-11). Hier bekräftigt Natalie noch einmal das Recht, als AnleiterInnen zu entscheiden, wann Pause ist. Im Anschluss daran wenden sich Emilia und Natascha an Natalie und sprechen leise mit ihr, um sich dann zum Hallenrand zu wenden (Z. 13-14). Sie haben wahrscheinlich Natalie mitgeteilt, dass sie mit der Aufgabe fertig sind, und Natalie erlaubte ihnen wohl daher, Pause zu machen. Natalie wendet sich dann an die anderen Gruppen und verkündet eine neue Regel: Wer fertig ist, kann Pause machen (Z. 16). Eine der TeilnehmerInnen fragt nach, ob jetzt Pause sei (Z. 17) und Natalie wiederholt ihre erste Antwort: Die TeilnehmerInnen sollen Pause machen, wenn sie fertig sind (Z. 18). Wie die letzten beiden Zeilen zeigen, erkennen die TeilnehmerInnen diese neue Regel auch an und beenden zu unterschiedlichen Zeitpunkten ihre Diskussionen über die Auftrittsreihenfolge (Z. 19-20). Interessant ist diese Sequenz, weil sich das Pausemachen nun nicht mehr nach einem institutionell vorgegebenen Schema richtet (wie etwa in der Schule mit ihren festen Pausenzeiten) und auch nicht mehr allein nach der Entscheidung der AnleiterInnen. Stattdessen kann von den TeilnehmerInnen selbst unter Berücksichtigung der Erfordernisse der Sache entschieden werden kann, wann die Pause beginnt.

In der nun folgenden Sequenz legt Natalie die Entscheidung über das Pausemachen noch mehr in die Hände der TeilnehmerInnen:

Sequenz 80: Wer üben oder trinken will, kann des machen

Ereignis: Atelier   Quelle: AG_21.05.07   Timeline: 0:00-0:48

```
1   Natalie probte mit einigen TeilnehmerInnen einen Tanz, sie zählt eine
2   letzte Runde mit acht Schlägen, die TeilnehmerInnen tanzen dazu.
3       Natalie:    <<f> SEHR GUT (.) BRAVO(-) <<sie klatscht in die
4                   Hände>
5       Mehrere:    <<klatschen ebenfalls>
6       Natalie:    <<f> beide Gruppen (.) SUPER
7       Lisa:       <<p> ( ) jetza?
8       Natalie:    was darfst du?
9       Lisa:       üben
10      Natalie:    ja du darfst üben <<lacht> <<räuspert sich>
11                  jetzt wollen wir mal schauen
12      Thomas:     <<steht am Turnhallenrand und trinkt aus einer
13                  Flasche>
14      Natalie:    wer schnell üben will oder trinken will <<all>
15                  der kann des machen> weil ich brauch schnell was
16                  zu trinken weil meine stimme kratzt
17      Elkie:      [<<läuft zwei Schritte nach vorne, dann hält sie
18                  plötzlich inne> <<p> !NE! <<sie dreht sich um,
19                  und rennt zurück>]
20      Thomas:     [<<trinkt>]
21      Natalie:    [<<geht zum Turnhallenrand>]
22   Elkie stellt sich neben Natascha und Louise, Lisa sieht das und kommt
23   dann zu dieser Gruppe gelaufen, dabei ruft sie:
24      Lisa:       WARTET (-) wartet auf mich
25   Dann üben Louise, Natascha, Elkie und Lisa von einer gemeinsamen Linie
26   aus - ohne allerdings ihre Bewegungen aufeinander abzustimmen. Nach
27   einer Weile setzt sich Natascha an eine der blauen Matten am Rand ge-
28   lehnt auf den Boden.
```

Nach der Probe eines Tanzes lobt Natalie die TeilnehmerInnen (Z. 3-6) und Lisa stellt ihr die Frage, ob sie noch weiter üben dürfe (Z. 7-9). Natalie erlaubt das und begleitet diese Erlaubnis mit einem Lachen, vermutlich ist sie amüsiert darüber, dass Lisa fragt, ob sie üben „darf", sie freut sich aber vielleicht auch darüber, weil Lisa so deutlich macht, dass es ihr eigener Wunsch ist, zu üben. Thomas ist unterdessen schon zum Hallenrand gelaufen und trinkt (Z. 12-13), er wird hier aber für sein „eigenmächtiges" Pausemachen von Natalie nicht gerügt, ganz im Gegenteil: Sie bietet allen anderen TeilnehmerInnen auch an, entweder zu üben oder zu trinken, und begründet dies mit ihren eigenen Bedürfnissen (Z. 14-16). Elkie macht sich auf den Weg zum Hallenrand, bricht aber plötzlich ab und gesellt sich zu der Gruppe der Übenden (Z. 17-23). Thomas und Natalie hingegen trinken. Einige TeilnehmerInnen beginnen – obgleich sie sich an einer Linie aufstellen – Einzelproben, die sie aber individuell beenden. Natascha zum Beispiel macht nach einer kurzen Probe Pause (Z. 26-28).

Theresa gibt hier die Entscheidung darüber, ob die TeilnehmerInnen noch weiter üben wollen oder aber Pause machen wollen, in die Hand der einzelnen TeilnehmerInnen, die davon auch Gebrauch machen. Dabei ist auch zu beobachten, dass die TeilnehmerInnen selbst dafür Sorge tragen müssen, einen Proberahmen aufzubauen. Sie gestalten die Probe so, dass zwar alle an einer gemeinsamen Grundlinie stehen – und das scheint ihnen auch wichtig zu sein, wie die Aufforderung zu warten durch Lisa zeigt (Z. 24) – aber alle in ihrem eigenen Rhythmus die Bewegungen durchführen. Natalie ist hier nicht mehr als AnleiterIn anwesend, sie macht Pause.

Rahmenanalysen der Lernkultur   337

Die Rahmenwechsel, aber auch die Aufrechterhaltung der Rahmen werden so mehr und mehr in die Hände der TeilnehmerInnen gelegt. Das geht so weit, dass irgendwann nicht mehr zu entscheiden ist, was „eigentlich" gerade passiert, da es mehrere Rahmen gibt, die gleichzeitig im Raum aufrechterhalten werden. Diese Situationen sind genau wie Pausen multi-zentriert, zeichnen sich aber dadurch aus, dass von den unterschiedlichen Gruppen auch am Stück gearbeitet wird. Ich schlage vor, diese Phasen als „Atelierphasen" zu bezeichnen. Im nun folgenden Kapitel werde ich zeigen, welche Tätigkeiten von den AkteurInnen in diesen Atelierphasen auf welche Weise durchgeführt werden.

9.3 Selbstverantwortete Rahmen: Atelierphasen

Im Verlauf des Projekts entstand die Notwendigkeit, mit einzelnen Gruppen zu proben. Die anderen Gruppen bekamen für diese Zeit einen Arbeitsauftrag oder konnten auch selbst entscheiden, ob sie noch etwas proben, zuschauen oder Pause machen wollten. Diese Atelierphasen zeichnen sich dadurch aus, dass die vorhandenen Rahmen sich an den Notwendigkeiten der gemeinsamen Arbeit orientieren und dass nicht mehr an allen Rahmen die AnleiterInnen beteiligt sind. Eine typische Ateliersituation wird in folgendem Überblicksbild deutlich:

Sequenz 81: Ein Atelier: Vier Rahmen

Ereignis: Atelier   **Quelle:** AG_23.04.07   **Timeline:** 6:40

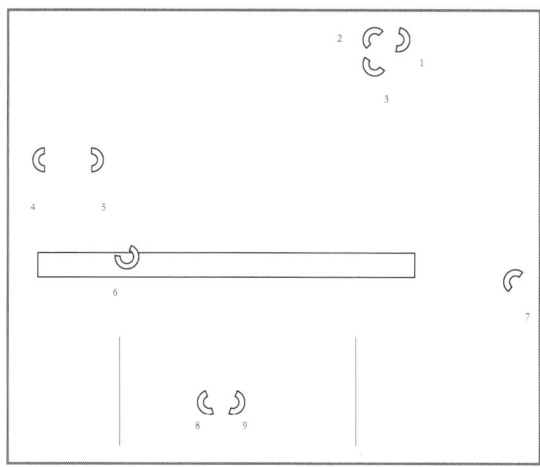

Legende:
1 Emilia
2 Lara
3 Thomas
4 Louise
5 Magnus
6 Frau Zellmaier
7 Theresa
8 Elkie
9 Lisa

Zunächst erinnert diese Momentaufnahme an das Bild aus *Seq_76: Fünf Rahmen und ein Solo*. Man sieht mehrere Gruppen, die wieder durch ihre Aufmerksamkeitsausrichtung deutlich machen, in welche Rahmen sie verstrickt sind. Emilia, Lara und Thomas sitzen am Boden und schreiben Ideen auf, wie die „Guten Schüler" sich in der allerersten

Szene des Stücks vorstellen könnten (1+2+3). Louise und Magnus stehen sich gegenüber und üben sich im Lassowerfen (4+5), die Lehrerin Frau Zellmaier sieht ihnen dabei zu (6). Theresa ist auf dem Weg zum Geräteraum, um ein Requisit zu holen (7) und Elkie und Lisa befinden sich auf der Bühne und proben einen Ausschnitt aus einer der Räuberszenen (8+9).

Genauso wie zuvor in den Pausenrahmen lässt sich auch hier ein multi-zentriertes Setting beobachten, in dem es nicht allein die AnleiterInnen oder die Lehrerin sind, die für die Aufrechterhaltung der Rahmen Sorge tragen. Im Unterschied zu diesen Pausenrahmen aber arbeiten die AkteurInnen in den in Atelierphasen zu beobachtenden Rahmen an der Gestaltung des Stücks und haben sich nicht geschlechtshomogen aufgeteilt, sondern nach ihren Zugehörigkeiten zu den verschiedenen Gruppen des Stücks. In den letzten zehn Projektterminen kommt es in jedem Projekttermin zu Atelierphasen, in denen die TeilnehmerInnen oft ohne die direkte Anwesenheit einer Anleiterin oder der Lehrerin am Stück arbeiten. Sie gestalten dabei Proberahmen und Präsentationssituationen und spielen in und mit ihren Figuren.

Hier eine Sequenz, die zeigt, wie die TeilnehmerInnen selbstorganisierte Proben gestalten:

Sequenz 82: Lasso

Ereignis: Atelier   **Quelle:** AG_23.04.07   **Timeline:** 9:10-9:43

```
1    Louise und Magnus stehen sich gegenüber. Louise hat ein Seil in der
2    Hand, das an einem Ende zu einer großen Schlinge geknotet ist. Sie
3    wirft diese Schlinge in Richtung von Magnus und schafft es, ihm die
4    Schlinge um den Hals zu werfen.
5    Louise:    <<p> !JA!
6    Magnus:    <<streift sich die Schlinge herunter, so dass
7               sie an seinen Hüften sitzt>
8    Louise:    <<nimmt das andere Seilende vom Boden auf be-
9               ginnt Magnus davon zu ziehen>
10   Magnus:    <<lässt sich zwei Schritte ziehen, dann nimmt er
11              das Seil in die Hände und zieht>
12   Louise:    <<lässt sich von Magnus zurückziehen>
13   Magnus:    jetzt [zieh louise]
14   Louise:    [<<lässt das Seil fallen>]
15   Magnus:    <<steigt aus der Schlinge aus und nimmt nun sei-
16              nerseits die Schlinge in beide Hände>
17   Louise:    <<steht etwa einen Meter von Magnus entfernt,
18              geht dann einige Schritte rückwärts zurück>
19   Magnus:    <<folgt ihr im selben Tempo> ( ) auch ge-
20              schafft>
21   Louise:    <<bleibt stehen>
22   Magnus:    <<bleibt ebenfalls stehen, winkt Louise dann mit
23              den Händen zu sich>
24   Louise:    <<rückt einige Zentimeter näher an Magnus heran>
25   Magnus:    <<wirft und tritt mit der Schlinge um Louise
26              Hals>
27   Louise:    <<streift sich die Schlinge herunter, so dass
28              sie an ihren Hüften sitzt>
29   Magnus:    <<beginnt zu ziehen>
30   Louise:    <<gibt dem Druck nach und läuft in die Richtung,
31              in die sie Magnus zieht> <<grinst>
32   Magnus:    <<hört auf zu ziehen>
33   Louise:    <<befreit sich vom Seil, guckt dabei Magnus an>
```

Hier sind es Louise und Magnus, die als Molly und Checko eine Szene des Stückes proben und sich dabei gleichzeitig im Lassowerfen üben. Deutlich wird dieser Probencharakter daran, dass sie sich nicht nur wechselseitig als Ziel für ihren Lassowurf nehmen, sondern auch jeweils eine kurze Sequenz einbauen, in der der oder die Getroffene vom Werfenden spielerisch durch den Raum gezogen wird (Z. 8-9, Z. 29-31). Diese „Ziehsequenz" ist Teil der zu probenden Szene, in der Checko und Molly auf der Bühne zu sehen sind, wie sie sich im Lassowerfen üben. Deutlich wird in dieser Sequenz auch, dass die beiden nicht nur die zu probenden Handlungen durchführen, sondern sie auch selbst koordinieren. Vor allem Magnus ist es hier, der Louise an mehreren Stellen mitteilt, was als nächstes zu tun ist, um das Proben möglich zu machen (Z. 13, Z. 22-23). Im ersten Fall reagiert Louise anders, sie lässt das Seil fallen (Z. 14), im zweiten Fall versteht sie seine non-verbale Aufforderung näher zu kommen und rückt näher an ihn heran (Z. 24). Magnus und Louise gelingt es hier, selbständig und ohne Koordination von außen einen Proberahmen aufzubauen, in dem sie ihre Probehandlungen durchführen und zudem diese Handlungen koordinieren. Die Lehrerin Frau Zellmaier guckt ihnen zwar zu, wird aber nicht aktiv.

Neben diesen selbstgestalteten Proben kommt es auch zu selbstgestalteten Präsentationssituationen:

Sequenz 83: Guck SO!

Ereignis: Atelier   Quelle: AG_16.4.07   Timeline: 0:22-1:28

```
1    Elkie und Lisa sitzen neben der teilnehmenden Beobachterin nach dem
2    Abschluss einer Räuberprobe auf der Bank vor der Bühne. Die „Jazz
3    Girls" Janne, Tuba, Yola, Hilal und Anna kommen in die Halle und sprin-
4    gen über die Bank auf die Bühne.
5    Tuba und Yola stehen in der Mitte der Bühne und beginnen Tanzschritte
6    zu tanzen, die sie durch Zählen begleiten. Hilal steht direkt vor ihnen
7    und sieht ihnen zu, Anna guckt ihnen von weiter links zu. Janne steht
8    mit dem Gesicht zu Elkie und Lisa gewandt im vorderen Teil der Bühne.
9       Janne:   [LISA <<macht einen Ausfallschritt nach links>]
10      Tuba:    [eins=zwei=drei <<tritt drei Schritte nach vor-
11               ne>]
12      Yola:    [eins=zwei=drei <<tritt drei Schritte nach vor-
13               ne>]
14      Anna:    [eins=zwei=drei <<tritt drei Schritte nach vor-
15               ne, den Kopf nach hinten zu Tuba und Yola ge-
16               richtet>]
17      Hilal:   [<<geht nach hinten und stellt sich neben Tuba
18               und Yola>]
19      Yola:    ANNI (.) die ERSTE:
20      Tuba:    <<f> GUT und DANN
21      Yola:    NEIN lisa (.) die erste geht so (-) <<tritt wie-
22               der drei Schritte zurück> MÄDCHEN
23      Anna:    <<f> JA hab ich ja GEMACHT
24      Yola:    SO: <<geht langsam und sehr betont die drei
25               Schritte nach vorne> EINS=ZWEI=DREI
26      Anna:    [vier=fünf <<macht mit der Hand schnelle Bewe-
27               gungen vor ihrem Mund>]
28      Janne:   [<<macht mit der Hand schnelle Bewegungen vor
29               ihrem Mund>]
30      Yola:    [<<macht mit der Hand schnelle Bewegungen vor
31               ihrem Mund>]
32   Tuba geht neben die Tanzenden, dreht sich in Richtung der Bank und be-
```

```
33    ginnt mitzutanzen, Anna, Tuba, Yola und Janne stehen jetzt etwa zwei
34    Meter vor der Bank und tanzen gemeinsam, den Blick zu Elkie und Lias
35    gerichtet. Hilal steht zwei Meter hinter ihnen und führt die Tanzbewe-
36    gungen nur angedeutet aus.
37    Anna:    HEY guck SO (-) guck SO ELKIE
```

Die Jazz Girls kommen nach einer Probe in einem anderen Raum zurück in die Turnhalle und begeben sich sofort auf die Bühne (Z. 3-4). Tuba und Yola beginnen damit, einen gemeinsamen Tanz zu tanzen, Hilal und Anna sehen ihnen dabei zu (Z. 6-8). Janne steht im vorderen Teil der Bühne, den Blick zu den auf der Bank sitzenden Elkie und Lisa gerichtet (Z. 8). Nun beginnt Janne ebenfalls, eine Aufführungssituation zu schaffen, indem sie durch das Aussprechen von Lisas Namen deren Aufmerksamkeit auf sich zu richten versucht (Z. 9). Zugleich beginnen Tuba und Yola einen neuen Durchlauf ihres Tanzes, diesmal beteiligt sich auch Anna (Z. 10-16). Auch Hilal schließt sich an (Z. 17-18) und stellt sich mit Tuba und Yola in eine Reihe. Dann kommt es zu einer Aushandlungssequenz, die von Yola eröffnet (Z. 19) und von Tuba kommentiert wird (Z. 20). Yola wendet sich auch direkt an das Publikum und beginnt eine Zeigesequenz (Z. 24-25), die von Anna, Janne und Yola aufgegriffen wird, indem sie die an die ersten drei Bewegungen anschließenden durchführen (Z. 26-31). Nun stehen vier der Mädchen in kurzer Entfernung vor den Zuschauerinnen und beginnen einen weiteren Durchlauf des Tanzes (Z. 33-34). Nur Hilal hält sich zurück und steht im Hintergrund, sie führt die Bewegungen nur andeutungsweise aus (Z. 35-36). Anna wendet sich dann noch einmal direkt an die Zuschauerinnen (Z. 37).

Diese Sequenz zeigt, dass eine Aufführungssituation ungeplant und nur durch die Teilnehmerinnen koordiniert entstehen kann. Lisa und Elkie sitzen auf den „Zuschauerbänken" und die hereinkommenden Jazz Girls nutzen die vorhandene Bühne, um ihnen ihren Tanz zu zeigen. Es gab dabei keinen Auftrag von den Anleiterinnen, diese Präsentationssequenz durchzuführen. Die Teilnehmerinnen selbst koordinieren ihre Handlungen so, dass die Präsentationssituation immer deutlich wird. Zum einen rufen sie wiederholt die Namen der Zuschauerinnen Lisa und Elkie, um sich deren Aufmerksamkeit zu sichern, zum anderen schaffen sie durch ihre körperliche Anordnung in einer Reihe einen gemeinsamen Aufmerksamkeitsfokus auf der Bühne. Nur Hilal reiht sich nicht vollständig ein und bleibt im Hintergrund – sie hat in dieser spontanen Präsentationssituation aber auch das Recht das zu tun, keine der anderen Teilnehmerinnen fordert ein deutlicheres Mitmachen ein.

In den Atelierphasen improvisieren die TeilnehmerInnen in und mit ihren Figuren. Eine ausführliche Analyse einer solchen Situation findet sich im Anschluss an die *Seq_66: Krieg ich auch eine?* in der Fallstudie *Proben*, daher verzichte ich hier auf eine ausführlichere Darstellung.

Ich fasse zusammen: In den Atelierphasen proben, präsentieren und spielen die TeilnehmerInnen mit und in ihren Figuren ohne die aktive Teilnahme der Anleiterinnen oder der Lehrerin. Interessant ist das deshalb, weil die TeilnehmerInnen hier nicht ihre gewohnten Pausenaktivitäten durchführen und weil sie die für die jeweiligen Tätigkeiten notwendigen Rahmen selbst aufbauen und aufrechterhalten. Im Unterschied zu den Gestaltungsaufgaben (siehe Fallstudie *Gestaltungsaufgaben*) geschieht dies dabei oft auch ohne einen konkreten Auftrag durch die AnleiterInnen. Die Zusammensetzung der interagierenden Gruppen ist in den Atelierphasen kaum noch nach Geschlechtern getrennt, sondern vielmehr nach der Zugehörigkeit zu den einzelnen Gruppen des Stücks. Auch hier zeigt sich, dass die Figuren des Stückes und damit auch die Zugehörigkeiten zu bestimmen Gruppen auch außerhalb der eigentlichen Bühnensituationen als Ressource von den TeilnehmerInnen eingesetzt werden.

9.4 Die Organisation von Rahmenwechseln und die Aufrechterhaltung von Rahmen

Im ersten Teil dieser Fallstudie habe ich mich der Beschreibung der Organisation von Rahmenwechseln zugewendet. Wie sich gezeigt hat – und das war auch erwartbar – kommt den AnleiterInnen das Recht zu, Rahmenwechsel einzuleiten und über den nächsten Rahmen zu entscheiden. Dieses Recht stellt eine der zentralen Differenzen zwischen AnleiterInnen und TeilnehmerInnen dar. Dabei müssen, wie die *Seq_73: Jetz is die Natalie dran!?* eindrücklich gezeigt hat, die TeilnehmerInnen auch den AnleiterInnen dieses Recht zuerkennen. Zuerkennen heißt dabei, dass sie sich entsprechend den Regeln des zu verwirklichenden Rahmens verhalten. In der gezeigten Sequenz verletzen einige der TeilnehmerInnen wiederholt und bewusst die Stilleregel, deren Einhaltung für die Anleiterinnen Voraussetzung für den Beginn ist. Eine Lösung ergibt sich, indem die Anleiterinnen mit den TeilnehmerInnen, die bereit sind, mitzumachen, in einen anderen Teil der Turnhalle wechseln und dort beginnen. Besonders spannend wird diese Sequenz, weil die Anleiterinnen den TeilnehmerInnen selbst die Entscheidung überlassen, ob sie zu der Gruppe derjenigen gehören, die mitmachen wollen, oder zu denen, die nicht mitmachen wollen. Einige der TeilnehmerInnen entscheiden sich zunächst dafür, nicht mitmachen zu wollen, stoßen aber nach wenigen Minuten doch zur anderen Gruppe dazu.

In der *Seq_74: Machen wir es jetzt alle zusammen?* zeigt sich ein anders gelagerter Fall: Die TeilnehmerInnen äußern einen Wunsch, was sie gerne als nächstes tun wollen. Die Anleiterinnen gehen auf diesen Wunsch, der sich auf eine gemeinsame Präsentation bezieht, ein und es zeigt sich – wie auch an anderen Stellen – dass die Motivation der TeilnehmerInnen die Geschwindigkeit, mit der Rahmenwechsel durchgeführt werden können, drastisch erhöht.

Im Anschluss daran wendete ich mich den Pausen zu, um der Frage nachzugehen, wie die TeilnehmerInnen welche Rahmen in diesen Phasen ohne die Beteiligung der AnleiterInnen aufbauen. Es zeigte sich, dass sie zu Projektbeginn die auch von anderen AutorInnen beschriebenen Rahmen des Flanierens und Spielens aufbauen, die sie in geschlechtshomogenen Gruppen multi-zentriert durchführen. Zugleich kommt es mitunter zu territorialen Überschreitungen und einem projektspezifischen Rahmen, den ich als „Quatsch vor der Kamera" bezeichnet habe. Hier wird nicht mehr in geschlechtshomogenen Gruppen gehandelt, es kommt zu großer körperlicher Nähe auch zwischen Mädchen und Jungen. Wie ich im Kapitel Atelierphasen zeigen konnte, verändern sich die Pausenaktivitäten im Laufe des Projekts sehr stark. Das Flanieren und Spielen in geschlechtshomogenen Gruppen spielt so gut wie keine Rolle mehr. Die TeilnehmerInnen arbeiten auch in den Pausenphasen am Stück weiter und organisieren eigenständig

Probe-, Präsentations- und Improvisationsrahmen. Die TeilnehmerInnen übernehmen so Verantwortung für die Arbeit am Stück. Dies wiederum, so meine Hypothese, mit der ich dieses Kapitel beenden möchte, ist eine wichtige Voraussetzung für die gelingenden Abschlussaufführungen, in denen die TeilnehmerInnen ebenfalls eigenständig – ohne die AnleiterInnen – vielfältige Rahmenwechsel organisieren und durchführen müssen (siehe dazu die nächste und abschließende Fallstudie *Präsentationen*).

„Das theatrale Kunstwerk realisiert sich erst in der Aufführung und in Anwesenheit des Publikums, das rezipierend das ästhetische Objekt konstituiert."[413]

10 Präsentationen

In dieser letzten Fallstudie werde ich auf die Spezifika von „Präsentationsrahmen" eingehen. Zunächst gilt es dabei, verschiedene Formen von Präsentationen zu unterscheiden. Auch in Spielen, Übungen, Gestaltungsaufgaben und Tanzrahmen kommt es nämlich zu Präsentationssituationen, die zwar große Gemeinsamkeiten, aber auch Unterschiede zu den öffentlichen Abschlussaufführungen aufweisen. Für alle Präsentationssituationen gilt eine Unterscheidung zwischen Präsentierenden und Zuschauenden, die den AkteurInnen der jeweiligen Gruppe unterschiedliche Handlungsrechte und -pflichten zuweist. Die Präsentierenden haben relativ umfangreiche Handlungsrechte, sie sind es, die handeln dürfen (aber auch handeln müssen). Die ZuschauerInnen hingegen haben kaum Handlungsrechte, aber die Pflicht, ihre Aufmerksamkeit auf die Handlungen der Präsentierenden zu richten. Wie sich in diesem Kapitel zeigen wird, kann diese Unterscheidung aber durch sehr unterschiedliche Praktiken vollzogen werden: Es gibt „unfreiwillige" Präsentationen, in denen die Präsentierenden durch ZuschauerInnen zu unfreiwillig Präsentierenden gemacht werden. Es gibt aber auch – als größtmöglicher Kontrast – die Abschlussaufführungen, in denen die Präsentierenden umfangreiche technische Vorbereitungen treffen, die die Trennung in Präsentierende und Zuschauende unterstützen und vorbereiten. Bei diesen öffentlichen Präsentationen wird die Unterscheidung der zwei Akteursgruppen von den Präsentierenden vorbereitet.

Ich werde in einem ersten Teil dieser Fallstudie noch einmal Rückschau halten und einige Ausschnitte aus schon analysierten Sequenzen erneut zitieren, um deutlich zu machen, dass Präsentationssituationen häufig vorkommen und keineswegs nur bei den Abschlussaufführungen (10.1). Durch diese erneute Analyse lässt sich zeigen, dass die Unterscheidung von Präsentierenden und ZuschauerInnen Voraussetzung dafür ist, dass Präsentationsrahmen entstehen.

In einem zweiten Teil werde ich dann auf die öffentlichen Abschlussaufführungen eingehen, die sich als spezifischer Präsentationsrahmen analysieren lassen, in dem die Unterscheidung von TeilnehmerInnen und AnleiterInnen, die sonst in allen Rahmen als Unterscheidungsressource zur Verfügung stand, nicht mehr genutzt werden kann (10.2). Die zentralen Unterscheidungen sind nun die zwischen ZuschauerInnen und Präsentierenden, die zwischen SpielerInnen und ihren Figuren und die Unterscheidungen zwischen den einzelnen Gruppen bzw. Figuren des Stücks.

Im abschließenden Teil dieser Fallstudie (10.3) werde ich die spezifischen differenz- bzw. egalitätserzeugenden Praktiken, die mit Präsentationen verbunden sind, zusammenfassend darstellen. Für diese Arbeit besonders interessant ist dabei, dass die Unterscheidung zwischen Anleiterinnen und TeilnehmerInnen in den öffentlichen

---
[413] HENTSCHEL 2000, S. 135.

Präsentationssituationen keine relationale Funktion mehr hat. Relationale Bedeutung gewinnen hier die Unterscheidungen von Präsentierenden und ZuschauerInnen und die Unterscheidung von SpielerInnen und ihren Figuren.

10.1 Rückschau: Präsentationssituationen in Spielen, Tänzen, Übungen und Proben

In diesem ersten Teil der Fallstudie zu *Präsentationen* werde ich Rückschau halten und verschiedene Sequenzen aus anderen Fallstudien zitieren, die als Präsentationssituationen verstanden werden können. Zunächst zu einer Sequenz, die exemplarisch zeigt, dass es auch in vielen Spielen und Übungen zu Präsentationssituationen kommt. Der folgende Ausschnitt stammt aus der *Seq_11: Ich weiß nicht, wie ichs machen soll*:

```
1    Thomas läuft auf Maria zu und beginnt sie umzudrehen.
2        Maria:     <<lachend> nein=nein=nein (-) ich weiß nich wie
3                   ichs machen soll;
4        Natalie:   komm mach
5        Janina:    [wie ichs dir gesagt hab]
6        Natalie:   [des kannst du]
7        Maria:     WIE?

         (...)

21       Natalie:   thomas (.) du musst zugucken
22       Maria:     <<streckt beide Hände nach vorne und macht Kit-
23                  zelbewegungen nach oben>
24       (1)
25       Theresa:   machs mal auf dem boden
26       Maria:     ich kann nich
27       ?2:        <<f> ACH KOMM
28       Maria:     <<begibt sich in eine Liegestützposition und
29                  macht eine Schritt mit dem Arm nach vorne> wie
30                  soll denn des gehen?
31       Maria:     <<richtet sich wieder auf> ich kanns nicht
32       Maria:     <<streckt beide Hände nach vorne und macht Kit-
33                  zelbewegungen nach oben>
34       Natalie:   okay (.) zurückdrehn
```

Um diese Sequenz zu verstehen, ist es notwendig, die Spielregeln der hier gespielten Variante von Memory zu kennen. Daher zunächst noch einmal eine kurze Regelbeschreibung: [414]

In diesem Spiel ging es darum, dass zwei SpielteilnehmerInnen „MemoryspielerInnen" spielten und die anderen die „Memorykarten". Die Memorykarten hatten jeder ein Tier gezogen, das sie darstellen sollten, wenn sie von den MemoryspielerInnen „umgedreht" wurden. Die MemoryspielerInnen hatten dann die Aufgabe, wie im richtigen Memory auch, die beiden gleichen Tierkarten zu finden.

Wie die hier zitierte Sequenz eindrücklich zeigt, bedingen die Spielregeln dieser Memoryvariante, dass die SpielerIn, die als „Memorykarte" umgedreht wird, im alleinigen Aufmerksamkeitsfokus der Anderen steht. In dem Moment, in dem die Memory-

---

[414] Eine ausführlichere Darstellung und Analyse dieser Sequenz findet sich in der Fallstudie *Spiele* (III/2).

spielerIn, hier ist es Thomas, die Karte „umdreht" (Z. 1), richtet sich die Aufmerksamkeit auf die Person, die diese Karte zu spielen hat, hier Maria (Z. 2-3). Die Handlungsrechte und -pflichten werden durch dieses Umdrehen neu verteilt. Gerade hatte noch Thomas das Recht, sich eine der umzudrehenden Karten auszusuchen, durch sein Umdrehen geht das Handlungsrecht aber an Maria über. Dieses Handlungsrecht ist an Regeln geknüpft, die starke Vorgaben machen, welche Handlungen erlaubt sind, nämlich die, sein/ihr Tier darzustellen. Somit ist dieses Handlungsrecht auch als eine Handlungspflicht anzusehen, da das Spiel sonst zum Erliegen kommt. Maria kommt nun ihrer Handlungsverpflichtung nicht nach, sondern führt einen Grund an, warum sie ihr Tier nicht darstellt (Z. 2-3). Damit macht sie deutlich, dass sie zwar grundsätzlich bereit ist, sich nach den geltenden Regeln zu verhalten: Sie macht nämlich nicht einfach etwas anderes oder gar nichts, sondern sie nennt einen Grund für ihr Nichthandeln, nämlich, dass sie nicht weiß, wie sie es machen soll. Dies begleitet sie mit einem Lachen und einem „NEIN=NEIN=NEIN". Sie macht so auch deutlich, dass ihr die Situation unangenehm ist und der weitere Verlauf der Sequenz zeigt, dass sich dieses unangenehme Gefühl auch nicht auflöst. Maria nimmt die ihr angebotenen Vorschläge nur sehr zögerlich auf (Z. 25-30) und betont wiederholt, dass sie nicht weiß, wie es gehen soll (Z. 7, 26, 31). Woran liegt es, dass es Maria hier so schwer fällt, ein Tier darzustellen? Der folgende Ausschnitt aus der *Seq_17: Dann sieht das immer so doof aus* liefert dafür eine plausible Erklärung:

```
6      Janina:    <<all> ich möcht des schon aber des is immer so
7                 komisch weil ich kann die tiere dann nich so gut
8                 (.) dann sieht das immer so doof aus
```

Mit diesem kurzen Satz macht Janina bei genauer Betrachtung sehr deutlich, worum es in Präsentationssituationen geht. Zunächst stellt sie fest, dass sie „eigentlich" schon spielen/darstellen will – ihr Problem ist also nicht, dass sie keine Lust auf diese Aufgabe hat. Ihr geht es vielmehr darum, dass sie Angst davor hat, die Darstellung ihres Tieres könne „doof" aussehen. Dieses „doof" misst sich an einem Bewertungsmaßstab, den sie ebenfalls deutlich macht: „doof" bedeutet „nicht so gut". In der Darstellung steht also für Janina ihr Können auf dem Prüfstand. Sie ist sich nicht sicher, ob sie die Präsentationsaufgabe so meistern kann, dass sie in den Augen der Anderen – den Zuschauenden – damit bestehen kann. Auch für Maria scheint genau diese Erklärung zuzutreffen: Ihr „ich weiß nicht wie ichs machen soll" wandelt sich zu einem „ich kanns nicht", das dieselbe Furcht ausdrückt, wie sie hier von Janina formuliert wird. Auch Maria hat Angst, sich mit der Darstellung ihres Tieres vor den Anderen zu blamieren. Diese Angst kann unter Rückgriff auf die theoretischen Arbeiten von Léon Wurmser zum Phänomen der Scham besser verstanden werden. Wurmser unterscheidet einen „Subjektpol" von einem „Objektpol".[415] Unter dem Subjektpol versteht er dabei das, wofür man sich schämt und unter dem Objektpol die, vor denen man sich schämt. Überträgt man diese Unterscheidung auf das Memoryspiel, so wird deutlich, dass für Maria und Janina der Subjektpol problematisch ist: Janina und Maria sind sich nicht

---

415 Vgl. WURMSER 1990, S. 18 ff.

sicher, ob ihre darstellerischen Fähigkeiten ausreichen, um sich mit ihrer Darstellung in den Augen der anderen Anwesenden nicht zu blamieren. Sie fürchten, dass sie sich mit ihrer Darstellungsleistung schämen müssen.[416]

Die Präsentationssituation in dieser Sequenz entsteht also durch die folgenden Bedingungen:
1. Es gibt eine Präsentationsaufgabe (ein Tier darstellen).
2. Es gibt Präsentierende und ZuschauerInnen mit unterschiedlichen Handlungsrechten und -pflichten.
3. Der Aufmerksamkeitsfokus der Anwesenden ist auf die Präsentierenden gerichtet.

Im Memoryspiel entsteht die Präsentationssituation durch die Regeln des Spiels, die den alleinigen Aufmerksamkeitsfokus auf jeweils eine der „Memorykarten" erzeugen. Präsentationssituationen können aber auch dadurch entstehen, dass einige AkteurInnen sich selbst zu ZuschauerInnen machen. Ein Beispiel dafür findet sich in der *Seq_30: Guck mal da!*:

```
1     Theresa:   <<f> JA (.) probiert mal einfach aus (.) bewe-
2                gungen zu finden
3     Yola:      <<steht an ihrem Platz und knabbert an einem
4                Fingernagel>
5     Hilal:     <<kommt in das Kamerabild gelaufen, bewegt lang-
6                sam die Arme auf und ab, geht auf Yola zu>
7     Yola:      <<zeigt mit dem Zeigefinger in die Richtung aus
8                der Hilal kam>
9     Hilal:     <<wendet den Blick in die Richtung, die Yola ihr
10               mit dem Finger gewiesen hat>
11    Hilal:     [<<lacht und wendet dann den Blick zu Yola und
12               lässt sich halb in ihren Arm fallen>]
13    Yola:      [<<lacht>]
```

Durch das Handeln von Yola und Hilal entsteht eine Präsentationssituation: Die beiden richten ihren Aufmerksamkeitsfokus auf ein gemeinsames Objekt, dessen Handlungen sie durch ihr Lachen evaluieren. Dadurch unterlaufen sie die Handlungsanweisung von Theresa, die in den Z. 1-2 alle TeilnehmerInnen ermunterte, eigene Bewegungen zu finden. Yola und Hilal machen sich durch ihr gemeinsames Handeln zu Zuschauerinnen dieser Versuche Anderer. Deutlich wird durch diese Sequenz, dass Präsentationssituationen nicht nur durch die AnleiterInnen und auch nicht nur dadurch geschaffen werden können, dass AkteurInnen die Rolle von Präsentierenden übernehmen, sondern auch dadurch, dass AkteurInnen die Rolle von ZuschauerInnen einnehmen. Überträgt man diese Einsicht auf die vorgestellten Sequenzen aus der Hiphop-Choreographie (siehe Fallstudie *Tanzrahmen*) wird noch besser verständlich, was die TeilnehmerInnen, denen es schwer fällt, die Bewegungsfolge fehlerfrei durchzuführen, fürchten: Sie fürchten, unfreiwillig durch die Blicke der Anderen zu Präsentierenden zu werden, die sie aber gar nicht sein wollen, da sie ihr Können nicht für präsentationswürdig halten. Das ist es, was Steffen in der *Seq_47: Weil´s mir peinlich ist*:

---

[416] WURMSER unterscheidet auch zwischen Schamangst und dem Gefühl der Scham. Eine ausführliche Auseinandersetzung findet sich in FINK 2009.

```
18    Natalie:  du hast keine lust
19    Steffen:  <<nickt>
20    Natalie:  und was können wir da machen?
21    Steffen:  gar nichts
22    Natalie:  wieso?
23    Steffen:  weil ich kann das nicht

      (...)

30    Natalie:  <<zu Steffen blickend> hä?
31    Steffen:  ZU PEINlich
```

Er selbst schätzt sein Können – wie in der Fallstudie *Tanzrahmen* gezeigt, kontrafaktisch – als ein Nicht-Können ein und macht klar, dass ihm dieses Nicht-Können peinlich ist. Verständlich wird diese Aussage dann, wenn er davon ausgeht, dass die Anderen dieses Nicht-Können auch als ein Nicht-Können wahrnehmen und seine Handlungen nicht als Handlungen eines Übenden, sondern als eine Präsentation rahmen. So wird auch verständlich, weshalb ihm Natalie das folgende Angebot macht:

```
51    Natalie:  und STEFFEN (.) ich zeigs dir jetzt nochmal all-
52              ein(.) okay?
53    Steffen:  <<steht auf>
```

Natalie versucht durch dieses Angebot, die Bedingungen dafür zu schaffen, dass Steffen sein Üben nicht mehr als Präsentationssituation erlebt. Die anderen TeilnehmerInnen üben aber nicht weiter, sondern gucken trotzdem noch Natalie und Steffen beim Üben zu. Dadurch schlägt Natalies Strategie hier fehl. Steffen fürchtet weiterhin, sich mit seinen übenden Bewegungen in den Augen der Anderen lächerlich zu machen. Der Subjektpol, um noch einmal WURMSERS Vokabular aufzugreifen, ist hier für Steffen problematisch, er schämt sich für seine Art des Tanzens.

Genau in dieser Hinsicht lassen sich Präsentationssituationen in Spielen und Übungen als „Präsentationsproben" verstehen, in denen von den AnleiterInnen versucht wird, die Bewertungsmaßstäbe so auszurichten, dass ein Versagen nicht mehr möglich ist.[417] Zudem stellen bestimmte Rahmen eine Übungsmöglichkeit für Präsentationen zur Verfügung, in denen die Präsentierenden selbst entscheiden können, wie lange ihr Auftritt dauert, ohne dass ein sehr kurzer Auftritt als Versagen gewertet werden könnte.[418]

Dabei werden die Bewertungsmaßstäbe keineswegs „einfach" von den AnleiterInnen bestimmt. Sie liegen vielmehr in den konkreten Handlungen der Anderen begründet. Dies zeigt sich in der Rückschau Jannes nach der Übung „Einer geht" und die schon aus *Seq27_Es ist erst lustig, wenn alle mitmachen* bekannt ist:

---

[417] Es geht vor allem darum, das Bewertungskriterium von „gekonnt/nicht gekonnt" zu „ernsthaft versucht/nicht ernsthaft versucht" zu verschieben, vgl. dazu die eingehende Analyse in: FINK 2009, S. 200-211.
[418] Hier sind vor allem der *Chasekreis* und die Übung *Einer geht* zu nennen, die Analyse der entsprechenden Sequenzen findet sich in: FINK 2009, S. 228-232.

```
2      Janne:     se::hr=schön und ich fands auch ein bisschen
3                 peinlich am anfang dass man sich biegt <<bewegt
4                 die Schultern abwechselnd kreisend auf und nie-
5                 der> um sich halt zu bewegen und wenn=die ande-
6                 ren dann lachen
7      (1)
8      Theresa:   okay;
9      Janne:     des wird dann erst lustig wenn dann alle mitma-
10                chen
```

Es wird deutlich, dass die Bewertungskriterien nicht einfach gesetzt werden können, sondern durch die Handlungen der AkteurInnen bestimmt werden. Erst dann, wenn „alle mitmachen" gelten bestimmte Bewertungskriterien oder gelten eben nicht mehr. Der Aspekt, dass die Darstellungen in Spielen und Übungen nicht geprobt sind, kann dann auch einen entlastenden Charakter bekommen, da so die Bewertungskriterien von vornherein nicht so streng ausfallen dürfen. Die ZuschauerInnen sehen schließlich „nur" bei einem Versuch zu. Ein Scheitern kann der handelnden Person so zumindest nicht als Fehleinschätzung des eigenen Könnens vorgeworfen werden. Wie sollte die Person schon vor ihrem Versuch wissen, ob ihr die Darstellung gelingt?

Neben diesen Versuchen, die Bewertungskriterien für Präsentationen zu verändern, versuchen die AnleiterInnen auch, Präsentationssituationen zu vermeiden, wie dieser Ausschnitt aus der *Seq_33: Is des zu schwierig?* deutlich macht:

```
2      Theresa:   sagt ihn vor euch hin
3      (3)
4      ?:         <<räuspert sich>
5      (2)
6      Theresa:   jetzt traut sich keiner=ich <<all> red mal wäh-
7                 renddessen jetzt könnt ihr anfangen=während ich
8                 rede dann hörts niemand> (.) ihr könnt jetz ein-
9                 fach euren satz anfangen zu sagen
10     (2)
11     Theresa:   <<geht auf Janne zu> <<p> du hast noch ne frage?
12     Janne:     <<schüttelt den kopf>
13     Theresa:   nein;
14     ?:         <<pp> (        )
15     Theresa:   dann sagt ihn leise vor euch hin (.) immer wie-
16                der (.) leise vor euch hin=is des zu schwierig?
17     (2)
18     Theresa:   a: (.) <<p> ich hörs schon es wird doch (    )
19                sehr gut
```

Natalie wertet hier das lange Schweigen (Z. 3) als Hinweis darauf, dass sich keiner der TeilnehmerInnen traut, in die Stille der Turnhalle hinein laut seinen eigenen Satz zu sagen. Sie versucht, diese Situation zu verändern, indem sie einen zweiten Aufmerksamkeitsfokus schafft und den TeilnehmerInnen erlaubt, das Sprechen zu beginnen, während sie selbst noch spricht. Als auch diese Strategie, wie die weitere Pause (Z. 10) zeigt, nicht verfängt, moduliert Theresa die Situation erneut und bietet den TeilnehmerInnen an, den Satz leise vor sich hinzusagen – auch dadurch versucht sie, die Situation des alleinigen Aufmerksamkeitsfokus auf eine Person zu modulieren. Dies scheint ihr auch – wenngleich es auf der Kamera nicht zu hören ist – zu gelingen, wie ihre evaluierende Bemerkung (Z. 18-19) zeigt. Die TeilnehmerInnen beginnen nun, sehr leise, ihre Sätze vor sich hin zu sprechen. Diese Modulationen zeigen, dass Präsentationssituationen in Spielen und Übungen zu Abbrüchen führen können, immer dann nämlich, wenn keine der TeilnehmerInnen bereit ist, sich der Herausforderung der Präsentation zu stellen, oder aber, wenn es gar nicht intendiert ist, dass bestimmte Handlungen von anderen beobachtet werden. Genau deshalb verweist Theresa in der Figurenübung[419] wiederholt darauf, dass die TeilnehmerInnen diese Übung alleine machen sollen – es geht ihr hier darum, dass die TeilnehmerInnen sich auf die Wahrnehmung ihrer Körper konzentrieren sollen und nicht darauf, ihr Handeln zu einem vorzeigbaren Handeln zu machen.

An dieser Stelle ist es möglich, ein erstes Fazit unter Bezug auf die Forschungsfragen, die den Fallstudien zugrunde liegen, zu ziehen:

Präsentationsrahmen, oder um genauer zu sein: ungeprobte Präsentationssituationen entstehen in der tanz- und theaterpädagogischen Arbeit nicht nur durch Interventionen der AnleiterInnen, sondern auch durch Handlungen der TeilnehmerInnen. Situationen werden dadurch zu Präsentationssituationen gemacht, dass einige AkteurInnen die Aufmerksamkeit gemeinsam auf eine oder mehrere Person richten und deren Handlungen evaluieren. Diese unterschiedliche Rollenverteilung kann entweder dadurch entstehen, dass AkteurInnen mit besonderen Handlungsrechten die Rollen zuweisen (die AnleiterInnen), aber auch dadurch, dass AkteurInnen „einfach" die Rolle der Zuschauenden übernehmen (wie in *Seq_30: Guck mal da!*). Auch eine dritte Möglichkeit lässt sich im Material finden, nämlich dann, wenn AkteurInnen etwas präsentieren wollen – hier finden sich Sequenzen, in denen diese AkteurInnen andere AkteurInnen durch ein „Guckt mal" auffordern, zu ZuschauerInnen zu werden (siehe *Seq_83: Guck so!*).

Dieses Schaffen von Präsentierenden und ZuschauerInnen geht dabei mit unterschiedlichen Handlungsrechten und -pflichten einher. Die Handlungen der Präsentierenden stehen auf dem Prüfstand, nicht die der ZuschauerInnen.

10.2 Aufführungen: Öffentliche Präsentationssituationen

Im zweiten Teil dieser Fallstudie geht es um die Rahmenbesonderheiten von *öffentlichen Präsentationen*. Diese haben für das gesamte Projekt eine ganz besondere Bedeutung, da die gemeinsame Arbeit auf diese Präsentationen, die „Aufführungen" hinläuft. Es wird sich zeigen, dass in öffentlichen Aufführungen die Differenz zwischen AnleiterInnen und TeilnehmerInnen ihre rahmenkonstituierende Bedeutung verliert. Die Gestaltung und Aufrechterhaltung des Rahmens erfordert eine Fokussierung auf die Differenz zwischen Präsentierenden und Zuschauenden sowie eine Fokussierung auf die Differenzen zwischen den Figuren. Diese Fokussierung muss dabei von den TeilnehmerInnen, die hier treffender als SpielerInnen bezeichnet werden, selbst – ohne die Hilfe der AnleiterInnen – vorgenommen werden.

Zunächst zur Frage, wie der Rahmen von Aufführungen gestaltet wird. Auffällig ist, dass es viele Artefakte gibt, die für die Gestaltung dieses Rahmens eine große

---

[419] Siehe *Übungen* (III/4).

Rolle spielen. Setzen die bisher beschriebenen Rahmen so gut wie keine Artefakte voraus – das Anfangs- und Abschlussritual, die Spiele, die Übungen, die Proben und die Tanzrahmen benötigen nur Raum und ein Musikabspielgerät – ist das bei Aufführungen anders: Es wird ein Bühnenraum von einem Zuschauerraum abgegrenzt. Der Bühnenraum ist durch ein Bühnenbild gestaltet, der Zuschauerraum mit Stühlen ausgestattet, die alle in Richtung der Bühne weisen. Zudem wurde die Turnhalle mit Folien verdunkelt und eine Lichtanlage installiert, die den Bühnenraum beleuchtet. Auch eine Musikanlage wurde aufgebaut, die es ermöglicht, den ganzen Raum zu beschallen und Mikrofone einzusetzen.

Neben diesen technischen Vorbereitungen wurde auch dafür Sorge getragen, ein mögliches Publikum rechtzeitig über die geplanten Aufführungstermine zu informieren. Es gab ein Einladungsschreiben, das einige Wochen vorher an alle Eltern, die MitschülerInnen und die LehrerInnen der Schule verteilt wurde. Dort wurden die Termine genannt, wann das Stück, das hier auch einen Namen bekommen hatte, nämlich „Jazzgirls down to five: 5:2=2 Rest 1", zur Aufführung gebracht wird. Diese aufwändigen Vorbereitungen verändern eine der oben genannten Bedingungen für Präsentationsrahmen, nämlich die Präsentationsaufgabe. Die SpielerInnen haben „ein Stück" zu präsentieren, das mit dem ersten Auftritt beginnt und erst mit dem Schlussapplaus ein Ende findet. Innerhalb dieser klaren Grenzzeichen sind es die SpielerInnen, die dafür Sorge tragen müssen, dass der Rahmen der Präsentation nicht zerbricht. In den beiden anderen Formen von Präsentationen war dieses Zerbrechen nicht so problematisch, da es sich um relativ kurze Präsentationen handelte und immer eine Anleiterin zur Verfügung stand, die bei einen Bruch dafür Sorge trug, dass die Handlungen innerhalb des Rahmens wieder aufgenommen werden konnten. Zudem sorgten die Anleiterinnen dafür, dass die Voraussetzungen für Präsentationen gegeben waren (vgl. *Seq_34: STOPP*). Im Falle der Abschlussaufführungen ist das anders:

Sequenz 84: Ich kanns Euch am Freitag nicht sagen

Ereignis: Vorbesprechung   **Quelle:** AG_10.07.07   **Timeline:** 0:10-0:20

```
1      Theresa:    nasir (.) was sag ich dir wenn ich dich anschau?
2      Nasir:      <<guckt nach oben>
3      Theresa:    was denkst du was ich zu dir sagen werde wenn
4                  ich dein kostüm anschau?
5      Gemurmel
6      Theresa:    wenn ich dein kostüm anschau was denkst du was
7                  ich sagen werde?
8      Viele melden sich, „jaja" ist zu hören und „ich weiß es".
9      ?:          <<ff> HEMD REINSTECKEN
10     Theresa:    JA:: (.) RICHtig weil ich kanns euch am freitag
11                 nicht sagen ich bin nicht hinter der bühne
12     Janne:      <<die neben Nasir stand, wendet sich zu ihm und
13                 zeigt ihm etwas an seinem Hemd>
14     Lara:       ICH erinner ihn-
```

Theresa macht deutlich, dass sie bei der Abschlussaufführung (die am Freitag nach diesem Projekttermin stattfand) nicht dafür Sorge tragen wird, dass die SpielerInnen ihr Kostüm vor dem Auftritt in Ordnung gebracht haben.

Zudem aber, und das ist ein noch viel entscheidender Unterschied zu den bisherigen Präsentationssituationen, werden weder sie noch Natalie für die Koordination der Handlungen auf der Bühne sorgen. Diese Verantwortung liegt allein bei den SpielerInnen. Die letzen Proben dienten daher nur noch der Übung dieser Koordinationen. Die einzelnen Proben haben eigene Namen, je nachdem, worauf der Fokus gerichtet werden soll. Es gab „Durchläufe", „technische Durchläufe" und die „Generalprobe" (siehe Fallstudie *Proben*). Ziel dieser Proben war es, die SpielerInnen in die Lage zu versetzen, das Stück selbständig – ohne eine koordinierend eingreifende Leitung – spielen zu können. Dafür wurden verschiedene Signale vereinbart, mittels derer die SpielerInnen ihr Handeln aufeinander beziehen können, ohne dass das Publikum diese Koordinierungshandlungen mitbekommt – die als Handlungen der SpielerInnen und nicht der Figuren interpretiert würden und damit die Illusion des Stückes zerstören würden (wie es gut am Verhalten Tubas in der *Seq_68: Da müsst ihr vom Timing gucken* zu sehen war). Darüber hinaus haben die AnleiterInnen während einer Aufführung auch nicht die Möglichkeit, disziplinierend einzugreifen. Im Unterschied zu den bisherigen Präsentationssituationen, in denen die AnleiterInnen grundsätzlich das Recht hatten (und auch häufig davon Gebrauch machten), die Präsentationen zu unterbrechen, haben die AnleiterInnen bei öffentlichen Aufführungen nicht mehr diese Handlungsoption, da sie durch diese Interventionen den Rahmen des Spiels ebenfalls zerstören würden. Die sehr strengen Handlungsregeln (keine private Geste!) können nicht mehr von den AnleiterInnen durchgesetzt werden, das Verhalten der SpielerInnen kann nicht mehr durch die AnleiterInnen sanktioniert werden. Die folgende Sequenz zeigt, wie präzise die Handlungen der SpielerInnen aufeinander abgestimmt sind – ohne dass die Anleiterinnen die Handlungen koordinieren würden:

Sequenz 85: Ein Seitenblick

Ereignis: Premiere_Szene 8   Quelle: AG_13.7.07   Timeline: 7:30-7:43

```
1    Die Guten Schüler tanzen gemeinsam mit Lissy einen ausgelassenen Tanz.
2    Sie sind zwar noch am Baumstumpf festgebunden, aber Mauren, die auf sie
3    aufpassen soll, sitzt auf dem Baumstamm und schläft. Im rechten Bühnen-
4    teil liegen die anderen Räuber auf dem Boden und schlafen ebenfalls.
5    Nasir tanzt in der Bühnenmitte, er bewegt sich ausgelassen und nutzt
6    den ganzen Raum, der ihm zur Verfügung steht. Da er angebunden ist,
7    kann er sich in einem Radius von etwa 2 Metern um den Baumstumpf herum
8    bewegen. Seine Blicke richten sich dabei danach, wohin seine Bewegungen
9    ihn gerade führen. Schließlich tanzt er auf der Höhe des Baumstumpfes,
10   das Gesicht zum Publikum gewendet, er dreht einmal seinen Kopf nach
11   rechts, dann blickt er wieder geradeaus und beginnt nach rechts zu tan-
12   zen, dann tanzt er noch einmal zwei Schritte nach links. Schließlich
13   tanzt er wieder nach rechts und macht diesmal noch einen Schritt mehr
14   und stößt so die schlafende Mauren von ihrem Baumstumpf.
15       Musik:      [<<geht aus>]
16       Mauren:     [<<sieht sich irritiert um, steht auf>]
17       Nasir:      [<<setzt sich blitzschnell auf den Boden und
18                   blickt Mauren unschuldig an>]
19       Anna:       [<<setzt sich blitzschnell auf den Boden und
20                   blickt Mauren unschuldig an>]
21       Lara:       [<<setzt sich blitzschnell auf den Boden und
22                   blickt Mauren unschuldig an>]
23       Natascha:   [<<setzt sich blitzschnell auf den Boden und
```

```
24                blickt Mauren unschuldig an>]
25     Emilia:   [<<setzt sich blitzschnell auf den Boden und
26                blickt Mauren unschuldig an>]
27     Thomas:   [<<setzt sich blitzschnell auf den Boden und
28                blickt Mauren unschuldig an>]
29     Publikum: <<lachen>
30     Magnus:   <<räuspert sich, beginnt sich zu räkeln>
```

Nasir/Kevin ist die zentrale Figur. Er ist es, der aus dem ausgelassenen Tanz heraus Mauren von ihrem Baumstumpf stößt. Für das Publikum wirkt sein Sprung als ein Sprung, den er „aus Versehen" so weit ausführt, dass er Mauren herunterstößt. Nasir hingegen plant diesen Sprung sehr genau – er vergewissert sich mit einem Seitenblick (Z. 11), dass er sich auf der gleichen Höhe wie Mauren befindet, dann tanzt er zunächst nur zwei Schritte nach rechts, bewegt sich noch einmal zurück – nimmt so Anlauf – und stößt Mauren mit seinen nächsten Schritten vom Baumstumpf (Z. 13-14). Sein Seitenblick ist dabei so kurz, dass man als BeobachterIn dieser Szene die Zeitlupe nutzen und wissen muss, dass es Nasir ist, der die nächste entscheidende Aktion ausführt. ZuschauerInnen, die das Stück nicht kennen, können das aber nicht wissen und richten ihre Aufmerksamkeit – da ja auch die anderen Guten Schüler und Anna/Lissy tanzen – nicht nur auf Nasir/Kevin. Nasir/Kevins Sprung ist nun der Start einer ganzen Kette von Handlungen: Die Musik verstummt, Mauren steht auf, die Guten Schüler und Anna setzen sich auf den Boden und gucken unschuldig zu Mauren. Direkt im Anschluss daran, beginnt sich Magnus/Checko zu räkeln. Interessant ist diese Sequenz vor allem deshalb, weil alle SpielerInnen auf die Handlungen der anderen SpielerInnen achten müssen. Die Guten Schüler und Anna reagieren blitzschnell auf Nasir/Kevins Sprung, in der Logik des Stückes darf keine Pause entstehen – und es entsteht auch keine. Checko hingegen hat etwas mehr Zeit, sein Räuspern und Sich-Räkeln schließen sich an die Szene an und können auch etwas zeitverzögert eintreten. Allerdings gilt auch hier, dass die Pause nicht zu lang werden darf, da sonst Lisa nicht mehr wüsste, was sie als Mauren zu tun hat. So aber richtet sich die Aufmerksamkeit des Publikums auf Magnus, der aufsteht und die Räuber mit der Erklärung für das Publikum, dass sie alle Kohldampf hätten, von der Bühne führt.

Mit besonderen Schwierigkeiten sind nun die Situationen in Aufführungen verbunden, in denen etwas nicht so läuft, wie es vorher ausgemacht war. Zum Abschluss dieser Fallstudie werde ich mich genau diesen Situationen zuwenden und anhand der folgenden Sequenz zeigen, wie die SpielerInnen mit diesen Situationen umgingen.

Sequenz 86: Hilal fehlt – Wer ist dran?

Ereignis: Aufführung_Kiks_Szene 7   **Quelle:** AG_23.7.07   **Timeline:** 0:00-0:20

```
1    Die Jazz Girls Maria/Christin, Tuba/Luna, Yola/Sally und Janne/Mira
2    treten in den Bühnenvordergrund. Ganz links steht Maria, dann gibt es
3    eine kleine Lücke, dann folgen Yola, Tuba und Janne.
4        Janne:   [<<tritt einen Schritt nach vorne, sieht sich
5                 um>]
6        Yola:    [<<blickt zu Tuba, dann tritt sie einen Schritt
7                 nach links, so ist sie nicht mehr hinter Janne
```

```
8                     versteckt>]
9      Janne:         [als lissy geklaut worden ist]
10     Yola:          [<<guckt Tuba an>]
11     Tuba:          [<<wechselt ihren Platz und stellt sich zwischen
12                    Maria und Yola>]
13     Janne:         hatten wir ständig alpträume (.) und äh´ und die
14                    <<all> jazzgirls clique waren wir auch nicht
15                    mehr und einen ersatz gab es auch nicht mehr für
16                    sie <<tritt einen Schritt zurück, guckt Yola an>
17     Yola:          <<wendet den Blick von Janne auf den Boden>
18     Janne:         <<hält Yola das Mikrofon vor deren Körper>
19     Yola:          <<sieht das Mikrofon, zuckt kurz zusammen, deu-
20                    tet mit einem Zeigefinger auf Tuba>> <<pp> sie:
21     Tuba:          <<greift zum Mikrofon>
22     Yola:          <<blickt zu Janne> <<pp> ( )
23     Tuba:          ich hatte mal ne lehrerin die jetzt gegangen ist
24                    und da war ich sehr traurig
```

Diese Sequenz stammt aus einer Aufführung, die nicht mehr in der Schule, sondern im Rahmen eines Schultheaterfestivals gespielt wurde. Die SpielerInnen hatten dabei nicht nur das Problem, dass die Bühne nicht genau wie die Bühne in der Schule genutzt werden konnte, sondern auch, dass zwei SpielerInnen, nämlich Hilal und Emilia, bei dieser Aufführung nicht anwesend sein konnten. Die Jazz Girls müssen ohne Hilal/ Lale auftreten.

Im Unterschied zum ursprünglichen Ablauf dieser Szene treten die Jazz Girls diesmal auf der anderen Seite der Bühne auf, rechts, anstatt links. Nun war es eigentlich Hilal/ Lale, die diese Szene eröffnete (siehe *Seq_Der türkische Satz*) und den anderen vorwarf, dass sie nicht aufgepasst hätten. Diesen Wortwechsel lassen die Jazz Girls bei dieser Aufführung aus und es ist Janne, die beginnt. Als sie nach vorne tritt, lösen Yola und Tuba ein erstes „Stellungsproblem", indem Yola Tuba mit ihrem Blick bedeutet, dass sie einen anderen Platz einnehmen soll. Tuba bemerkt diesen Blick und stellt sich in die Lücke zwischen Maria und Yola (Z. 10-11). Normalerweise steht neben Janne Hilal, die dann in der Originalversion der Szene von Janne das Mikrofon zugereicht bekommt, um ihren türkischen Satz zu sagen. Genau dies unternimmt nun Janne auch (Z. 18) und streckt das Mikrofon ihrer Nachbarin hin. Dort steht nun aber nicht Hilal und auch nicht Tuba, die dann (Z.23-24) den Part von Hilal übernimmt und die Geschichte sofort – ohne türkischen Vorlauf – erzählt, sondern Yola. Als diese das Mikrofon bemerkt, zuckt sie zusammen (Z. 19) und bedeutet dann Janne mit einem Zeigefinger, dass Tuba als nächstes dran ist. Zudem flüstert sie „sie:" und eine unverständliche Bemerkung zu Janne (Z. 22). In diesen Handlungen wird die Koordination der SpielerInnen für die ZuschauerInnen sichtbar, hier handelt nun nicht mehr Sally, sondern Yola. Tuba/Luna ist es dann, die das Stück wieder aufnimmt, das Mikrofon ergreift und ihre Geschichte als Luna erzählt. Deutlich wird hier, dass es die SpielerInnen sind, die den Rahmen der Aufführung aufrecht erhalten müssen. Sie sind dafür verantwortlich, dass sie als Figuren handeln und nicht als SpielerInnen in Erscheinung treten. Die AnleiterInnen können hier nicht eingreifen und das Koordinationsproblem, wie das in den Proben oft zu beobachten war (vgl. zum Beispiel: *Seq_70: Heyho – Nein, Stopp!*), durch eine Handlungsanweisung lösen. Die SpielerInnen selbst sind verantwortlich und lösen das Problem – wenngleich sicht- und hörbar – in genau zwei Sekunden. Solange dauerte es von dem Moment an, an dem Janne „fälschlich" Yola das Mikrofon entgegenstreckte bis zu dem Moment, in dem es Tuba schließlich ergreift.

Die Abhängigkeit der SpielerInnen voneinander zeigt sich auch in folgender Sequenz eindrücklich:

Sequenz 87: Du bist ... Ich bin...

Ereignis: Premiere_Szene 12   Quelle: AG_13.7.07   Timeline: 0:00-0:34

```
1   Alle SpielerInnen kommen auf die Bühne und stellen sich mit etwas Ab-
2   stand voneinander auf. Das Publikum klatscht.
3      Thomas:    <<steht weit vorne auf der Bühne, blickt ins
4                 Publikum, dann führt er seine rechte Hand drei-
5                 mal in schnellen Bewegungen in Bauchhöhe von
6                 oben nach unten>
7      Publikum:  <<klatscht weiter, auch Rufe sind zu hören, dann
8                 wird es etwas leiser>
9      Elkie:     DU bist da=
10     Publikum:  <<verstummt>
11     Natascha:  =und ich bin hier=
12     Nasir:     =DU bist PFLANZE=
13     Tuba:      =ich bin TIER=
14     Yola:      =DU bist RIESE=
15     Anna:      =ich bin ZWERG=
16     Janne:     =DU bist TAL=
17     Hilal      =und ich bin BERG=
18     Louise:    =DU bist LEICHT=
19     Lara:      =und ich bin SCHWER
20     (-)
21     Thomas:    DU bist VOLL=
22     Maria      =und ich bin LEE:R=
23     Hilal:     =Du bist HEISS=
24     Magnus:    =und ich bin KALT
25     (3)
26     Lisa:      du bist ju:=ung <<lacht>
27     Anna:      =und ich bin ALT
```

In dieser Abschlussszene des Stücks sprechen die SpielerInnen gemeinsam ein Gedicht, dabei ist natürlich geplant, wer welchen Teil des Gedichts spricht. Eine eventuell unerwartete Schwierigkeit entsteht zunächst durch das Publikum, das die SpielerInnen klatschend empfängt und zunächst auch nicht aufhört zu klatschen. Thomas versucht – so lässt sich seine Geste interpretieren – den ZuschauerInnen deutlich zu machen, dass noch etwas kommt und sie daher ruhig sein sollen (Z. 4-6). Elkie ist es dann, die mit dem Gedicht beginnt – auch wenn das Publikum zu diesem Zeitpunkt noch nicht vollständig still geworden war. Nun verstummt aber das Publikum und Natascha schließt sich direkt an Elkie an. Bis zu Thomas (Z. 21) schließen alle SpielerInnen direkt an ihre VorrednerInnen an, bei Thomas entsteht die erste kurze Pause (deutlich unter einer Sekunde), die aber dennoch – weil die Anschlüsse der anderen so nahtlos waren – als Pause auffällt. Lisa ist es dann, die offensichtlich ihren Einsatz verpasst: Es entsteht eine sehr lange, dreisekündige Pause (Z. 25), die dann durch Lisa beendet wird, die ihren Satz sagt, dabei aber in ein Lachen gerät. Was zeigt nun diese Pause? Sie zeigt, dass schon *eine* unaufmerksame SpielerIn ausreicht, um den Ablauf des Gedichts zu gefährden. Es gibt keine Person, die berechtigt ist, diese Pause zu beenden, außer der SpielerIn, die den nächsten Part zu sprechen hat. Und es gibt auch niemanden, der Lisa hör- oder sichtbar darauf hinweisen kann, dass sie als nächstes dran ist. Lisa scheint sich – wie ihr Lachen anzeigt – auch der Problematik ihres Vergessens bewusst zu sein. Alle SpielerInnen und auch die ZuschauerInnen warteten auf ihren Einsatz, dessen Verspätung nicht durch die Handlung des Stücks – hier die Dramaturgie des Gedichts – zu rechtfertigen ist. Durch diese Verzögerung gerät der gesamte Ablauf des Gedichts ins Stocken und die Wirkung, die das Gedicht durch den Wechsel der SprecherInnen, der so schnell vollzogen wird, als sei er von einer Person mit vielen unterschiedlichen Stimmen gesprochen, geht so verloren. Die Verantwortung für die Aufrechterhaltung des Präsentationsrahmens, bzw. des gespielten Rahmens, liegt also bei allen SpielerInnen – ein „Fehler" bringt die Illusion des gespielten Rahmens in Gefahr und gefährdet so den Erfolg des Stücks. Die SpielerInnen sind so zwar als „Verschiedene", nämlich in ganz verschiedenen Figuren, auf der Bühne, sind aber zugleich auch gleichberechtigte SpielerInnen, die alle die gemeinsame Aufgabe haben, ihre Handlungen auf die unsichtbare Koordination des Spiels auszurichten. Genau in diesem Sinne lassen sich Aufführungen als Rahmen verstehen, in denen das Diktum PRENGELS, Räume zu schaffen, in denen die AkteurInnen gleichberechtigt verschieden sein können, verwirklicht wird: In ihren Figuren sind sie verschieden, als SpielerInnen sind sie gleichberechtigt und gleichverantwortlich.

10.3 Differenz- und egalitäterzeugende Praktiken in Präsentationssituationen

Die Unterscheidung von Präsentierenden und Zuschauenden ist das relationale Unterscheidungskriterium für Präsentationssituationen. Das allein ist nun nicht sehr überraschend. Überraschender ist aber, dass es auch in vielen anderen Rahmen jenseits „offizieller" Aufführungen zu Präsentationssituationen kommt, die schnell und situativ hergestellt werden. Dies kann durch die jeweilige Anlage des Rahmens entstehen, wenn sich der Aufmerksamkeitsfokus aller auf ein Zentrum richtet und so die Handlungen weniger Personen im Mittelpunkt des Interesses stehen. Je größer die Zahl der Zuschauenden und je ungewöhnlicher oder unvertrauter die zu bewältigende Aufgabe ist, desto problematischer wird die Präsentationssituation für die Präsentierenden, da in solchen Situationen die Handlungen der Beobachteten besondere Aufmerksamkeit erfahren und die Zuschauenden das Gesehene evaluieren. Die Präsentierenden fürchten nun, in den Augen der Anderen keine Anerkennung für ihre Form der Durchführung zu finden. Geschieht dies, verlieren sie im wahrsten Sinne des Wortes ihr „Ansehen". Aus diesem Grund sind Präsentationssituationen grundsätzlich mit Schamangst verbunden. Mit LÉON WURMSER konnte ich zeigen, dass es dabei sinnvoll ist, einen „Subjektpol" von einem „Objektpol" zu unterscheiden. Der Subjektpol bezeichnet die Personen, die der Präsentationen zusehen, der Objektpol das, was präsentiert wird bzw. nach welchen Kriterien es beurteilt wird. Dies wiederum macht verständlich, weshalb es eine große Rolle spielt, wer und wie viele Leute anwesend sind und nach welchen Bewertungskriterien die gezeigten Handlungen evaluiert werden. Da das Ziel der Projektarbeit eine öffentliche Aufführung ist, schaffen die Anleiterinnen vielfältige

Präsentationssituationen, in denen die TeilnehmerInnen sich im Umgang mit diesen Situationen üben können. An vielen Stellen greifen die Anleiterinnen aber auch ein, um Präsentationssituationen, so weit es möglich ist, zu verhindern: Immer dann nämlich, wenn sie Übungsräume schaffen wollen, in denen sich die TeilnehmerInnen mit ihnen unvertrauten Handlungen auseinandersetzen sollen.

Die Abschlussaufführungen selbst können schließlich als eigener Rahmen analysiert werden, der sich durch ganz besondere differenzerzeugende Praktiken auszeichnet. Hier wird die Unterscheidung von Präsentierenden und ZuschauerInnen durch die Gestaltung des Raumes und den Einsatz von Artefakten schon vor den eigentlichen Handlungen vorbestimmt und dadurch in hohem Maße stabilisiert. Diese klare Trennung in Bühnenraum und Zuschauerraum schafft die Voraussetzung dafür, dass auf der Bühne bestimmte Präsentationsformen möglich werden. Es ist klar, dass die AkteurInnen, die sich auf der Bühne befinden, Teil des „Stücks" sind und die AkteurInnen, die sich im Zuschauerraum befinden, ZuschauerInnen.[420] Die Handlungen, die im Fokus der Aufmerksamkeit stehen, finden auf der Bühne statt. Ziel ist, den ZuschauerInnen ein Stück „gespielte Wirklichkeit" zu präsentieren, von dem alle wissen, dass es sich „nur" um eine gespielte Wirklichkeit handelt, sich aber dennoch von der Handlung gefangennehmen lassen als wäre sie wirklich. In seltenen Fällen lässt sich dabei das Publikum so mitreißen, dass der Unterschied zwischen gespielter und „wirklicher" Wirklichkeit verloren geht. GOFFMAN zitiert mehrere dieser Fälle in seiner Rahmenanalyse:

> „Eine junge Stenotypistin, offenbar von einer Szene in dem Broadway-Stück ‚Look Back in Anger' aus der Fassung gebracht, lief bei der gestrigen Aufführung nach vorn und griff den Hauptdarsteller an. Die 25jährige Joyce Geller schrie: ‚Er hat mich verlassen, er hat mich verlassen' und fing an, auf den englischen Schauspieler Kenneth Haigh einzuschlagen, der in dem Stück einen Ehebrecher darstellt. ‚Warum behandelst du dieses Mädchen so?' schrie sie. Haigh wehrte ihre Schläge ab, ein Kollege kam ihm zu Hilfe. Die beiden drängten sie hinter die Bühne, und die Schauspielerin Vivienne Drummond rief nach dem Vorhang. Fräulein Geller gab später an, sie habe ihr eigenes Leben in der Szene lebhaft wiedererkannt; das sadistische Verhalten Haighs sei zuviel für sie gewesen. Sie beruhigte sich hinter der Bühne, entschuldigte sich und wurde entlassen, ohne daß ein Verfahren gegen sie angestrengt worden wäre."[421]

Um die Illusion gespielter Wirklichkeit für die ZuschauerInnen herzustellen, ist es aber notwendig, dass die Handlungen der Präsentierenden auf der Bühne eine besondere Qualität haben: Sie müssen mit ihren Interaktionen auf der Bühne gespielte Rahmen entstehen lassen, die den einzelnen Handlungen dann ihren Sinn geben. Dabei sind alle SpielerInnen auf der Bühne zu gleichen Teilen an der Aufrechterhaltung der Illusion beteiligt: Sobald das Verhalten einer Figur der gespielten Szene nicht mehr als Teil der sichtbaren Interaktionen zu verstehen ist, fällt dieses Verhalten auf die SpielerIn zurück und die Illusion zerbricht. Besonders problematisch wird es, wenn die

---

420 Natürlich gibt es im zeitgenössischen Theater vielfältige Versuche, diese klare Trennung aufzuheben und mit der Verwirrung zu spielen, die dadurch entsteht. Diese Verwirrung unterstreicht die große Bedeutung, die die klare Trennung in Präsentierende und ZuschauerInnen besitzt.
421 Aus den San Francisco News, zitiert nach GOFFMAN 1997a, S. 393.

Koordinationsleistungen, die das gemeinsame Spiel erfordert, für die ZuschauerInnen sichtbar sind. Genau aus diesem Grund können auch die Anleiterinnen, die in den Proben beständig für die Koordination der Handlungen gesorgt hatten, in den Abschlussaufführungen nicht mehr in Erscheinung treten: Sie haben keine Rolle im Stück und ihr Sichtbarwerden würde deshalb die Illusion des Stücks zum Erliegen bringen. Die SpielerInnen selbst sind es, die ihre Handlungen miteinander koordinieren müssen, und zwar so, dass es für die ZuschauerInnen nicht sichtbar ist. Es ist daher notwendig, dass die SpielerInnen als SpielerInnen und als Figuren auf der Bühne anwesend sind. Als SpielerInnen tragen sie gemeinsam die Verantwortung für das Gelingen des Stücks, als Figuren müssen sie die unterschiedlichen Beziehungen dieser Figuren zueinander zur Darstellung bringen. Ich schlage daher vor, Aufführungen als Verwirklichung der Forderung PRENGELs, Räume zu schaffen, in denen die AkteurInnen sich als gleichberechtigte Verschiedene erleben können, anzusehen. Nur durch die Darstellung von Verschiedenheit gewinnen die Interaktionen auf der Bühne Spannung und gleichzeitig tragen alle SpielerInnen dieselbe Verantwortung für das Gelingen der Illusion.

„An emphasis on social context shifts analysis from fixing abstract and binary differences to examining the social relations in which multiple differences are constructed and given meaning."[422]

11 Die Lernkultur der Tanz- und Theater-AG

In diesem abschließenden Kapitel werde ich die Lernkultur der Tanz- und Theater-AG zusammenfassend darstellen.

Ich werde zunächst in einer Grafik die verschiedenen Rahmen, die in der untersuchten Lernkultur realisiert wurden, versammeln und zeigen, dass die Lernkultur sich beständig verändert hat, da sich die quantitative Bedeutung der Rahmen in den einzelnen Projektterminen stark verändert hat (11.1). Im Anschluss daran werde ich die einzelnen Rahmen noch einmal zusammenfassend darstellen und zeigen, dass sich die Rahmen hinsichtlich spezifischer differenz- bzw. egalitäterzeugender Praktiken unterscheiden lassen (11.2). Zum Schluss werde ich die Bedeutung verschiedener Differenzlinien diskutieren und auf die spezifischen differenz- und egalitäterzeugenden Praktiken dieser Lernkultur eingehen (11.3).

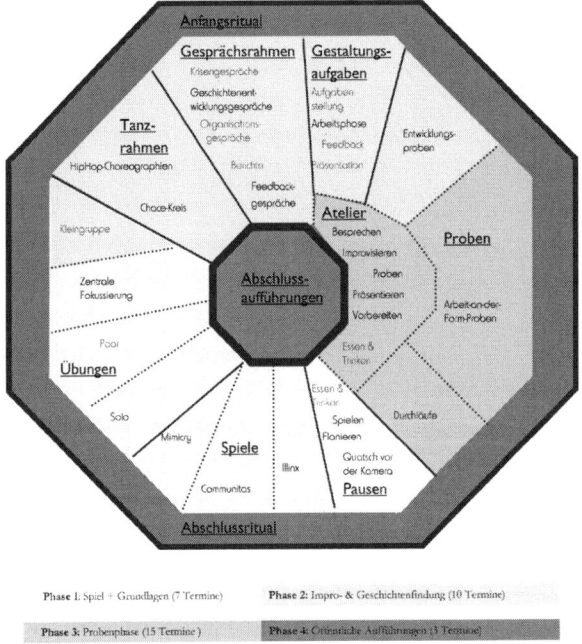

---

[422] Thorne 1993, S. 109.

11.1 Die Lernkultur auf einen Blick

Diese Grafik stellt den Versuch dar, die Lernkultur der Tanz- und Theater-AG überblicksartig darzustellen. Es lassen sich vier Phasen des Projekts unterscheiden: Eine erste, die als „Spiel + Grundlagen" bezeichnet werden kann und vor allem Spiele und Übungen umfasste. Eine zweite, die ich als „Improvisations- & Geschichtenfindungsphase" bezeichne, umfasst vor allem Übungen, die in Kleingruppen durchgeführt wurden, die Hiphop-Choreographien, Geschichtenentwicklungsgespräche, Gestaltungsaufgaben und Entwicklungsproben. In der dritten Phase dominierten dann die Arbeit-an-der-Form-Proben, die Durchläufe und die Atelierphasen. Die vierte Phase bestand schließlich nur noch aus einem Rahmen, nämlich öffentlichen Abschlussaufführungen. Die gestrichelten Linien zeigen an, dass eine Abgrenzung zwischen diesen Rahmen schwierig ist und es häufig zu Überschneidungen gekommen ist, die durchgezogenen Linien markieren klarer zu bestimmende Grenzen zwischen den verschiedenen Rahmen. Die fettgedruckten Begriffe weisen auf die Rahmen hin, die ich in den Fallstudien analysiert habe, die dünngedruckten Begriffe auf die Rahmen, die in den Fallstudien erwähnt, aber nicht ausführlich analysiert wurden.

11.2 Die untersuchten Rahmen und ihre Differenzen

Die genaue Analyse der verwirklichten Rahmen hat gezeigt, dass es eine große Fülle unterschiedlich strukturierter Rahmen in dieser Lernkultur gibt. Mit diesen Rahmen sind auch unterschiedliche Erfahrungen verbunden, da die Interaktionen in den jeweiligen Rahmen nach verschiedenen Regeln ablaufen.

Zunächst ist festzuhalten, dass allein zwölf verschiedene **Spiele** gespielt wurden, die alle als eigenständige Rahmen zu verstehen sind. Die ausführliche Analyse von drei Spielen, dem *Gordischen Knoten,* dem *Stopp-Tanz* und dem *Vampirspiel,* hat deutlich gemacht, dass es in Spielen zu unterschiedlichen differenz- und egalitäterzeugenden Praktiken kommt – je nachdem, welche Handlungen durch die Spielregeln erlaubt sind und welche nicht.

In *Communitas-Spielen,* zu denen der Gordische Knoten zählt, schaffen die Spielregeln einen Rahmen, in dem alle SpielerInnen über die gleichen Handlungsrechte und -pflichten verfügen und das Ziel des Spiels nur gemeinsam erreichen können. Dadurch entsteht eine starke Egalität zwischen den SpielerInnen. Im Unterschied dazu ist es in *Mimicry-Spielen* möglich, die Spielfiguren mit ganz unterschiedlichen Handlungsrechten und -pflichten auszustatten. Die Unterscheidung von SpielerInnen und den von ihnen gespielten Figuren wird dadurch angelegt. In der dritten Gruppe von Spielen, den *Illinx-Spielen,* sind die TeilnehmerInnen gezwungen, sehr schnell sehr unterschiedliche Handlungen durchzuführen. Dadurch entsteht die Möglichkeit zu besonderen Körperwahrnehmungen.

Da auch für **Übungen** gilt, dass im Grunde jede einzelne als eigenständiger Rahmen zu begreifen ist, da sehr verschiedene Regeln explizit formuliert werden, erhöht sich die Zahl der Rahmen um sechzehn Übungen. Die Komplexität von Übungen ist dabei – verglichen mit Spielen – deutlich höher, da die geltenden Regeln von den

AnleiterInnen beständig modifiziert werden. Da die Übungen noch dazu relativ lange dauerten (zwischen 10 und 55 Minuten, im Schnitt 25 Minuten) war im Kontext dieser Arbeit keine ausführlichere Analyse mehrerer Übungen möglich. Anhand der exemplarischen Analyse der Übung „Vom Tier zum Satz" ließ sich aber zeigen, dass es sinnvoll ist, Übungen hinsichtlich der Menge der anvisierten Aufmerksamkeitszentren zu unterscheiden. In der von mir so genannten Organisationsform *Solo* versuchen die AnleiterInnen, die Aufmerksamkeit der TeilnehmerInnen nur auf die eigene Person zu richten. Dazu versuchen die Anleiterinnen, die üblichen Differenzierungspraktiken des Blickens und Sprechens zu unterbinden, da dadurch die Aufmerksamkeit der TeilnehmerInnen immer wieder von sich selbst und zu den anderen hin gelenkt wird. Die angestrebte Aufmerksamkeitslenkung auf die eigene Person zwingt die TeilnehmerInnen, sich „doppelt" wahrzunehmen: Sie sind Handelnde und gleichzeitig BeobachterInnen ihrer eigenen Handlungen. Durch diese Aufmerksamkeitsrichtung werden die Grundlagen geschaffen, um die Differenzierung, die in Proben und Präsentationen so bedeutsam wird, nämlich die Differenz von SpielerInnen und ihren Figuren, vorzubereiten und anzulegen. Wie die Analyse gezeigt hat, ist diese Aufmerksamkeitslenkung auf die eigene Person den TeilnehmerInnen sehr unvertraut und die AnleiterInnen müssen massiv tadelnd und lobend eingreifen, um die gewohnten Differenzierungspraktiken des Blickens und Sprechens zu unterbinden.

Im Kontrast zur sozialen Organisationsform des Solo wurde die *Zentrale Fokussierung* als weitere Organisationsform in Übungen beschrieben. Hier gibt es nur einen Aufmerksamkeitsfokus aller AkteurInnen auf die Handlungen einzelner Personen: Dadurch entsteht eine Präsentationssituation, in der klar zwischen Präsentierenden und ZuschauerInnen unterschieden wird. Diese Differenz ist vor allem dadurch gekennzeichnet, dass sehr unterschiedliche Handlungsrechte vergeben werden. Die Präsentierenden dürfen und müssen etwas zeigen, die ZuschauerInnen haben nur sehr eingeschränkte Handlungsrechte. Diese Differenzierungspraxis wurde von den TeilnehmerInnen zu Beginn sehr unterschiedlich aufgegriffen. Einige TeilnehmerInnen nutzen den Bühnenraum expressiv und genussvoll, andere nur mit kleinen Bewegungen und eher verschämt. Die Phasen Zentraler Fokussierung sind somit auch als Übungsräume für die späteren Aufführungen zu verstehen.

Die beiden anderen Organisationsformen, die sich in Übungen ebenfalls beobachten lassen, nämlich die Organisation in Paaren und in Kleingruppen, wurden in der Fallstudie zu Übungen nicht mehr ausführlich analysiert. Interessant sind diese Phasen vor allem deshalb, weil es mehrere Aufmerksamkeitszentren gibt, die von den Paaren bzw. Kleingruppen aufgebaut werden. Da diese Aufmerksamkeitszentren nicht mehr alle von den AnleiterInnen beobachtet werden können, liegt die Verantwortung für die Aufrechterhaltung des gemeinsamen Rahmens in diesen Phasen viel stärker bei den TeilnehmerInnen.

Genau diese Verantwortung liegt auch in den Arbeitsphasen von **Gestaltungsaufgaben** bei den TeilnehmerInnen. Dabei bekommen Kleingruppen den Auftrag, kleine Szenen (theatral oder tänzerisch) in Eigenregie zu entwickeln und diese im Anschluss den anderen Gruppen zu präsentieren. Die Arbeitphase von Gestaltungsaufgaben ist von besonderem Interesse, weil die AnleiterInnen nicht mehr für die Gestalt des Rahmens sorgen (können). Die TeilnehmerInnen selbst müssen Formen entwickeln, in denen sie die ihnen gestellten Aufgaben bearbeiten. Die Differenz zwischen AnleiterInnen und TeilnehmerInnen, die in vielen der im Projekt realisierten Rahmen eine zentrale Rolle spielt, da entlang dieser Differenz unterschiedliche Handlungsrechte vergeben werden, spielt hier <u>keine</u> zentrale Rolle mehr, da die AnleiterInnen sich aus der Arbeitsphase von Gestaltungsaufgaben zurückziehen. Wie die Fallstudie gezeigt hat, wenden die TeilnehmerInnen hier sehr unterschiedliche Strategien an, um diese Aufgaben zu bearbeiten. In einigen Gruppen gab es eine RegisseurIn, die den anderen ansagt, wie sie was zu spielen haben. Andere Gruppen wählten eine Strategie des Planens und versuchten, bevor sie sich ins Spielen begaben, gemeinsam Ideen für das Spiel zu finden. Und wieder andere wählten die Strategie des Spielens, die sich dadurch auszeichnet, dass die TeilnehmerInnen als Figuren das Spiel begannen und das Planen in das Spiel verlegten. Ihre Figuren handelten in einer Improvisation das weitere Geschehen aus. Diese Strategie wurde als eine Strategie des Spielens gleichberechtiger Verschiedener analysiert.

Was bedeuten diese Analysen für die Lernkultur der untersuchten AG? Zunächst sind diese Gestaltungsaufgaben ein Projektelement, das von den AnleiterInnen geplant und eingesetzt wurde. Zugleich zeigt sich hier aber, dass der Einfluss der AnleiterInnen begrenzt ist. Die TeilnehmerInnen haben selbst entschieden, mit welchen Strategien sie die ihnen gestellten Aufgaben bearbeiten wollten. Sie haben hier eigene Rahmen aufgebaut, die als Teil der Lernkultur zu verstehen und zu analysieren sind. Dabei zeigte sich, dass die TeilnehmerInnen nicht in allen Fällen produktive Strategien anwenden konnten.

In den analysierten **Tanzrahmen** zeigten sich zwei sehr unterschiedliche Erfahrungsräume, wenngleich es zunächst so erscheint, also ob die beiden untersuchten Rahmen, der *Chace-Kreis* und die *HipHop-Choreographien*, sehr ähnlich strukturiert sind. In beiden Fällen geht es darum, dass die TeilnehmerInnen ihre Bewegungen mit der Bewegung der AnleiterIn bzw. einer VortänzerIn synchronisieren. Wie die genaue Analyse aber gezeigt hat, spielt es eine wesentliche Rolle, ob die Nachahmung der Bewegung wiederum beobachtet und bewertet wird oder ob das nicht passiert. Im Falle des Chace-Kreises kommt es in der Regel nicht zu dieser Bewertung, sondern zu einem gemeinsamen Tanz, der von „kinästhetischer Empathie" geprägt ist. In den HipHop-Choreographien dagegen entwickelte sich eine Praxis des Differenzierens in die TeilnehmerInnen, die die Bewegungsfolge beherrschen, und die, die sie (vermeintlich) nicht beherrschen. Diese Differenzierungspraxis wurde dabei sowohl von den TeilnehmerInnen durchgeführt als auch von der Tanzpädagogin. Wie in der Fallstudie gezeigt werden konnte, führte dies dazu, dass einige TeilnehmerInnen, vor allem die beiden Jungen Thomas und Steffen, nicht mehr oder nur noch parodierend am Tanz teilnahmen, obwohl sie, wie die genaue Analyse des Bildmaterials zeigt, die Bewegungsabfolge im Grunde beherrschen, sich aber aus Angst vor einer Blamage nicht mehr trauten, sie durchzuführen.

Im Kontext der analysierten **Gesprächsrahmen** habe ich zunächst die *Geschichtenentwicklungsgespräche* als eigenen Rahmen untersucht. Hier zeigte sich, dass die Anleiterinnen das Gesprächsziel, die Entwicklung und Einigung auf eine gemeinsame Geschichte, nur erreichen konnten, weil sie verschiedene egalitäterzeugende Praktiken anwandten, um die Beteiligung aller TeilnehmerInnen zu ermöglichen. Im Unterschied dazu gelang es in den *Feedback-Situationen* nicht, zu einem gleichberechtigten, partnerschaftlichen Austausch zu kommen. Dies lag zum einen an der Unvertrautheit der TeilnehmerInnen mit wertfreien Rückmeldungen, aber zum anderen auch daran, dass die AnleiterInnen hier nicht für die Voraussetzungen sorgten, die wertfreie Rückmeldungen ermöglichen: Die TeilnehmerInnen wurden erstens nicht ausreichend über Ziel und Form des Rückmeldungsgebens informiert, zweitens zu Rückmeldungen gezwungen und bekamen drittens von den AnleiterInnen selbst Rückmeldungsvorbilder, die zu bewertend waren.

Proben stellen den quantitativ bedeutendsten Rahmen der Projektarbeit dar, sie nehmen vor der Zwischenaufführung und in den letzten Projektterminen fast die gesamte Projektzeit ein. Proben lassen sich in drei verschiedene Formen unterteilen: Es gibt *Entwicklungsproben, Arbeit-an-der-Form-Proben* und *Durchläufe*. Gemeinsam haben diese Formen, dass es in ihnen um „Probehandlungen" geht, die auf eine spätere Präsentation verweisen, und dass die AkteurInnen sowohl als SpielerInnen als auch als Figuren agieren. Diese Unterscheidung von SpielerInnen und Figuren ist es, die Proben zu einem nicht-alltäglichen Erfahrungsraum macht. Die SpielerInnen sind gezwungen, sich als SpielerInnen und als Figuren wahrzunehmen und ein hohes Maß an Kontrolle über die eigenen Handlungen aufzubauen.

Die Unterschiede zwischen den verschiedenen Arten von Proben beziehen sich auf das jeweilige **Ziel der Proben.** In den Entwicklungsproben ist das Ziel, durch das ungeplante Spiel der Figuren neue Ideen zu entwickeln. In den Arbeit-an-der-Form-Proben geht es darum, diesen Ideen eine Form zu geben und den Ablauf der Szenen festzulegen, in den Durchläufen schließlich darum, die Koordination zwischen den SpielerInnen zu verfeinern, um so Lücken und sichtbare Koordinationshandlungen zu vermeiden.

Als besonders interessant erweist sich in diesen verschiedenen Proben die Frage, welche Bedeutung die **Unterscheidung von AnleiterInnen und TeilnehmerInnen** gewinnt. In den Entwicklungsproben stören die AnleiterInnen das Spiel der Figuren, wenn sie dirigierend eingreifen. Die TeilnehmerInnen richten dann ihre Aufmerksamkeit von den Figuren der MitspielerInnen auf die Anleiterin und handeln als SpielerInnen und nicht als Figuren. In den Arbeit-an-der-Form-Proben lässt sich eine merkwürdige Doppelrahmung beobachten: Zum einen handeln die SpielerInnen im Rahmen des Stücks in und mit den anderen Figuren und zum anderen gibt es einen „Proberahmen", in dem die AnleiterIn als Regisseurin Regiehinweise an die SpielerInnen gibt. Ähnlich wie in Übungen haben die AnleiterInnen hier sehr große Handlungsrechte und können die Handlungen der TeilnehmerInnen stark bestimmen, gleichzeitig aber sind sie <u>nicht</u> Teil der zu spielenden Szene. Diese starke Anleitungsfunktion muss aber in eigenen Proben wieder zurückgenommen werden, da das Ziel der Proben eine Aufführung ist, in der die SpielerInnen ihre Figuren selbständig koordinieren. In den Durchläufen halten sich die AnleiterInnen mehr und mehr zurück und der Fokus der Aufmerksamkeit liegt auf der eigenständigen Koordination des Ablaufs durch die SpielerInnen.

Diese eigenständige Koordination der Handlungen ist in den **Abschlussaufführungen** zwingend notwendig, um den ZuschauerInnen die Illusion des Bühnenstücks möglich zu machen. Die AnleiterInnen können nicht mehr koordinierend eingreifen, da sie im Stück keine Funktion haben und ihr Sichtbarwerden daher die Illusion des

Stücks zerstören würde. Die Koordination muss daher von den SpielerInnen selbst vollzogen werden. Sie sind dabei in höchstem Maße voneinander abhängig, da in den Proben bestimmte Abläufe gemeinsam erarbeitet wurden, die durch das Herausfallen einer SpielerIn aus ihrer Figur oder das Vergessen bestimmter Signalhandlungen durcheinander geraten. Wie die Sequenzen der Fallstudie Präsentationen gezeigt haben, meistern die SpielerInnen diese Koordinationsleistung sehr präzise und es gelingt ihnen auch, mit schwierigen Situationen umzugehen: Eine Aufführung fand auf einer anderen Bühne statt und eine der SpielerInnen war nicht anwesend, so dass die SpielerInnen gezwungen waren, die Szenen verändert zu spielen. Die Besonderheit von öffentlichen Aufführungen liegt aber nicht nur darin, dass besondere Koordinationsleistungen zu vollbringen sind und die Illusion des Bühnenstücks vom präzisen Spiel aller SpielerInnen abhängt: diese schwierige Aufgabe, die in jedem Moment vom Scheitern bedroht ist, wird vor ZuschauerInnen vollbracht, die keinesfalls zufällige ZuschauerInnen darstellen, sondern gekommen sind, um sich der Illusion eines Bühnenstücks hinzugeben. Diese drei Faktoren – allgegenwärtige Gefahr des Scheiterns, nur gemeinsam zu erreichendes Ziel und ZuschauerInnen mit hohen Erwartungen – machen verständlich, weshalb gelungene Aufführungen mit großem Stolz und einem starken Gruppengefühl verbunden sind.

Wie gerade beschrieben, haben die AnleiterInnen in den Öffentlichen Aufführungen keine Funktion mehr, sondern die Koordination muss von den TeilnehmerInnen/ SpielerInnen selbst geleistet werden. Die Vorbereitung dieser gemeinsamen Koordination erfolgt durch die Proben. Die Analyse hat gezeigt, dass sich die Lernkultur des Projekts – je näher die Abschlussaufführungen rücken – auch außerhalb dieser Proben verändert: Es entstehen **Atelierphasen**, in denen in multi-zentrierten Settings am Stück gearbeitet wird. Besonders interessant ist dabei, dass die eigenständige Koordination der TeilnehmerInnen, die auf der Bühne gefordert ist, auch in Atelierphasen bedeutsam ist. Durch die multi-zentrierte Anlage der Atelierphasen sind die AnleiterInnen nicht mehr an allen Rahmen beteiligt und können so auch nicht für die Etablierung, Aufrechterhaltung und Beendigung aller Rahmen sorgen. Auch hier liegt die Verantwortung bei den TeilnehmerInnen. Wie die Fallstudie *Rahmenwechsel, Pausen, Atelierphasen* gezeigt hat, sind die TeilnehmerInnen mehr und mehr in der Lage, eigenständig projektspezifische Rahmen aufzubauen: sie improvisieren, proben und präsentieren ohne Anleitung.

Die gerade noch einmal zusammenfassend beschriebenen Rahmen stehen dabei nicht unvermittelt nebeneinander. Alle Rahmen führen auf die abschließenden öffentlichen Aufführungen hin:

Die *Spiele* dienen nicht nur dem Spaß der SpielerInnen, sie sind auch eine wichtige Vorbereitung: In Communitas-Spielen machen die TeilnehmerInnen die Erfahrung, das Spielziel nur gemeinsam erreichen zu können, in Illinx-Spielen trainieren sie ihre Aufmerksamkeit und in Mimicry-Spielen wird die Übernahme von Spielfiguren möglich.

In den *Solo-Phasen* der Übungen wird die Unterscheidung von SpielerInnen und ihren Figuren durch die Fokussierung der Aufmerksamkeit auf die eigene Person angelegt, in den Phasen der Zentralen Fokussierung ein Übungsraum für Präsentationen geschaffen.

In den *Gestaltungsaufgaben*, den *Paar- und Kleingruppenphasen* von Übungen, den *Entwicklungsproben* und den *Tanzrahmen* werden die Ideen entwickelt, die das Material für die Geschichte des Stücks darstellen.

In den verschiedenen *Gesprächsrahmen* werden Konflikte geklärt, Informationen ausgetauscht, wird Feedback gegeben und werden Entscheidungen über die Gestalt des Stückes getroffen.

In den *Arbeit-an-der-Form-Proben* wird, wie der Name schon sagt, an der Form des Stücks gearbeitet und in Durchläufen die Koordination der Handlungen geprobt.

Und schließlich wird in den *Atelierphasen* der eigenständige Aufbau, die Aufrechterhaltung und Beendigung von projektspezifischen Rahmen durch die TeilnehmerInnen eingeübt.

11.3 Differenz- und egalitäterzeugende Praktiken

Nachdem ich gerade die verschiedenen Rahmen hinsichtlich ihrer spezifischen differenz- bzw. egalitäterzeugenden Praktiken vorgestellt habe, möchte ich im Folgenden die Perspektive noch einmal verändern und die Frage stellen, welche Bedeutung den jeweiligen Differenzen in der untersuchten Lernkultur zugekommen ist. Ich werde dabei zunächst auf die drei im theoretischen Teil vorbereiteten „klassischen" Differenzen (a) AnleiterIn/TeilnehmerIn, (b) Geschlecht und (c) NationEthnieKultur eingehen und dann auf die beiden lernkulturspezifischen Differenzlinien (d) Präsentierende/ ZuschauerInnen und (e) SpielerIn/Figur. Zum Abschluss werde ich dann die (g) egalitäterzeugenden Praktiken zusammentragen und (f) das Fazit ziehen, dass sich wenig normalisierende Praktiken in dieser Lernkultur beobachten ließen.

(a) Die untersuchte Lernkultur zeichnet sich dadurch aus, dass die Differenz zwischen AnleiterInnen und TeilnehmerInnen in den jeweiligen Rahmen sehr unterschiedliche Bedeutung gewinnt

Wie nicht anders zu erwarten war, hat die Differenzlinie AnleiterIn/TeilnehmerIn eine große Bedeutung für die untersuchte Lernkultur. Der bedeutendste Unterschied zwischen AnleiterInnen und TeilnehmerInnen liegt darin, dass die AnleiterInnen grundsätzlich das Recht haben, Rahmen zu setzen, zu unterbrechen und zu beenden. Besonders eindrücklich sichtbar wurde dies in der *Seq_74: Machen wir es jetzt alle zusammen?*, da hier Natalie einen Vorschlag der TeilnehmerInnen spontan aufgreift, sich dafür dann aber vor ihrer Kollegin Theresa rechtfertigen muss.

Es ist allerdings zu beobachten, dass die Handlungsrechte und -pflichten zwischen AnleiterInnen und TeilnehmerInnen in den jeweiligen Rahmen sehr ungleich verteilt sind. In Übungen und Arbeit-an-der-Form-Proben gilt, dass die AnleiterInnen den TeilnehmerInnen beständig und auch personalisiert ansagen können, was sie TeilnehmerInnen wie zu tun haben. Die TeilnehmerInnen hingegen haben vor allem Handlungspflichten, nämlich das auszuführen, was die AnleiterInnen ihnen ansagen.

Es findet sich aber auch ein Rahmen, in dem die Unterscheidung von AnleiterInnen und TeilnehmerInnen nicht mehr zur Verfügung steht: In den *Abschlussaufführungen* sind die TeilnehmerInnen als SpielerInnen des Stücks selbst für den Aufbau und Wechsel der Rahmen auf der Bühne verantwortlich, die AnleiterInnen können nicht mehr in Erscheinung treten, da sonst die Illusion des Bühnenstücks zerstört werden würde. Genau aus diesem Grund sind die Abschlussaufführungen nicht mehr als pädagogischer Rahmen zu verstehen.

Die Bedeutung der Unterscheidung von AnleiterInnen und TeilnehmerInnen unterliegt daher im Projektverlauf einem großen Wandel: Zu Beginn haben AnleiterInnen und TeilnehmerInnen sehr unterschiedliche Handlungsrechte, mehr und mehr werden diese Handlungsrechte aber auch an die TeilnehmerInnen übertragen:

In den *Gestaltungsaufgaben* sind es die TeilnehmerInnen selbst, die für den Aufbau, die Aufrechterhaltung und die Beendigung der notwendigen Rahmen Sorge tragen müssen. Im Verlauf des Projekts übernehmen die TeilnehmerInnen dann auch selbst die Verantwortung dafür, *Pausen* zu machen, und zwar dann, wenn die Arbeit zu einem Ende gekommen ist oder die persönlichen Bedürfnisse es erforderlich machen. Dadurch entstehen mehr und mehr *Atelierphasen*, in denen die beteiligten AkteurInnen in sehr unterschiedlichen Rahmen involviert sind: Auch hier gilt, dass nicht mehr in allen Rahmen die AnleiterInnen aktiv sind.

Auffällig ist auch, dass es einige Rahmen gibt, in denen die AnleiterInnen „doppelt" anwesend sind. In *Spielen* zum Beispiel können die Anleiterinnen als Spielerinnen teilnehmen. Sie haben dann zunächst nur noch die Handlungsrechte und Handlungspflichten, die ihnen in ihren Spielrollen zufallen. Zugleich haben sie aber noch bestimmte AnleiterInnenrechte: das Recht etwa, das Spiel zu unterbrechen, um zum Beispiel einen Regelverstoß zu ahnden. Das gilt auch für Präsentationssituationen, in denen die Anleiterinnen zu Zuschauerinnen werden und die Präsentierenden über besondere Handlungsrechte verfügen. Das Recht, den Rahmen der Präsentation zu unterbrechen, bleibt allerdings bei den AnleiterInnen (sehr gut zu sehen ist das in der *Seq_34: STOPP*, in der Theresa einen Auftritt von Janne unterbricht, um die ZuschauerInnen zu ermahnen.)

Die Unterscheidung von AnleiterIn und TeilnehmerIn hat also nur in einigen Rahmen eine relationale Bedeutung, im letzten Rahmen, auf den die gemeinsame Arbeit abzielt, hat die Unterscheidung nicht nur keine relationale Bedeutung mehr, sondern ist zu einer Unterscheidung geworden, die während der Aufführung nicht mehr einsetzbar ist.

(b) In der untersuchten Lernkultur wird Geschlecht vielfältig als Ressource eingesetzt. Es wird unproblematisch dramatisiert, unbemerkt entdramatisiert und wird in Hiphop-Choreographien zu einem schwerwiegenden Problem

Geschlecht spielt auch in dieser Lernkultur – und das ist ebenfalls in keiner Weise verwunderlich – eine große Rolle für vielfältige Unterscheidungspraktiken. Zunächst gilt natürlich auch hier, dass die AkteurInnen ihre Geschlechtszugehörigkeit durch ihr Erscheinungsbild deutlich machen und dadurch ihrer „Ausweispflicht" nachkommen. Es ist ganz klar, dass es sich bei den beiden Anleiterinnen und der Lehrerin um Frauen handelt, und es ist auch klar, dass es nur vier Jungen unter den 17 TeilnehmerInnen gibt. Zudem lassen sich die von Breidenstein & Kelle beschriebenen Einsatzfelder der Ressource Geschlecht auch in dieser Lernkultur beobachten:[423] Geschlecht wird von den TeilnehmerInnen genutzt, um in den Pausen Spielpartner und Spielpartnerinnen zu finden, es wird von den Anleiterinnen genutzt, um Kleingruppen zu bilden, es wird als Argument eingesetzt, um bestimmte Interessen durchzusetzen,[424] und dient der Beobachtung und Beschreibung.

Es ließen sich aber auch viele Situationen beobachten, in denen die Geschlechtsunterscheidung, die aufgrund der ausführlich beschriebenen Ausweispflicht der Geschlechtszugehörigkeit immer „vorhanden" ist, wider Erwarten unproblematisch ist. In der *Seq_78: Quatsch vor der Kamera* kommt es zum Beispiel zu großer körperlicher Nähe zwischen allen TeilnehmerInnen, ganz egal, ob es sich um Mädchen oder Jungen handelt. Ein anderes Beispiel findet sich in den Aufnahmen einer Massagesequenz, in der es zur unproblematischen Bildung von gemischtgeschlechtlichen Paaren kommt (FLS_AG_22.01.07). Das Bilden dieser gemischtgeschlechtlichen Paare ist in anderen Sequenzen allerdings mit erheblichen Schwierigkeiten verbunden (siehe *Seq_36: Ladies first*). Die im ersten Teil dieser Arbeit formulierte Frage, ob sich die Bedeutung des Geschlechtsunterschieds entlang der verschiedenen Rahmen verändert, kann hier noch nicht abschließend beantwortet werden. Es lässt sich zwar beobachten, dass es eine Tendenz gibt, in welchen Rahmen der Geschlechtsunterschied besondere Bedeutung erlangt und in welchen eine weniger große. Es lassen sich aber auch die jeweiligen „Gegensequenzen" aus denselben Rahmen finden: In den Pausensituationen bilden die TeilnehmerInnen geschlechtsgetrennte Spielgruppen und sorgen an vielen Stellen dafür, dass sich diese Gruppen auch nicht vermischen. Beim „Quatsch machen vor der Kamera" hingegen erscheint der Geschlechtsunterschied „plötzlich" völlig unproblematisch (bei der Bildung von Paaren und Kleingruppen gibt es ebenfalls beide Fälle). Als Erklärung für dieses Phänomen, das ich vorschlage als „unproblematische Dramatisierung" und „unbemerkte Entdramatisierung" zu bezeichnen, kann auf die von Hirschauer angestellten Überlegungen zurückgegriffen werden. Ein „doing gender", d. h. eine Thematisierung des Geschlechtsunterschieds ist jederzeit und ziemlich problemlos möglich, die TeilnehmerInnen dürfen ihre Spielparteien geschlechtshomogen gestalten. Ebenso möglich ist es aber auch, dass der Geschlechtsunterschied nicht als situationsstrukturierendes Merkmal fungiert: Beim „Quatsch machen vor der Kamera" bilden sich völlig selbstverständlich gemischtgeschlechtliche Spielgruppen. Hier passt auch die Beobachtung, die im Zeitungsspiel gemacht wurde (siehe Fallstudie *Spiele*): Solange es genug Zeitungen gibt, werden getrenntgeschlechtliche Gruppen gebildet, ist dies nicht mehr möglich, entstehen gemischtgeschlechtliche. Beides vollzieht sich dabei ohne explizite Thematisierung, die gemischtgeschlechtlichen Gruppen können entstehen, ohne dass es eines aufwändigen „undoing" bedarf.

In einem der Rahmen allerdings wurde die Geschlechtszugehörigkeit zu einem größeren Problem. Wie die Fallstudie *Tanzrahmen* gezeigt hat, können bestimmte Formen des Tanzes erhebliche Schwierigkeiten für die Teilnehmer beinhalten. In den Hiphop-Choreographien, die mit einer Beurteilung der korrekten Durchführung ver-

---

423 Vgl. dazu Kapitel 3.4 des ersten Teils bzw. Breidenstein/Kelle 1998, S. 37-60.
424 Lisa setzt in einer Diskussion über das zu spielende Spiel den Satz „Guck sogar die Jungs" ein, um die Anleiterin von ihrem Wunsch, Stopptanz zu spielen, zu überzeugen (Videoquelle: FLS_AG_8.1.07_Präsentation Überschrift).

bunden waren, wählen Steffen und Thomas den Weg der persiflierenden Durchführung, um zu vermeiden, dass ihre Bewegungen evaluiert werden können. Diesen Weg wählen nur diese beiden Jungen und keines der Mädchen. Dass es aber trotzdem möglich ist, sich auch gegen die geltenden Geschlechtsstereotypen zu verhalten, zeigt Nasir, der sich dieser persiflierenden Praxis entzieht. Er tanzt, da er sich auch nicht den Mädchengruppen anschließen will, die Diagonalen, die eigentlich in kleinen Gruppen getanzt werden, alleine.[425] Es scheint ein Problem auf, das von WEST & ZIMMERMAN folgendermaßen beschrieben wurde:

> „If an individual identitified as a member of one sex category engages in behavior usually associated with the other category, this routinization is challenged."[426]

Das Tanzen scheint eine Tätigkeit zu sein, der sich Männer bzw. Jungen eher nicht widmen und wenn, dann mit Könnerschaft. Das „Tanzenüben" scheint die Tätigkeit zu sein, die den männlichen Geschlechtsstereotypen entgegensteht. Thomas und Steffen finden hier keinen Weg, sich dem zu entziehen und sich im Tanzen zu üben (obgleich sie die Bewegungsfolge im Prinzip beherrschen) und auch den beiden Anleiterinnen gelingt es hier nicht, Thomas und Steffen einen Weg zu eröffnen. In der Fallstudie *Tanzrahmen* hat sich aber gezeigt, dass keineswegs in allen die Geschlechtsunterscheidung zum Problem wird. Im Chace-Kreis, in dem die nachahmenden Bewegungen nicht evaluiert werden und der von kinästhetischer Empathie geprägt ist, nehmen auch die Jungen ohne sichtbare Schwierigkeiten teil: Das Problem liegt in der Evaluationspraxis und der Kombination aus Tanzen und Üben.

Diese Hypothese, dass gerade in der Kombination von Tanzen und Üben ein besonderes Problem für Jungen bzw. Männer liegt, da es den Vorstellungen von geschlechtstypischem Verhalten doppelt entgegensteht, wirft auch ein etwas anderes Schlaglicht auf das bekannte Phänomen, dass sich in Tanz- und Theaterangeboten, die freiwillig besucht werden können, fast immer deutlich mehr Mädchen als Jungen einfinden (hier sind es zu Beginn 17 Mädchen und 4 Jungen). Vielleicht geht es tatsächlich nicht nur darum, dass Theaterspielen und vor allem das Tanzen als „weibliche" Verhaltensweisen konnotiert sind, sondern auch stark darum, dass ein „Noch-nicht-können" und ein sich daraus ergebendes „Üben-Müssen" ebenfalls als „unmännlich" angesehen werden.

(c) In der untersuchten Lernkultur wird die natioethnokulturelle Mitgliedschaft der AkteurInnen kaum thematisiert. Die gewählte Form der Darstellung natioethnokultureller Mitgliedschaft auf der Bühne erweist sich bei genauer Analyse als problematisch

In dieser Lernkultur konnte keine grundsätzliche Ausweispflicht der natioethnokulturellen Mitgliedschaft beobachtet werden. Natürlich geben einige der Namen Hinweise darauf, dass es verschiedene natioethnokulturelle Mitgliedschaften gibt, in zwei Fällen aber erfährt man erst spät, dass auch zwei TeilnehmerInnen, deren Namen das nicht anzeigen, sich selbst nicht der deutschen Mitgliedschaft zuordnen (im Fall von Maria und Anna). Hier wird eine andere natioethnokulturelle Mitgliedschaft dadurch ange-

---

425 Der vierte Junge war bei den beiden Projektterminen, in denen die HipHop-Choreographien einen großen Teil der Termine ausmachten, krankheitsbedingt nicht anwesend.
426 WEST/ZIMMERMAN 1987, S. 139.

zeigt, dass sich zuerst Maria und dann Anna selbst aus der deutschen Mitgliedschaft herausnehmen (vgl. *Seq_ 21: Ihr Deutschen!*). Im Fall von Louise, die erst zu Beginn des Schuljahres nach Deutschland gekommen war, und nur Englisch sprach, war klar, dass sie nicht die deutsche Mitgliedschaft hat, dies wurde aber an keiner Stelle als Problem diskutiert. Die Analyse hat gezeigt, dass die „Andersartigkeit" von Louise nur als *sprachliche Andersartigkeit* aufgefasst wurde, und dieses Sprachproblem konnte in den meisten Situationen durch die Übersetzung durch die begleitende Lehrerin oder die beiden Anleiterinnen gelöst werden. Dieser unkomplizierte Umgang ist in erster Linie auf die faktischen Möglichkeiten des Übersetzens zurückzuführen, es ließ sich aber auch beobachten, dass die anderen TeilnehmerInnen ein großes Interesse an der englischen Sprache gezeigt haben: Louise war keine „unverständliche Fremde", sondern eine „interessante Andere". So entstand auch die Situation, dass Louise in den Abschlussaufführungen zum Teil auf Deutsch, zum Teil aber auch auf Englisch spricht. Wie die genaue Analyse gezeigt hat, passt das auch zu ihrer Figur der „coolen Räuberin". Die ZuschauerInnen schließen nicht von der Sprachverwendung der gezeigten Figur auf die natioethnokulturelle Mitgliedschaft der Spielerin Louise.

Dies liegt nun im Falle der Szene, in der auch ein türkischer Satz gesprochen wurde, anders. Hier spricht Lale (Hilal) plötzlich, obwohl sie die ganze Zeit fließend Deutsch spricht, einen türkischen Satz, der dann auch noch von Luna (Tuba) ins Deutsche übersetzt wird. In diesem Fall bleibt es für die ZuschauerInnen unverständlich, warum Lale nun plötzlich Türkisch spricht und Luna diesen Satz auch noch übersetzt. Das Sprechen einer anderen Sprache fällt hier auf die SpielerInnen Hilal und Tuba zurück, so dass die natioethnokulturelle Mitgliedschaft von ihnen als SpielerInnen (nicht die ihrer Figuren) thematisiert wird.

Ein weiteres Ergebnis der analysierten Sequenzen ist, dass die TeilnehmerInnen sehr genau zwischen nationaler Mitgliedschaft und kompetenter Sprachverwendung unterscheiden. In *Seq_21: Ihr Deutschen!* ist es Maria, die eine Diskussion über korrektes Deutsch anregt, an der sich alle Teilnehmerinnen der gerade geprobten Szene beteiligen. Im Anschluss an diese Diskussion nimmt sich dann zuerst Maria und dann auch Anna aber aus der Gruppe der Deutschen heraus – nicht aber aus der Gruppe der DeutschkönnerInnen. In der *Seq_22: Ich kann Arabisch* ist es Lara, die Thomas nicht die nationale deutsche Mitgliedschaft, wohl aber die kompetente Sprachverwendung des Deutschen abzusprechen versucht und Nasir ist es, der darauf hinweist, dass er nicht nur Deutsch könne, sondern auch Arabisch. Er will hier keineswegs seine natioethnokulturelle Mitgliedschaft, sondern seine Mitgliedschaft zu zwei Gruppen kompetenter SprachverwenderInnen, die des Deutschen und des Arabischen, thematisieren. In beiden Sequenzen werden hier allerdings Mitgliedschaften verhandelt und die Gruppe, aus der man sich selbst herausnimmt, als minderwertig dargestellt: Im ersten Fall schließen sich Maria und Anna aus der Gruppe der Deutschen aus, die es nicht mal hinbekommen, ihre eigene Sprache korrekt zu verwenden, im zweiten Fall macht Lara klar, dass der, der nicht mal richtig Deutsch sprechen kann, überhaupt nichts zu sagen habe.

Aus der Analyse der wenigen gefundenen Sequenzen lässt sich kaum ein abschließendes Fazit über die Bedeutung der natioethnokulturellen Mitgliedschaft in dieser Lernkultur ziehen. Es gibt unterschiedliche Mitgliedschaften, die aber kaum thematisiert werden und auch im Stück keine bedeutendes Thema darstellen. Es ist schwer zu beurteilen, ob das daran liegt, dass die natioethnokulturelle Mitgliedschaft für die TeilnehmerInnen nicht so bedeutend ist, dass sie die Thematisierung dessen in ihr Stück aufnehmen wollen, oder ob es sich um ein tabuisiertes Thema handelt, das die TeilnehmerInnen gerne vermeiden. Festzuhalten ist aber, dass mit der Darstellung natioethnokultureller Mitgliedschaften auf der Bühne vorsichtig umgegangen werden muss, da man sonst Gefahr läuft, die natioethnokulturelle Mitgliedschaft der SpielerInnen – genauer: die Nichtmitgliedschaft der Angehörigen der Minderheiten zur deutschen NationEthnieKultur– zu thematisieren und sie so – entgegen den eigenen Absichten – als unverständliche Fremde auszustellen.

(d) Die untersuchte Lernkultur zeichnet sich dadurch aus, dass die Unterscheidung von Präsentierenden und ZuschauerInnen in vielen Rahmen ein relationales Kriterium darstellt

Die in den Fallstudien analysierten Sequenzen haben gezeigt, dass die Unterscheidung von Präsentierenden und ZuschauerInnen in vielen Rahmen ein relationales Kriterium darstellt. In einigen Spielen, in den Phasen der Zentralen Fokussierung in Übungen, den vielfältigen Präsentationen nach Gestaltungsaufgaben und Proben und natürlich in den öffentlichen Aufführungen ist diese Unterscheidung notwendige Voraussetzung dafür, dass eine Präsentationssituation entstehen kann. Wie ich zeigen konnte, lassen sich dabei verschiedene Formen von Präsentationssituationen unterscheiden: ungewollte, geprobte und öffentliche Präsentationen. In allen Fällen gilt, dass die Handlungsrechte und -pflichten ungleich verteilt werden: Die Präsentierenden haben umfassende Handlungsrechte, aber auch die Pflicht, etwas zu zeigen. Die ZuschauerInnen hingegen haben kaum Handlungsrechte und nur in einigen Fällen die Pflicht, die Präsentierenden nicht zu stören (in ungewollten Präsentationssituationen gilt diese Pflicht nicht). Die Unterschiede zwischen den genannten drei Formen von Präsentationssituationen lassen sich am Grad der Rigidität der Unterscheidung von Präsentierenden und ZuschauerInnen festmachen: In ungewollten Präsentationssituationen wird eine Person zu einem unfreiwillig Präsentierenden allein dadurch, dass die Anderen die ZuschauerInnenposition einnehmen und beginnen, die Handlungen bestimmter Personen zu beobachten. In diesen Fällen ist die Differenz nicht sehr starr, da sie nicht auf einem Konsens der Handelnden basiert. Der Beobachtete kann seine Handlungen unterbrechen, selbst eine ZuschauerInnenposition einnehmen oder die Zusehenden auffordern, woanders hinzusehen. Im Falle der geprobten Präsentationen ist die Unterscheidung schon sehr viel deutlicher: Einige der AkteurInnen haben das zu Zeigende geprobt, die ZuschauerInnen (im Normalfall) nicht. Zudem gibt es meist definierte Teile des Raumes, in denen sich die Präsentierenden befinden und definierte Teile, in denen sich die ZuschauerInnen befinden. Zudem gibt es ein klares Start- und Schlusssignal der Präsentation. In öffentlichen Präsentationen wird die Unterscheidung zwischen Präsentierenden und ZuschauerInnen durch Artefakte und Technik unterstützt: Es gibt einen Bühnenraum und einen ZuschauerInnenraum, die durch Bestuhlung bzw. Bühnenbild und durch Dunkelheit bzw. Licht klar voneinander geschieden sind. Vorhang, Licht und/oder Musik setzen ein klares Startsignal für den Beginn der Präsentation und der Schlussapplaus beendet die Präsentation. Ist es in ungewollten Präsentationssituationen und auch in den geprobten Präsentationssituationen im Projekt möglich, die Präsentation zu unterbrechen und auch die Rollen schnell zu tauschen, gibt es diese Möglichkeit in öffentlichen Präsentationen normalerweise nicht (genau dieser Wechsel ist es, der oft von Straßenkünstlern, aber auch in Fernsehshows, eingesetzt wird, wenn eine der ZuschauerInnen auf die Bühne gebeten wird: Allein durch das Verlassen des Zuschauerraums und das Betreten des Bühnenraums werden diese Personen zu meist unfreiwilligen und gerade deshalb für die anderen ZuschauerInnen, denen dieses Schicksal erspart bleibt, so amüsant zu beobachtenden Präsentierenden).

Die unterschiedliche Aufteilung der Handlungsrechte und -pflichten führt dazu, dass sich die ZuschauerInnen in einer sehr komfortablen Lage befinden: Sie dürfen den Präsentierenden zusehen, die ihnen etwas zeigen. Die ZuschauerInnen befinden sich dadurch in einer Position, die Handlungen der Anderen unabhängig von den eigenen Handlungen einschätzen zu können: Im Unterschied zu anderen Formen der Interaktion entspinnt sich das Geschehen nicht durch den schnellen Wechsel von aktiven und rezipierenden Rollen, sondern das Geschehen findet auf einer Bühne statt und die ZuschauerInnen wohnen diesem Geschehen bei, aber nicht als aktiv Partizipierende, sondern eben als ZuschauerInnen. Dadurch stehen die Handlungen auf der Bühne ganz anders im Fokus der Aufmerksamkeit als die Handlungen der ZuschauerInnen. ZuschauerInnen dürfen und können die Handlungen auf der Bühne evaluieren. Sie können den Präsentierenden sagen, dass sie das Gezeigte schön, spannend, langweilig, dilettantisch, lustig gefunden haben. Umgekehrt ist diese Evaluation normalerweise nicht möglich: Falls die Präsentierenden den ZuschauerInnen rückmelden würden, wie sie deren Handlungen wahrgenommen haben, könnten die ZuschauerInnen sich dagegen relativ leicht verwahren, indem sie darauf hinweisen, dass es ja gar nicht um ihr Handeln, sondern um das Handeln der Präsentierenden gegangen sei. Der „Witz" an Präsentationssituationen ist, dass die Handlungen der Präsentierenden auf dem „Prüfstand" stehen. Da in der hier untersuchten Lernkultur vielfältige Präsentationssituationen zu meistern sind, ermöglicht sie den TeilnehmerInnen, Erfahrungen im Umgang mit solchen zu sammeln. Die professionelle Unterstützung der AnleiterInnen besteht dabei darin, Erfahrungen der Blamage, d. h. das Zeigen von Darbietungen, die in den Augen der Zuschauerinnen nicht reüssieren, durch sorgfältige Inszenierung und Vorbereitung von Präsentationssituationen zu vermeiden.

(e) Die untersuchte Lernkultur zeichnet sich dadurch aus, dass die TeilnehmerInnen in mehreren Rahmen gezwungen sind, ihre Aufmerksamkeit auf die Wahrnehmung und Darstellung der eigenen Person zu richten. Dadurch entsteht eine Differenz zwischen SpielerInnen und den von ihnen dargestellten Figuren

Wie in der Fallstudie *Proben* gezeigt wurde, ist die Unterscheidung von SpielerInnen und ihren Figuren die Unterscheidungspraxis, die in den Proben die entscheidende Rolle spielt. Die AnleiterInnen versuchen hier, den TeilnehmerInnen diesen Unterschied bewusst zu machen, um sie in die Lage zu versetzen, ein Bühnenstück so aufzuführen, dass die ZuschauerInnen der Illusion der gespielten Rahmen erliegen können. Dazu müssen die SpielerInnen in ihren Figuren handeln und nicht als SpielerInnen, damit die ZuschauerInnen alle auf der Bühne sichtbaren Handlungen auf die Figuren zurückführen können. Die TeilnehmerInnen müssen daher ihre Aufmerksamkeit immer auch auf die eigenen Handlungen lenken, bzw. sich der Besonderheit der Bühnensituation bewusst sein. Sie dürfen – um es in den Worten einer Anleiterin zu formulieren – keine „privaten Handlungen" auf der Bühne zeigen. Dies erfordert ein gegenüber dem Alltag deutlich erhöhtes Maß an Konzentration, da die gesamte Organisation des Bühnengeschehens, das durch die SpielerInnen geleistet werden muss, möglichst unbemerkt ablaufen muss, und nur die Handlungen, die den Figuren zugerechnet werden können, sichtbar sein sollen. Die zu dieser Leistung notwendigen Fähigkeiten werden dabei nicht nur in den Arbeit-an-der-Form-Proben eingeübt, sondern auch in den Solo-Phasen der Übungen vorbereitet. Die AnleiterInnen versuchen durch das „Verbot" aller Formen der Interaktion mit Anderen, die Aufmerksamkeit der TeilnehmerInnen nur auf die eigene Person zu lenken. In diesen Solo-Phasen geht es dabei – und genau deshalb sind sie eine gute Übung – „nur" darum, sich selbst sowohl als handelnde Person als auch als wahrnehmende Person zu erleben. Wie ungewöhnlich diese Aufmerksamkeitslenkung ist, zeigen die vielfältigen Verstöße der TeilnehmerInnen gegen das geltende Interaktionsverbot. Die AnleiterInnen müssen massiv reglementierend eingreifen, um die Solo-Phasen aufrechterhalten zu können. Mit den Phasen der Zentralen Fokussierung in Übungen wurde hingegen ein Übungsraum für Darstellungssituationen geschaffen, in denen es weniger um die eigene Körperwahrnehmung als vielmehr um die Darstellung ging.

Als besonders spannend haben sich die Sequenzen erwiesen, in denen Handlungen nicht mehr eindeutig der SpielerIn oder ihrer Figur zuzuordnen sind.[427] Zudem ließ sich beobachten, dass die TeilnehmerInnen ihre Figuren auch außerhalb der eigentlichen Probehandlungen als Spielressourcen einsetzten und auch außerhalb der „eigentlichen" Bühne Interaktionen in ihren Figuren gestalteten. Hier wirkt die theatrale Unterscheidungspraxis von SpielerIn und Figur auch in die alltäglichen Interaktionen hinein: Sie nutzen ihre Figuren als Ressourcen zur Gestaltung von Interaktionen.

(f) In der untersuchten Lernkultur lassen sich in vielen Rahmen egalitäterzeugende Praktiken beobachten

Die untersuchte Lernkultur ist reich an egalitäterzeugenden Praktiken. Unter einer egalitäterzeugenden Praxis verstehe ich all jene Praktiken, mit denen dafür Sorge getragen wird, dass alle anwesenden AkteurInnen in Bezug auf ein oder mehrere wichtige Merkmale des Rahmens, der aufgebaut wird, gleiche Handlungsoptionen haben.

An den vielfältigen Gesprächssituationen, die im Sitzkreis durchgeführt wurden, kann gut gezeigt werden, wie sich egalitäterzeugende Praktiken gestalten. In Gesprächen spielt die Sichtbarkeit des Gesichts der anderen Personen normalerweise eine entscheidende Rolle: Zum einen ermöglicht sie den Austausch von Blicken und zum anderen werden über das Gesicht vielfältige non-verbale Signale ausgesendet. Die Anordnung der AkteurInnen im Kreis bietet die Möglichkeit, allen AkteurInnen den Blick auf alle anderen Gesichter zu ermöglichen. Zudem gewährt der Kreis allen AkteurInnen denselben persönlichen Raum, er schafft ein gemeinsames Aufmerksamkeitszentrum in der Mitte des Kreises und die Körper der Sitzenden grenzen den Innenraum von einem Außenraum ab. FRIEDERIKE HEINZEL hat sich sehr intensiv und auch empirisch mit der Bedeutung des Kreises in pädagogischen Kontexten auseinandergesetzt.[428] Ihr zufolge zeigt sich die

---
427 Siehe *Proben* (III/8).
428 FRIEDERIKE HEINZEL hat sich intensiv und auch empirisch mit Kreisgesprächen auseinandergesetzt, einen Überblick bietet ihr Artikel „Kreisgespräche – Versammlungen, die herausfordern" (Heinzel 2004), ihre Habilitationsschrift wurde unter dem Titel *Kinder im Kreis. Kreisgespräche in der Grundschule als Sozialisationssituation und Kindheitsraum* (HEINZEL 2001) veröffentlicht.

egalitättiftende Wirkung vor allem daran, dass die LehrerIn/AnleiterIn ihre exponierte Stellung verliert und mit den gleichen Blickmöglichkeiten und demselben persönlichen Raum Teil des Kreises ist. Fast alle Gespräche – eine Ausnahme bilden hier die Konflikt- und die Feedbackgespräche – wurden in Sitzkreisen durchgeführt. Die Anordnung der AkteurInnen im Kreis beinhaltet allerdings noch nicht, dass auch die Rederechte gleich verteilt sind. Heinzel schreibt dazu:

> „Allerdings stellen Kreisgespräche auch eine Herausforderung für Lehrerinnen und Lehrer dar, denn Kinder müssen im Kreis die Möglichkeit erhalten, ihre Erzählungen zu initiieren, selbstständig durchzuführen und zu schließen. Die von mir durchgeführten Untersuchungen ergaben aber, dass nur ein geringer Teil der Lehrkräfte die Gespräche im Kreis mit demokratischen und partizipativen Vorstellungen verknüpft. Im Schulalltag finden zahlreiche lehrerdominierte oder die Kindergruppe hierarchisierende Kreise bzw. Kreissequenzen statt."[429]

Im Unterschied dazu hat die Analyse des Geschichtenfindungsgesprächs (siehe Fallstudie *Gesprächsrahmen*) gezeigt, dass die AnleiterInnen in dieser Lernkultur die Kreisgespräche auch mit weiteren egalitäterzeugenden Praktiken gestalten: Sie stellen Informationsgleichheit her, sie sorgen für den Ausgleich sprachlicher Schwierigkeiten (wenn gleich das im Geschichtenfindungsgespräch erst sehr spät passiert) und vergeben explizit das Rederecht auch an die TeilnehmerInnen, die sich nicht von selbst zu Wort melden. Es wird deutlich, dass „Egalität" keineswegs den „Normalzustand" darstellt – ganz im Gegenteil, es müssen zum Teil aufwändige Vorbereitungen getroffen werden, um tatsächlich ein Gespräch unter Gleichberechtigten und Gleichbefähigten herzustellen.

Eine weitere Form egalitäterzeugender Praktiken lässt sich in den Communitas-Spielen beobachten. Hier werden *alle* SpielerInnen mit gleichen Handlungsrechten und -pflichten ausgestattet. Zudem ist das Spielziel nicht – wie in agon-Spielen, in denen ebenfalls die gleichen Handlungsrechte und -pflichten vergeben werden – auf einen Wettstreit zwischen den SpielerInnen ausgerichtet, sondern auf ein nur gemeinsam zu erreichendes Spielziel.

Im Chace-Kreis, der nicht zufällig, sondern aus denselben Gründen wie die Gesprächskreise im Kreis stattfindet, konnte das Phänomen der kinästhetischen Empathie beobachtet werden. Das Nachahmen von Bewegungen, deren exakte Durchführung nicht evaluiert wird, macht allen TeilnehmerInnen großen Spaß. Dieser Spaß, so meine Hypothese, liegt dabei zu einem guten Teil darin begründet, dass sich die AkteurInnen als Gleiche unter Gleichen erleben.

Die Bühne kann schließlich ebenfalls als ein Raum verstanden werden, in dem eine ganz besondere Form der Egalität entwickelt wird. Auch wenn die Figuren auf der Bühne meist nicht dasselbe tun und oft in einem ganz und gar nicht egalitären Verhältnis zueinander stehen, sind die AkteurInnen auf der Bühne als SpielerInnen gleichverantwortlich für das Gelingen des Bühnenstücks. Wer auch immer von den SpielerInnen außerhalb des Spiels handelt, gefährdet die Illusion des Stücks. Es gibt eine gemeinsam getragene Verantwortung für die Etablierung, Aufrechterhaltung und Beendigung der auf der Bühne gespielten Rahmen.

---

429 Heinzel 2004, S. 119.

(g) Die untersuchte Lernkultur zeichnet sich dadurch aus, dass kaum „normalisierende" Praktiken angewendet werden
Wie im ersten Teil dieser Arbeit mit Bezug auf einen Artikel von Norbert Wenning deutlich wurde,[430] sind „normalisierende" Praktiken in der Schule die Regel und nicht die Ausnahme. Schülerinnen und Schüler werden nicht nur durch die Bildung von altersgleichen und vermeintlich leistungsgleichen Klassen homogenisiert, es wird auch in Prüfungssituationen eine Norm festgelegt, die die SchülerInnen zu erreichen haben. Wer sie erreicht, gilt als „normal", wer sie nicht erreicht, als nicht der Norm entsprechend.

In der hier untersuchten Lernkultur ist es nun anders, „normalisierende" Praktiken stellen die Ausnahme dar: Nur in HipHop-Choreographien und in Feedbackgesprächen kommt es zu normalisierenden Praktiken. Hier lässt sich beobachten, wie problematisch normalisierende Praktiken sind und zudem, wie wirkmächtig und alltäglich sie in anderen Lernkulturen hervortreten:

In den HipHop-Choreographien entsteht durch die Evaluation der Qualität der Nachahmung der vorgegebenen Bewegungen ein Ranking des Beherrschens bzw. Nicht-Beherrschens. Diese Unterscheidungspraxis wird dabei zunächst von den TeilnehmerInnen selbst angewendet und dann von einer Anleiterin noch verschärft, da sie die TeilnehmerInnen zwei Gruppen bilden lässt: eine für diejenigen, die die Choreographie beherrschen, und eine zweite für diejenigen, die sie nicht beherrschen. Diese räumliche Aufteilung macht dabei aus dem Kontinuum zwischen „Super-Beherrschen" und „Garnicht-Beherrschen" eine binäre Differenz: Es scheint dann die zu geben, die es können, und andere, die es nicht können. Dabei macht es keinen Unterschied, dass die Anleiterin die TeilnehmerInnen selbst entscheiden lässt, welcher Gruppe sie zugehören wollen. Die Aufteilung hat die Wirkung, dass die Gruppe derer, die sich selbst der Gruppe des „Nicht-Beherrschen" zugeordnet haben, sich kaum noch an der Choreographie versuchen. Insbesondere die zwei Jungen dieser Gruppen wählen fortan nur noch die Strategie der parodierenden Durchführung, da sie sich so, das ist meine Erklärung dieses Phänomens, der Evaluierungspraxis entziehen: da sie es nicht „richtig" versuchen, kann es „natürlich" nichts werden.

Die analysierten Feedbacksituationen zeigen, wie stark normalisierende Praktiken wirken. Obgleich das Ziel der Anleiterinnen ist, partnerschaftliche Rückmeldungen zu realisieren, entwickeln sich in allen 13 durchgeführten Feedbacksituationen Vorwurfs- und Rechtfertigungsdialoge. Dies liegt dabei unter anderem daran, dass sowohl die Feedbackgeber als auch die Feedbacknehmer sehr häufig wertende Rückmeldungen formulieren bzw. Rückmeldungen als wertend verstehen. Es zeigte sich, dass den TeilnehmerInnen eine nicht-wertende und nicht-normalisierende Rückmeldungspraxis völlig unvertraut ist und dass auch die Anleiterinnen, entgegend der eigenen Absicht, wiederholt selbst wertende Rückmeldungen geben.

---

430 Vgl. Wenning 2001, bzw. I/3.2.

Teil IV:
  Einordnung der
  Ergebnisse und
  Forschungsperspektiven

In diesem Abschlusskapitel werde ich zeigen, dass die vorliegende Arbeit an drei aktuelle erziehungswissenschaftliche Diskussionen anschließt:

(1) Die Arbeit stellt mit der Nutzung der Rahmenanalyse einen methodologischen Beitrag für eine Lernkulturforschung dar. Die Theorie der Rahmenanalyse ermöglicht es, den Begriff der Lernkultur als deskriptiven Begriff ernst zu nehmen und Lernkulturen empirisch zu erforschen. Die dazu notwendige detaillierte Analyse von Interaktionen wird durch die Videographie ermöglicht.

(2) Im Kontext einer performanzorientierten Differenzforschung, die sich für die Konstruktionsbedingungen von Differenz interessiert, weist sie auf eine neue Forschungsperspektive hin: die Konstruktion von Egalität. In bisherigen Arbeiten, die sich für die Konstruktionsbedingungen von Differenzen interessiert haben, wird der Konstruktion von Egalität keine Aufmerksamkeit gewidmet. Die vorliegende Arbeit lädt dazu ein, auch diese Perspektive als relevante Forschungsperspektive zu verstehen.

(3) In der Diskussion um Kulturelle Bildung leistet diese Arbeit einen Beitrag zum aktuell geführten Qualitätsdiskurs. Die in der untersuchten Lernkultur verwirklichten Rahmen sind vor allem mit drei Bildungsmöglichkeiten verbunden: Sie ermöglichen Differenzerfahrungen zwischen Nicht-Ich und nicht Nicht-ich, Erfahrungen der Verantwortungsübernahme und die Erfahrung Sozialer Anerkennung. Die Bedeutung dieser Bildungsmöglichkeiten erschließt sich, wenn sie in Verbindung zur Theorie der Selbstwirksamkeitserwartungen gesetzt werden. Die Qualität des hier untersuchten Projekts liegt darin, dass die TeilnehmerInnen die Möglichkeit hatten, Darstellerische Selbstwirksamkeitserfahrungen zu machen.

1 Die Rahmenanalyse als Grundlage einer deskriptiven Lernkulturforschung

Ich habe in dieser Arbeit dafür argumentiert, den Begriff der „Lernkultur" als deskriptiven Begriff ernst zu nehmen und ihn – ohne den normativen Ballast, der ihm oft aufgebürdet wird – als Bezeichnung für Interaktionen zu nutzen, die zum Zwecke des Lernens initiiert werden. In ganz ähnlicher Weise wurde „Lernkultur" in drei anderen aktuellen Forschungsprojekten genutzt.[431] In diesen Forschungsprojekten werden Lernkulturen ebenfalls auf interaktioneller Ebene untersucht, da davon ausgegangen wird, dass Lernkulturen in sozialen Interaktionen hergestellt werden. In den Publikationen, die den genannten drei Forschungsprojekten folgten, finden sich aufschlussreiche Darstellungen und Analysen von Interaktionen. Diese werden aber nicht in Bezug zur gesamten Lernkultur gesetzt, man erfährt nicht, welche Bedeutung diesen Interaktionen als Teil der Lernkultur beigemessen werden muss. Handelt es sich um außergewöhnliche Ereignisse oder um alltägliche? Sind die anderen Interaktionen ähnlich strukturiert oder lassen sich sehr unterschiedliche Formen von Interaktionen beobachten? Auf diese Fragen geben die bisherigen Arbeiten keine Antwort, weil ihnen eine Theorie von Lernkultur fehlt, die dabei hilft, die Komplexität sozialer Interaktionen systematisch zu bearbeiten.

Im Kontext dieser Arbeit konnte ich genau dieses Problem lösen, indem ich unter Rückgriff auf die Rahmentheorie von Erving Goffman Lernkultur als Summe der in ihr realisierten Rahmen bestimmt habe. Diese Perspektive hat sich als empirisch bearbeitbar und sehr ertragreich erwiesen. Es ist gelungen, eine systematische Beschreibung der Lernkultur einer Projektgruppe vorzunehmen. Alle Sequenzen, die ich in dieser Arbeit vorgestellt habe, lassen sich einem Rahmen zuordnen und so in ihrer quantitativen und qualitativen Bedeutung einschätzen. Ich beschreibe nicht willkürlich ausgewählte Ausschnitte, sondern kann sehr genau angeben, welche Bedeutung jede Sequenz für die gesamte Lernkultur hat.

Ein Beispiel: Die *Seq_9: Nicht weglaufen, hallo?!* gewinnt ihre Bedeutung vor allem dadurch, dass mit ihr gezeigt werden kann, welche Rechte den AnleiterInnen in allen Spielen zukommen (Regelverstöße zu sanktionieren) und weshalb das Vampirspiel als Mimicry-Spiel und nicht als Agon-Spiel zu verstehen ist. Ohne die Einordnung dieser Sequenz zu den Spielen bzw. den Mimicry-Spielen wäre die Analyse dieser kurzen Sequenz ziemlich uninteressant. Mit dieser Einordnung können hingegen die besonderen Handlungsrechte in Spielen geklärt werden. Zudem kann die Klassifikation von Mimicry-Spielen geschärft und gezeigt werden, dass sich die TeilnehmerInnen in Mimicry-Spielen auf das Spielen unterschiedlicher Spielfiguren, die mit unterschiedlichen Handlungsrechten ausgestattet sind, einlassen müssen, da sonst kein Mimicry-

---

431 In den „Berliner Ritualstudien", „LUGS – Lernkultur und Ganztagsschulentwicklung" und dem „Praxisforschungsprojekt: Leben Lernen", vgl. hierzu ausführlich I/2.2.

Spiel mehr stattfindet. Die Unterscheidung verschiedener Spiele wiederum ermöglicht es, die vielen Spiele, die im Projekt gespielt wurden, systematisch darzustellen und sie von anderen Rahmen, wie Übungen und Proben, abzugrenzen. Die besondere Qualität von Mimicry-Spielen wird erst deutlich, wenn der Vergleich und die Abgrenzung zu anderen Rahmen möglich ist. Die Rahmenanalyse als theoretische Grundlage erlaubt genau diesen Vergleich und ermöglicht es, eine Übersicht über die gesamte Lernkultur dieser einen Projektgruppe zu geben.[432]

Diese systematische Beschreibungsmöglichkeit erlaubt nun vielfältige Anknüpfungspunkte für weitere Forschungsvorhaben: Es könnte eine Untersuchung folgen, die sich für die spartenspezifischen Rahmen von Projekten Kultureller Bildung interessiert und neben Tanz- und Theaterprojekten auch Projekte, die mit Musik, Malerei, Bildhauerei, Medien usf. arbeiten, in die Untersuchung miteinbezieht. Es ließe sich so untersuchen, welche Rahmen spartenspezifisch sind, welche Rahmen in welchen Lernkulturen welchen Stellenwert haben und welche Rahmen in allen Projekten realisiert werden müssen.

Ebenfalls möglich und interessant wäre es, die Lernkulturen verschiedener Altersgruppen miteinander zu vergleichen und zum Beispiel die Rahmen, in denen Theater mit jungen Erwachsenen oder SeniorInnen realisiert wird, mit den Rahmen zu vergleichen, die hier beschrieben werden konnten. Genauso denkbar und interessant wäre es auch, Tanz- und Theaterprojekte zu begleiten, die mit anderen Ansätzen Theater- bzw. Tanzprojekte durchführen.[433]

Aber auch jenseits der Kulturellen Bildung erlaubt die Bestimmung von Lernkultur als Summe der in ihr verwirklichten Rahmen, verschiedenste pädagogische Settings mikrologisch in den Blick zu nehmen: Im Kontext der Hochschuldidaktik könnte man zum Beispiel untersuchen, wie sich Lehrveranstaltungen in den unterschiedlichen Fächern unterscheiden und so zu einer Beschreibung der universitären Lernkulturen gelangen.

Im Kontext von Schule kann durch die Rahmenanalyse eine alternative Unterrichtsforschung, die sich – wie es Georg Breidenstein formuliert – nicht für den Input oder Output, sondern für die Performanz von Unterricht interessiert,[434] gestärkt werden. Und schließlich sind aufschlussreiche international vergleichende Studien denkbar, in denen ebenfalls nicht der Output, sondern die Performanz des Unterrichts, d. h. die Lernkulturen des Unterrichtens miteinander verglichen werden.

Zur mikrologischen Analyse von Interaktionen eignen sich audiovisuelle Daten in hohem Maße. Sie bilden Interaktionen so detailreich ab, dass eine genaue Analyse der verschiedenen Rahmen möglich ist. Die Videographie kann daher als Methode zur Rahmenanalyse von Lernkulturen empfohlen werden, allerdings ist der Erhebungs- und Analyseaufwand enorm. Der in dieser Arbeit sehr große Datenkorpus von 80 Zeitstunden war nur durch die Entwicklung von *Sequenztranskripten* bearbeitbar. Diese Sequenztranskripte stellen eine Mischung aus *Dichten Beschreibungen* und *gesprächsanalytischen Transkripten* dar.[435] Diese Transkripte eignen sich sowohl für die Analyse als auch die Darstellung audiovisuellen Materials. Sie erlauben eine Reduktion der

---

432 Die Lernkultur auf einen Blick bietet die graphische Übersicht in III/11.1.
433 Zum Beispiel Projekte, in denen nicht mit dem Grundsatz des Devising Theatre gearbeitet wird, sondern ein vorhandenes Stück inszeniert wird.
434 Vgl. Breidenstein 2008, S. 111.
435 Siehe hierzu ausführlich II/3.

nahezu unbegrenzten Komplexität audiovisuellen Materials auf die Details, die für die jeweiligen Forschungsfragen bedeutsam sind. Eine weitere Möglichkeit, die Menge der audiovisuellen Daten zu begrenzen, stellt die *Teilnehmende Beobachtung* dar. Es erscheint möglich und sinnvoll, in einer Explorationsphase mittels Teilnehmender Beobachtung die Rahmen zu bestimmen, die in einer Erhebungsphase videographisch begleitet werden sollen. So könnte man den Datenkorpus audiovisuellen Materials kleiner halten und trotzdem alle Rahmen in die Analyse miteinbeziehen.

2 Forschungsperspektive: Egalitäterzeugende Praktiken

Ich habe in dieser Arbeit die Frage nach den Differenzlinien, entlang derer die beteiligten AkteurInnen ihre sozialen Interaktionen gestalten, bewusst offen gehalten. Es hat sich gezeigt, dass in der untersuchten Lernkultur nicht nur „Geschlecht", „Nation-Ethnie-Kultur" und die pädagogische Differenz „AnleiterIn/TeilnehmerIn" als Unterscheidungsressourcen genutzt wurden, sondern auch rahmenspezifische Differenzlinien zu beobachten waren: Die Unterscheidung von Präsentierenden und ZuschauerInnen und die zwischen SpielerInnen und ihren Figuren gewinnt in vielen der beobachteten Rahmen große Bedeutung.[436] Überraschenderweise hat dieser offene Blick nicht nur zur Identifikation von lernkulturspezifischen Differenzlinien geführt, sondern auch zur Beobachtung egalitäterzeugender Praktiken. Darunter verstehe ich Praktiken, die die handelnden AkteurInnen in Bezug auf etwas zu Gleichberechtigten machen (von Gleichheit und auch Verschiedenheit kann nur in Bezug auf ein Drittes sinnvoll gesprochen werden). Interessant ist diese Perspektive, weil in der bisherigen Diskussion um „Diversity" zwar eine starke Richtung entstanden ist, die sich für die Konstruktionsbedingungen von Verschiedenheit interessiert,[437] die Perspektive auf die Herstellung von Gleichberechtigung bisher aber vernachlässigt wurde. Dabei gilt für Gleichberechtigung genauso wie für Diversität, dass sie kein vorzufindender Zustand ist, sondern in sozialen Interaktionen hergestellt wird.

Einige der egalitäterzeugenden Praktiken, die sich in der Analyse dieser Lernkultur beobachten ließen, sind von besonderem Interesse, weil sie in spezifischen Rahmen auftreten:

In *Communitas-Spielen* werden alle SpielteilnehmerInnen mit den gleichen Handlungsrechten ausgestattet und alle verfolgen ein gemeinsames Spielziel, das sich nur durch Kooperation erreichen lässt.[438] Durch diese Spielanlage werden sie – in Hinblick auf die spielrelevanten Merkmale – zu „Gleichen". Besonders interessant ist das, weil der Spielverlauf von Communitas-Spielen nicht darauf abzielt, neue Differenzen zu schaffen. Genau dies geschieht zum Beispiel in Agon-Spielen, in denen zwar auch zu Beginn des Spieles gleiche Handlungsrechte vergeben werden, dann aber der Spielverlauf Gewinner und Verlierer erzeugt. Communitas-Spiele bieten die Möglichkeit, sich als gleichberechtigter Teil einer Gruppe von Gleichen zu erleben.

Eine weitere wichtige egalitäterzeugende Praxis zeigt sich vor allem in den *Gesprächs- und Tanzrahmen*.[439] Die Anordnung der AkteurInnen in einer Kreisform hat egalitäterzeugende Wirkung, da alle beteiligten AkteurInnen alle anderen AkteurInnen sehen können. Bedeutsam ist dies, weil so die für das Führen von Gesprächen ent-

---
436 Zusammenfassend zur Bedeutung der genannten Differenzlinien: III/11.3.
437 Siehe hierzu I/3.
438 Siehe hierzu ausführlich III/3.
439 Siehe hierzu ausführlich III/7 bzw. III/6.

scheidende Sichtbarkeit der Gesichter allen AkteurInnen möglich wird. Alle können sich an alle anderen wenden und alle haben die gleichen Sichtmöglichkeiten auf die Person, die spricht.[440] Dies ist keineswegs selbstverständlich: In einer Formation zum Beispiel von vielen AkteurInnen in einer Reihe und einer AkteurIn, die vor ihnen steht, hat nur diese einzelne Person die Möglichkeit, die Gesichter aller AkteurInnen zu sehen. Auch in den Tanzrahmen, die in Kreisformation durchgeführt wurden, zeigt sich die egalitäterzeugende Wirkung des Kreises: Es gibt keine ZuschauerInnen und Präsentierende, sondern einen gemeinsamen Tanz.

In den *Solo-Phasen von Übungen*[441] ließen sich sehr ungewöhnliche egalitäterzeugende Praktiken beobachten. Hier versuchen die AnleiterInnen, die Aufmerksamkeit der TeilnehmerInnen nur auf die je eigenen Handlungen zu lenken. Sie müssen dazu all die differenzerzeugenden Praktiken des Blickens und Sprechens sanktionieren, die sonst in alltäglichen Interaktionen vollzogen werden und beständig eine Unterscheidung von Präsentierenden und ZuschauerInnen hervorbringen. Genau diese Differenz versuchen die AnleiterInnen aber zu vermeiden, um den TeilnehmerInnen einen experimentellen Umgang mit der gestellten Aufgabe zu ermöglichen. Dazu sind sie mit umfangreichen Handlungsvollmachten ausgestattet: Sie sind es, die den TeilnehmerInnen der Übung ansagen, was sie wie zu tun haben. Daher haben sie das Recht, abweichendes Verhalten zu tadeln und regelkonformes Verhalten zu loben. Hier zeigt sich eine interessante Verwobenheit von differenz- und egalitäterzeugenden Praktiken: Die unterschiedlich verteilten Handlungsrechte zwischen AnleiterIn und TeilnehmerInnen schaffen die Voraussetzung für die Verhinderung differenzerzeugender Praktiken zwischen den TeilnehmerInnen, die alle die Möglichkeit bekommen (bzw. bekommen sollen) sich nur auf die je eigenen Handlungen zu konzentrieren.

Diese Verschränkung von differenz- und egalitäterzeugenden Praktiken zeigt sich auch in der Konstruktion von *Bühnensituationen*:[442] Die Differenz von Präsentierenden und ZuschauerInnen, die mit sehr unterschiedlichen Handlungsrechten ausgestattet sind, sowie die Unterscheidung von SpielerInnen und ihren Figuren schafft eine sehr besondere Egalität zwischen den SpielerInnen auf der Bühne: Sie tragen alle gemeinsam die gleiche Verantwortung für das Gelingen der theatralen Illusion. Das Ausbrechen einer einzigen SpielerIn genügt, um die gesamte Illusion zu zerstören.[443]

Die Verschränkung von differenz- und egalitäterzeugenden Praktiken genauer zu untersuchen, erscheint als wichtige Fragestellung für weitere Arbeiten, die sich für die Konstruktionsbedingungen von Diversität interessieren. Es könnte so versucht werden, die Forderung ANNEDORE PRENGELS nach „egalitärer Differenz"[444] zu einer empirischen Fragestellung nach den Gelingensbedingungen der Schaffung egalitärer Differenz zu machen.

---

440 Dies bedeutet natürlich nicht, dass nicht auch in einem Kreisgespräch Rederecht ungleich verteilt sein können, siehe hierzu III/11. Die Kreisform ist aber Voraussetzung für ein Gespräch mit gleichen Handlungsrechten.
441 Siehe hierzu III/4.3.
442 Siehe hierzu III/10.
443 Zur Bedeutung der Differenz von SpielerInnen und ihren Figuren siehe III/9 und zusammenfassend III/11.
444 Siehe hierzu I/3.2.

3 Bildungsmöglichkeiten von Tanz- und Theaterprojekten

Im ersten Teil dieser Arbeit habe ich deutlich gemacht, dass der Begriff der „Kulturellen Bildung" als Bezeichnung für einen Prozess und für anvisierte und/oder sich ereignende Ergebnisse genutzt wird. Meist wird aber nicht zwischen den beiden Verwendungsformen unterschieden und eine Bestimmung von Kultureller Bildung als „Auseinandersetzung mit den Künsten" von einer langen Reihe daraus resultierender Wirkungen begleitet. Ich habe in dieser Arbeit die Wirkungsfrage zugunsten einer deskriptiven Perspektive zurückgestellt und zunächst nur nach der beobachtbaren Wirklichkeit in Projekten Kultureller Bildung gefragt. Ziel war es, erst im Anschluss an diese Beschreibung nach den Bildungsmöglichkeiten zu fragen, die sich aus dieser Analyse der Praxis ergeben. Der Begriff der *Bildungsmöglichkeit* bezieht sich dabei auf spezifische Erfahrungsmöglichkeiten, die mit den Rahmen der beschriebenen Lernkultur verbunden sind. In der analysierten Lernkultur sind die wichtigsten nicht-alltäglichen Erfahrungsmöglichkeiten: *Differenzerfahrungen zwischen Nicht-Ich und nicht Nicht-Ich, Erfahrungen der Verantwortungsübernahme* und *Erfahrung Sozialer Anerkennung*. Die Bedeutung dieser Erfahrungsmöglichkeiten erhellt sich, wenn sie in Verbindung zur Theorie der Selbstwirksamkeit gebracht werden. Ich werde abschließend zeigen, dass sich die gemessene Steigerung der Selbstwirksamkeitserwartungen der TeilnehmerInnen des „Praxisforschungsprojekt: Leben Lernen"[445] dadurch erklären lässt, dass die Gestaltung eines eigenen Stücks, das in erfolgreichen Abschlussaufführungen gezeigt wird, als *Darstellerische Selbstwirksamkeitserfahrung* gedeutet werden kann.

3.1 Differenzerfahrungen zwischen Nicht-Ich und nicht Nicht-Ich

Susanne Hentschel hat in ihrem Artikel „Bildungsprozesse durch Theaterspielen"[446] den Begriff der „Differenzerfahrung" in den Mittelpunkt gestellt. Sie versucht mit diesem Begriff, das Phänomen zu fassen, dass SpielerInnen auf einer Bühne immer „doppelt" anwesend sein müssen: als SpielerInnen und als die von ihnen dargestellten Figuren. Handlungen, die auf einer Bühne in einem Stück aufgeführt werden, zeichnen sich dadurch aus, dass sie nicht einfach Handlungen der SpielerIn darstellen – zugleich aber auch „nicht nicht" Handlungen dieser SpielerIn darstellen. Hentschels These ist, dass diese Erfahrung des „Nicht-Ich und nicht Nicht-Ich" die zentrale Erfahrungsmöglichkeit beim Theaterspielen darstellt.
Die Analysen dieser Arbeit bestätigen diese These Hentschels. In den *Proben*, die den quantitativ bedeutendsten Rahmen darstellen, ist die Unterscheidung von SpielerIn-

---
445 Vgl. Eberle 2009.
446 Hentschel 2008.

nen und ihren Figuren das zentrale Thema.[447] Es ließ sich dabei beobachten, dass es zunächst die beiden Anleiterinnen waren, die die TeilnehmerInnen mit dieser Unterscheidung konfrontierten und ihnen beständig rückmeldeten, welche Handlungen sie als Handlungen der SpielerInnen und welche als Handlungen der Figuren wahrnehmen. Im Projektverlauf war ferner festzustellen, dass die TeilnehmerInnen, mehr und mehr für diesen Unterschied sensibilisiert, selbst begannen, mit dieser Unterscheidung zu spielen und ihre Figuren auch außerhalb des eigentlichen Bühnenraums „spielten" (besonders eindrückliche Beispiele stellen hier die Sequenzen 65-67 dar). Ebenfalls zu beobachten war, dass dieses Changieren zwischen SpielerInnen und ihren Figuren nicht nur in Aufführungs- bzw. Probensituationen bedeutsam ist. In den *Gestaltungsaufgaben* gelang es einigen TeilnehmerInnen, Figuren im improvisierenden Spiel zu entwickeln; besonders gelungene Beispiele stellen die Sequenzen 40 und 41 dar.[448]

Die Analyse des Videomaterials legt dabei nahe, dass zwar die Erfahrung von Differenz je individuell erlebt wird, die Bedingungen für die Möglichkeit der Erfahrung der eigenen Person als „Nicht-Ich", aber auch „nicht Nicht-Ich", als soziale Bedingungen zu bestimmen sind. Die besonderen Rahmenregeln von *Proben, Aufführungen* und *Gestaltungsaufgaben* eröffnen die Möglichkeit, sich zwischen „Nicht-Ich" und „nicht Nicht-Ich" zu erleben. In diesem Zusammenhang muss auch auf die *Solo-Phasen* von *Übungen* verwiesen werden, in denen die besonderen Rahmenregeln ebenfalls zu einer „Verdoppelung" der einzelnen TeilnehmerInnen führen sollen. Da die Aufmerksamkeit der ÜbungsteilnehmerInnen auf die eigenen Handlungen gerichtet wird, sind die TeilnehmerInnen BeobachterInnen und Beobachtetes in einer Person. Sie haben den Auftrag, mit Bewegungen zu experimentieren und sich zugleich dabei selbst zu beobachten. Wie außergewöhnlich diese Aufgabe ist, zeigen die beständig notwendigen Interventionen der AnleiterInnen.[449]

3.2 Verantwortungsübernahme

Wie die einzelnen Rahmenanalysen gezeigt haben, hat die Differenz zwischen AnleiterInnen und TeilnehmerInnen in den verschiedenen Rahmen sehr unterschiedliche Bedeutung. Die AnleiterInnen haben in vielen Rahmen andere Handlungsrechte als die TeilnehmerInnen, gerade in *Proben* und *Übungen* sind sie mit vielfältigen Handlungsrechten ausgestattet. In diesen Fällen liegt die Verantwortung für die Rahmengestaltung bei den AnleiterInnen. Sie sind es, die dafür Sorge zu tragen haben, dass die Regeln, die die jeweiligen Rahmen bedingen, auch tatsächlich eingehalten werden.[450] Die untersuchte Lernkultur zeichnet sich aber dadurch aus, dass diese besonderen Handlungsrechte und die damit verbundene Verantwortung nicht in allen Rahmen bei den

---

447 Siehe III/8.
448 Siehe III/5.
449 Siehe hierzu III/3.2.
450 Dies bedeutet nicht, dass die Handlungen der TeilnehmerInnen für die Rahmendurchführung unwesentlich sind. Es bedeutet vielmehr, dass die AnleiterInnen in diesen Rahmen mit besonderen Handlungsrechten ausgestattet sind, die es ihnen ermöglichen, die TeilnehmerInnen „zur Ordnung zu rufen" (siehe hierzu als eindrückliches Beispiel: *Seq_73: Jetzt ist die Natalie dran*).

AnleiterInnen liegen: In den Abschlussaufführungen haben die AnleiterInnen auf der Bühne keine Handlungsrechte mehr. Sie treten auf der Bühne nicht auf und sie haben so gut wie keine Möglichkeit mehr, in das Geschehen einzugreifen. Daraus ergibt sich die Notwendigkeit, dass die AnleiterInnen dafür sorgen müssen, dass die TeilnehmerInnen selbständig in der Lage sind, die auf der Bühne zu spielenden Rahmen zu etablieren, aufrechtzuerhalten und zu beenden. Die *Verantwortung* für Aufbau, Durchführung und Beendigung der gespielten Rahmen auf der Bühne liegt allein bei den TeilnehmerInnen.

Diese Verantwortungsübernahme wird im Projektverlauf vorbereitet. In den *Arbeit-an-der-Form-Proben* sind die AnleiterInnen noch als RegisseurInnen tätig und verfügen über große Handlungsrechte: Sie können eine laufende Probe jederzeit unterbrechen und den Ablauf verändern. Da das Ziel der Proben aber eine Aufführung ist, die nicht mehr von den AnleiterInnen koordiniert wird, gibt es eigene Proben, in denen die TeilnehmerInnen lernen, die Koordination selbst zu leisten. Diese Proben werden als *Durchläufe* bezeichnet, bei denen die AnleiterInnen nur noch eingeschränkte Handlungsrechte haben und immer seltener den Verlauf der Probe unterbrechen.[451]

Die Analyse der Lernkultur zeigt, dass die Verantwortungsübergabe nicht nur in den Proben stattfand. Die AnleiterInnen übertragen auch in anderen Rahmen AnleiterInnenrechte an die TeilnehmerInnen. Besonders deutlich wird dies in der Fallstudie *Rahmenwechsel, Pausen, Atelierphasen,* in der ich zeige, dass die TeilnehmerInnen mehr und mehr selbst über die Gestaltung von Pausen entscheiden (zu Beginn des Projekts ein Recht, das den AnleiterInnen zukam).[452] Zudem entstanden multi-zentrierte Phasen, die sich dadurch auszeichnen, dass verschiedene Rahmen im selben Raum aufgebaut werden. (*Atelierphasen*) Die beteiligten AkteurInnen arbeiten in mehreren Gruppen am gemeinsamen Stück, ohne dass die AnleiterInnen an allen Kleingruppen beteiligt sind. Die TeilnehmerInnen selbst sind es, die die Verantwortung für die Etablierung, Aufrechterhaltung und Beendigung der für die Arbeit notwendigen Rahmen tragen. Dass diese Verantwortungsübernahme keineswegs selbstverständlich ist und auch nicht allen TeilnehmerInnen sofort möglich ist, zeigt die Fallstudie *Gestaltungsaufgaben*.[453] In ihr finden sich Sequenzen, in denen es den TeilnehmerInnen nicht gelingt, eine Aufgabenstellung selbständig und ohne die Hilfe der AnleiterInnen zu bearbeiten.

Die zu beobachtende Verantwortungsübergabe findet also nicht erst in den Abschlussproben statt. Durch die Übertragung grundlegender AnleiterInnenrechte, Rahmen zu bestimmen, ihren Wechsel zu organisieren und für die Einhaltung der spezifischen Rahmenregeln zu sorgen, übernehmen die TeilnehmerInnen schon im Projektverlauf Verantwortung. Diese Verantwortungsübergabe zu organisieren und den TeilnehmerInnen die Bedeutung ihres Engagements deutlich zu machen, ist eine der wesentlichen Aufgaben der AnleiterInnen. Nur durch diese Vorbereitung ist es den TeilnehmerInnen dann auch in den Abschlussaufführungen möglich, die Verantwortung für den Aufbau, die Aufrechterhaltung und Beendigung der gespielten Rahmen zu übernehmen.

Welche Bedeutung gelungenen Abschlussaufführungen zukommt, lässt sich mit Rückgriff auf die von Axel Honneth ausgearbeitete Theorie der Anerkennung zeigen.

---

451 Siehe hierzu ausführlich III/8.
452 Siehe hierzu III/9.
453 Siehe III/5.

3.3 Erfahrung von Sozialer Anerkennung

Der Begriff der „Anerkennung" spielt in den sozialphilosophischen Arbeiten von Axel Honneth eine zentrale Rolle. Seine These ist, dass ein gelingendes Leben für den einzelnen Menschen davon abhängt, dass er Anerkennung erfährt. Honneth unterscheidet dabei unter Rückgriff auf Hegel und Mead drei Formen der Anerkennung, die er als „Liebe", „Recht" und „Solidarität" bezeichnet.[454] Die Bedeutung dieser Unterscheidung liegt darin, dass es Honneth so möglich wird, verschiedene Sphären der Anerkennung zu unterscheiden. Die Anerkennungsform der *Liebe* ist durch ihre Unbedingtheit gekennzeichnet. Sie gilt bedingungslos und ist nicht von bestimmten Handlungen oder Fähigkeiten abhängig. Das Aufeinanderbezogensein von Liebenden steht grundsätzlich nicht zur Disposition. Dies beinhaltet aber auch, dass sich die Liebe normalerweise nur auf einen sehr eingeschränkten Personenkreis bezieht. In der Sphäre des *Rechts* hingegen erkennen sich die Menschen wechselseitig als freie und vernünftige Wesen an und sprechen sich – ganz unabhängig vom jeweiligen sozialen Status – die gleichen Rechte zu. Auch hier gilt, dass die grundlegende Gleichheit der Rechte nicht von bestimmten Handlungen oder Fähigkeiten abhängig ist. Im Falle der dritten Form hingegen, der *Solidarität* oder der Sozialen Wertschätzung, spielen die Handlungen bzw. Fähigkeiten des je Einzelnen die entscheidende Rolle. Honneth formuliert das folgendermaßen:

„Das kulturelle Selbstverständnis einer Gesellschaft gibt die Kriterien vor, an denen sich soziale Wertschätzung von Personen orientiert, weil deren Fähigkeiten und Leistungen intersubjektiv danach beurteilt werden, in welchem Maße sie an der Umsetzung der kulturell definierten Werte mitwirken können; insofern ist diese Form der wechselseitigen Anerkennung auch an die Voraussetzungen eines sozialen Lebenszusammenhanges gebunden, dessen Mitglieder durch die Orientierung an gemeinsamen Zielvorstellungen eine Wertgemeinschaft bilden."[455]

Honneth macht deutlich, dass Menschen nicht nur ein Bedürfnis nach emotionaler Anerkennung und rechtlicher Gleichheit haben, sondern auch für ihre individuellen Fähigkeiten geschätzt werden wollen. Bleibt diese Anerkennung aus oder wird sie gar in ihr Gegenteil verkehrt, die Entwürdigung, wird es fast unmöglich, ein positives Selbstbild aufzubauen.

Die Arbeiten Honneths haben auch im erziehungswissenschaftlichen Diskurs Beachtung gefunden, wo die Frage diskutiert wird, wie pädagogische Institutionen gerade durch die Notengebung Entwürdigung und Beschämung betreiben und welche Formen von Anerkennung in pädagogischen Situationen notwendig bzw. möglich wären.[456] Meike Baader verweist dabei dezidiert auf das Potential von Projekten der „ästhetischen Bildung" und nimmt Bezug auf das Education-Programm der Berliner Philharmonie

---

[454] Vgl. hierzu und zum Folgenden: Honneth (1994), S. 148-211.
[455] Honneth 1994, S. 198.
[456] Vgl. hierzu: Prengel/Heinzel 2004, Mecheril 2005, Baader 2007b und den Sammelband *Pädagogik der Anerkennung* (Hafeneger et al. 2007).

bzw. den Film *Rhythm is it*.[457] Sie beschreibt die Bedeutung der Anerkennung, die mit dem öffentlichen Zeigen unerwarteter Fähigkeiten gerade für Jugendliche aus sozial benachteiligten Schichten verbunden sein kann. Für diese Jugendlichen, die im schulischen Anerkennungssystem oft Missachtung erfahren, stehe hier ein alternatives System der Anerkennung zur Verfügung: Sie präsentieren sich auf einer öffentlichen Bühne mit weltbekannten Profimusikern vor vielen ZuschauerInnen.

Im Unterschied zum sehr selektiven Material, das der Film *Rhtyhm is it* präsentiert,[458] konnte in dieser Arbeit auf die Aufnahmen aller Projekttermine zugegriffen werden. Dabei zeigt sich, dass die Soziale Anerkennung keineswegs nur in den Abschlussaufführungen zur Disposition steht. Im Projektverlauf selbst finden sich vielfältige Sequenzen, in denen Präsentationssituationen von den beteiligten AkteurInnen (und keineswegs immer durch die AnleiterInnen initiiert) hergestellt werden. In diesen Sequenzen, in denen es eine Differenzierung in Präsentierende und ZuschauerInnen gibt, stehen die Handlungen der Präsentierenden auf dem Prüfstand.[459] Diese Situationen sind, wie gezeigt werden konnte, für viele der Beteiligten mit Schamangst besetzt: Sie fürchten, etwas „falsch" zu machen und damit in den Augen der Anderen zu versagen. Das ist die Kehrseite von Situationen, in denen soziale Anerkennung erfahren werden kann. Aus Angst, keine Anerkennung zu erfahren, meiden viele Menschen Situationen, in denen sie sie bekommen könnten.[460] Die vielfältigen Präsentationssituationen, die in *Spielen*, *Übungen*, *Tänzen* und *Proben* entstehen, können daher als ein Übungsfeld interpretiert werden, das die TeilnehmerInnen nutzen, um sich Präsentationssituationen zu stellen. Sie lernen, mit ihrer Schamangst umzugehen und sich der Bewährungsprobe der Präsentation zu stellen. Die Abschlussaufführungen stellen schließlich die „Nagelprobe" für die gemeinsame Arbeit dar: Findet die Darstellung die Anerkennung der ZuschauerInnen? In den Abschlussaufführungen, die in dieser Arbeit untersucht wurden, ließ sich dabei beobachten, dass alle TeilnehmerInnen auch in Solorollen auftreten, bei denen der Aufmerksamkeitsfokus der ZuschauerInnen vor allem oder ausschließlich auf eine DarstellerIn gerichtet ist. Darin zeigt sich ein Qualitätsmerkmal dieses Projektes, das nicht – wie es in anderen Projekten nicht selten geschieht – einige TeilnehmerInnen von der Bühne ausschließt oder ihnen nur Statistenrollen zuweist. Alle TeilnehmerInnen stehen auch alleine im Fokus der Aufmerksamkeit und müssen sich in dieser Situation beweisen. Dies ist besonders bedeutsam, da so der Applaus und die damit verbundene Anerkennung für das Geleistete nicht nur eine Anerkennung ist, die die Gruppe der Darstellenden gemeinsam bekommt, sondern auch eine Anerkennung, die sich jede Einzelne zuschreiben kann.

---

457 BAADER 2007b, S. 462.
458 In *Rhythm is it* wird die Entwicklung von drei Protagonisten – Marie, Martin und Olayinka – erzählt. Über die anderen 250 (!) TeilnehmerInnen hingegen erfährt man nichts: Man weiß nicht, wie viele TeilnehmerInnen vor der Aufführung ausgestiegen sind oder vielleicht auch ausgeschlossen wurden. Wir erfahren auch nichts darüber, wie viele TeilnehmerInnen zum „zusätzlichen Training" gehen durften und ob einige der TeilnehmerInnen, denen dies verwehrt blieb, dadurch eine Beschämungserfahrung gemacht haben.
459 Siehe hierzu III/10.1.
460 Vgl. hierzu ausführlich: FINK 2009.

3.4 Darstellerische Selbstwirksamkeitserfahrung

Die Frage nach der Bedeutung dieser Anerkennung erhellt sich, wenn man die Theorie der Selbstwirksamkeit („self efficacy") in die Überlegungen miteinbezieht.

Der Sozialpsychologe Albert Bandura hat den Begriff „self efficacy-belief" geprägt.[461] Er versteht unter dieser „Selbstwirksamkeitserwartung" den Glauben einer Person, ob sie mit ihren Bemühungen in der Lage ist, angestrebte Ziele zu erreichen oder nicht zu erreichen. Bandura hält diese Selbstwirksamkeitserwartung für den zentralen Bedingungsfaktor für Motivation und Einsatzbereitschaft. Er hat sich auch mit der Frage beschäftigt, wie Selbstwirksamkeitserwartungen entstehen, und bestimmt als wichtigsten Einflussfaktor die „Mastery Experience".[462] Diese bezeichnet zunächst ganz schlicht eine Gelingenserfahrung, d. h. die Erfahrung, ein angestrebtes Ziel durch eigene Anstrengung auch erreicht zu haben. Dabei hängt die Bedeutung der Selbstwirksamkeits*erfahrung* für die Selbstwirksamkeits*erwartung* wiederum von verschiedenen Faktoren ab. Bandura nennt (unter anderen):[463]

Schwierigkeitseinschätzung der Aufgabe: Die Selbstwirksamkeitserfahrung hängt stark von der Einschätzung der Schwierigkeit der erfüllten Aufgabe ab. Um so schwieriger die Aufgabe eingeschätzt wird, desto bedeutsamer ist die Selbstwirksamkeitserfahrung.

Eingesetzte Anstrengung: Der zweite wichtige Einflussfaktor ist die eingesetzte Anstrengung. Je höher diese Anstrengung, desto bedeutender die Selbstwirksamkeitserfahrung.

Ausmaß an Hilfe, die bekommen wurde: Das Ausmaß der Hilfe, die zur Erledigung der Aufgabe empfangen wurde, ist ebenfalls von großer Bedeutung. Je weniger Hilfe erfahren wird, desto mehr kann die erfolgreiche Durchführung der eigenen Anstrengung zugeschrieben werden.

Umstände, unter denen die Aufgabe durchgeführt wurde: Hier verweist Bandura darauf, dass auch die Umstände, unter denen eine Aufgabe durchgeführt wird, eine große Rolle dabei spielen, ob und wenn ja in welchem Maße eine Selbstwirksamkeitserfahrung gemacht werden kann.

Diese Faktoren lassen sich nun auf den Projektverlauf beziehen: Die vielfältigen und von allen als anstrengend erlebten Proben geben den Abschlussaufführungen große Bedeutung. Die TeilnehmerInnen wissen um die Schwierigkeit der Aufgabe und sind sich ihrer eingesetzten Anstrengung bewusst. Die Hilfe, die sie in den Aufführungen erfahren, ist minimal: Die AnleiterInnen können so gut wie gar nicht in das Geschehen eingreifen, und auch die MitspielerInnen können der Einzelnen kaum helfen, ihre Figur überzeugend darzustellen. Hinzu kommt, dass die Umstände, unter denen die Aufgabe durchgeführt wird, als sehr besonders zu charakterisieren sind. Diese Besonderheit liegt vor allem darin begründet, dass sehr viele Personen (etwa 200) bei den

---
[461] Bandura (1997).
[462] Vgl. hierzu und dem Folgenden: Bandura (1997), S. 79-115. Die anderen Einflussfaktoren auf die Selbstwirksamkeitserwartung sind: „Vicarious Experience", „Verbal Persuasion" und „Physiological and affectiv states".
[463] Vgl. Bandura (1997), S. 80 f.

Aufführungen als ZuschauerInnen anwesend waren. Es gab also sehr viele ZuschauerInnen, die der „Erfüllung" der Aufgabe beiwohnten. Dies erhöht die Schwierigkeit der Aufgabenbewältigung.

Gelungene Aufführungen sind daher als ganz besondere „Mastery Experiences" zu werten. Ich schlage vor, sie als „Darstellerische Selbstwirksamkeitserfahrungen" zu charakterisieren. Die TeilnehmerInnen erleben, dass es ihnen gelungen ist, ZuschauerInnen ein „Stück gespielte Wirklichkeit" so zu zeigen, dass die ZuschauerInnen sich der Illusion von Wirklichkeit hingeben können.

Da die eigene ästhetische Praxis im Zentrum Kultureller Bildung steht,[464] kann diese Darstellerische Selbstwirksamkeitserfahrung als zentrale Bildungsmöglichkeit von Tanz- und Theaterprojekten und damit auch als entscheidendes Qualitätskriterium begriffen werden: Tanz- und Theaterprojekte, die ihre TeilnehmerInnen nicht zu Darstellerischen Selbstwirksamkeitserfahrungen führen, sind als gescheitert zu betrachten. Die Gründe für ein solches Scheitern können vielfältig sein und müssen nicht in allen Fällen auf die AnleiterInnen zurückzuführen sein. Wie die Analyse der Lernkultur dieser Projektgruppe aber gezeigt hat, ist die Möglichkeit einer Darstellerischen Selbstwirksamkeitserfahrung von folgenden Faktoren abhängig:

1. Es muss Rahmen geben, in denen die TeilnehmerInnen Erfahrungen zwischen „Nicht-Ich" und „nicht Nicht-Ich" machen können.
2. Es muss eine Verantwortungsübernahme für die Gestaltung, Aufrechterhaltung und Beendigung von Rahmen durch die TeilnehmerInnen stattfinden.
3. Es muss Präsentationssituationen geben, in denen die TeilnehmerInnen die Anerkennung von ZuschauerInnen finden.

---

464 Zu dieser Positionierung von Kultureller Bildung siehe I/1.

Anhang

1 Transkriptionsrichtlinien[465]

Sequenzielle Struktur/Verlaufsstruktur

[ ] [ ]	Überlappungen und Simultansprechen
=	schneller, unmittelbarer Anschluss neuer Turns oder Einheiten

Pausen

(.)	Mikropause
(-), (--), (---)	kurze, mittlere, längere Pausen von ca. 0.25 - 0.75 Sek.; bis ca. 1 Sek.
(2)	geschätzte Pause, bei mehr als ca. 1 Sek. Dauer

Sonstige segmentale Konventionen

und=äh	Verschleifungen innerhalb von Einheiten
:, ::, :::	Dehnung, Längung, je nach Dauer
äh, öh, etc.	Verzögerungssignale, sog. „gefüllte Pausen"
'	Abbruch durch Glottalverschluss

Lachen

so(h)o	Lachpartikeln beim Reden
haha hehe hihi	silbisches Lachen

Rezeptionssignale

hm, ja, nein, nee	einsilbige Signale
hm=hm, ja=a, nei=ein, nee=e	zweisilbige Signale
'hm'hm	mit Glottalverschlüssen, meistens verneinend

Akzentuierung

akZENT	Primär- bzw. Hauptakzent
ak!ZENT!	extra starker Akzent

Auffällige Tonhöhensprünge

↑	nach oben
↓	nach unten

---

[465] Orientiert an den Gesprächsanalytischen Transkriptionsregeln (GAT), ausführlich dargestellt und begründet zum Beispiel in: Selting 1998.

Tonhöhenbewegung am Einheitenende

?	hoch steigend
ᛌ	mittel steigend
-	gleichbleibend
;	mittel fallend
.	tief fallend

Lautstärke- und Sprechgeschwindigkeitsveränderungen

<<f>	=forte, laut
<<ff>	=fortissimo, sehr laut
<<p>	=piano, leise
<<pp>	=pianissimo, sehr leise
<<all>	=allegro, schnell
<<len>	=lento, langsam
<<cresc>	=crescendo, lauter werdend
<<dim>	=diminuendo, leiser werdend
<<acc>	=accelerando, schneller werdend
<<rall>	=rallentando, langsamer werdend

Sonstige Konventionen

<<hustend>	sprachbegleitende para- und außersprachliche Handlungen und Ereignisse mit Reichweite
<<erstaunt>	interpretierende Kommentare mit Reichweite
( )	unverständliche Passage je nach Länge
(solche)	vermuteter Wortlaut
al(s)o v	vermuteter Laut oder Silbe
(solche/welche)	mögliche Alternativen
((...))	Auslassung im Transkript

2 Sequenzverzeichnis

Sequenz 1: Das Anfangsritual geht so	142
Sequenz 2: Hab ICH jetzt einen Fehler gemacht?	144
Sequenz 3: Hallo	145
Sequenz 4: Dann machen wir erst mal das Begrüßungsritual	147
Sequenz 5: Dann schreien wir alle Tschüss	150
Sequenz 6: Stopptanz, Stopptanz!	154
Sequenz 7: Wie das normale Memory	155
Sequenz 8: You know the game memory?	156
Sequenz 9: Nicht weglaufen, hallo?!	158
Sequenz 10: Ich schlaf gleich ein!	159
Sequenz 11: Ich weiß nicht, wie ichs machen soll	161
Sequenz 12: Doch nicht du, ach doch!	166
Sequenz 13: Wir habens!	168
Sequenz 14: Stopptanz – Boxtanz	172
Sequenz 15: Sondern es geht einfach um die Spannung	176
Sequenz 16: Machst Du mich Vampir?	176
Sequenz 17: Dann sieht das immer so doof aus	178
Sequenz 18: Katze ... Vogel	184
Sequenz 19: Das müssen Sie auf Englisch der Louise erklären	185
Sequenz 20: Haben wir so böse Räuber?	186
Sequenz 21: Ihr Deutschen!	188
Sequenz 22: Ich kann Arabisch	190
Sequenz 23: Der türkische Satz	193
Sequenz 24: Der englische Satz	196
Sequenz 25: Zeitlupe	202
Sequenz 26: In der Figur	203
Sequenz 27: Es ist erst lustig, wenn alle mitmachen	205
Sequenz 28: Was wir jetzt machen ist nicht nur Spiel	209
Sequenz 29: Erstmal macht ihrs ganz für euch alleine	213
Sequenz 30: Guck mal da!	213
Sequenz 31: Mucksmäuschenstill	215
Sequenz 32: Schlange	216
Sequenz 33: Is des zu schwierig?	218
Sequenz 34: STOPP	220
Sequenz 35: Nimm Dich ernst – Blindgänger, der sich frei fühlt	222

Sequenz 36: Ladies first	228
Sequenz 37: Ich weiß den ersten Schritt	230
Sequenz 38: Nein, du machst so!	234
Sequenz 39: Angst an allen Ecken	237
Sequenz 40: Du bist Schuss!	239
Sequenz 41: Safaripark	242
Sequenz 42: Sich zur Mitte drehen	248
Sequenz 43: NOCHMAL NOCHMAL	250
Sequenz 44: Die Tuba kanns besser als die Hilal	252
Sequenz 45: Ha=ha tschü:üß	254
Sequenz 46: Auslachen 2 ?!	256
Sequenz 47: Weil's mir peinlich ist	257
Sequenz 48: Nasir tanzt allein	259
Sequenz 49: Ein SEHR SEHR wichtiger Teil	265
Sequenz 50: Wer hat schon eine Idee?	267
Sequenz 51: Und dann finden die Räuber einen Trick	268
Sequenz 52: Aber die könnte man doch auch zusammen machen	270
Sequenz 53: Ja?	271
Sequenz 54: Also die hatten vielleicht Probleme in der Schule	274
Sequenz 55: Es geht nicht um richtig oder falsch	277
Sequenz 56: Sags direkt	279
Sequenz 57: Ich wünsche mir dass du ein bisschen so halt wütend aussiehst	281
Sequenz 58: ganz=ganz=ganz	284
Sequenz 59: Es ist nichts Schlechtes ein guter Schüler zu sein!	293
Sequenz 60: Ist ein Dreieck?	295
Sequenz 61: 1+1=2	297
Sequenz 62: Machen wirs noch einmal durch?	299
Sequenz 63: Krümel? Krümel!	301
Sequenz 63: Des könnt ihr mir jetzt sagen	302
Sequenz 65: Hallo? – Du magst mich!	304
Sequenz 66: Krieg ich auch eine?	307
Sequenz 67: Mandy	310
Sequenz 68: Da müsst ihr vom Timing gucken	312
Sequenz 69: mitkriegen	314
Sequenz 70: Heyho – Nein, Stopp!	315
Sequenz 71 : Ihr habt am Freitag Premiere, nicht ich	317
Sequenz 72: Dann treffen wir uns alle hier auf der Bank	322
Sequenz 73: Jetz is die Natalie dran !?	324
Sequenz 74: Machen wir es jetzt alles zusammen?	327
Sequenz 75: Änna	329
Sequenz 76: Fünf Rahmen und ein Solo	331

Anhang

Sequenz 77: Nasir und Steffen suchen sich einen neuen Platz	332
Sequenz 78: Quatsch vor der Kamera	333
Sequenz 79: Wers hat, macht Pause	335
Sequenz 80: Wer üben oder trinken will, kann des machen	336
Sequenz 81: Ein Atelier: Vier Rahmen	337
Sequenz 82: Lasso	338
Sequenz 83: Guck SO!	339
Sequenz 84: Ich kanns Euch am Freitag nicht sagen	350
Sequenz 85: Ein Seitenblick	351
Sequenz 86: Hilal fehlt – Wer ist dran?	352
Sequenz 87: Du bist ... Ich bin...	354

3 Literaturverzeichnis

ADORNO, THEODOR W. (1985): „Melange", in: *Minima Moralia: Reflexionen aus dem beschädigten Leben,* Frankfurt a. M.: Suhrkamp, 130.

AGAR, MICHAEL (1994): *Language shock: understanding the culture of conversation.* New York [u.a.]: Morrow.

ALTHANS, BIRGIT; SCHINKEL, SEBASTIAN (2007): „Ritualisierte Bewegungsexzesse. Gemeinschaftliches Lernen im Breakdance", in: CHRISTOPH WULF (ET AL.) (Hg.): *Lernkulturen im Umbruch. Rituelle Praktiken in Schule, Medien, Familie und Jugend,* Wiesbaden: VS, Verlag für Sozialwissenschaften, 288-322.

ARNOLD, ROLF; SCHÜSSLER, INGEBORG (1998): *Wandel der Lernkulturen: Ideen und Bausteine für ein lebendiges Lernen.* Darmstadt: Wiss. Buchgesellschaft.

AUSTIN, JOHN LANGSHAW (1975): *Zur Theorie der Sprechakte (How to do things with words).* Stuttgart: Reclam.

BAADER, MEIKE SOPHIA (2007a): „Weitreichende Hoffnungen der ästhetischen Erziehung – eine Überfrachtung der Künste?", in: JOHANNES BILSTEIN (Hg.): *Curriculum des Unwägbaren,* Oberhausen: Athena-Verlag, 113-129.

BAADER, MEIKE SOPHIA (2007b): „Anerkennungssysteme und -rituale in Schule und Gesellschaft. Der Einfluss von peer groups", in: Die deutsche Schule, 99 (Jg. 2007), 460-467.

BANDURA, ALBERT (1997): *Self-efficacy: the exercise of control.* New York, NY: Freeman.

BAMFORD, ANNE (2006): *The wow factor: global research compendium on the impact of the arts in education.* Münster [u.a.]: Waxmann.

BAMFORD, ANNE (2010): *Der Wow-Faktor: Eine weltweite Analyse der Qualität künstlerischer Bildung.* Münster [u.a.]: Waxmann.

BARTH, FREDRIK (1969): *Ethnic groups and boundaries. The social organization of culture difference.* Bergen/London: Universitetsforl Allen & Unwin.

BASTIAN, H. G. (o.J.): „Nach langem Schweigen: Zur Kritik an der Langzeitstudie ‚Musikerziehung und ihre Wirkung' ",verfügbar unter: www.hgbastian.de/kritikstudie.doc. Letzte Verifizierung: 24.02.2011.

BASTIAN, HANS GÜNTHER; KORMANN, ADAM; HAFEN, ROLAND; KOCH, MARTIN (2000): *Musik(erziehung) und ihre Wirkung: eine Langzeitstudie an Berliner Grundschulen.* Mainz [u.a.]: Schott.

BERGMANN, JÖRG R. (1991): „Goffmans Soziologie des Gesprächs und seine ambivalente Beziehung zur Konversationsanalyse", in: ROBERT HETTLAGE; KARL LENZ (Hg.): *Erving Goffman – ein soziologischer Klassiker der zweiten Generation,* Bern/Stuttgart: UTB-Haupt, 301-326.

BERGMANN, JÖRG R. (2000): „Ethnomethodologie", in: UWE FLICK (Hg.): *Qualitative Forschung: ein Handbuch,* Reinbek bei Hamburg: Rowohlt-Taschenbuch-Verlag, 119-135.

BERGMANN, JÖRG R. (2006): „Studies of Work", in: FELIX RAUNER (Hg.): *Handbuch der Berufsbildungsforschung,* Bielefeld: Bertelsmann, 640-646.

BIBURGER, TOM (2009): „Szenisches Handeln – Dramaturgie des Lernens", in: BIBURGER TOM, ALEXANDER WENZLIK (Hg.): *„Ich hab gar nicht gemerkt, dass ich was lern": Untersuchungen zu künstlerisch-kulturpädagogischer Lernkultur in Kooperationsprojekten mit Schulen,* München: kopaed-Verl, 33-98.

BIBURGER, TOM; WENZLIK, ALEXANDER (Hg.) (2009a): *„Ich hab gar nicht gemerkt, dass ich was lern": Untersuchungen zu künstlerisch-kulturpädagogischer Lernkultur in Kooperationsprojekten mit Schulen.* München: kopaed-Verlag.

BIBURGER, TOM; WENZLIK, ALEXANDER (2009b): „Ich hab gar nicht gemerkt, dass ich was lern", in: BIBURGER TOM, ALEXANDER WENZLIK (Hg.): *„Ich hab gar nicht gemerkt, dass ich was lern": Untersuchungen zu künstlerisch-kulturpädagogischer Lernkultur in Kooperationsprojekten mit Schulen,* München: kopaed-Verlag, 15-20.

BILDUNGSKOMMISSION N. R. W. (1995): *Zukunft der Bildung – Schule der Zukunft.* Neuwied: Luchterhand.

BILSTEIN, JOHANNES (2007): „Paradoxien des Unnützen", in: JOHANNES BILSTEIN (Hg.): *Curriculum des Unwägbaren,* Oberhausen: Athena-Verlag, 165-177.

BOHNSACK, RALF (2009): *Qualitative Bild- und Videointerpretation: die dokumentarische Methode.* Opladen [u.a.]: Budrich.

BRANDT, BIRGIT; KRUMMHEUSER, GÖTZ; NAUJOK, NATASCHA (2001): „Zur Methodologie kontextbezogener Theoriebildung im Rahmen von interpretativer Grundschulforschung", in: STEFAN VON AUFSCHNAITER; MANUELA WENZEL (Hg.): *Nutzung von Videodaten zur Untersuchung von Lehr-Lern-Prozessen: aktuelle Methoden empirischer pädagogischer Forschung,* Münster [u.a.]: Waxmann, 17-39.

BREIDENSTEIN, GEORG; KELLE, HELGA (1998): *Geschlechteralltag in der Schulklasse: ethnographische Studien zur Gleichaltrigenkultur.* Weinheim [u.a.]: Juventa-Verlag.

BREIDENSTEIN, GEORG (2006): *Teilnahme am Unterricht: ethnographische Studien zum Schülerjob.* Wiesbaden: VS, Verlag für Sozialwissenschaften.

BREIDENSTEIN, GEORG (2008): „Schulunterricht als Gegenstand ethnographischer Forschung", in: BETTINA HÜNERSDORF; CHRISTOPH MAEDER; BURKHARD MÜLLER (Hg.): *Ethnographie und Erziehungswissenschaft: methodologische Reflexionen und empirische Annäherungen,* Weinheim [u.a.]: Juventa-Verlag, 107-120.

BREIDENSTEIN, GEORG; KELLE, HELGA (1998): *Geschlechteralltag in der Schulklasse: ethnographische Studien zur Gleichaltrigenkultur.* Weinheim [u.a.]: Juventa-Verlag.

BUSCHMANN, M. (2008): „Das Wissen zur Kinder- und Jugendarbeit. Die empirische Forschung 1998-2008. Ein kommentierter Überblick für die Praxis", verfügbar unter: www.ljr-nrw.de/index.php?id=131. Letzte Verifizierung: 20.01.2011.

BUTLER, JUDITH (2003): *Das Unbehagen der Geschlechter.* Frankfurt a. M.: Suhrkamp.

CAILLOIS, ROGER (1960): *Die Spiele und die Menschen: Maske und Rausch.* Stuttgart: Schwab.

CICOUREL, AARON (1973): „Basisregeln und normative Regeln im Prozess des Aushandelns von Status und Rolle", in: ARBEITSGRUPPE BIELEFELDER SOZIOLOGEN (Hg.): *Symbolischer Interaktionismus und Ethnomethodologie,* Reinbek bei Hamburg: Rowohlt, 147-188.

DEASY, RICHARD (2002): *Critical Links: Learning in the Arts and Student Academic and Social Development*. Washington: Arts Education Partnership.
DEPPERMANN, ARNULF (1999): *Gespräche analysieren*. Opladen: Leske + Budrich.
DIEHM, ISABELL (2000): „Erziehung und Toleranz. Handlungstheoretische Implikationen Interkultureller Pädagogik", in: Zeitschrift für Pädagogik, 46. Jg. 2000, Nr. 2., 251-274.
DIETZ, GUNTER (2007): „Keyword: Cultural Diversity", in: Zeitschrift für Erziehungswissenschaft, 1/ 2007, 7-30.
DINKELAKER, JÖRG; HERRLE, MATTHIAS (2009): *Erziehungswissenschaftliche Videographie: eine Einführung*. Wiesbaden: VS, Verlag für Sozialwissenschaften.
DOMKOWSKY, ROMI (2006): „Die Wirkung des Theaterspielens auf junge Menschen", in: Zeitschrift für Theaterpädagogik. Korrespondenzen, Heft 49 (2006), 35-42.
EBERLE, THOMAS (2009): „Veränderungen von Selbstkonzept, Sozialverhalten und Arbeitsatmosphäre im ‚Praxisforschungsprojekt – Leben lernen'. Ergebnisse der quantitativen Fragebogenerhebung und der inhaltsanalytischen Auswertung", in: BIBURGER TOM, ALEXANDER WENZLIK (Hg.): *„Ich hab gar nicht gemerkt, dass ich was lern": Untersuchungen zu künstlerisch-kulturpädagogischer Lernkultur in Kooperationsprojekten mit Schulen*, München: kopaed-Verlag, 249-273.
EHLICH, KONRAD; REHBEIN, JOCHEN (1983): *Kommunikation in Schule und Hochschule: linguistische und ethnomethodologische Analysen*. Tübingen: Narr.
EHLICH, KONRAD; REHBEIN, JOCHEN (1986): *Muster und Institution: Untersuchungen zur schulischen Kommunikation*. Tübingen: Narr.
ENGEMANN, TINA (2007): *Bildung in Bewegung. Über das Wesen von Tanz und dessen bildungskultureller Bedeutung*. Göttingen: Cuvillier Verlag.
ENQUETE-KOMMISSION (2008): *Schlussbericht der Enquete-Kommission Kultur in Deutschland*. Bonn: Bundeszentrale für politische Bildung.
ERMERT, KARL (2002): „Neue Lernkultur und Kulturelle Bildung. Überlegungen zur Theorie und Praxis", in: BUNDESVEREINIGUNG KULTURELLE JUGENDBILDUNG (Hg.): *Kultur leben lernen. Bildungswirkungen und Bildungsauftrag der Kinder- und Jugendkulturarbeit,* Remscheid: Schriftenreihe der Bundesvereinigung Kulturelle Jugendbildung, 299-307.
ERMERT, KARL (2009). „Was ist kulturelle Bildung?", verfügbar unter: www.bpb.de/themen/JUB24B.html. Letzte Verifizierung: 21.02.11.
FAULSTICH-WIELAND, HANNELORE; WEBER, MARTINA; WILLEMS, KATHARINA; BUDDE, JÜRGEN (2009): *Doing Gender im heutigen Schulalltag: empirische Studien zur sozialen Konstruktion von Geschlecht in schulischen Interaktionen*. Weinheim [u.a.]: Juventa-Verlag.
FENGLER, JÖRG (1998): *Feedback geben. Strategien und Übungen*. Weinheim u. Basel: Beltz.
FINK, TOBIAS (2008): „Lernkultur als soziale Praxis pädagogischen Geschehens", in: BURKHARD HILL, ALEXANDER WENZLIK, TOM BIBURGER (Hg.): *Lernkultur und kulturelle Bildung: Veränderte Lernkulturen als Kooperationsauftrag an Schule, Jugendhilfe, Kunst und Kultur,* München: kopaed-Verlag, 87-102.
FINK, TOBIAS (2009): „Zwischen Zeigelust und Schamangst: Die Bühne als zentraler theater- und tanzpädagogischer Handlungsraum", in: TOM BIBURGER, ALEXANDER

WENZLIK (Hg.): „Ich hab gar nicht gemerkt, dass ich was lern": Untersuchungen zu künstlerisch-kulturpädagogischer Lernkultur in Kooperationsprojekten mit Schulen, München: kopaed-Verlag, 193-248.
FINK, TOBIAS et al. (2010): „Wirkungsforschung zwischen Erkenntnisinteresse und Legitimationsdruck", verfügbar unter: www.forschung-kulturelle-bildung.de /index.php?option=com_content&view=article&id=1&Itemid=11, letzte Verifizierung: 28.02.2011.
FINK, TOBIAS (im Erscheinen): „Ethnisierung und Kulturalisierung im erziehungswissenschaftlichen Diskurs: sechs notwendige Re-interpretationen" in: STEPHAN SCHLICKAU, FRIEDRICH LENZ (Hg.): *Interkulturalität in Bildung, Ästhetik und Kommunikation*.
FINKE, R. & HAUN, H.-D. (o.J.). Lebenskunst Theaterspielen. Zur Durchführung und Auswertung des Modellprojektes der Bundesvereinigung Kultureller Jugendbildung (BKJ):, Psychosoziale Wirkungen aktiven Theaterspielens bei Jugendlichen', verfügbar unter: www.wirkwind.de/downloads/lebenskunsttheaterspielen.pdf. Letzte Verifizierung: 24.02.11.
FUCHS, MARTIN (2007): „Diversity und Differenz – Konzeptionelle Überlegungen", in: GERTRAUDE KRELL, BARBARA RIEDMÜLLER; BARBARA SIEBEN; DAGMAR VINZ (Hg.): *Diversity studies: Grundlagen und disziplinäre Ansätze*, Frankfurt a. M. [u.a.]: Campus-Verlag.
FUCHS, MAX (2008): *Kulturelle Bildung: Grundlagen, Praxis, Politik*. München: kopaed.
FUCHS, MAX (o. J.): „Kulturelle Bildung für alle: Schlüssel zur Integration?", Vortrag bei der Fachtagung ‚Teile-Habe-Nichtse' der BKJ und der LKJ Sachsen Anhalt. Letzte Verifizierung: 24.02.11.
GARFINKEL, HAROLD (1963): „A Conception of, and Experiments with ‚Trust' as a Condition of Stable Concerted Actions", in: O.J. HARVEY (Hg.): *Motivation and Social Interaction*, New York: Roland Press, 187-238.
GARFINKEL, HAROLD (1967): *Studies in ethnomethodology*. Englewood Cliffs, NJ: Prentice-Hall.
GARFINKEL, HAROLD (1973): „Das Alltagswissen über soziale und innerhalb sozialer Strukturen", in: ARBEITSGRUPPE BIELEFELDER SOZIOLOGEN (Hg.): *Symbolischer Interaktionismus und Ethnomethodologie*, Reinbek bei Hamburg: Rowohlt, 189-262.
GEBAUER, GUNTER (1993): „Konzepte der Mimesis zwischen Platon und Derrida", in: Zeitschrift für Semiotik, 15 (3-4), 333-345.
GEERTZ, CLIFFORD (1995): „Dichte Beschreibung. Bemerkungen zu einer deutenden Theorie von Kultur", in: (Hg.): *Dichte Beschreibung: Beiträge zum Verstehen kultureller Systeme*, Frankfurt a. M.: Suhrkamp, 7-43.
GEMBRIS, HEINER (2001): *Macht Musik wirklich klüger? Musikalisches Lernen und Transfereffekte*. Augsburg: Wißner.
GOFFMAN, ERVING (1963): *Behavior in public places: notes on the social organization of gatherings*. London [u.a.]: Free Press.
GOFFMAN, ERVING (1967): *Interaction ritual: essays on face-to-face behavior*. New York: Doubleday.
GOFFMAN, ERVING (1973): *Interaktion: Spaß am Spiel/Rollendistanz*. München: Piper.

GOFFMAN, ERVING (1974a): *Frame analysis: An essay on the organization of experience.* New York [u.a.]: Harper.
GOFFMAN, ERVING (1974b): *Das Individuum im öffentlichen Austausch.* Frankfurt a. M.: Suhrkamp.
GOFFMAN, ERVING (1977a): *Rahmen-Analyse: ein Versuch über die Organisation von Alltagserfahrungen.* Frankfurt a. M.: Suhrkamp.
GOFFMAN, ERVING (1977b): „The Arrangement between the sexes", in: *Theory and Society,* Vol.4, No. 3, 301-331.
GOGOLIN, INGRID (1994): *Der monolinguale Habitus der multilingualen Schule.* Münster [u.a.]: Waxmann.
GÖHLICH, MICHAEL (2001): „Performative Äußerungen. John L. Austins Begriff als Instrument erziehungswissenschaftlicher Forschung", in: CHRISTOPH WULF; MICHAEL GÖHLICH; JÖRG ZIRFAS (Hg.): *Grundlagen des Performativen: eine Einführung in die Zusammenhänge von Sprache, Macht und Handeln,* Weinheim [u.a.]: Juventa-Verlag, 25-46.
GRUBE, THOMAS; SANCHEZ-LANSCH, ENRIQUE (2004): *Rhythm is it! You can change your life in a dance class* (DVD).
GUGUTZER, ROBERT (2002): *Leib, Körper und Identität: eine phänomenologisch-soziologische Untersuchung zur personalen Identität.* Wiesbaden: Westdeutscher Verlag.
HAFENEGER, BENNO; HENKENBORG, PETER; SCHERR, ALBERT (2007): *Pädagogik der Anerkennung: Grundlagen, Konzepte, Praxisfelder.* Schwalbach/Ts: Wochenschau-Verlag.
HAMBURGER, FRANZ (1999): „Zur Tragfähigkeit der Kategorien ‚Ethnizität' und ‚Kultur' im erziehungswissenschaftlichen Diskurs", in: Zeitschrift für Erziehungswissenschaft, Heft 2/1999, 168-177.
HECHT, MICHAEL (2009): *Selbsttätigkeit im Unterricht: empirische Untersuchungen in Deutschland und Kanada zur Paradoxie pädagogischen Handelns.* Wiesbaden: VS, Verlag für Sozialwissenschaften.
HEINZEL, FRIEDERIKE (2001): *Kinder im Kreis. Kreisgespräche in der Grundschule als Sozialisationssituation und Kindheitsraum.* Halle: Habilitationsschrift.
HEINZEL, FRIEDERIKE (2004): „Kreisgespräche – Versammlungen, die herausfordern", in: DORIT BOSSE (Hg.): *Unterricht, der Schülerinnen und Schüler herausfordert,* Bad Heilbrunn/Obb: Klinkhardt.
HENTSCHEL, ULRIKE (2000): *Theaterspielen als ästhetische Bildung: über einen Beitrag produktiven künstlerischen Gestaltens zur Selbstbildung.* Weinheim: Dt. Studien-Verlag.
HENTSCHEL, ULRIKE (2008): „Bildungsprozesse durch Theaterspielen", in: UTE PINKERT (Hg.): *Körper im Spiel: Wege zur Erforschung theaterpädagogischer Praxen,* Berlin [u.a.]: Schibri-Verlag, 82-92.
HERITAGE, JOHN (1984): *Garfinkel and Ethnomethodology.* Cambridge: Polity Press.
HILL, BURKHARD (1996): „Rockmobil": *eine ethnographische Fallstudie aus der Jugendarbeit.* Opladen: Leske + Budrich.
HILL, BURKHARD; BIBURGER, TOM; WENZLIK, ALEXANDER (2008): *Lernkultur und kulturelle Bildung: Veränderte Lernkulturen als Kooperationsauftrag an Schule, Jugendhilfe, Kunst und Kultur.* München: kopaed.

HILL, BURKHARD (2008a): "Forschung in der kulturellen Bildung", in: BURKHARD HILL, ALEXANDER WENZLIK, TOM BIBURGER (Hg.): *Lernkultur und kulturelle Bildung: Veränderte Lernkulturen als Kooperationsauftrag an Schule, Jugendhilfe, Kunst und Kultur,* München: kopaed, 174-186.

HILL, BURKHARD (2008b): "Kulturelle Bildung verändert Lernkulturen", in: BURKHARD HILL, ALEXANDER WENZLIK, TOM BIBURGER (Hg.): *Lernkultur und kulturelle Bildung: Veränderte Lernkulturen als Kooperationsauftrag an Schule, Jugendhilfe, Kunst und Kultur,* München: kopaed, 9-26.

HILL, BURKHARD (2009): "Die Konzeption und Durchführung der Begleitforschung im ‚Praxisforschungsprojekt – Leben lernen'", in: BIBURGER TOM, ALEXANDER WENZLIK (Hg.): *„Ich hab gar nicht gemerkt, dass ich was lern": Untersuchungen zu künstlerisch-kulturpädagogischer Lernkultur in Kooperationsprojekten mit Schulen,* München: kopaed-Verlag, 21-31.

HIRSCHAUER, STEFAN (2001): "Das Vergessen des Geschlechts. Zur Praxeologie einer Kategorie sozialer Ordnungen", in: BETTINA HEINTZ (Hg.): *Geschlechtersoziologie,* Wiesbaden: Westdeutscher Verlag, 208-235.

HÖHNE, THOMAS; KUNZ, THOMAS; RADTKE, FRANK-OLAF (2005): *Bilder von Fremden: was unsere Kinder aus Schulbüchern über Migranten lernen sollen.* Frankfurt a. M.: Goethe-Universität.

HONNETH, AXEL (1994): *Kampf um Anerkennung: zur moralischen Grammatik sozialer Konflikte.* Frankfurt a. M.: Suhrkamp.

HORSTMANN, SUSANNE (2002): "Essenz oder Konstrukt? Zur Tauglichkeit des Kulturbegriffs in der Analyse von Unterrichtskommunikation", in: Tertium comparationis. Journal für International und Interkulturell Vergleichende Erziehungswissenschaft, Vol. 8, No. 2, 2002, 146-159.

HUIZINGA, JOHAN (1956): *Homo ludens: vom Ursprung der Kultur im Spiel.* Hamburg: Rowohlt.

HÜNERSDORF, BETTINA; MAEDER, CHRISTOPH; MÜLLER, BURKHARD (2008): *Ethnographie und Erziehungswissenschaft: methodologische Reflexionen und empirische Annäherungen.* Weinheim [u.a.]: Juventa-Verlag.

JORDAN, BRIGITTE; HENDERSON, AUSTIN (1995): "Interaction Analysis: Foundations and Practice", in: The Journal of the Learning Sciences, 4 (1), 39-103.

KAHNEMAN, DANIEL (1973): *Attention and Effort.* Englewood Cliffs: Prentice Hall.

KALPAKA, ANNITA (2006): "Hier wird Deutsch gesprochen – Unterschiede, die einen Unterschied machen", in: ANNITA KALPAKA, GABIE ELVERICH, KARIN REINDLMEIER (Hg.): *Spurensicherung – Reflexion von Bildungsarbeit in der Einwanderungsgesellschaft,* Frankfurt a. M.: IKO, 263-298.

KARL, UTE (2005): *Zwischen/Räume: Eine empirisch-bildungstheoretische Studie zur ästhetischen und psychosozialen Praxis des Altentheaters.* Münster: LIT-Verlag.

KARL, UTE (2008): "Narrative Selbstdarstellungen – zur Erforschung von Bildungsprozessen im Medium des Theaterspielens", in: UTE PINKERT (Hg.): *Körper im Spiel: Wege zur Erforschung theaterpädagogischer Praxen,* Berlin [u.a.]: Schibri-Verlag, 125-139.

KENDON, ADAM (1977): *Studies in the behavior of social interaction.* Bloomington: Indiana Univ.

KLIEME, ECKHARD; THUSSBAS, CLAUDIA (2001): „Kontextbedingungen und Verständigungsprozesse im Geometrieunterricht", in: STEFAN VON AUFSCHNAITER; MANUELA WENZEL (Hg.): *Nutzung von Videodaten zur Untersuchung von Lehr-Lern-Prozessen: aktuelle Methoden empirischer pädagogischer Forschung*, Münster [u.a.]: Waxmann, 41-60.

KNIGGE, JENS (2007): *Intelligenzsteigerung und gute Schulleistungen durch Musikerziehung : die Bastian-Studie im öffentlichen Diskurs*. Saarbrücken: VDM-Verlag Dr. Müller.

KNOBLAUCH, HUBERT (2004): „Die Videointeraktionsanalyse", in: Sozialer Sinn, Heft 1/2004, 123-138.

KNOBLAUCH, HUBERT (2006): „Erving Goffman: Die Kultur der Kommunikation", in: STEPHAN MOEBIUS, DIRK QUADFLIEG (Hg.): *Kultur: Theorien der Gegenwart*, Wiesbaden: VS, Verlag für Sozialwissenschaften, 157-169.

KNOBLAUCH, HUBERT; SCHNETTLER, BERNT; RAAB, JÜRGEN (2006): „Video-Analysis. Methodolocial Aspects of Interpretive Audiovisual Analysis in Social Research", in: dieselben (Hg.): *Video Analysis: Methodology and Methods. Qualitative Audiovisual Data Analysis in Sociology*, Frankfurt a. M. [u.a.] : Lang: 9-26.

KOLBE, FRITZ-ULRICH; REH, SABINE; FRITZSCHE, BETTINA; IDEL, TILL-SEBASTIAN; RABENSTEIN, KERSTIN (2008): „Lernkultur: Überlegungen zu einer kulturwissenschaftlichen Grundlegung qualitativer Unterrichtsforschung", in: Zeitschrift für Erziehungswissenschaft, 1(2008), 125-143.

KÖSEL, EDMUND (1997): *Die Modellierung von Lernwelten*. Elztal-Dallau: Laub.

KRAPF, BRUNO (1997): *Aufbruch zu einer neuen Lernkultur*. Bern: Haupt.

KRAPPMAN, LOTHAR, OSWALD, HANS (1995): „Unsichtbarkeit durch Sichtbarkeit", in: IMKEN BEHNKEN, OLGA JAUMANN (Hg.): *Kindheit und Schule*, Weinheim: Juventa.

KRELL, GERTRUDE ET AL. (2007): „Einleitung – Diversity Studies als integrierende Forschungsrichtung", in: GERTRAUDE KRELL, BARBARA RIEDMÜLLER, BARBARA SIEBEN, DAGMAR VINZ (Hg.): *Diversity studies: Grundlagen und disziplinäre Ansätze*, Frankfurt a. M. [u.a.]: Campus-Verlag, 7-16.

KRÜGER-POTRATZ, MARIANNE (2005): *Interkulturelle Bildung: eine Einführung*. Münster [u.a.]: Waxmann.

KUNZ, THOMAS (2002): „Zwischen zwei Stühlen. Zur Karriere einer Metapher", in: SIEGFRIED JÄGER SCHOBERT, ALFRED (Hg.): *Faschismus – Rechtsextremismus – Rassismus: Kontinuitäten und Brüche*, Duisburg:

LENZ, KARL (1991): „Erving Goffman – Werk und Rezeption", in: ROBERT HETTLAGE; KARL LENZ (Hg.): *Erving Goffman: ein soziologischer Klassiker der zweiten Generation*, Bern [u.a.]: Haupt, 25-94.

LIND, GEORG (2003): *Moral ist lehrbar: Handbuch zur Theorie und Praxis moralischer und demokratischer Bildung*. München: Oldenburg.

LIPSKI, JENS (2002): „Lernen außerhalb der Schule – Anregungen für eine künftige Lernkultur?", in: BUNDESVEREINIGUNG KULTURELLE JUGENDBILDUNG (Hg.): *Kultur leben lernen. Bildungswirkungen und Bildungsauftrag der Kinder- und Jugendkulturarbeit*, Remscheid: Schriftenreihe der Bundesvereinigung Kulturelle Jugendbildung, 213-218.

LIPSKI, JENS (2005): „Kooperation von Schulen mit außerschulischen Akteuren – Chance für eine neue Lernkultur?", in: DJI-Bulletin, 70, 4-7.

LUTZ, HELMA; WENNING, NORBERT (2001): *Unterschiedlich verschieden: Differenz in der Erziehungswissenschaft*. Opladen: Leske + Budrich.
MECHERIL, PAUL (2002): „Natio-kulturelle Mitgliedschaft – ein Begriff und die Methode seiner Generierung", in: Tertium comparationis. Journal für International und Interkulturell Vergleichende Erziehungswissenschaft, Vol.8, No.2, *2002*, 104-115.
MECHERIL, PAUL (2005): „Pädagogik der Anerkennung. Eine programmatische Kritik", in: FRANZ HAMBURGER, TAREK BADAWIA, MERLE HUMMRICH (Hg.): *Migration und Bildung*, Wiesbaden: VS, Verlag für Sozialwissenschaften, 311-328.
MEHAN, HUGH (1979): *Learning lessons: social organization in the classroom*. Cambridge, Mass. [u.a.]: Harvard Univ. Press.
MEYER, MEINERT A. (2005): „Stichwort: Alte oder neue Lernkultur?", in: Zeitschrift für Erziehungswissenschaft, Heft 1/ 2005, 5-27.
MITTELSTRASS, JÜRGEN ET AL. (2004): *Enzyklopädie Philosophie und Wissenschaftstheorie*. Stuttgart [u.a.]: Metzler.
MOHN, ELISABETH (2002): *Filming culture: Spielarten des Dokumentierens nach der Repräsentationskrise*. Stuttgart: Lucius.
MOHN, ELISABETH (2007): „Kamera-Ethnografie: Vom Blickentwurf zur Denkbewegung", in: GABRIELE BRANDSTETTER, GABRIELE KLEIN (Hg.): *Methoden der Tanzwissenschaft. Modellanalysen zu Pina Bauschs ‚Sacre du Printemps'*, Bielefeld: transcript-Verlag, 173-194.
MOHN, ELISABETH; WIESEMANN, JUTTA (2007): *„Handwerk des Lernens. Kamera-Ethnographische Studien zur verborgenen Kreativität im Klassenzimmer"*, Göttingen: IWF Wissen und Medien (DVD).
MOLLENHAUER, KLAUS (1991): „Gibt es bildende Wirkungen ästhetischer Ereignisse? Hypothesen zu einer vernachlässigten Frage", in: *Kunst+Unterricht*, 151, 2-3.
NEMITZ, ROLF (2001): „Frauen/Männer, Kinder/Erwachsene", in: LUTZ HELMA, NORBERT WENNING (Hg.): *Unterschiedlich verschieden: Differenz in der Erziehungswissenschaft*, Opladen: Leske + Budrich, 179-197.
ODDEY, ALISON (1997): *Devising theatre: a practical and theoretical handbook*. London: Routledge.
OECD, ORGANISATION FÜR WiRTSCHAFTLICHE ZUSAMMENARBEIT UND ENTWICKLUNG (2001): *Lernen für das Leben: erste Ergebnisse von PISA 2000*. Paris: OECD.
OECD, ORGANISATION FÜR WiRTSCHAFTLICHE ZUSAMMENARBEIT UND ENTWICKLUNG (2004): *Lernen für die Welt von morgen: erste Ergebnisse von PISA 2003*. Paris: Elsevier, Spektrum, Akad. Verlag.
PALLASCH, DIETMAR (2002): *Ein Ausbildungskonzept für Tanztherapeuten im Zusammenhang einer ganzheitlichen Psychotherapie*. Bielefeld: Dissertation.
PAUL, INGWER (1990): *Rituelle Kommunikation: sprachliche Verfahren zur Konstitution ritueller Bedeutung und zur Organisation des Rituals*. Tübingen: Narr.
PEEZ, GEORG (2005): *Evaluation ästhetischer Erfahrungs- und Bildungsprozesse: Beispiele zu ihrer empirischen Erforschung*. München: kopaed.
PINKERT, UTE (2008): *Körper im Spiel: Wege zur Erforschung theaterpädagogischer Praxen*. Berlin [u.a.]: Schibri-Verlag.

PINKERT, UTE; MEYER, TANIA (2006): „Transformatorische Praktiken in der Ästhetischen Bildung/Theaterpädagogik. Skizze eines Forschungsvorhabens", in: Zeitschrift für Theaterpädagogik. Korrespondenzen, Heft 49 (2006), 42-48.
PRENGEL, ANNEDORE (1995): *Pädagogik der Vielfalt: Verschiedenheit und Gleichberechtigung in Interkultureller, Feministischer und Integrativer Pädagogik*. Wiesbaden: VS, Verlag für Sozialwissenschaften.
PRENGEL, ANNEDORE; HEINZEL, FRIEDERIKE (2004): „Anerkennungs- und Missachtungsrituale in schulischen Geschlechterverhältnissen", in: Zeitschrift für Erziehungswissenschaft, Beiheft 2/2004, 115-128.
RABKIN, NICK (2002): „Review. Critical Links: Learning in the Arts and Student Academic and Social Development", in: International Journal of Education & the Arts, Volume 3 Review 3.
RECKWITZ, ANDREAS (2001): „Multikulturalismustheorien und der Kulturbegriff. Vom Homogentitätsmodell zum Modell kultureller Interferenzen", in: Berliner Journal für Soziologie, 2/ 2001, 179-200.
REINDLMEIER, KARIN (2006): „Alles Kultur – Der ‚kulturelle Bick' in der internationalen Jugendarbeit", in: ANNITA KALPAKA, GABIE ELVERICH, KARIN REINDLMEIER (Hg.): *Spurensicherung – Reflexion von Bildungsarbeit in der Einwanderungsgesellschaft*, Frankfurt a. M.: IKO, 235-262.
REINWAND, VANESSA-ISABELLE (2008): *Ohne Kunst wäre das Leben ärmer. Zur biografischen Bedeutung aktiver Theater-Erfahrung*. München: kopaed.
ROHRMANN, TIM (2008): *Zwei Welten? Geschlechtertrennung in der Kindheit: empirische Forschung und pädagogische Praxis im Dialog*. Opladen/Farminton Hills: Budrich Uni Press.
ROTH, WOLFF-MICHAEL; WELZEL, MANUELA (2001): „Die Geste: Das fehlende Bindeglied zwischen Handlung und Sprache", in: STEFAN VON AUFSCHNAITER, MANUELA WENZEL (Hg.): *Nutzung von Videodaten zur Untersuchung von Lehr-Lern-Prozessen: aktuelle Methoden empirischer pädagogischer Forschung*, Münster [u.a.]: Waxmann, 129-141.
RUMPF, HORST (1987): *Belebungsversuche. Ausgrabungen gegen die Verödung der Lernkultur*. Weinheim u. München: Juventa.
SCHECHNER, RICHARD (1990): *Theater-Anthropologie: Spiel und Ritual im Kulturvergleich*. Reinbek bei Hamburg: Rowohlt.
SCHELLE, JULIA (2008): *Wie sich Kinder und Jugendliche durch Bewegung ausdrücken. Eine Fallstudie zum kulturpädagogischen Tanz/Theaterprojekt ‚Leben lernen' an einer Münchner Grundschule*. München: Diplomarbeit.
SCHNETTLER, BERNT; KNOBLAUCH, HANS (2009): „Videoanalyse", in: PETRA STRODtHOLZ ET AL. (Hg.) (2002): *Handbuch Methoden der Organisationsforschung. Quantitative und Qualitative Methoden*. Wiesbaden: VS, Verlag für Sozialwissenschaften, 272-299.
SELTING, MARGRET ET AL. (1998): „Gesprächsanalytisches Transkriptionssystem (GAT)", in: Linguistische Berichte, 1998 (Nr. 173), 91-122.
SEOUL-AGENDA (2010): Seoul Agenda: Goals for the Development of Arts, verfügbar unter: http://portal.unesco.org/culture/en/ev.php-URL_ID=41117&URL_DO= DO_TOPIC&URL_SECTION=201.html: Letzte Verifizierung: 24.02.11.

STADLER, HELGA; BENKE, GERTRAUD; DUIT, REINDERS (2001): „Gemeinsam oder getrennt? Eine Videostudie zum Verhalten von Mädchen und Buben bei Gruppenarbeiten im Unterricht", in: STEFAN VON AUFSCHNAITER, MANUELA WENZEL (Hg.): *Nutzung von Videodaten zur Untersuchung von Lehr-Lern-Prozessen: aktuelle Methoden empirischer pädagogischer Forschung,* Münster [u.a.]: Waxmann, 203-218.

STIFTUNG-MERCATOR (2010): Themencluster: Kulturelle Bildung, verfügbar unter: www.stiftung-mercator.de/themencluster.html. Letzte Verifizierung: 24.02.11.

STRASSER, FELIX (2006): „Erzählen in einem Land von 1000 und einer Nacht – im Berliner Wedding. Modellversuch: ‚Erzählen in der Schule' – ein Schlüssel zur Förderung der Sprach- und Erzählkompetenz und zur Integration von Kindern aus Migrantenfamilien", in: Zeitschrift für Theaterpädagogik. Korrespondenzen, Heft 49 (2006), 49-53.

STRAUSS, ANSELM L.; CORBIN, JULIET M. (1999): *Grounded theory: Grundlagen qualitativer Sozialforschung.* Weinheim: Beltz, PsychologieVerlagsUnion.

SUTTON-SMITH, BRIAN (1992): „Notes Towards A Critique Of Twentieth-Century Psychological Play Theory", in: GÜNTHER BAUER (Hg.): *Homo Ludens: Der spielende Mensch II,* München u. a: Musikverlag Katzenbichler, 95-108.

TERHART, EWALD (1980): „Erfahrungswissen und wissenschaftliches Wissen über Unterricht", in: FRIEDRICH THIEMANN, THOMAS HEINZE (Hg.): *Konturen des Alltäglichen: Interpretationen zum Unterricht,* Königstein/Ts: Scriptor Verlag, 83-105.

THORNE, BARRIE (1993): *Gender play: girls and boys in school.* New Brunswick, N.J: Rutgers University Press.

VAN DEN BRINK, HENNING; STRASSER, HERMANN (2008): *Bühne frei! Wie Kinder sich selbst befähigen. Ergebnisse der Evaluation des Modellprojektes ‚Kulturarbeit mit Kindern' (Ku.Ki).* Duisburg: Duisburger Beiträge zur soziologischen Forschung.

WAGNER-WILLI, MONIKA (2005): *Kinder-Rituale zwischen Vorder- und Hinterbühne. Der Übergang von der Pause zum Unterricht.* Wiesbaden: VS, Verlag für Sozialwissenschaften.

WELSCH, WOLFGANG (1992): „Transkulturalität. Lebensformen nach der Auflösung der Kulturen", in: Information Philosophie, (2) 1992, 5-20.

WENNING, NORBERT (2001): „Differenz durch Normalisierung", in: LUTZ HELMA, NORBERT WENNING (Hg.): *Unterschiedlich verschieden: Differenz in der Erziehungswissenschaft,* Opladen: Leske + Budrich, 275-295.

WENZLIK, ALEXANDER (2009): „Kinder in Bewegung – Zu den körperlichen, ästhetischen und sozialen Dimensionen von Lernkultur", in: TOM BIBURGER, ALEXANDER WENZLIK (Hg.): *„Ich hab gar nicht gemerkt, dass ich was lern": Untersuchungen zu künstlerisch-kulturpädagogischer Lernkultur in Kooperationsprojekten mit Schulen,* München: kopaed-Verlag, 99-192.

WEST, CANDACE; FENSTERMAKER, SARAH (1996): „Doing Difference", in: ESTHER NGAN-LING CHOW, DORIS WILKINSON, MAXINE BACA ZINN (Hg.): *Race, Class & Gender. Common Bonds, Different Voices,* Thousand Oaks (u.a.): SAGE Publications, 357-384.

WEST, CANDACE; ZIMMERMAN, DON H. (1987): „Doing Gender", in: Gender and Society, 1 No.2 (jun. 1987), 125-151.

WIDMER, JEAN (1991): „Goffman und die Ethnomethodologie", in: ROBERT HETTLAGE, KARL LENZ (Hg.): *Erving Goffman: ein soziologischer Klassiker der zweiten Generation*, Bern [u.a.]: Haupt, 211-242.
WINTER, FELIX (2004): *Leistungsbewertung. Eine neue Lernkultur braucht einen anderen Umgang mit den Schülerleistungen*. Hohengehren: Schneider Verlag.
WULF, CHRISTOPH (1999): „Mimesis in Gesten und Ritualen", in: ALFRED SCHÄFER, MICHAEL WIMMER (Hg.): *Identifikation und Repräsentation*, Opladen: Leske + Budrich, 255-278.
WULF, CHRISTOPH (2001): *Das Soziale als Ritual: zur performativen Bildung von Gemeinschaften*. Opladen: Leske + Budrich.
WULF, CHRISTOPH (2008): „Rituale im Grundschulalter", in: Zeitschrift für Erziehungswissenschaft, 11. Jahrgang Heft 1 (2008), 67-83.
WULF, CHRISTOPH; ALTHANS, BIRGIT; AUDEHM, KATHRIN (2004): *Bildung im Ritual: Schule, Familie, Jugend, Medien*. Wiesbaden: VS, Verlag für Sozialwissenschaften.
WULF, CHRISTOPH; GÖHLICH, MICHAEL; ZIRFAS, JÖRG (2001): *Grundlagen des Performativen: eine Einführung in die Zusammenhänge von Sprache, Macht und Handeln*. Weinheim [u. a.]: Juventa-Verlag.
WULF, CHRISTOPH (ET AL.) (2007): *Lernkulturen im Umbruch: rituelle Praktiken in Schule, Medien, Familie und Jugend*. Wiesbaden: VS, Verlag für Sozialwissenschaften.
WURMSER, LÉON (1990): *Die Maske der Scham: die Psychoanalyse von Schamaffekten und Schamkonflikten*. Berlin [u.a.]: Springer.
ZÖLLER, ULRIKE (2008): „Interkulturalität und Anerkennung in außerbetrieblichen Einrichtungen", in: Bildungsforschung, Jahrgang 5 Ausgabe 1/2008.

Kulturelle Bildung vol.1-

Ina Bielenberg (Hrsg.)
Bildungsziel Kreativität
Kulturelles Lernen zwischen Kunst und Wissenschaft
vol. 1, München 2006, 160 S.,
ISBN 978-3-938028-91-9 € 14,80

Hildegard Bockhorst (Hrsg.)
Kinder brauchen Spiel & Kunst
Bildungschancen von Anfang an –
Ästhetisches Lernen in Kindertagesstätten
vol. 2, München 2006, 182 S.,
ISBN 978-3-86736-002-9 € 14,80

Viola Kelb (Hrsg.)
Kultur macht Schule
Innovative Bildungsallianzen – Neue Lernqualitäten
vol. 3, München 2006, 216 S. + CD-ROM,
ISBN 978-3-86736-033-3 € 14,80

Jens Maedler (Hrsg.)
TeilHabeNichtse
Chancengerechtigkeit und kulturelle Bildung
vol. 4, München 2008, 216 S.,
ISBN 978-3-86736-034-0 € 14,80

Birgit Mandel (Hrsg.)
Audience Development, Kulturmanagement, Kulturelle Bildung
Konzeptionen und Handlungsfelder
der Kulturvermittlung
vol. 5, München 2008, 205 S.,
ISBN 978-3-86736-035-7 € 16,80

Jovana Foik
Tanz zwischen Kunst und Vermittlung
Community Dance am Beispiel des Tanzprojekts
Carmina Burana (2006) unter der choreografischen
Leitung von Royston Maldoom
vol. 6, München 2008, 104 S.,
ISBN 978-3-86736-036-4 € 14,80

Kim de Groote / Flavia Nebauer
Kulturelle Bildung im Alter
Eine Bestandsaufnahme kultureller Bildungsangebote für Ältere in Deutschland
vol. 7, München 2008, 279 S.,
ISBN 978-3-86736-037-1 € 18,80

Vanessa-Isabelle Reinwand
„Ohne Kunst wäre das Leben ärmer"
Zur biografischen Bedeutung
aktiver Theater-Erfahrung
vol. 8, München 2008, 210 S.,
ISBN 978-3-86736-038-8 € 16,80

Max Fuchs
Kultur – Teilhabe – Bildung
Reflexionen und Impulse aus 20 Jahren
vol. 9, München 2008, 424 S.,
ISBN 978-3-86736-039-5 € 22,80

Max Fuchs
Kulturelle Bildung
Grundlagen - Praxis - Politik
vol. 10, München 2008, 284 S.,
ISBN 978-3-86736-310-5 € 19,80

Wolfgang Schneider
Kulturpolitik für Kinder
Eine Studie über das Recht auf ästhetische
Erfahrung und künstlerische Praxis in Deutschland
vol. 11, München 2010, 188 S.,
ISBN 978-3-86736-311-2 € 16,80

Burkhard Hill / Tom Biburger /
Alexander Wenzlik (Hrsg.)
Lernkultur und kulturelle Bildung
Veränderte Lernkulturen – Kooperationsauftrag an
Schule, Jugendhilfe, Kunst und Kultur
vol. 12, München 2008, 192 S.,
ISBN 978-3-86736-312-9 € 16,80

Tom Biburger / Alexander Wenzlik (Hrsg.)
„Ich hab gar nicht gemerkt, dass ich was lern!"
Zur Wirkung kultureller Bildung und
veränderter Lernkultur an Schulen
vol. 13, München 2009, 301 S.,
ISBN 978-3-86736-313-6 € 18,80

Almuth Fricke / Sylvia Dow (Hrsg.)
Cultural Participation and Creativity in Later Life
A European Manual
vol. 14, München 2009, 182 S.,
ISBN 978-3-86736-314-3 € 16,80

kopaed (muenchen) www.kopaed.de

Kulturelle Bildung vol.1-

Vera Timmerberg / Brigitte Schorn (Hrsg.)
Neue Wege der Anerkennung von Kompetenzen in der Kulturellen Bildung
Der Kompetenznachweis Kultur
in Theorie und Praxis
vol. 15, München 2009, 296 S.,
ISBN 978-3-86736-315-0 € 18,80

Norma Köhler
Biografische Theaterarbeit zwischen kollektiver und individueller Darstellung
Ein theaterpädagogisches Modell
vol. 16, München 2009, 215 S.,
ISBN 978-3-86736-316-7 € 16,80

Tom Braun / Max Fuchs / Viola Kelb
Auf dem Weg zur Kulturschule
Bausteine zu Theorie und Praxis
der Kulturellen Schulentwicklung
vol. 17, München 2010, 140 S.,
ISBN 978-3-86736-317-4 € 14,80

Wolfgang Zacharias
Kulturell-ästhetische Medienbildung 2.0
Sinne. Künste. Cyber
vol. 18, München 2010, 507 S.,
ISBN 978-3-86736-318-1 € 24,80

Kim de Groote / Almuth Fricke (Hrsg.)
Kulturkompetenz 50+
Praxiswissen für die Kulturarbeit mit Älteren
vol. 19, München 2010, 156 S.,
ISBN 978-3-86736-319-8 € 16,80

Max Fuchs
Kunst als kulturelle Praxis
Kunsttheorie und Ästhetik
für Kulturpolitik und Pädagogik
vol. 20, München 2011, 202 S.,
ISBN 978-3-86736-320-4 € 18,80

Gerhard Knecht / Bernhard Lusch (Hrsg.)
Spielen Leben lernen
Bildungschancen durch Spielmobile
vol. 21, München 2011, 211 S.,
ISBN 978-3-86736-321-1 € 18,80

Hildegard Bockhorst (Hrsg.)
KUNSTstück FREIHEIT
Leben und lernen in der Kulturellen BILDUNG
vol. 22, München 2011, 260 S.,
ISBN 978-3-86736-322-8 € 18,80

Tom Braun (Hrsg.)
Lebenskunst lernen in der Schule
Mehr Chancen durch
kulturelle Schulentwicklung
vol. 23, München 2011, 333 S.,
ISBN 978-3-86736-323-5 € 19,80

Flavia Nebauer / Kim de Groote
Auf Flügeln der Kunst
Handbuch zur künstlerisch-kulturellen Praxis
mit Menschen mit Demenz
vol. 24, München 2012, 206 S.,
ISBN 978-3-86736-324-2 € 16,80

Tobias Fink
Lernkulturforschung in der Kulturellen Bildung
Eine videographische Rahmenanalyse der Bildungsmöglichkeiten eines Theater- und Tanzprojektes
vol. 25, München 2012, 450 S.,
ISBN 978-3-86736-325-9 € 22,80

Max Fuchs
Kunst als kulturelle Praxis
Bildungsprozesse zwischen
Emanzipation und Anpassung
vol. 26, München 2012, 213 S.,
ISBN 978-3-86736-326-6 € 18,80

Wolfgang Sting / Gunter Mieruch / Eva Maria Stüting / Anne Katrin Klinge (Hrsg.)
TUSCH: Poetiken des Theatermachens
Werkbuch für Theater und Schule
vol. 27, München 2012, 221 S. + DVD,
ISBN 978-3-86736-327-3 € 18,80

Birgit Mandel
Kulturelle Bildung im Tourismus
Potentiale, Voraussetzungen, Praxisbeispiele
und empirische Erkenntnisse
vol. 28, München 2012, 188 S.,
ISBN 978-3-86736-328-4 € 16,80

kopaed (muenchen) www.kopaed.de

**Bundesvereinigung
Kulturelle Kinder- und Jugendbildung e.V.**

Wir fördern soziale und kreative Kompetenz

Die BKJ ist der Dachverband der Kulturellen Kinder- und Jugendbildung in Deutschland. Sie vertritt die jugend-, bildungs- und kulturpolitischen Interessen von 56 bundesweit agierenden Institutionen, Fachverbänden und Landesvereinigungen der Kulturellen Kinder- und Jugendbildung. Vertreten sind die Bereiche Musik, Spiel, Theater, Tanz, Rhythmik, bildnerisches Gestalten, Literatur, Museum, Medien, Zirkus und kulturpädagogische Fortbildung. Die BKJ und ihre Mitglieder unterstützten und fördern gemeinsam Vielfalt, Qualität und Strukturen der Kulturellen Bildung.

Durch Tagungen, Seminare, Evaluationen und Fachpublikationen trägt die BKJ zur Qualifizierung und Qualitätssicherung sowie zum Transfer zwischen Praxis und Wissenschaft bei und regt den Informations- und Erfahrungsaustausch an. Mit ihren Modellprojekten liefert sie Impulse für die Praxis. Dabei agiert sie sowohl außerhalb von Schule als auch in und mit Schulen sowie in den kulturellen Freiwilligendiensten und dem internationalen Jugendkulturaustausch.

Kontakt
BKJ – Bundesvereinigung Kulturelle Kinder- und Jugendbildung e. V.
Küppelstein 34
42857 Remscheid
Fon: 02191.794 390
Fax: 02191.794 389
info@bkj.de
www.bkj.de
www.facebook.com/kulturelle.bildung